胡耀邦同志题签

回忆与研究

（下）

目录

中央西北工作委员会和少数民族工作 …………………………… 347

一、中共中央西北工作委员会的成立及其任务 ………………… 347
二、西工委的少数民族研究工作 ……………………………… 348
三、培养少数民族的干部 ……………………………………… 353
四、组织少数民族的抗日救国团体 …………………………… 354
五、交流和促进民族文化 ……………………………………… 356
六、支持和帮助少数民族建立自己的武装 …………………… 358
七、陕甘宁边区是全国少数民族解放的灯塔 ………………… 359

中央研究院的研究工作和整风运动 …………………………… 363

一、从马列学院到中央研究院 ………………………………… 363
二、中央研究院的研究工作 …………………………………… 364
三、中央研究院的整风运动 …………………………………… 367

陕甘宁边区政府工作回顾 ……………………………………… 383

一、毛泽东的嘱咐 ……………………………………………… 383
二、精兵简政 …………………………………………………… 384
三、审干和"抢救" ……………………………………………… 392
四、政权建设 …………………………………………………… 397
五、自力更生，建设边区 ……………………………………… 413
六、文化教育 …………………………………………………… 436

七、土地改革 …… 454
八、接待中外记者参观团 …… 463
附件一：陕甘宁边区建设简述（1944年6月） …… 468
附件二：罗迈秘书长的谈话 …… 476

旧政治协商会议和南京谈判 …… 481

一、抗日战争胜利后的形势和我党的方针 …… 481
二、重庆谈判 …… 482
三、旧政治协商会议 …… 485
四、第三方面的表现 …… 487
五、中央派我参加中共代表团工作 …… 488
六、蒋介石蓄意发动内战，破坏政协决议 …… 491
七、六月停战谈判 …… 492
八、美帝国主义者积极支持蒋介石打内战 …… 493
九、反内战运动风起云涌，蒋介石残酷镇压 …… 494
十、在上海的统一战线工作 …… 495
十一、十月谈判，争取教育第三方面 …… 498
十二、谈判破裂，胜利返回延安 …… 502

真假和谈的斗争——记北平和谈 …… 504

一、美蒋策划假和谈阴谋　我党的基本方针 …… 504
二、李宗仁的“谋和”活动　我党的斗争策略 …… 508
三、北平谈判 …… 511
四、争取南京代表团的工作 …… 514
五、和谈斗争的成果 …… 516

建国以来十五年统战工作的回顾与再认识 …… 518
一、新中国成立初期的形势任务和党对统一战线工作的基本方针 …… 520
二、为实现共同纲领而努力 …… 547

三、对资本主义工商业实行社会主义改造的方针、步骤和
基本经验 …………………………………………………… 566
四、过渡时期的政权建设和统一战线组织 ……………… 606
五、过渡时期的民主党派和知识分子工作 ……………… 623
六、1956 年统一战线面临的新形势和新任务 …………… 630
七、反右派斗争和整风运动 ……………………………… 641
八、为克服暂时困难而斗争的三年
(1960 年—1962 年) ……………………………………… 665
九、两场错误的批判（1962 年、1964 年） ……………… 682
附件：关于将资本主义工业纳入国家资本主义轨道的
意见 ……………………………………………………… 704

编者的话 …………………………………………………… 708

中央西北工作委员会和少数民族工作

一、中共中央西北工作委员会的成立及其任务

抗日战争是整个中华民族的民族解放战争，必须并且可能团结国内一切少数民族共同奋斗。西北（包括内蒙古）是蒙、回、藏、维吾尔等许多少数民族的聚居地区。党中央转移到陕北以后，为了阻止敌寇进入西北，并在西北建立巩固的革命大本营，极其注意争取和团结西北地区少数民族的工作，初到陕北即成立以争取蒙族和回族为目标的蒙古工作委员会和定边工作委员会。

1937 年 7 月，党中央决定成立少数民族工作委员会，由高岗任书记，赵通儒为秘书长。定边工作委员会及其所属的蒙古工作委员会随即撤销，改为少数民族委员会的回民工作部和蒙古工作部。

1837 年 8 月，党中央发布《抗日救国十大纲领》，明确地提出了动员蒙、回及一切少数民族在民族自治原则下共同抗日的主张。

1938 年 10 月，毛泽东在党的六届六中全会的报告中，进一步阐明了团结各少数民族共同抗日的民族政策。我根据定边工委在蒙古民族和回回民族中工作的初步经验，也在会上就少数民族工作问题作了发言，分别讲了在这两个民族工作中需要注意和掌握的若干政策界限。

六届六中全会以后，中央决定成立几个中央工作委员会分担党中央的部分工作，其中有中央西北工作委员会，以主持西北地区陕甘宁边区以外的陕、甘、宁、青、新、蒙各省地下党的工作，尤其是少数民族工作。

中央西北工作委员会（以下简称西工委）成立于 1939 年初，书记由洛甫兼，我是秘书长。委员中我现在记得的有洛甫、李富春、王若飞、邓发、高岗、贾拓夫、陈铁铮（孔原）和我，共十几个人。洛甫不管具体事，实际工作是我从陕北公学分校返回延安后开始的，日常事务由我和贾

拓夫负责处理，重要的问题向洛甫报告请示。西工委的工作人员有：刘春、牙含章（马尔撒）、张光天、刘庚、何承华、何长庆、周仁山、王铎、朱侠夫（塞农）、孔飞、谷敬、秦毅、陈洪、郑义、沈遐熙、谢华等。

1941 年 5 月 13 日，中央书记处发出了《关于成立西北局的通知》，说："为着统一整个西北工作的领导，特将中央西北工作委员会与陕甘宁边区中央局合并，成立西北中央局，以高岗、王世泰、张邦英、林伯渠、陈正人、肖劲光等七同志为委员，贾拓夫、李卓然二同志为候补委员，高岗同志为书记。"从此，西工委撤销，原有工作人员基本上合并到了西北中央局。

二、西工委的少数民族研究工作

我们党从事少数民族工作的历史已经很久，但是，以马列主义关于民族问题的理论为武器，系统地研究国内少数民族问题并开展少数民族工作则是从西工委开始的。

（一）设立研究机构

为了加强对民族问题的研究工作，西工委专门设立了民族问题研究室，对少数民族，重点是对抗日战争和陕甘宁边区有直接影响的蒙古和回回两个民族的历史、政治、经济、文化等情况进行调查研究，作出合乎实际的结论，为党中央制订民族政策提供科学的依据。

民族问题研究室由刘春负责，下设两个研究组：回回民族问题研究组，牙含章、秦毅、朱侠夫等参加；蒙古民族问题研究组，王铎、孔飞、周仁山等参加。

当时研究工作的条件是十分困难的。手头只有列宁、斯大林关于民族问题的一些著作，几乎没有什么资料或参考书，连笔墨纸张也十分缺乏。参加工作的同志，多数未接触过民族问题。开始研究时，请何干之拟了一个关于民族理论问题的研究大纲。为了搜集资料，特派刘春去西安。刘春在西安跑遍了所有书店，只要是关于少数民族问题的书刊和资料，都买。

我们还把毛泽东有关民族问题的几本藏书也借来了，虽然为数仍然很少，但在延安已经是独一无二的少数民族问题的资料室了。

除了搜集文字资料以外，我们还组织实地考察，进行调查研究。1939 年五六月间，派王铎等去绥远（今内蒙古自治区）伊克昭盟的七个旗考察，同年 10 月回延安。1940 年 5 月，派孔飞等去绥远土默特旗（敌占区）考察，于 1941 年 4 月，招收了近三十名蒙、汉学员（其中汉族三至五名）回延安。1940 年 12 月初，西工委和陕北公学文艺工作团联合组成“蒙古文化考察团”，由王铎、焦心河率领，赴绥蒙一带考察蒙民的社会生活和文化活动。同年 12 月 13 日，又组成三个回民巡视团，由金浪白、马文良等率领，分别去关中、陇东、三边等地考察。这些对了解抗战实际，搜集资料，招收少数民族学员，培养少数民族干部，都是很重要的。马文良领导的去三边的一路，由于接近国民党统治区，马文良等不幸被马鸿逵部捕去，马文良忠贞不屈，惨遭杀害。

（二）取得研究成果

民族问题研究室的工作，经过大家的共同努力，取得了很大的成果。

一是编辑出版了一些小册子，其中《回回民族问题》和《蒙古民族问题》两本书是大家集体研究，由刘春执笔编写的。前一本当时以“民族问题研究会”的名义出版，后一本直至抗战胜利后在张家口由内蒙古出版社出版。这两本小册子系统地研究了回回和蒙古民族的历史和现状，政治、经济和文化的发展，以及党团结回回、蒙古民族共同抗日建国的政策。贾拓夫等编写的《抗战中的陕西》、何承华等编写的《抗战中的甘宁青》（上、下册）、《抗战中的绥远》等小册子，介绍了这些地区的历史、地理、政治、经济、文化情况和少数民族在抗战中的地位和作用，都以“民族问题研究会”的名义出版。这些小册子，对于我们现在研究抗日战争和民族问题仍有参考价值。

二是为中央起草了两个有关少数民族问题的指导性文件，即 1940 年 4 月拟定的《关于回回民族问题的提纲》和 7 月拟定的《关于抗战中蒙古民族问题的提纲》。这两个文件是西工委的同志在研究了蒙古、回回民族经济、政治、文化的历史和现状以后起草的。其中关于团结蒙、回民族抗日，共求解放，共同建立统一国家的方针政策，是根据六届六中全会的决议和毛泽东的报告，结合这两个民族的实际情况提出的。西工委的大多数委员都参加了讨论，洛甫、李富春、王若飞、高岗等在讨论中讲了话。这两个提纲在中央讨论时，毛泽东指出，不仅要反对大汉族主义，而且也要反对狭隘民族主义。因此，提纲在正式发表时，增加了也要反对狭隘民族主义的内容（“狭隘民族主义”这个词，在1954年中华人民共和国宪法公布后改用“地方民族主义”）。

这两个文件最初分别发表在《共产党人》杂志第五期和第九期。发表《关于回回民族问题的提纲》时，加了一个编者按语，说：“这是中央西北工作委员会拟定，基本上经中央书记处批准的提纲，特发表于此，作为对回回民族问题的原则指示。”另一个提纲在发表时，也有类似的按语。按语表达了党中央批示的精神。这两个提纲后来收入了由毛泽东亲自主持编辑的《六大以来》汇编（上册），作为党中央的正式文件之一。

两个提纲的基本内容如下：

1. 分析了回回民族和蒙古民族的特征，对于回回，肯定它是“富于斗争精神的一个民族”，是“半殖民地半封建中国的少数民族”。揭露国民党政府认为回族已经汉化，回回就是回教徒，否认回族是一个民族的大汉族主义谬论和政策。在西工委内部，个别同志开始对此也存在模糊认识，经过调查研究和分析，很快取得了一致。承认回回是一个民族，这是我们做回回民族工作的出发点。对于蒙古族，指出它“在政治上现在是非独立和不统一的，是帝国主义或异民族的附庸”。“蒙古民族解放运动的胜利，必须与中国革命结合起来才有可能”。

2. 分析了民族问题中的三个基本矛盾：第一是回、蒙民族和日本帝国主义的矛盾。日本帝国主义“捧出‘大回回国’的旗帜，在回族间进行挑拨分裂活动”，妄图建立“回回国”。日本帝国主义还提出“日蒙联合”、“共同防共”等口号，建立傀儡政权——伪“蒙疆自治政府”，策动“以蒙治蒙”。其目的是要灭亡回、蒙民族，进而灭亡整个中华民族。第二是回、蒙民族和汉族的矛盾。国民党的大汉族主义的民族政策，造成了回、蒙民族对汉族上层统治者的深刻仇恨，反过来又滋长了某些狭隘民族主义的离心倾向。日本帝国主义把利用回、蒙民族同汉族的矛盾作为它灭亡回、蒙民族的主要政策。第三是回、蒙民族内部的民主力量与封建势力的矛盾。在整个抗日战争中，回、蒙民族与日本帝国主义的矛盾是主要的。必须正确处理这些矛盾，争取回、蒙民族，包括其一部分上层，共同团结一致地进行抗日战争。

3. 分析了争取和团结回、蒙民族参加抗日的可能条件，规定了党对回、蒙民族的具体政策。在提纲中，对回回民族提出了十一条政策，对蒙古民族提出了九条政策，归纳起来就是：唤醒和提高回、蒙民族坚决抗日的决心和信心；在政治上与汉族一样享有平等权利，反对大汉族主义，也反对狭隘民族主义；开放民主，保障回、蒙民族人民（包括抗日的上层贵族）有言论、出版、集会、结社等自由；尊重民族的风俗、习惯、宗教、语言、文字，保护清真寺、喇嘛庙；帮助改善和提高回、蒙民族人民的生活；帮助建立回、蒙民族自己的武装和组织抗日军队；实施抗战教育，培养回、蒙民族自己的抗战建国人才；帮助发展民族经济；改善回、蒙民族与汉族及其他民族的关系，巩固各民族之间的抗日团结。这些政策是党对少数民族实行马克思列宁主义民族平等原则的具体体现。实践证明，以后我们党就是根据这些政策争取和团结了回、蒙民族人民，包括一部分上层王公贵族，参加到了全国的抗日民族统一战线，实现了全国各民族在抗战中的团结。

（三）我对回回民族的历史和特点作了一些研究

到陕北以后，由于实际工作的需要，我开始注意研究少数民族问题。但是比较有系统的研究，则是在西工委工作期间开始的。1940 年初，作为我对回回民族研究的初步成果，写了两篇文章：一篇叫《长期被压迫与长期奋斗的回回民族》，一篇叫《回回问题研究》。两篇文章的主要内容是关于回族的历史和特点，我们党的民族平等、联合的政策和回族的出路。

《长期被压迫与长期奋斗的回回民族》① 研究了三个问题：

1. 追溯了回回民族的形成和发展历史。“元时回回进入中国，开始形成为中国境内的民族”，“中国的回回，主要的就是蒙古军征服西域时被蒙古军俘虏或跟随蒙古军进入中国的回回氏”。“他们散至中国各地”，以“居甘肃者为最多”，逐渐形成为中国境内的一个民族。其发展有以下特征：(1)“回回在元朝，已经大部分脱离了行伍的生活，定居在一定的地

① 原载《解放》第一〇五期和第一〇六、一〇七合期。

域，从事耕种，发展了农业以及手工业与小商业，成为一种以农业经济为主的民族。在明末，回族中已开始地主和农民间的对立。”（2）“由于回回在更广泛的地区与汉族长期杂居，并且已经有上层分子参加统治民族的政权。”（3）“回族在开始进入中国时，就已经是被压迫的。但是由于对元、明两朝开国建国有功，他们在一个时期中，还能保有经济上、文化上和宗教上比较顺利发展的条件。”

2. “满清——最黑暗的民族牢狱时代的回族”。“在整个满清时代，回族因为不堪于统治者压迫，曾举行过多次的起义和‘反叛’。但每次起义和‘反叛’，都被满清统治者用武力‘剿平’了。回族每一次失败，便遭受一次严重的屠杀和摧残。但是，无论怎样的摧残和屠杀，都不能消灭回族的反抗”。“回回是一个不可征服的民族”。顺治四年，米剌印、丁国栋的起义，坚持达两年之久。最后“军民五千余全被清军杀光。开始了满清血洗回族的第一页”。乾隆年间的苏四十三事件和田五事件，由新老教的斗争（“具有深刻的社会斗争的意义”）发展为反满斗争。满清统治者对起义的回民采取“斩尽杀绝”的办法，进行了又一次的血腥镇压。同治年间的回族革命运动，地区遍及陕西、甘肃、宁夏、青海各省，时间从咸丰末年至同治十一年，延续达十一年之久。太平天国的胜利推动了回族革命的胜利，太平天国的失败也影响了回族革命的失败，成千成万的回民死于左宗棠清兵的刀下（当时的研究还不知道太平天国革命时期云南回族领袖杜文秀为首的主张和实行回汉联合的起义事件）。所有这些义举，虽因当时种种条件的限制，都失败了，但其在回族发展史上的地位和作用，是永远不会磨灭的。在这些斗争中，满清统治者不止一次地制造回汉矛盾，挑动相互屠杀，造成回汉之间的长期仇恨，后果是极其严重的。

3. “辛亥革命以后的回族”。指出辛亥革命并未消除回汉对立和解放回回民族。重申我们马克思主义者一贯坚持并实行民族平等、根绝大汉族主义的原则。在进入抗日战争时期，要求全国各民族进一步团结抗战，“只有坚持抗战，才能给中华民族和回族的解放事业开辟出一条广阔的道路”。

此文后来收入《回回民族问题》一书，作为该书的第二章。我还为该书写了序言。

《回回问题研究》① 写了八个问题：一、回回的来源。二、回回的社

---

① 原载《解放》第一〇九期。

会经济状况。三、回教。四、回回的革命传统。五、空前的民族危机与回族当前的出路。六、回回问题是民族问题。七、实行民族平等的办法。八、肃清大汉族主义的传统，纠正狭隘民族主义的倾向。最后作了如下“简短的结论”：（1）“回回是半殖民地半封建中国的一个在汉族统治阶级压迫下的弱小民族”。（2）“回族内部的社会矛盾日益尖锐和显明，但这种矛盾没有超过回族同汉族统治阶级间的矛盾。民族矛盾常把社会矛盾推在后面。”（3）“汉族统治阶级的压迫政策在某些点上促进了回族的汉化”，也积累了民族的仇恨。（4）“回教在一定意义上是回人结合而为民族的‘绳索’，是回族团结奋斗的旗帜。但另一方面，它又成了回族文化进步、民族觉醒与社会觉醒的障碍，且成为内部和外部野心家利用的工具”。（5）“半殖民地中国的境遇，使回族遭受着两重民族压迫：帝国主义的和汉族统治阶级的。在目前，由于日本帝国主义的进攻，东北、华北的沦陷区已成为殖民地，把回日矛盾提到第一位上来。回回民族斗争的锋芒，首先要针对着日本侵略者。回回人民应该坚决反对自己民族内部的投降主义与分裂危险。”（6）“为了巩固回汉的联合，为了坚持抗战，汉族统治阶级的民族压迫政策，再不应该继续下去了，应该立即终止民族压迫，具体的实行民族平等的原则。”（7）“回族解放同中华民族解放不可分离，只有中国新民主主义革命的胜利，回族才能获得真正的解放与真正的自由。在新民主主义的中国里，回族同其他各民族一样，有自由的发展道路与光明的发展前途。所以，回回人民需要积极参加中国新民主主义的革命。”（8）“在回回问题上，应该根绝大汉族主义的传统，应当纠正狭隘民族主义倾向。”

当时西工委除研究民族问题外，还研究青红帮问题，由刘庚负责。这对争取国民党地区青红帮成员拥护党的抗日政策，起了一定的作用。

三、培养少数民族的干部

培养民族工作干部，主要是培养少数民族自己的干部，也培养有志于从事少数民族工作的汉族干部，这是做好民族工作的关键。为此目的，1937 年我任中央党校校长时，办过一个少数民族班，有藏族天宝（桑吉悦希）、扎喜旺徐、孟特尔、罗德干、沙拉（姑姑），彝族王占青、王占有、潘占云、田雨清、李木林，苗族徐忠义等参加学习。1939 年至 1940 年，除在中央党校办过一个回民班（第三十七班，负责人是马青年）外，在西工委还集中了天宝、扎喜旺徐、孟特尔、沙特等一些藏族青年骨干分子，由何承华等给补习汉族的古文和现代语言。1939 年陕北公学成立了蒙古青年队（即五十五队）。1940 年 8 月 7 日，后期陕北公学专门成立了少数民族工作队，有学员三十人，全是少数民族的同志，设有政治理论课（占百分之四十）、艺术课（各民族自己的艺术，占百分之四十）和少数民族问题研究（占百分之二十），学习期限一年。在此基础上，1941 年 6 月 30 日又成立了民族部，主任王铎。第一次招生一百八十五人，除了蒙、回、藏、彝、苗、满六个民族的学员以外，还有少数汉族同志。在民族部举行开学典礼时，我应邀参加，并讲了话。我说，创办民族部，团结如此众多的各族同志于一处，借此沟通与交流民族文化，学习解放本民族的科学道理，不仅在边区，即使在全国也属创举。

随着少数民族工作的开展，来延安的民族青年越来越多。中共中央西北局为了培养更多的民族干部，于 1941 年 9 月在陕北公学民族部的基础上创办了民族学院，院长高岗兼，副院长高克林。内设教育处，管理教育工作；民族问题研究处，分设蒙、回、藏三个民族问题研究室；以及总务处和干部处。第一次招收蒙、回、藏、苗、彝、满、汉等各族青年三百多人，其中蒙族占百分之四十、回族占百分之二十、藏、彝各占百分之四，并有女学员三十二人。按民族和文化程度的高低，编为四个班。学程三期，每期二年，共六年。到 1942 年上半年，有六个班和一个研究生班，共七个班。学制在实践中也不固定，有三年半的，也有学完六年的。1944 年民族学院迁到定边。1945 年有一部分迁到伊克昭盟的城川，至 1948 年春结束。它是我党专门培养少数民族干部和研究少数民族问题的主要场所，为党培养了许多民族干部和民族问题的研究工作者。

四、组织少数民族的抗日救国团体

为了推动陕甘宁边区回民的抗日救亡运动，积极参加抗战工作，促进边区回民文化，1940 年 1 月，由西工委组织八路军政治部金浪白，马列学院马文良，中央党校马青年、王占魁、王谦、苏汝智，西工委牙含章，以及女大的苏冰等，共同发起“延安回民救国协会”。2 月 26 日，举行“延安回民救国协会”成立大会，到会的有在延安的全体回民，以及邓发、李卓然、徐以新和边区政府的代表等。这次成立大会是边区少数民族建立自己抗日组织的一大盛举。回族同胞和汉族同志的讲话一致强调回汉之间的抗日团结。这次大会，可以说是全国回汉两大民族团结的象征。最后公推金浪白、马文良、马寅（陕公）、马青年、苏冰五人为理事，正式宣告“延安回民救国协会”成立。这是陕甘宁边区少数民族的第一个抗日救亡团体。

1940 年 3 月 10 日，延安回民救国协会发表了《告全边区回民同胞书》，强调“加强回汉两族的抗日团结，粉碎敌人的欺骗诱惑阴谋，成为目前极端重要的任务”。为促进全国回民的抗日运动，巩固全国的抗日团结，粉碎日寇对回回民族的挑拨，以及争取回回民族与中华民族的解放，特发起组织“中国回教救国协会陕甘宁边区分会”（这一名称是经过党中央研究决定的，是为了同国民党的“中国回教救国协会”发生关系，进行统一战线工作，扩大边区回民抗日救国斗争的影响。因国民党不承认回族，称为回教，我们也用了这一名称。边区独自的回民组织，则统称回民）。

1940 年 10 月 7 日，在延安中央大礼堂同时举行中国回教救国协会陕甘宁分会、边区回民文化促进会成立大会暨边区回民第一次代表大会。出席这次会议的有边区各分区的回民代表和在延安的全体回民。朱德、王明、洛甫、高自立、谢觉哉以及各机关的代表一千余人出席了大会。大会由定边马阿訇主持，按伊斯兰教的仪式举行。大会讨论了争取回族在全国的平等权利与抗日团结、边区回民的任务和对保卫边区和发展边区经济以及边区回民在经济、文化方面的提高等问题。最后，会议选举了中国回教救国协会陕甘宁边区分会干事，干事长鲜维峻，副干事长金浪白，宣告“中国回教救国协会陕甘宁边区分会”成立。1941 年春，关中、陇东三边各分区也相继成立回协支会。分会和支会在边区回民中进行了许多工作，对推动西北地区的回民群众进行抗日战争，揭露和反对日本帝国主义制造“大回回国”的阴谋；对扩大抗日民族统一战线，打击国民党顽固派；对于宣传抗日救国政策，增强全国各民族的团结，推动边区回民发展生产等各个方面，都有很大的作用。

五、交流和促进民族文化

1940年1月陕甘宁边区文化协会第一次代表大会一致通过组织少数民族文化促进会的议案。此后，边区就开始筹备成立蒙、回民族文化促进会。

一、关于蒙古文化促进会。先是成立筹备委员会，筹备委员有：吴玉章、林伯渠、高自立、王若飞、李卓然、艾思奇、杨松、冼星海、柯仲平、罗迈、贾拓夫、柯敬史（柯庆施）、许光达、冯文彬、张琴秋、李富春、丁玲、刘春、白如冰、周扬、曹力如、肖三、肖劲光、肖向荣、蔡若虹、莫文骅、赵通儒、张庚、张目、师田手、高阳、乌勒图那素图、杜矢甲、巴彦图、巴布尔多计、阿拉腾扎布、李初黎等三十九人。1940年3月31日，蒙古文化促进会召开成立大会，有蒙、汉、藏、回各民族同胞和各机关学校的代表千余人出席。会上，艾思奇作了成立蒙古文化促进会的意义和筹备经过的报告。我在会上讲了蒙古文化促进会的任务，提出四点：一、对蒙、汉两民族之间历史上遗留的误会和仇恨，要进行多方面的解释工作；二、在蒙古同胞及全国人民面前揭露日本帝国主义挑拨离间、企图分裂蒙汉团结的阴谋；三、要严厉批判大汉族主义的错误；四、根据蒙古民族通俗的文化形式进行启蒙运动。

这次大会推举毛泽东、洛甫、王稼祥、沙克都尔扎布（即沙王、伊克昭盟盟长）等为蒙古文化促进会名誉理事，推举吴玉章、林伯渠、李富春、罗迈、乌勒图那素图、阿拉腾扎布、巴彦图等三十五人为蒙古文化促进会理事，主任吴玉章。

蒙古文化促进会成立以后，做了两件很有意义的事：决定在延安建立成吉思汗纪念堂和设立蒙古文化陈列室。

绥远（今内蒙古自治区）有一座成吉思汗墓，是衣冠冢，地点在依金霍洛。日本帝国主义入侵绥远后，妄图抢走成吉思汗的灵榇（长方形的银棺，长约三尺余）。1939年5月，为保护成吉思汗灵榇的安全，免遭日本帝国主义的侵害，蒙族同胞决定将灵榇移到后方（甘肃的兴隆山）。灵榇在迁移过程中途经延安，延安党政等机关为了加强蒙汉团结，联合举行了一次规模盛大的成吉思汗祭典。6月18日，在十里铺设迎灵办公处。

21 日，成吉思汗灵榇到达十里铺，谢觉哉（代表中共中央）、柯敬施（柯庆施、代表中共中央统战部）、滕代远（代表八路军总部）、王若飞（代表八路军联络部）、莫文骅（代表八路军后方留守处）、高自立（代表陕甘宁边区政府），以及国民党肤施（延安）县党部、县政府高仲谦等和各族群众近万人在十里铺迎灵、祭典，主祭谢觉哉，曹力如（边区政府秘书长）读祭文。摘录如下："维中华民国二十八年六月二十一日，中国共产党中央委员会代表谢觉哉、国民革命军第八路军代表滕代远、陕甘宁边区政府代表高自立，率延安党政军民学各界，谨以清酌庶馐之奠，致祭于圣武皇帝元太祖成吉思汗之灵曰：日寇逞兵，为祸中国，不分蒙汉，如出一辙。嚣然反共，实则残民，满蒙各族，皆眼中钉。乃有奸人，蜂然附敌，汉有汉奸，蒙有蒙贼。驱除败类，整我阵营，抗战到底，大义是宏。顽固分子，准投降派，磨擦愈凶，敌愈称快。巩固团结，唯一方针，有破坏者，群起而攻。……而今而后，五族一家，真正团结，唯敌是挞。平等自由，共同目的，道路虽艰，在乎努力。"

从此以后，每年春季（旧历三月二十一日）、夏季（旧历六月二十日）就分别举行两次成吉思汗大祭典，以此来提高蒙族人民的自尊心和自信心，激发蒙族人民的抗战热忱。1940 年夏季，由毛泽东、朱德亲自发起公祭，朱德、吴玉章、董必武、高自立和我都参加了。这次祭典在成吉思汗纪念堂举行。祭典同时也是成吉思汗纪念堂和蒙古文化陈列室的落成典礼。"成吉思汗纪念堂"几个字是毛泽东的手书。此后，成吉思汗纪念堂和蒙古文化陈列室就成了边区蒙族同胞的主要活动场所。

二、关于回民文化促进会。与蒙古文化促进会同时进行筹备。筹备委员有：谢觉哉、罗迈、张仲实、艾思奇、莫文骅、马阿訇、马青年、贾拓夫、刘春、马文良、鲜维峻、金浪白、马寅、牙含章、吴玉章，邓发、林伯渠、高岗、李富春、肖劲光、周扬、丁玲、王若飞、吕骥、张邦英、曹轶欧、曹力如、刘景范、胡乔木、柯庆施、赵毅敏、金茂岳、杜矢甲、习仲勋、马文瑞、白志民、王维舟、马海德、苏冰等。回民文化促进会成立大会与中国回教救国协会陕甘宁边区分会同时召开，选举林伯渠、高岗、谢觉哉、周扬、张仲实和延安的马阿訇、定边的马阿訇、三岔的马阿訇、关中的马阿訇等三十余人为理事。

创建蒙古文化促进会和回民文化促进会的目的，都是为了沟通蒙、回与汉族之间的文化，帮助发扬蒙、回民族的优良文化传统，创造与发展蒙、回民族的新文化，促进蒙、回、汉各族人民的进一步团结，共同致力于抗战建国事业。这是当时西工委的一项重要工作。

1944 年 10 月，边区文教大会前后，蒙、回文化促进会做了一件很有意义的事，就是组织人员把马列主义和毛泽东的部分著作翻译成蒙古文、阿文，并出版发行。

六、支持和帮助少数民族建立自己的武装

在由西工委起草经党中央批准的《关于回回民族问题的提纲》和《关于抗战中蒙古民族问题提纲》中，分别规定了“帮助回族强大抗日武装部队”、“帮助蒙古民族的抗日军队，组织与强大抗日的武装”和对蒙、回民族的军队实行与其他军队享有同等的待遇，提高他们抗日救国的政治认识，扶助其民众的抗日武装等方针政策。

1938 年农历十一月、1939 年农历四月和 1941 年农历四月，宁夏海固地区的回族农民因不堪国民党大汉族主义的统治和压迫，先后在马国瑞、马国磷、马银贵、马喜春、马思义（马喜春的大儿子）等人的领导下，举行了三次武装起义，但都失败了，马国瑞等领导人也先后惨遭杀害。在第三次起义失败以后，起义军领导人之一的马思义决定投奔陕甘宁边区。1941 年农历六月初六，起义军二百多人在马思义等人的率领下进入陕甘宁边区的环县庙儿掌。当起义军进入边区以后，得到了边区群众的欢迎和支持，陇东军分区司令员王维舟代表党组织首先接待了他们。但国民党对进入边区的起义军仍不放过，竟入侵边区来消灭这支起义军。在我八路军环县保安大队的援救下，起义军才免遭国民党军队的袭击。为了保护这支起义军队伍，党把他们安置到离国民党统治区较远的合水柳树沟，并在各方面给以帮助和照顾。

1941 年 7 月，党为了教育这支回族农民起义队伍并培养其干部，特意安排起义军的主要领导人马思义、马智宽等到延安参观。同时派鲜维峻代表边区回协去陇东慰问起义部队。参观期间，毛泽东接见了马思义、马智宽等，向他们解释了我们党对少数民族的政策，表示共产党一定要支持和帮助回族人民争得自由和解放。并向他们保证不编散起义军队伍。朱德总司令、边区政府林伯渠主席等也接见了马思义，各次接见都由杨静仁陪

同。马思义等人在延安参观期间，经边区联防司令部同他们协商，将该起义部队编为回民抗日骑兵团，以马思义为团长，直属联防司令部，由驻陇东的三八五旅代管。同时，西北局决定杨静仁任该团党代表，对外名义为政治教官。马克也去做政治工作，对外名义为文化教员。

但是，由于起义军成分复杂，马思义等领导人也想回海固地区接应当时还留在那里的起义军的零散成分和逃难家属，以图再次扩大势力，举行起义，1941 年 11 月中旬，这支起义军在得到边区同意并留下我军派进的人，先后离开了边区。当起义军一离开边区，国民党军队立即对他们实行“围剿”。马思义等再次决定重返边区。在返回边区时，起义军内部又发生苏山等人的哗变，使起义军险遭覆灭，最后只剩马思义等一百多人回到边区。

起义军回到边区后，党中央和边区政府仍然十分重视和尊重这支少数民族的队伍，对他们进行了多方面的培养教育：调马思义、周尚义、马希杰等十余人到抗大和民族学院学习；在起义军中向战士进行抗日救国教育、民族政策教育、新民主主义革命的教育以及宗教政策和自然科学的教育。党的关怀和教育使这支队伍的干部和战士的政治觉悟有很大的提高，开始接受党的领导。以后，马思义、周尚义、冶富荣等在党的培养教育下，成为光荣的中国共产党党员。

1942 年 8 月，边区联防司令部司令员肖劲光代表党中央和边区联防司令部任命杨静仁为该团参谋长（实际仍是党代表）、马克为政治指导员、卫一吾为副官。自此，回民抗日骑兵团在党中央和边区联防司令部的领导下，同边区的其他部队一样，为保卫边区、保卫党中央而战斗，在抗日战争和解放战争中为中国人民的解放事业作出了不可磨灭的贡献。

除了回民抗日骑兵团以外，在边区的关中分区，早在苏维埃时期，就有回民自卫军连。在抗日战争时期，成立了回民支队，党派郑义任这个支队的指导员。关中地委书记习仲勋很重视回民工作，亲自发给回民支队十六支钢枪。回民支队在反摩擦、保卫边区的斗争中发挥了很好的作用。

七、陕甘宁边区是全国少数民族解放的灯塔

在西工委撤销以后，中共中央西北局为了继续开展少数民族工作，于1941 年 7 月设立少数民族工作委员会，主任贾拓夫，委员有：贾拓夫、

李卓然、杨易木、刘春、朱侠夫、鲜维峻、刘瑞森、赵通儒、刘英勇等九人。同年8月11日，陕甘宁边区政府委员会通过决议，成立少数民族事务工作委员会，主任赵通儒，委员有：那素滴勒盖（蒙族）、马生福（回民）、谢觉哉、刘景范等。9月，边区政府指示各分区和部分县、市设立民族事务科或民族事务科员，负责管理各分区、县、市境内的少数民族工作。从此，在边区政府及其分区、县、市政府中，就有了从事少数民族工作的专门机构和专职人员，极大地加强了少数民族工作，主要表现在：

（一）民族平等。1939年4月4日公布的《陕甘宁边区抗战时期施政纲领》规定："实现蒙、回民族在政治上、经济上与汉族的平等权利，依据民族平等的原则，联合蒙、回民族共同抗日。"1941年边区参议会的选举体现了民族平等原则。在这一次选举中，边区回民七名代表当选为边区参议员。当选为县、乡参议员的就更多了。在边区第二届参议会第一次会议上，蒙族同胞那素滴勒盖和回族同胞马生福当选为边区政府委员（边区政府委员共十八名）。这表明边区境内的少数民族同汉族干部一样，实现了当家作主的权利。

（二）民族自治（中华人民共和国成立以后称为"民族区域自治"）。1941年5月1日公布的《陕甘宁边区施政纲领》进一步规定："依据民族平等原则，实行蒙、回民族与汉族在政治经济文化上的平等权利，建立蒙、回民族的自治区。"边区回族同胞较多，主要在三边和陇东分区。1942年4月，边区政府划定了定边的四、五区和城关镇的两个自然村为回民自治区（这是一个城市的回民自治乡）。9月，又划定曲子县的三岔镇为回民自治区。以后，边区政府又在有回民聚居的农村（如关中某些农村）陆续划定了一些少数民族自治区、乡。在少数民族自治区内，由少数民族自己选举区、乡长，管理自治区内的政治经济文化事业。

（三）尊重宗教信仰与风俗习惯。1941年5月1日公布的边区施政纲领规定："尊重蒙、回民族的宗教信仰与风俗习惯。"

回民有句谚语："没有清真寺，就没有定居的回民。"清真寺是回民定居生活的象征。边区政府尊重回民的这种宗教信仰和风俗习惯，在回民聚居区修建了清真寺。1940年2月成立的延安回民救国协会，倡议在延安建立一个清真寺和创办一个清真食堂。这两件事都办到了。延安清真寺是边区修建的第一个清真寺，是由金浪白、马占元负责筹建的，于1940年10月7日正式落成，地点在文化沟内，寺院石碑坊上镂刻的"清真寺"

三个字是毛泽东亲笔题写的。落成那天，仪式隆重，边区回民的代表和延安各机关团体的代表二百多人，包括朱德、高自立、曹力如、谢觉哉、李卓然、吴亮平、艾思奇等和我都参加了。落成典礼完全按照伊斯兰教的仪式进行，所有回民赤足跪伏于清真寺内，由延安马阿訇主持。他身着灰色长衣，头戴白色德司嗒勒（阿文译音），率全体回民领拜。定边马阿訇身着黑色长衣，头戴门拉帽，朗诵古兰经。礼拜毕，由回民鲜维峻致开会词。朱德、高自立、谢觉哉和我都讲了话。有了清真寺还得有阿訇，延安清真寺特地到关中请了马生福教长来延安清真寺接任阿訇。1941 年 7 月 12 日正式举行了阿訇接任典礼，延安全体回族同胞和西北局、边区政府等党政机关的代表都参加了。回协边区分会干事长鲜维峻主持仪式。马生福教长当时六十岁了，在接任阿訇的典礼上，作了热情洋溢的讲话。他说："我是在关中开学的阿訇，早就想来延安。我知道延安建立清真寺完全是为了回民自己，所以我抱着很大的热情，不怕天气炎热，路途遥远，年迈苍老，坚决前来。我来这里的目的，主要就是为了民族，为了国家，在边区政府英明的领导下，使各民族团结起来，为中华民族、为回民自己的解放而奋斗。"

延安清真寺有了阿訇以后，便成了延安回民的活动中心，凡属伊斯兰教的教俗活动都在清真寺举行。民族学院的回族、东乡族的师生，每逢星期五或节日，都到清真寺做"主麻"和进行节日活动。截至 1941 年春，在边区境内共修建了十四所清真寺。以后在盐池、定边盐业区也陆续修建了清真寺。

（四）帮助办学。边区政府为了提高和发展少数民族的文化事业，除成立蒙、回民族文化促进会外，还为少数民族办学，到 1944 年，为回民一共办了八所伊斯兰小学，在定边办了伊斯兰公学，在边区境内有二百余家蒙民的聚居区巴勒葛素和哈拉西里蒙两地办了两所蒙族学校，还在陕北公学民族部的基础上创办了一个独立的民族学院。

（五）帮助发展生产，提高少数民族人民的生活水平。凡由敌占区或国民党统治区迁来边区的少数民族人民，初来时经济上都很困难。边区政府积极帮助他们安家，给予救济或借贷口粮，调配土地和生产工具，供给种子，帮助他们发展生产，并免除他们的负担，三年内不交公粮。所以，大多数少数民族移民到边区后，生产上很快得到发展，生活逐步提高。举几个例子：在定边的一个回民自治乡定居了几年的周尚仁，来时一家六口，只有两元钱的路费。到边区后，先是给人家揽工，后来自己开饭店，雇工二人，有流动资金十一万元（边币），1943 年就盖房十一间，还有两头驴。闵占林（一家七口）1939 年来边区，经过几年的辛勤劳动，至 1943 年已盖房十间，有客栈和磨坊各一处，雇工五人，流动资金五六万（边币），另有驴五头。1943 年有二十多个贫苦回民来到边区，在边区政府和当地政府的帮助下，成立了一个回民打盐合作社，几个月打盐一千九百多驮，加上其他杂工收入，总收入达十二万元（边币）。这样的事例很多。

1943 年定边市的二百多回民庆祝“古鲁巴尼”节（旧历十一月十二日），在清真寺做礼拜，按惯例给孩子们散了钱。礼拜以后，阿訇就到每家帮助宰牲。这一次共宰羊四十只，宰牛六头，过了一个十分丰盛的“古鲁巴尼”节。

陕甘宁边区境内的蒙民不多，但境外蒙民与边区的交往不少。每年定边、靖边、盐池的骡马大会都有绥远伊克昭盟等地的蒙民和宁夏的回民赶着马、牛、羊群来边区出卖。由于边区人民生活安定，生产不断发展，需要牛、马、羊，又由于边区政府实行照顾蒙民的政策：招待热情周到；牲口作价公道，只收取正当的佣金，不敲榨勒索；兑换货币手续简便；友区蒙胞自吃的粮食允许出境（边区为了对付国民党的经济封锁，禁止粮食出境）等等，很受友区蒙胞和回民的欢迎。许多蒙胞说，边区好，不欺骗蒙人，给蒙人很多便利。因此，到边区来出售牛、马、羊的蒙胞越来越多。仅 1944 年 8 月 5 日至 13 日那次定边骡马大会，蒙民前来出售大小牲口即达六百余头（羊群不计在内），以牛最多。这是一项经济活动，也体现了党的少数民族政策的威力。

（六）民族解放的灯塔。陕甘宁边区是党中央的所在地，少数民族工作做得好，模范地执行了党的民族政策。毛泽东在“七大”的政治报告中曾说：“多年来，陕甘宁边区对待蒙、回民族的态度是正确的，其工作是有成绩的。”

陕甘宁边区的少数民族工作在全国产生了很大的影响。国民党统治区的少数民族同胞深受感动地说，陕甘宁边区是他们自由生活、自由发展的家乡，是民族解放的灯塔。

中央研究院的研究工作和整风运动

一、从马列学院到中央研究院

中央研究院的前身是马列学院。马列学院成立于 1938 年 5 月 5 日，也就是马克思诞生一百二十周年纪念日。这是我们党在延安创办的第一所专门学习和研究马列主义理论的学校。院长由洛甫兼任；副院长王学文。党政主要工作人员有张启龙、邓力群、朱光、章夷白、柯柏年、汪涛江等。教学组织是班，最多时设六个班和相应的一些研究室，共三四百人。一般学员入学都要经过考试。他们有较高的文化水平，又经抗大、陕公、党校等学校的初步训练，具有学习和研究理论的条件。课程有哲学、政治经济学、中国革命史、西方革命史、联共党史、党的建设等。教员多为兼职的，主要有王学文、陈昌浩、艾思奇、吴亮平、杨松等。洛甫等中央负责人也兼课。毛泽东、周恩来作过报告。刘少奇讲过《论共产党员的修养》。陈云讲过党的建设。他们作报告，讲课，深入浅出，理论联系实际，对学生的思想修养起了很大启蒙作用。

那时的教学工作存在一些缺点和问题，主要是马列主义基础理论的教学中有教条主义，不懂得如何使马列主义普遍真理与中国革命具体实践相结合，出现单纯地为学理论而学理论，学用脱节的现象。1941 年 5 月，毛泽东发出了“改造我们的学习”的号召，要求确立以马列主义基本原则为指导、以研究中国革命实际问题为中心的教育方针，废除静止地孤立地研究马列主义的方法。根据毛泽东的这一指示，1941 年 7 月，马列学院改组为马列研究院。毛泽东曾经亲临指导，在成立会上作了题为《实事求是》的讲话，要求大家一定要以马列主义基本原理为指导，以研究中国革命实际问题为中心，调查研究敌、友、我三方面的历史和现状。这是毛泽东向马列研究院提出的任务，也是向全党提出的任务。同年 8 月 1

日，中央发布《关于调查研究的决定》，要求“向各级在职干部与训练干部的学校，进行关于了解各地情况（敌友我三方）的教育”，“使这种了解情况，注意政策的风气与学习马列主义理论的风气密切联系起来”。为了贯彻决定精神，加强对中国的现状和历史的研究，马列研究院又改组为中央研究院。原马列学院的一部分骨干和有可能培养成为理论工作干部的学员，留了下来。1941 年 12 月 17 日，中央发布《关于延安干部学校的决定》，规定“中央研究院为培养党的理论干部的高级研究机关。直属中央宣传部”。院长仍由洛甫兼任，副院长范文澜，党政主要工作人员有徐健生（秘书长）、李言（院党委书记）、李清（研究指导处秘书、党委宣传委员）、毛平（党委组织委员）、杜雷（总务处长）等同志。

二、中央研究院的研究工作

（一）概况。中央研究院的研究工作，采取分科设室、专家指导原则。全院共设九个研究室，室主任多由各该学科的党内专家担任，直接指导研究工作。比如，中国政治研究室主任张如心；中国经济研究室主任王思华；中国历史研究室主任范文澜（兼）；中国文化思想研究室主任艾思奇；中国文艺研究室主任欧阳山；国际问题研究室主任柯柏年；俄语研究室主任师哲。我当时是中央宣传部副部长，主管干部教育工作，经部决定兼任中央研究院中国教育研究室和中国新闻研究室主任。

各个研究室根据毛泽东《改造我们的学习》的精神，为了有计划地进行研究工作，一般都制订了三年研究规划和半年或一年执行计划，具体规定了各室的研究目的、任务、人员分工、时间安排、方法、步骤、组织和会议制度等。每个研究课题有分工，有讨论，有总结。室主任参加指导，也参加研究。

（二）例一：历史研究室的研究工作。建立这一研究室的目的，是培养能掌握科学方法的中国历史学者。分三个组进行工作：1. 近代史组；2. 农民土地组；3. 民族组。主要任务是编写党中央、毛泽东提出的《中国通史》，编出了第一、第二两编，整风期间中断。全国解放以后出版的由范文澜主编的《中国通史简编》，就是在此基础上修订并继续编写而成的。

（三）例二：文化思想研究室的研究工作。建立这一研究室的目的，是研究中国文化思想发展的历史和现状，掌握革命的思想方法和文化政策。工作重点是研究“五四”运动以来的文化思想、各种哲学流派和国民党主要人物的哲学思想。延安整风运动中出版的《马恩列斯思想方法论》一书，就是在毛泽东整顿三风的号召下，由文化思想研究室同中央政治研究室①合作编辑的，艾思奇、温济泽等参加了这一编辑工作。这本书在整风中是学习参考书，以后被规定为十二本“干部必读”书之一。

（四）例三：教育研究室的研究工作。建立这一研究室的目的，是研究创立新民主主义的教育理论和实际，并在研究工作中培养掌握教育理论和政策的干部。分三个小组进行工作：抗日根据地教育研究小组，国民党统治下的教育研究小组，敌伪教育研究小组。规定的研究内容为：第一，学习马克思列宁主义的基本理论和方法；第二，学习和研究一般社会历史知识，特别是中国社会历史知识；第三，学习外国文与经常注意研究时事动向及策略；第四，补习心理学的一般知识；第五，研究批评各种教育理论和流派，包括教育史，我、友、敌的教育现状，现代教育思潮等。规定研究期限三年。在研究室成立以后，订了一个半年计划。计划规定：为了建设新民主主义的教育，同时为了提高自己和掌握马克思主义教育理论，首要的任务是调查研究中国的三个地区（我党领导的各抗日根据地，国民党统治下的大后方和敌占区）抗战以来的一般教育状况，包括教育思潮、教育政策、制度、方法和实践等问题。我在中央宣传部同李心清合作编辑过宣传教育方面的敌友我三本资料书，是供各级宣传教育工作者参考的，同时也作为教育研究室的研究资料，毛泽东称赞了这本资料书。调查则以学校教育为中心，以期在半年内对于新民主主义的中、小学教育的建设能够提出初步的具体的建议，到 1942 年延安整风前夕取得了初步成绩。

1942 年 2 月，我看了一些有关教育流派的材料，如梁漱溟的乡村建设运动，晏阳初等的平民教育促进会，黄炎培等的中华职业教育社和陶行知的教育思想等等，并作了笔记。其中主要研究了两个代表人物的教育思想，即陶行知的教育思想和梁漱溟的乡村建设运动。研究室讨论结果，对

① 中央政治研究室为 1941 年 7 月设立的中共中央调查研究局的一个下属单位，主任毛泽东，副主任陈伯达，与中央研究院的政治研究室不是一个机构。——编者注

前者是肯定的，对后者是否定的。董纯才、张健、华子扬等曾经写文章发表在延安《解放日报》上。

1942年2月27日教育研究室召开陶行知教育思想讨论会，我作了总结发言，讲了四个问题：(一) 从教育看政治，陶行知在政治上经历过的路程；(二) 陶行知教育思想的发展；(三) 关于生活教育理论和方法中若干问题的商榷；(四) 我们怎样研究和学习陶行知。当时，我认为陶行知在政治上经历了两个历史时期，“五四”运动以前是资产阶级教育家；“五四”以后逐渐走上了新民主主义的道路。在教育上是沿着杜威主义——生活教育——新民主主义政治——新民主主义教育的道路发展的。他的生活教育有三个基本思想，一是主张生活教育，反对与生活脱离的洋化教育和封建传统教育；二是主张普及教育、大众教育和大众文化，反对教育和文化为少数人独占；三是主张教、学、做合一，反对为读书而读书。这些思想基本上是进步的。我的上述观点，在3月5日新教育学会纪念生活教育十五周年大会上，也作过论述。

同年3月19日教育研究室召开乡村建设派问题讨论会，我对乡村建设运动（主要对梁漱溟的思想）也提出了几点意见。当时，我认为：(一) 梁漱溟的言论、著作和乡村建设实践证明，他是没落地主阶级、即是半封建制度的维护者；(二) 他说中国社会没有阶级对立，而只有职业分工，中国社会关系是伦理关系，及“中学为主、西学为辅”等思想，同蒋介石、陈立夫有共同点；(三) 但他企图用“软”的办法即乡学、村学的教育办法来维护陷于死亡的半封建制度，驯服农民，因之又同蒋、陈有区别；(四) 他是唯心论者，他的乡村建设运动实际已经破产。农民并不拥护他们。他现在参加民主同盟，要求民主，说明地主阶级中的抗日派对国民党的“一党专政”也是不满的；(五) 乡村建设派在教育上的某些实际办法，还应参考与研究；(六) 要把乡村建设派中的青年和梁漱溟区别开来。许多青年已经从梁漱溟思想中解放出来，有的已加入中国共产党。

我在教育研究室工作的材料，是从我当时的笔记中摘引出来的。我简要摘引这些材料的目的，不是想继续宣传上述具体的观点，而是想举例说明：第一，中央研究院的研究工作，虽然时间短，成果不多，但其基本方向和方法是符合毛泽东在《改造我们的学习》、《实事求是》的报告中提出的任务和要求的。第二，当时包括院长、副院长和室主任在内的各级领导干部，都是亲自参加研究工作的。

三、中央研究院的整风运动

（一）伟大创造。1942年2月，毛泽东发表了《整顿党的作风》、《反对党八股》等重要讲话，号召全党用惩前毖后、治病救人的方法，开展反对主观主义以整顿学风，反对宗派主义以整顿党风，反对党八股以整顿文风的运动，这就是著名的1942年延安整风运动。

这次整风的主要目的，是反对以王明为代表的教条主义，以求最终肃清王明"左"倾路线的思想影响。我们党清算王明的错误用了很长时间，1935年遵义会议解决军事路线和瓦窑堡会议解决政治路线以后，毛泽东鉴于改造世界观的迫切需要，写了《实践论》和《矛盾论》两篇经典性的哲学著作，还写了许多总结中国革命经验的政治、军事著作，同样贯穿着辩证唯物主义思想，实际都是批判王明教条主义、主观主义思想路线及其给中国革命带来的严重危害的。这种批判工作，到1941年已取得很大成绩，但并未彻底解决问题。最后，从1942年开始用全党整风这样一个方法，即开展普遍的马克思主义的教育运动，给长期以来的党内思想教育作了一个历史性的总结，王明的教条主义、主观主义思想路线宣告彻底破产。

由此可见，整风的对象，主要是老干部（当时是中年干部）。但整风刚开始时中央研究院的一部分青年知识分子出来刮了一阵小资产阶级歪风，影响很广，如果不首先加以端正，就不可能把整风运动纳入正路。因此，在一段时间内，整风矛头首先对准了青年知识分子中的这股歪风。但过后不久，毛泽东还是把整风矛头拨回到领导干部的思想路线方面，组织大家学习和清算"六大"以前、"六大"以来的路线斗争历史，终于在"七大"前夕，在扩大的六届七中全会上通过了《关于若干历史问题的决议》，最终地清算了王明"左"倾冒险主义在政治上、军事上、组织上和思想上的错误。在思想上着重批判了教条主义，同时也批判了同它合作并成为它的助手的经验主义。这样就为胜利召开"七大"做了充分的思想准备。王明称病未参加会议，写了一封信承认毛泽东路线是正确的，但无自我批评。

当时，有同志提议要对王明在抗日战争初期的右倾机会主义路线给予批判，毛泽东说，现在抗日战争还没有结束，谁是谁非还不能作结论。1947 年 12 月，中央在陕北米脂县杨家沟召开中央政治局扩大会议，毛泽东作了《目前形势和我们的任务》的报告，不指名地批判了王明在抗日战争时期的右倾思想是和陈独秀投降主义相类似的思想。讨论报告时，王明和我在一个小组，他讲了不少的话，根本不接触报告中的批评。但毛泽东在七届、八届两次代表大会上仍提名选他当中央委员。

我参加了两条路线斗争的学习。约在 1942 年秋季，毛泽东邀集陈云、博古、凯丰、康生和我以及其他等人谈话，毛泽东说：老干部也要整风，学习《六大以前》、《六大以来》两本书，联系党的路线斗争的历史，主要靠自学；成立一个小组，也开小组会，互相交换意见，开展批评和自我批评，和风细雨，弄清是非，团结同志。大家都发言表示赞成。毛泽东又说：我们整风的方法是要惩前毖后，治病救人，使大家心情舒畅，团结一致，向前奋斗。小组会约一个月开一次或二次，大家都讲了话。周恩来讲过党的历次路线变迁，其他同志插了些话。前后经过一年多时间。结束时，毛泽东说："我们这个会也可以说是个神仙会。"

经过整风学习我的世界观得到根本性的转变，这主要是从两方面学习，即同群众一道学习和同中央同志一道学习得来的。

所以延安整风，是教育了两代人：青年一代（新干部），中年一代（老干部）。那时延安除董老、林老、徐老、谢老、吴老等"五老"外，一般老干部还是中年人，没有老年一代，整风教育了中、青两代人，教育了新、老两层干部。这是我们党在毛泽东领导下在思想战线上的一个伟大创造，是培养实事求是精神的一次伟大胜利。

（二）整风前夕。中央研究院的整风运动，是延安整风运动的一部分。当时中央研究院成员的基本情况是这样：从未做过任何工作的占百分之六十八，来延安后受过短期学校培训的占百分之八十四，抗战以后入党的占百分之七十四，二十至三十岁的占百分之七十九，知识分子出身的占百分之八十二。可以说，多数是小资产阶级青年知识分子新党员，他们有救亡爱国的精神，一般信仰马列主义，信任中国共产党，是自觉自愿地不远千里、不怕艰险投奔延安参加革命的，他们有一定的政治觉悟、革命理想和学习热情，大多数本质是很好的，但世界观基本未改造，带来了某些非无产阶级思想主要是小资产阶级思想，缺乏党性修养和实践锻炼，在学习上很容易接受教条主义影响。

整风开始前，延安已经存在一种极端自由主义和绝对平均主义思潮。在中共中央青年工作委员会的一些年轻人办的文化沟《轻骑队》墙报上存在这种思潮（《轻骑队》编委会于1942年4月23日发表《我们的自我批评》：“坦白承认过去的编辑方针是有错误的。”）。院内以王实味（中国文艺研究室研究员）为代表的一些人也存在这种思潮。尤其是王实味，他在1942年2月17日、26日和3月7日，连续公开发表了《政治家、艺术家》和《野百合花》等文章，说延安“歌舞升平”，对干部“缺乏同志之爱”，“漠不关心”，“到处乌鸦一般黑”，攻击领导人是“异类”、“不仅间接助长黑暗，甚至直接制造黑暗”。他号召青年向党发“牢骚”，就是说，向党开火。这种错误观点，当时在中央研究院确实反映了一部分小资产阶级青年知识分子的思想。所以，1942年3月2日，我向徐健生、李清说，中央研究院目前最主要的问题，还是作风问题，还是怎样接受反主观主义、反宗派主义及反党八股的精神而把党性具体运用到研究、学习、工作中去的问题。整顿三风，对中央研究院来说，不仅是绝对必要的，而且是刻不容缓的。

（三）开始阶段。1942年1月，洛甫率农村调查团去陕甘宁边区和晋西北的一些农村、市镇作历时一年半的调查研究，宣传部长职务由凯丰代理。洛甫临走时对我说：“中央研究院的事你照顾一下。”我曾三次要求凯丰自己管，未成。因之，中央研究院作为中宣部的一个整风试点单位，很快开展了整风运动，我参加领导了这个运动的主要阶段。

中央研究院的整风运动就其广度和深度看，可分为两个阶段。第一阶段，“三·一八”动员大会后至中宣部“四三”决定前，是开始阶段。这一阶段的特点是普遍发生偏向，全面展开斗争。主要是无产阶级思想同小资产阶级自由主义和绝对平均主义思想的斗争。

1.“三·一八”动员大会。1942年3月18日，中央研究院召开全院动员大会，动员整风，检查工作。范文澜首先讲了毛泽东整顿三风报告及检查本院工作的意义和方法。一些同志发言后，我也提出了几点意见：（一）讨论整顿三风和检查工作在中央研究院的重要意义；（二）讨论和检查分开进行；（三）检查要同时着重领导作风和个人思想两个方面（原来多数人认为只着重检查领导）；（四）要有自我解剖的精神；（五）院长、秘书长及各主任，应该是整风检查工作委员会（简称“检委会”）的当然委员（这是院务会议决定的），因为他们有这个责任，并正好考验他们；（六）关于出墙报和匿名问题，我赞成有墙报，但须有组织地进行，共产党员在党内不应匿名，否则会变成无政府状态。那天我感冒头痛，发言后即退席。以后得悉，我的发言引起了王实味等人的激烈反对和长时间的争论。主要是两个问题：一是关于检委会的组成问题，也就是整风领导问题，王实味反对院务会关于“院领导和各研究室主任为当然委员”的决定，主张全部检委都由群众民主选举产生；二是关于墙报文章的署名问题，王实味主张墙报文章可以匿名。关于检委会的组成问题，两种意见相持不下，最后举手表决，主张检委全部民选者占四分之三，同意院务会议决定者只四分之一。结果全部由群众选举，产生了二十一名检委，领导干部除王思华、张如心外，全部当选（在4月1日第二次检委会上，我再次提出未当选的王思华、张如心，仍应参加检委会，共同工作。多数无异议，以后也参加了检委会的工作）。这样，中央研究院的整风检查动员大会上的几件事情，轰动了整个延安，影响了各个机关学校。

2. 检委会会议。动员大会后的第一天，3月19日，检委会召开第一次会议，又展开了检委会领导关系问题的争论。柯柏年曾经在动员会上提过，检委会应在行政领导人领导之下工作，这意见当然是正确的。但在这次检委会上，却有人提出了反对意见，主张检委会由动员大会产生，应向动员大会负责。我发言支持柯柏年的意见，首先说明中央研究院的整风应该由行政负责人领导的理由，至于检委会对谁负责，我主张对中央负责，又对全校负责。多数同志无异议，争论结束。4月1日，检委会召开第二次会议，又在四个问题上展开了争论，其中一个是思想检查要不要注重方法的问题。不少同志主张“彻底民主”，不必注重方法。我发表意见，说：“批评应该是彻底的，无保留的，不讲情面的，但同时应该注意实事求是，讲究方法，遵循毛泽东的惩前毖后、治病救人的方针办。”检委多数是群众，领导干部只占少数。此后几乎有会必争，很难工作。为了发挥集体领导作用，我和张如心、艾思奇、徐健生等人（还有其他负责同志记不清楚了）临时组成一个小组，方针是：我们几个人在检委会内主张什么，反对什么，态度要明朗，要多做群众工作；但对多数人做出的决议，又必须服从，不搞分裂，同时声明保留自己的意见。我们正是依靠这个小组，贯彻这一方针，终于团结了多数群众，引导大家走上了正确轨道。范文澜未参加此小组，但此小组的每次会议情况和决定，都是由徐健生负责向他报告的。一直到按照“四三”决定精神成立高级学习组，由它行使检委会的职责后，我们这个小组才随之停止活动。

3.《矢与的》墙报上的论战。2 月 23 日，为配合整风检查工作，墙报取名《矢与的》，正式出版。在发刊词中，提出“以民主之矢，射邪风之的”，主张“彻底民主”、“绝对民主”等等。这个发刊词强调发扬民主是正确的，把民主绝对化，根本不提集中，是片面的。少数人就利用这个弱点，在《矢与的》上再次挑起了动员大会上的争论。王实味在最初三期内就接连发表了三篇文章，第一篇题名《我对罗迈同志在整风检工动员大会上发言的批评》，说：“罗迈同志发言底内容和态度，还保留着过去党内家长制作风的残余，压制了群众反三风不正的斗争热情和积极性。”又一篇题名《零感两则》，说：“我们底眼光不应只看到本院。更应该注意到全延安以至全党”，“我们决不能让邪气更大的人得势。”要求“在这个斗争中首先检查自己的骨头，是不是对‘大人物’有话不敢说?”“必须有至大至刚的硬骨头!”再一篇题名《答李宇超、梅洛两同志》，对不同意他的观点的同志说：“用流言中伤人是最卑污龌龊的手段。王实味充分自信，他底骨头从未软过，而且不比任何人软。”可以看出，王实味确实是在煽动人进行攻击了，他的矛头不仅限于院内，主要是我；也不仅限于我一个人，而且到了院外，影射向上了。除王实味的文章外，还有其他一些文章和两张漫画，一张漫画画的是一个人拖着一条长“尾巴”，后面有四五个人抬着，保护这条尾巴。拖“尾巴”的人是指我，抬“尾巴”的人是指一些不同意他们观点的同志。这些文章和漫画说明一个问题，许多人认为整风就是单纯整领导，整“名流大师”，对民主与纪律的关系问题存在模糊认识，片面要求民主，忽视集中。也有认识比较正确的同志，如李宇超、王志匀、何定华、翟定一等，但属少数，比较“孤立”。这样，中央研究院的整风墙报《矢与的》更以“民主”获胜的面目，轰动了整个延安，有几期甚至不是贴在墙上，而是贴在布上拿到延安南门外（闹市区）悬挂起来，前往参观者川流不息。王震看了墙报的文章，很不满意，说：“前方的同志为党为全国人民流血牺牲，你们在后方吃饱饭骂党。”毛泽东在一个晚上也打着马灯和火把看了《矢与的》。一部分人因此得意忘形，说是“毛泽东同志支持我们”。事实恰恰相反，毛泽东说，“思想斗争有了目标了。”

毛泽东看后，召集了高干会议。我在会上声明自己要转到运动中去，同群众结合在一起。后来的实践证明，同群众一道，并帮助群众前进，成了我的世界观获得根本转变的主要途径。

4. 三种情况。以上事实说明了三种情况：第一，中央研究院整风初期在动员大会、在检委会、在《矢与的》墙报上的斗争，证明了这样一条真理：小资产阶级“他们的思想意识是一定要反映出来的。一定要在政治问题上和思想问题上用各种方法顽强地表现他们自己。要他们不反映不表现，是不可能的。”第二，这种反映和表现，集中在一个问题上，就是如何正确实行民主集中制。在这个问题上，我当时的态度是不错的，但有两个缺点：一是在动员大会上听了几个同志的发言有不妥之外，就急着讲话，时机早了点。二是讲话内容和方式过于简单，这和当时生病身体发烧有关。第三，王实味等，尤其是王实味，把《矢与的》这张墙报当作攻击党的领导干部，特别是攻击我的工具。

鉴于当时大多数学员的思想和倾向情况，不适于负责干部特别是我自己出面在墙报上进行针锋相对的辩论。所以一直到 5 月 10 日，《矢与的》出版七期后，我才正式向检委会常委提出改进墙报工作的建议。

我在向检委会提建议时说，中央研究院的墙报《矢与的》已出至第七期，过去做到了鼓励大家在墙报上进行批评、辩论，说错了不加抑制，这是好的，但是领导上多少采取了放任主义的态度。各期文章有许多是带有相当严重的偏向的，但是没有一个问题得到结论，没有一个正确的观点得到表扬，没有一种偏向得到纠正，一任其自流发展，检委会的领导应当负责。在检委会里，大多数同志在中宣部决定公布以前是偏重民主而看轻领导，决定公布后又害怕纠正。我没有能采取更多的办法。我自已从动员大会后，由于客观的困难，只能正面地、适可而止地提出意见，艾思奇与柯柏年亦是如此。在第二期墙报上，我对墙报的希望只提出了“墙报是批评、辩论和建议的机关……说错了也不要紧……但须力求有的放矢，射得准确”。中宣部的“四三”决定宣布后，在中央研究院起了相当大的反响，但领导上由于自我批评精神的不足，害怕正视过去的缺点和偏向，未能完全根据中宣部决定精神处理问题，对墙报的方针没有积极的改进就是一个主要的例子，我有责任把见到的问题从原则上加以说清。因此，提出六点建议，其要点是：第一，要贯彻中宣部指示，“善于把错误引导到正确方面”。第二，鼓励投稿，号召稿子内容力求正确。第三，编委有责任帮助投稿人改正错误观点。第四，组织稿件，负责同志也要写稿。第五，对争论问题要作结论。第六，墙报应配合学习，起领导作用。检委会常委接受了这些建议。时间虽然晚了一些，仍有亡羊补牢意义。

5 月 20 日，我在《矢与的》上发表了《动机与立场》的文章①。

5. 三个问题。可以看出，这个阶段的整风是有偏向的，主要存在三个问题：第一，整风方针问题。不懂整风目的，把普遍的马克思主义的教育运动看成了只是整几个领导人的活动。第二，检委会组成问题。不懂组织原则，只要民主，不要集中，有否认和摆脱党的领导的倾向，在下表现为极端的自由主义，在上表现为放任主义。第三，思想方法问题。“大胆”第一，“揭露”就是一切，不讲实事求是，不懂辩证唯物主义。其思想根源在于小资产阶级的个人主义和自由主义，也充分暴露了教条主义教育的根本弱点。

在开始阶段，在中宣部“四三”决定前，我确有不小的困难。第一，我在历史上犯过路线性质的错误，王实味等得以利用这一点来挑动自由主义和“绝对民主”。第二，中央研究院主要负责人洛甫去作农村调查了。第三，副院长范文澜是一个学者，为人老实正派，但对党的民主集中制原则不大熟悉。他主张整风需要采取民主方法也是对的，但他在墙报上写文章也说要“彻底民主”，“绝对民主”，“以民主之矢，射邪风之的”，“谁阻碍民主，谁就会在民主前面碰出血来”的话。现在看来，我在开始阶段采取慎重的态度，是适当的。

（四）深入阶段。在毛泽东的直接领导下，中共中央宣传部总结了中央研究院整风开始阶段的经验，4 月 3 日做出了《关于在延安讨论中央决定及毛泽东同志整顿三风报告的决定》（简称“四三”决定），指出整风是改正干部及党员思想作风，而不是对付几个领导人。整风应由各部门负责人领导，要把错误意见引导到正确的方向上去。讨论与批评应是严正的，又是与人为善的，不能冷嘲暗箭，诬蔑谩骂，捕风捉影，夸夸其谈。这个决定标志着延安整风运动健康发展的开始，也回答了中央研究院整风初期提出的各种问题。4 月 6 日，毛泽东又召开中央高级学习组会议讨论“四三”决定。我在发言中指出中央研究院整风的主要偏向有两个：不懂组织原则，不懂思想方法，这要归咎于过去教条主义的教育。并说：“在墙报上，有人把中央研究院的斗争看成是宗派的斗争，这是一种很坏的观点，即是把原则争论丑化成为无原则的派别斗争的观点。必须注意纠正这

① 此文转载于 1942 年 5 月 24 日延安《解放日报》。——编者注

种观点。”4 月 7 日，中宣部又专门邀集中央研究院的负责干部和积极分子，研究中央研究院的整风运动。开始时，有人仍然认为中央研究院的争论多是个人成见之事，即宗派之争，而不是原则之事，不同意说中央研究院的整风有偏向。凯丰批评了把中央研究院的争论看成是“宗派斗争”的错误观点，明确指出中央研究院的整风存在偏向，主要是组织原则上的偏向，并暗示一些同志的自发性的偏向与王实味的挑拨性言论的区别。这样，中宣部的“四三”决定和“四七”座谈会，就终于把中央研究院的整风引上了正确的轨道，开始了整风的深入阶段。

1. 自我学习。我既然参加了整风领导，除了坚持原则立场外，一个重要责任，就是从我开始，带头学好文件，掌握精神，改造自己。为此，我自己首先做了两件事：第一，精读文件。在 4、5 月个人学习文件期间，我同大家一起也学习了有关文件，并联系中央研究院的实际作了学习笔记，现在有本本可查的，如《读中宣部四三决定》、《斯大林论平均主义和毛泽东论绝对平均主义》、《学习杂记之一：“矢与的”的方针》、《学习杂记之二：动机与立场》，以及《谈学习态度》等。其中《谈学习态度》是学习二十二个整风文件的笔记，记下了自己对一些问题的认识，如这次学习的重要性，全部粗读和重点精读的关系，搞通文件、总结经验和反省自己问题上的两个极端偏向，贯彻有的放矢和实事求是的必要性，个人学习和集体研究的结合，写学习笔记、记录学习心得的重要性，以及学习中领导干部的态度等。当时，我是比较注意写学习笔记的，我认为“写学习笔记不但对自己的学习是不断的将军，又同样能对自己的思考起着启发和明辨的作用。但是，笔记只是学习心得的记录，而心得深浅，归根结蒂决定于学习态度。所以，我们必须不疲倦地致力于学习态度的改造”。“领导干部在学习中有双重任务：自我学习，又帮助别人学习。因之领导干部的学习态度关系特别重大，他常常自然而然地成了别人的榜样。作为领导者，一定要能够以身作则地影响别人，积极帮助别人，又能从别人那里学习许多东西，真正收到教学相长之效”。坚持地克服教条主义态度，为培植马列主义态度而斗争，这就是我在整风中的学习态度。第二，检查自己。3 月 2 日我参加中央白区工作总结委员会[①]的会议，毛泽

① 中央白区工作总结委员会在 1941 年 9 月中央政治局扩大会议以后成立，任务是总结党的白区工作的历史经验，中央负责同志和有关的老干部参加，会议由毛泽东主持。——编者注

东谈了党的产生至六次大会以来的简单经过，指出中国有两个教条，一是旧教条，一是洋教条，都是思想上的奴隶。五四运动打破了旧教条的奴役，是一个重大的启蒙运动。大革命失败后，我们党犯了洋教条的毛病，现在开展反主观主义、宗派主义和党八股的整风运动，同样是一个重大的启蒙运动，许多干部中毒很深，需要我们做启蒙工作。毛泽东的这些观点，使我很受启发和教育。3 月4 日，又读了《六大以来》第二集刘少奇检讨“八七”会议以来党内关门主义和宗派主义的文章及其给中央的信，也使我对总结白区工作和检讨自己得到很大的帮助。在此基础上，4 月2日，我利用中央研究院教育、新闻两个研究室开会讨论整顿三风的机会，作了一个比较全面的、历史的检讨发言，回顾了盲动主义、立三路线、“九一八”到遵义会议时期党领导上的错误，检查了我在这些错误中的地位和责任。重点是批评自己，分析自己错误产生的社会根源和思想根源。这个检查使我进一步认识了自己，对今后如何谦虚谨慎地进行工作，有极大帮助。有同志告诉我，他们听了我的检查，也很为感动，很受教育。说明一个领导人要帮助别人整风，首先要督促自己整风。以身作则，从我开始，这也是领导。

2. 纠偏。整风开始阶段暴露了问题，发生了偏向。对多数群众说，这种偏向是小资产阶级思想的反映，属自发性质，和王实味的蓄意煽动有着根本的区别。但王实味的煽动对偏向确实又发生过一定的影响。这就是说，两者本质不同，形式相似。这样就使中央研究院的思想论战带着相当的复杂性，势必要经历迂回曲折的道路循序前进。首先需要解决一般偏向问题，然后才能解决王实味问题。

解决一般偏向问题的方法，一是个人学习整顿党风文件，二是集体讨论民主集中制问题。

在延安的中央直属机关和军委直属机关，4 月18 日联合举行学习动员大会，4 月20 日起开始学习规定的二十二个整风文件。他们学习整风文件，一般是按总论、学风、党风、文风的次序进行的。中央研究院针对运动初期发生的偏向，改变了这一次序，5 月上旬开始，首先学习“四三”决定和有关整顿党风的文件。学习“四三”决定使大家初步懂得了整风运动的方针、立场、方法和中央研究院整风运动中存在的问题；毛泽东《改造我们的学习》使大家初步端正了学习的态度；列宁、斯大林、毛泽东《论党的纪律与党的民主》使大家对党的组织原则有了比较具体的了解；毛泽东《反对自由主义》、陈云《怎样做一个共产党员》和刘少奇《论共产党员的修养》等使大家初步清算了自己的非无产阶级思想意识，加强了党性修养。所有这些文件的学习，都是结合各人的思想实际和中央研究院的整风经验进行的，理论联系实际，实事求是，有的放矢，个人领会精神，自觉检查，相互启发诱导，和风细雨，开展批评和自我批评，思想普遍获得提高。

在此基础上，从5月17日起至5月30日，又召开全院民主集中制座谈会，对党的民主集中制，党的纪律问题，进行了群众性的讨论和争论。主要检查了整风初期产生的极端自由主义倾向。对此，有的说有，有的说无。有的说是偏向，有的说不是。发言踊跃，争论极大。范文澜对自己在开始阶段“放任自流的领导”作了深刻的自我批评，他说：“我在开始阶段的领导方式，缺点大于优点。因为我那时不懂民主集中制究竟是什么，平时教条主义的学习，遇到实践，就不自觉地与所谓理论完全脱节。主观地高唱民主，忽视集中，形成放任自流的领导”，“这是我不能不认为衷心抱愧、难以忘怀的一次痛苦经验。”他的自我批评受到群众欢迎。5月30日，我也作了题为《民主集中制座谈会上的几个争论问题》的发言，对三个方面的问题的争论，提出了我自己的意见。一、关于民主集中制方面的问题。争论问题有：民主集中制的意义；民主和集中的关系；应“强调民主还是应强调集中”；“民主扩大是否集中也扩大了”；“集中是领导机关的权利和义务，民主是被领导者的权利和义务”；“民主是启发党员群众的积极性，集中是把已经启发起来的积极性加以正确的使用”等。我对这些问题或观点，说了如下的话：“我们的集中，必须是民主的集中即必须是以民主为基础的集中，它与专制和独裁根本不同；我们的民主必须是集中主义的民主，即必须是正确集中的民主，它与绝对民主根本不同。”决不能因为领导者与被领导者的区别，而把民主与集中对立起来。“我们要正确地了解民主和集中的关系，需要采取唯物辩证法的态度和方法，辩证地考察它，以免流于机械；尤其需要从具体情况出发来考察它，以免流于抽象的名词的游戏。”二、关于民主方面的问题。争论问题有：什么是党内民主的实质；能否“把党的民主分成组织的、政治的和思想的三个领域”；能否实行“彻底的民主”，“完全的民主”；“极端民主化（当时我们用过这个概念，意指极端自由化或自由主义）的来源”；民主精神和作风；中央研究院如何运用民主等。我对这些问题或观点，说了如下的话：我们党内民主的实质，就是斯大林所说的“行动的民主主义”，就是在党的组织内，党员有权参加解决党的和一般实际的问题，制定决议，并督促自己的组织实行这些决议，就是议决权和执行决议的统一，这是党的民主的特点。党的民主永远同集中制联结在一起。同集中制分离，就会产生绝对民主，绝对民主就是绝对自由，而绝对自由是违反党的统一和团结，违反社会生活秩序的。三、关于纪律方面的问题。争论问题有：为什么服从纪律是自觉的；执行纪律有无条件，灵活执行决议在什么限度内才不致违反纪律等。我对这些问题或观点，说了下面的话：纪律是执行路线的保证，只有自觉执行，才能达到目的；只有无条件执行，才能获得保证。可以依据具体情况灵活运用，但决不能违反决议的基本精神和原则。我现在复述这些争论问题和我的意见，是表明当时青年同志们的思想情况，他们的某些绝对民主主义和自由主义的表现，都是自发的；同时也表明我当时对争论问题的发言还有局限性，还不够完整、明确。例如还没有认识人民民主，没有充分认识高度民主与高度集中的统一等。至此，关于民主集中制问题的讨论基本结束，带有群众性自发性的偏向基本纠正。

3. 批判和斗争王实味。解决了一般偏向问题，就为解决王实味问题奠定了思想基础。由于：第一，当时我们正处在黎明前的黑暗时期，经历着抗战中的空前困难，又面对着新的反共高潮，特别需要全党团结一致，战胜困难。此时此地，王实味却借党内整风机会，诬蔑党和咒骂党，造谣惑众，挑拨离间，制造分裂，破坏团结，不给予坚决回击，就不能团结内部，一致对敌。第二，王实味惯于使用“左”的词句掩盖反动实质，利用和迎合青年中未改造的小资产阶级思想，自封为青年的“代表”，利用党在实际工作中的个别缺点错误，加以曲解、夸大，造谣中伤，耍两面派，钻空子，被揭露后又抵赖顽抗等。对他这一切，不给予彻底批判，就不能肃清影响，教育青年。经过前一段的讨论，大家也发觉了王实味的思想不对头。所以，在讨论民主集中制问题告一段落后，紧接着就展开了对王实味的批判和斗争。这是一场有着重大政治意义和教育意义的不可避免的斗争。

早在 3 月 31 日，毛泽东就在延安《解放日报》改版座谈会上对王实味的《野百合花》和《矢与的》墙报上的言论，进行了尖锐的批评，指出，在整风运动中，有些人从不正确的立场说话，这就是绝对平均主义的观点和冷嘲暗箭的办法。胡乔木也写信给王实味传达了毛泽东的批评，并指出，《野百合花》的错误，首先是批评的立场问题，文章充满了对于领导者的敌意，并有挑起一般同志鸣鼓而攻之的情绪。只要是党员，是绝对不容许的。

6月1日至6月11日，中央研究院民主集中制座谈会由清算极端自由主义的偏向转为清算王实味的斗争。这个斗争持续开会十次，参加会议的人员最多时达到一千余人，座谈会变成了群众大会，全延安七十多个机关学校都有代表参加。发言的人很多，主要的有（按发言次序）李言、李又常、潘芳、雪苇、艾思奇、柯柏年、李伯钊、张如心、丁玲、艾青、范文澜等同志。首先是针对王实味的《政治家、艺术家》和《野百合花》两篇文章，开始讨论过这样一些问题，如《野百合花》的错误是方式的错误，还是立场的错误；如果立场错了，是否他的动机也错了等。很快又有同志揭发王实味在历史上和托派有联系。此事他在1940年向中央组织部交代过。在批判过程中，他也承认了这一点。并且还说，至今对某些托派分子仍然念念不忘，认为他们的"人性"是好的。很多同志又揭发了他的种种反党行为。这样，大家对他的认识逐步加深，由他的反党立场，到他的反党动机；由他的反动思想，到他的政治上、组织上的反党行为。从思想问题上升到了政治问题和组织问题。群情激愤，要求开除其党籍。我在会议的最后一天，受检委常委会的委托，对座谈会作了总结发言，题为《论中央研究院的思想论战——从动员大会到座谈会》（发表在1942年6月28日的《解放日报》上），回顾了中央研究院从3月18日动员大会以来八十天的整风学习和论战过程，总结了几个星期以来民主集中制座谈会的收获，分析了自发性偏向和王实味问题的联系和区别，阐明了批判、斗争王实味的意义和必要性。具体谈了四个问题：一、肯定座谈会的巨大收获：对偏向作了一般的清算，对王实味作了彻底的揭发；大家在政治上、思想斗争的原则和方法上、自己的思想改造上，一般都提高了一步。二、王实味是什么人？支配着王实味的思想的是托洛茨基分子的思想。他的言行已为反革命所赞扬和欢迎。大家抱着"与人为善"、"惩前毖后，治病救人"的态度来挽救他，实际上他拒绝了大家的帮助。"对于王实味我们已经尽了自己的力量，现在是他严重地考虑自己的问题的时候了。"三、斗争王实味的必要性和意义。为什么要斗争王实味？第一，因为王实味有反党言行。他坚持和传播托派思想；利用抗战困难在党内散布悲观失望情绪，制造谣言，破坏团结；利用党在实际工作中的某些弱点，加以渲染和夸大，公开诬蔑党和咒骂党，为敌人提供反共材料；故意曲解整风运动为派别斗争，造谣诬蔑党的领导，进行挑拨离间等。“对王实味这类反党的反动的行为能够不允许我们激起高度的义愤和进行严正的斗争吗?”第二，因为王实味进行反党活动“有他的一套阴险的狠毒的手法”，比如：使用一些“左”的名词掩盖反动实质，吓唬缺乏政治经验的人；利用青年弱点，装作青年的代言人，进行诱骗；挑拨离间一些立场不坚定的党员和党的关系；两面派和钻空子；耍流氓等。“在这种情形之下，如果不对王实味的言论行动，实行具体的揭发，进行严正的论战，能够暴露他的实质，肃清他的影响，提高党内的政治警惕性吗?”说明这场斗争和论战“是完全必要的”，是“有着严重的政治意义和教育意义的”。四、从动员大会到座谈会的经验。第一，这是一个思想论战过程或阶段。一般地说，是无产阶级思想同小资产阶级思想的斗争；特殊地说，又是同王实味反党思想及其影响的斗争。曾经发生过的偏向是小资产阶级思想的反映，同王实味的反党思想有着根本的区别；但王实味的反党煽动对偏向发生过一定程度的影响，又使一般的偏向同王实味的思想有了某种关系，使思想论战带有相当的复杂性。既有联系，又有区别。关键是要搞清一般偏向的性质和王实味思想的实质。第二，经过整风文件的学习和反省，我们终于克服和清算了自己在整风初期犯过的偏向，揭发了王实味的反动思想和活动。因此，我们比以前更了解了党的文件的力量和学习的重要性。第三，从反王实味的斗争中应该得出一个严重的结论，就是必须提高政治警惕性和反对自由主义。第四，应使学习和思想论战进入一个新的更具体更深入的阶段。“希望把我们这次座谈会的精神，反映到各个研究室去，反映到各个同志的内心里去。我们整个研究院和每一个同志应该从已经达到了的阵地出发，继续努力，实现中央和毛主席整风运动的方针。”

4. 整风学习总结。中央研究院整顿党风的学习，到 7 月下旬告一段落，总结了三个方面的问题：关于批判王实味，关于思想意识的检讨，关于整风文件的学习。这次总结有三个特点，一是坚持学习。整风文件的学习贯彻了整风的全过程，也贯彻了总结工作的全过程。学习笔记一般不是写了一、二篇，而是写了一、二本，真正做到了学文件，写心得，照镜子，理论和实际挂上了钩。二是要求作全面、历史的检讨。入党以后要检讨，入党以前也要检讨。尤其要全面检讨整风以来发生在个人身上的无产阶级思想和非无产阶级思想的斗争过程，非无产阶级思想的表现、影响、性质、危害、根源、克服办法和今后努力方向。三是贯彻民主精神，开展批评和自我批评，依靠互相批评和帮助，主要依靠个人觉悟，自觉自愿地解剖自己，对照文件精神进行严格的自我批评。在个人进行全面的、历史的检讨的基础上，写出思想自传。这种自觉的思想革命，创造了团结互助、携手前进的热烈气氛，没有任何强制和压力，同志们的心情普遍是舒畅的。正是在这种民主基础上，每个人都严肃地解剖自己，自觉地改造世界观，从而统一了认识，提高了思想，加强了团结，确实达到了既弄清思想，又团结同志的目的。整个运动的发展是健康的，是有规律性地前进的，收获是很大的。普遍反映，整风教育了每一个人，端正了党员和干部的政治方向，使他们在今后漫长的征途中有可能少犯错误，多作贡献。事实正是如此，他们后来奔赴各条战线英勇斗争，充分表现了一个共产党员的坚强意志和高尚气节。其中如胡南、刘亚生、黄子文、张炳南等同志，就在特务屠刀面前或在自卫战场上，顽强不屈，壮烈牺牲。他们的献身精神，是值得我们永远学习和怀念的。更多同志经受住了林彪、江青、康生等反革命的迫害，今天虽已年老体弱，仍然奋战不息，保持了延安整风精神，这是十分可贵的。

（五）主要收获。教育了两代人，两层干部。

1. 教育了青年一代（新干部）。中央研究院根据自己的特点，把以马列主义、毛泽东思想为武器改造小资产阶级青年知识分子的世界观，引导他们走上无产阶级的轨道，当作自己的首要任务。中央研究院的整风，实事求是地对待了小资产阶级青年知识分子的优点和弱点，扶正祛邪，帮助改造。他们的优点是有强烈的革命性，愿意接受无产阶级的改造和领导，要热情帮助他们发扬这一优点。他们的弱点是存在某种程度的摇摆性和软弱性，也容易接受资产阶级的影响，要热情帮助他们克服这一弱点。中央研究院的整风的主要成绩，就在这里。具体说，第一，他们的思想要害是世界观基本未改造，整风用马列主义、毛泽东思想初步改造了他们的世界观，从小资产阶级立场转变到了无产阶级立场。第二，他们的思想方法习惯于纸上谈兵，理论脱离实际，搞唯心主义和教条主义，整风用辩证唯物主义思想初步端正了学风，在理论联系实际上迈出了一大步。第三，他们的组织观念薄弱，纪律性差，容易搞绝对平均主义和自由主义，整风用党性和党的民主集中制原则教育他们，加强了他们的组织观念、纪律修养和党性锻炼。现在有些同志把延安的这段时间称为“黄金时代”，说整风对于小资产阶级知识分子的改造确实力量大，效果好。这是由衷之言，是完全正确的。

2. 延安整风，整个说来，教育了青年一代，更教育了中年一代（即现在的老年一代）。中年一代是各条战线上的负责干部。当时中央研究院从自己的具体情况出发，把改造小资产阶级知识分子新党员的世界观当作首要任务，而直接帮助青年整风的都是中年干部。他们都在同青年一道的学习中受到整顿三风的教育，但是从学习的广度和深度来说，则是在党中央和毛泽东领导的学习《六大以前》和《六大以来》两本书，即学习两条路线斗争的历史中，受到了更深刻的教育。这是对负责干部一项空前的马克思主义教育运动，实现了六届六中全会的号召。延安如此，全党也如此。

（六）基本经验。毛泽东 1945 年 4 月 27 日在为延安《解放日报》所写的题为《论军队生产自给，兼论整风和生产两大运动的重要性》的社论中，把整风运动和生产运动作为整个革命链条中的两个重要环子，说它们“曾经分别地在精神生活方面和物质生活方面起了和正在起着决定性的作用”。现在历史条件不同了，但整风和生产，建设精神文明和物质文明，仍是我们整个社会主义现代化建设链条中的两个重要环子，因之，我们今天重温中央研究院整风的成绩和经验，有现实意义。

中央研究院的整风获得成绩的原因何在呢？有些什么带根本性的经验呢？

1. 首先，有一条完全正确的方针。这就是毛泽东的实事求是，批评和自我批评，分清是非，团结同志，惩前毖后、治病救人的方针。这是一条和王明的“残酷斗争，无情打击”的党内斗争错误方针针锋相对的马克思主义的方针。我们执行了这一条方针，使党的生活和党内教育走上了完全崭新的道路。

2. 其次，坚决按民主集中制的原则办事。我们在民主集中制原则的指导下，充分发扬了民主，真正做到了“言者无罪，闻者足戒”。在发扬民主的过程中难免发生偏向，我们仍然按民主集中制的原则，用民主方法，即用群众自己教育自己的方法，启发自觉，在民主基础上获得思想统一。

3. 领导干部和群众紧密结合，互相帮助，共同提高。一方面，领导接受群众教育，另一方面，领导并引导群众前进。就是说，领导确实既做了学生，也做了先生。这种领导和群众亲如手足的关系，是十分值得发扬光大的。

4. 高度发扬自我批评精神。“批评和自我批评的方法”，“是人民国家内全体革命人民进行自我教育和自我改造的唯一正确的方法”。这一点，整风中是自始至终自觉执行的，没有人认为做了自我批评，就是丢了人。也没有人听了别人的批评，就脸红。这是多好的同志关系！现在，一般说，自我批评的武器举得不高，仍然有些干部喜欢听好话，不喜欢听批评，也不作自我批评。对批评者打击报复、给穿小鞋的事，也时有所闻。这是既不正派，又十分危险的坏现象，应该大力纠正。

1942 年 9 月，我离开中宣部和中央研究院，去陕甘宁边区政府任职。中央研究院的下一段学风、文风学习和全部总结，未曾亲身经历，就无从回忆了。

陕甘宁边区政府工作回顾

一、毛泽东的嘱咐

以延安为中心的陕甘宁边区，是中央红军长征的落脚点，又是抗日战争的出发点，党中央指挥全国革命的大本营，全国政治上最进步的区域。但存在两方面的情况，一是国民党顽固派方面，他们把陕甘宁边区看作眼中钉，时刻妄图拔掉它。1940 年前，尚有国民党县政府、县党部和电报局、邮政局等通讯机关设在边区，还设有榆林地方部队常驻机关，从事反共反边区间谍破坏工作。这些机关因其破坏活动被我揭露撤离后，国民党又不断向边区秘密派遣特务，并在洛川、西峰镇、榆林三处设立反共据点，伺机进袭，从政治、经济、文化上封锁边区。二是我们自己方面，边区地广人稀，经济落后，文化闭塞，人畜死亡率很高。全区共辖二十七个县、市，包括陕西、甘肃、宁夏、延安（县、市）、甘泉、鄜县、延长、延川、安定（子长）、安塞、保安（志丹）、固临、绥德、清涧、米脂、葭县、吴堡、新宁（宁县）、新正（正宁）、赤水（栒邑）、淳耀（淳化、耀县各一部分）、庆阳、合水、环县、华池、靖边、定边、盐池、吴旗等地。人口仅一百五十万。因此，经济建设和文化建设的任务是十分艰巨的。

我在中央研究院的整风学习告一段落，确定调往陕甘宁边区政府工作时，枣园打来一个电话，说毛泽东找我谈话。我到了毛泽东那里，他和我谈了很长时间，主要谈边区政府的工作。他说：今后边区政府的工作，第一，要讲团结，全边区要团结在以高岗为首的西北局周围，边区政府内部要团结在以林伯渠为首的政府党组周围；第二，要精兵简政，做到五句话：精简，节约，统一，效能，反对官僚主义；第三，要发展生产，主要是农业生产，也要搞好工业生产（他知道边区已经有火柴、毛织等工业和七百个工人，沈鸿还带进一些机器来，很高兴）；第四，要搞好文化教育工作，边区文化教育太落后，文盲多，巫神多，迷信多，文化教育要抓紧发展；第五，要搞好“三三制”政权，此事，陕甘宁边区一定要带头搞好。我离开时，他送到窑洞外，特别叮咛说：“罗迈，延安好比英国的伦敦。”我体会这句话的意思是说，伦敦是英国的首都，它的政策影响着英国的众多的殖民地。我们当时也有很多根据地，根据地当然不是殖民地，但需要一个“首都”作为政策中心，则是一样的。毛泽东是要求陕甘宁边区在执行党的政策中带个头，自觉承担试验、推广、完善政策的任务。期望殷切，鼓舞极大。毛泽东的这次谈话，我向西北局报告过，也在边区政府党组传达讨论过。

从 1942 年 9 月 12 日到职至 1946 年 4 月 19 日离开，我在边区政府一共工作了三年零七个月。我的职务是边区政府秘书长兼政策研究室主任，李景林是副秘书长兼审判委员会秘书长，以后常黎夫来了，他先是秘书处长，以后是副秘书长兼政策研究室副主任。我主要协助以林伯渠为首的党组做一些会议组织工作和政策研究工作。这样的人事安排，就使我有可能花更多的力量去做上述的工作，对我的帮助是很大的。政策研究室的同志们在协助组织大会和研究政策工作中，经常深入实际，联系群众，调查研究，了解情况，反映问题，总结经验，也付出了辛勤劳动。这几年边区政府的工作安排及其方针政策，就是根据毛泽东的上述原则要求和指导思想，在党中央和西北局的领导下进行的。

政府工作的面很广，这里着重回忆毛泽东嘱咐的四个方面工作，即精兵简政，政权建设，经济工作，文教工作，另外再谈谈土地改革、接待中外记者团和一个政治运动：审干和“抢救”。

二、精兵简政

毛泽东在 1942 年 9 月 7 日为延安《解放日报》写的社论《一个极其重要的政策》中说：“党中央提出的精兵简政的政策，是一个极其重要的政策。”我在同年同月临来陕甘宁边区政府前，他找我谈话嘱咐我转达边区政府的第一件事，也是精兵简政。我回忆在边区政府的工作，就从精兵简政开始。

(一) 严重困难

1940年和1941年，是各个抗日根据地遭遇空前物质困难的时期，正如毛泽东说过的："我们曾经弄到几乎没有衣穿，没有油吃，没有纸，没有药，战士没有鞋袜，工作人员在冬天没有被盖。国民党用停发经费和经济封锁来对待我们，企图把我们困死，我们的困难真是大极了。"陕甘宁边区的财政收支由于下列三个原因，也发生了很大问题：第一，脱产人员猛增。1937年陕甘宁边区成立时，党政军脱产人员仅一万四千人，1938年亦仅一万六千人。1939年后，主要是1940年和1941年，国民党发动两次反共摩擦，用重兵包围边区，并伺机大举进攻。我们被迫从前线陆续调回军队，保卫边区。边区脱产人员（主要是军队）即从1939年起直线上升，计：1939年四万九千人，1940年六万一千人，1941年七万三千人。人员猛增，支出随之大幅度增长。第二，财政收入锐减。陕甘宁边区的财政收入存在一个很大弱点，就是依赖外援。外援（包括海外华侨的捐款、国内民主人士和抗日团体的捐助，以及国民党给八路军的军饷等）在边区财政收入中所占的比例极大，据统计，外援所占的比重：1938年为百分之五十一点六，1939年为百分之八十五点七九，1940年为百分之七十四点七。1940年10月起国民党停发八路军军饷，同时实行断邮，外援也大部断绝。第三，人民负担加重。中央曾经规定，党政军脱产人员不能超过人口总数的百分之三，但当时实际已达百分之五点四，势必增加人民负担。以人民的公粮负担为例：1937年征收公粮一万四千石（一石为三百斤），占边区粮食总产量的百分之一点二八，每人平均负担仅一升，是很轻的。以后逐年增加，1938年一万五千石，1939年六万石，1940年十万石，1941年激增至二十万石。这个二十万石说明了什么问题呢？第一，它说明公粮已占总产量的百分之十三点八，比1937年只占百分之一点二八，增加了十多倍。第二，它说明每人平均负担已达一斗四升，比1937年只负担一升，也增加了十多倍。人民负担确实重了，党内外反应强烈，党中央、西北局极为关怀。1941年9月至11月，西北局曾派宣传部长李卓然率柯华、秦川、石峻、魏啸天、吴文遴等，在固临县调查了三个区，写了一个《固临调查》材料，也证实了这一情况。正是由于脱产人员猛增，时政收入锐减，人民负担加重，就使我们的财政发生了严重困难，这是一个物质方面的困难，毛泽东说："我们必须克服这个困难，我们的重要的办法之一就是精兵简政。"

（二）采用建议

精兵简政，是李鼎铭等人提出来的。1941 年 11、12 月间，陕甘宁边区召开第二届参议会，李鼎铭等十一人提出一个有关财政问题的提案，建议："政府应彻底计划经济，实行精兵简政主义，避免入不敷出经济紊乱之现象。"这个提案经参议会讨论通过，"交政府速办"。毛泽东看到后，批示："这个办法很好，恰恰是改造我们的机关主义、官僚主义、形式主义的对症药"。党中央讨论了这个问题，并于 1941 年 12 月 13 日向各抗日根据地发出精兵简政、发展经济的指示，普遍推行。以后毛泽东还说过，"'精兵简政'这一条意见，就是党外人士李鼎铭先生提出来的；他提得好，对人民有好处，我们就采用了。"

（三）第一、第二次精简

陕甘宁边区政府为了执行第二届参议会关于精兵简政的"速办"决议，在参议会闭会不久，1941 年 12 月 4 日就发出了《为实行精兵简政给各县的指示信》，同年 12 月中旬就拟定了整编方案，开始了第一次精简。三个月后，至 1942 年 4 月，整编工作基本结束，裁减了骈枝机构百余处，缩减了工作人员数千名，这是收获。但由于缺乏经验，对精简工作的必要性的认识也不足，所以思想提高不多，工作改进不大。

1942 年 6 月 30 日，陕甘宁边区政府第二十六次政务会议讨论通过《陕甘宁边区政府系统第二次精兵简政方案》，开始了第二次精简。这次精简的重点是建立边区政府本身的工作制度，如实行合署办公制度；政务与事务适当分工，使领导人有可能多抓政务；加强下级，提高县政府职权等。边区政府各个单位根据这一重点分别进行了内部的整编工作，调整机构，精简人员，改革制度。8 月初实行合署办公。这次精简工作主要是建立和健全制度。上级机关也精简了一些人员，但又都充实了基层组织，实际精简不多。

（四）第三次精简

1942 年 9 月，第二次精简已经结束，正在根据党中央《关于统一抗日根据地党的领导及调整各组织间关系的决定》进行第三次精简的准备工作。我参加了第三次精简。

1. 准备工作。第三次精简酝酿很久，准备充分。主要做了如下工作：

第一，总结经验。1942 年 9 月中旬，对前两次精简进行了认真的检查，内容包括：经过精简后，机构设置是否合适，人员配备有无余缺，职责分工是否明确，行政、用人和总务工作有无制度、是否完整，干部使用、领导作风、目前工作存在什么问题等。这次检查实际是总结第一、二次精简工作，动员第三次精简工作。我虽然未曾参加第一、二次精简工作，但从这一检查中大体了解了它们的成绩、经验和问题，为参加第三次精简工作做了思想准备和组织准备。

第二，统一认识。1942 年 9 月下旬，我们专门召集分区专员，延安、安塞、甘泉等县县长，以及其他一部分县、区、乡干部，举行简政座谈会，研究专员公署①以下各级政府的简政问题。这次座谈会以整风精神进行讨论，使大家对于各级政府的职能有了一致的认识，普遍认为提高政府工作效能的关键在于加强乡政权，简政工作必须以加强乡政权为重点。通过这次座谈会，明确了第三次精简必须注意的一些问题，为深入进行精简打下了思想基础。

第三，准备文件。1942 年 9 月 19 日至 1943 年 1 月 14 日，西北局召开高干会，简政整政问题是重点讨论问题之一。根据政府党组的指示，在多次集体酝酿的基础上，我负责起草了《陕甘宁边区简政实施纲要》和林伯渠准备在高干会上作的关于《简政整政问题》的报告。1942 年 11 月 4 日林伯渠在高干会上作了《简政整政问题》的报告，并把《陕甘宁边区简政实施纲要》提交大会讨论，获得通过。

第四，听取指示。准备工作的最重要一步，是直接听取毛泽东的指示。1942 年 12 月，毛泽东在西北局高干会上作了《经济问题与财政问

---

① 陕甘宁边区的政制为边区，县、乡三级。专员公署为边区政府的派出机关。区公署为县政府的派出机关。——编者注

题》的著名报告，提出了“发展经济，保障供给”的经济工作和财政工作的总方针，也提出了“精兵简政”工作。他说：“这次陕甘宁边区高级干部会议以后，我们就要实行‘精兵简政’。这一次精兵简政，必须是严格的、彻底的、普遍的，而不是敷衍的、不痛不痒的、局部的。在这次精兵简政中，必须达到精简、统一、效能、节约和反对官僚主义五项目的。”这是对过去精简工作的批评，也是对今后精简工作的期望。我直接听到了这些指示，极大地提高了对精简工作的意义、目的和要求的认识，在自己的头脑里完成了一次重大的思想武装。

2. 贯彻执行。第一、第二次的精兵简政只在政府系统进行。第三次精兵简政根据毛泽东提出必须是“普遍的”而不是“局部的”的要求，在党中央系统、西北局系统和军队系统也进行了。1943 年 3 月 20 日，党中央召开政治局扩大会议，讨论精兵简政，对中央机构的人员也进行了精简，为延安其他党政军机关的精简工作，做出了榜样。

陕甘宁边区政府进行第三次精简工作的基本纲领，就是《陕甘宁边区简政实施纲要》。它经 1942 年 12 月边区政府委员会第三次会议讨论通过，1943 年 3 月 13 日边区政府主席、副主席明令公布，下达执行。其主要内容和贯彻执行情况如下：

第一，主要内容。这个《纲要》根据边区整风中揭露的问题和总结第一、二次精简工作的经验，本着实事求是的整风精神，从目的、任务、机构、人员、制度、作风等各个方面，提出了十一个问题。其中主要是：一、指出了这次精兵简政的目的，是要使政权工作做到精简、统一、效能、节约和反对官僚主义五项要求。要减去一些不急要的政务，全力搞好生产、教育两项急要和首要任务；要减去一些不急需的机构和人员，把政府系统人员由现有的一万一千五百人减至七千五百人，即减去百分之三十五弱。二、重新划分和审定边区政府及其各个工作部门、各分区代表机关、各县、乡政权机关的职权和业务。规定“边区政府是边区政权的首脑部”，基本任务是“掌握政策，掌握干部”；“县政府是边区各级政权的枢纽”，基本任务是“组织人民经济和健全乡政权”；“乡政权是边区政权的基层组织”，“第一个重要任务”是“发展农村生产”。三、要求改善领导作风。首先改善高级机关的领导作风，要善于掌握政策，即会出主意，会指导实行。《纲要》强调指出：“这次简政工作涉及了政策问题，制度问题，业务问题，机构问题，干部问题，民主集中制问题，领导作风问题，以及拥军问题，三三制问题等等”，就是说，“简政工作是一序列的组织问题，又是一序列的思想问题”，“必须从组织上贯彻，又从思想上贯彻”。因之，一方面，要同整风学习结合，用整风精神进行简政；又方面，要同检查工作结合，政务人员要作思想检查，政府系统要作工作检查，用思想指导行动，用行动贯彻思想。要求 1943 年上半年完成这次精简任务。

第二，组织实施。这是一项十分细致的组织工作，首先是一项十分细致的思想工作。工作人员担心列入编外，不光荣；领导人员担心减少人，难办事。思想问题一大堆。因此决定召开一些干部会议，我和民政厅长刘景范一道，先是召开边区政府各厅处院的负责人会议，做领导机关的思想工作；再是召开各专员、县长联席会议，做中层干部的思想工作。在这些会议中，先组织学习毛泽东在边区高干会上所作《经济问题与财政问题》报告，讨论《陕甘宁边区简政实施纲要》，研究实施简政的措施和加强生产、教育工作的途径。经过这样的学习、讨论和研究，大家的认识有所提高，决心和信心也就大了。

在此基础上，边区政府颁布了一系列有关的组织措施和条例，如《政纪总则》、《县政府组织暂行条例》、《乡政府组织暂行条例》、《各级政府干部管理暂行通则》、《各级政府干部奖惩暂行条例》、《区以上政务人员公约》、《简编方案》等，为简政规定了具体目标、任务和要求。

这就是说，我们做了一些思想工作，又做了一些组织工作。

第三，效果。第三次简政工作经过一年的努力，到 1944 年初检查，已经获得了预期的结果，即基本上达到了精简、统一、效能、节约和反对官僚主义五个方面的目的。

精简。业务上，做到了生产第一，其中又以农业为第一位；教育第二，其中又以干部教育为第一位（具体情况将在本篇的《自力更生，建设边区》和《文化教育》两章介绍）。边区政府各部门和下级政府一般已能抓住业务中心，开展业务工作。机构上，全部按简编方案执行。各厅处院的内部机构，裁减了四分之一，边区政府直属机关从三十五个减至二十二个，专署及县府的内部机构从八九个减至四五个等，消除了头重脚轻的积弊。人员上，边府各厅处院及县附属机关的人员，都已按计划精简，办公厅、民政厅、财政厅、建设厅、教育厅和物资局等六个单位从原有四百六十九人减至二百七十九人，精简百分之四十强。干部调配上，从下级提拔了一部分干部到专署和边府工作，如边府就调入了五个县长当处长。也选派了一些得力干部去加强区乡政权，如延安县就有十个县级干部调区，二十个区级干部调乡，选送一百五十多个高、中级干部去干部学校培养提高。初步实现了精简上级，加强下级和生产单位的方针。

统一。政治上，政策、法令、命令、指示已基本统一，“政出多门”的现象少了。组织上，加强了“一元化”。各厅、处、院、局在具体业务上可与下级相应业务机构直接联系，重大任务的部署则一律通过各专署、县政府负责人进行。人事任免上，基本上已统一于民政机构，改正了各自为政、自由任免的现象。

效能。由于坚持了统一领导，反对了“各自为政”的现象，精简了机构和人员，加强了下级，使工作效能有很大提高。尤其一些行政和企业机构，工作有明确指标，效能的提高更为显著，如文书科三个人做了过去十三个人的工作。边区通讯站 1 至 4 月每日平均投递一万六千六百六十一件，5 至 11 月激增至每日平均投递三万零七十八件，提高效率百分之八十以上。在政府经营的工业中，效能提高的程度更为惊人。

节约。民力的动员减少了，如延安 1941 年动员民力六万多个，1942 年只动员二万八千多个，减少一倍多。绥德 1941 年动员民力七万五千多个，1942 年只九百个，简直说不上什么比例了。一个重要原因，是军队自力更生，自运粮草，不再动员民力，这样就极大地减轻了人民的负担。机关、部队、学校节约粮食、燃料、日用品的成绩也很突出。三五九旅用洋芋和南瓜部分代替粮食，做到了粮食全部自给。被服厂、纺织厂、振华造纸厂等工厂由于精打细算，节省了大量布匹、棉纱、木材等生产用原材料，对经济建设贡献很大。

反对官僚主义。在过去一年中，在反对官僚主义、改善领导作风上，也有进步。我们许多领导干部为贯彻《陕甘宁边区简政实施纲要》，在精简机构和人员、建立统一领导的制度和纪律、调整干部等方面，都做了许多具体工作，如 1942 年工厂会议开得好，转变了对工业的领导；具体帮助农业劳动英雄订一年生产计划，对边区按户计划及生产竞赛起了号召和推动作用；边区政府对于专员公署的日常指导，也减少了命令方式，增加了民主协商。边区政府以下各级政府的领导作风，也有改进，主要表现在对生产的领导具体了，大家能够自己动手去组织变工队、订农户计划、修水利、组织运输队、改造二流子、改造合作社、改良植棉等。总之，从上到下“官僚”少了，人民勤务员多了。这是最得人心的转变。

从以上简单叙述中可以看出，这次精简工作是有成绩的。说明从边区政府到各专署、县、乡政权确实做到了从思想上贯彻，从组织上贯彻，思想工作和组织工作都是做得很好的。

3. 第三次精简工作存在两个主要问题。

第一，有不足，也有过头。这是指第三次精简工作本身说的。有不足，如家属等未妥善处理，使不属正式编制而继续吃公粮的，仅边区一级还有一千余人。浪费现象也还比较严重。也有过头，即有过分集中的倾向，如对小学，部分地采取合并的办法，助长了不适合农村环境的“集中办小学”的缺点，对社会教育也如此，强调社会教育集中办，有的一个区才办一个冬学。机械地执行政府系统新定七千五百人的编制，削弱了某些必要的正常的业务活动。

第二，走回头路。精简后好了一阵，随后又恢复了老样子。这是指第三次精简工作过后的变化说的。第三次精简工作以后，有些单位在组织、机构、制度、人员、作风等各个方面，始终坚持精简成果，甚至续有提高。但也有些单位时过境迁，又走回头路，比如，机构又有增设，人员又有膨胀，制度又有废弛，统一又有削弱，效能又有下降，浪费又有抬头。尤其严重的是，在领导作风方面，官僚主义的残余显然大量存在，并有滋长趋势。

（五）经验

经过三次精简，至少获得三条经验。

1. 只有精兵简政，才能集中力量于急要和首要任务。当时的急要和首要任务，第一是生产，第二是教育。由于多次进行精简，才终于集中力量发展了生产和加强了教育。可见，凡事要有中心，工作要分缓急。如果缓急不分，百端俱举，必然急也变缓，一事无成，一端也举不起来。

2. 精兵简政是临时工作，又是经常工作。所谓临时工作，就是按照一定的精简计划要求在一定时间内完成的工作，有时间性。所谓经常工作，就是要把精简精神在日常工作中贯彻始终，无时间性。我们必须不使一次精简后，时过境迁，死灰复燃。如果一次精简后就一曝十寒，肯定会把精简成果丧失殆尽的。过去的精简情况说明了这一点，全国解放后的多次精简情况也说明了这一点。

3. 精兵简政是组织工作，又是思想工作。要改革体制、整顿机构、精简人员、健全制度等，一句话，要在组织上贯彻，首先要在思想上贯彻。要做好思想工作，打通人们的思想，提高人们的认识，引导人们不是被动应付，而是自觉执行。如果组织工作没有思想工作做保证，组织工作就会失去灵魂，不能持久，也无法巩固。

三、审干和“抢救”

我参加了陕甘宁边区政府系统的整风运动，但已近尾声。1943 年二三月间，根据西北局决定，我组织总结了这一运动，大体上没有毛病，从略。这里着重谈审干和“抢救”。

1942 年 12 月 16 日，康生在西北局高干会上作了关于锄奸问题的报告，夸大敌情，批判干部在对敌斗争中的自由主义态度，并提出了开展反奸细斗争的任务。此后不久，边区政府就有少数单位（如边区银行等）开始审干。1943 年 4 月 1 日夜，康生亲自圈定名单，指令边区政府保安处开始逮捕所谓“特务”、“叛徒”、“反革命”嫌疑分子。4 月 3 日，党中央发出《关于继续开展整风运动的决定》，提出整风的目标除“纠正干部中的非无产阶级思想”外，还要“肃清党内暗藏的反革命分子”。边区政府机关的审干工作，就是在这种情况下，于 4 月中旬全面展开的。

（一）“之”字路

边区政府系统的审干和“抢救失足者”运动，都是由边区政府系统总学习委员会领导的。总学委的负责人是林伯渠、谢觉哉，我是总学委委员，主持日常工作，实际负主要责任。运动的安排同延安地区总的步调基本一致。我个人参加领导这一运动走了一段“之”字路：谨慎——急躁——复谨慎。最初是谨慎的，我知道苏区搞肃反扩大化的危害；以后来了一个“抢救”运动，张克勤现身说法，我也就急躁起来，搞“抢救”运动了，开了三次“抢救”大会；在最后一次“抢救”大会后，才又恢复理智，退了下来。

我走“之”字路的大致情况如下：

1. 比较谨慎。从1943年4月中旬全面展开审干工作至5月22日在边府大礼堂召开坦白大会。在这一个多月时间内，我是比较谨慎的，步骤也是比较稳妥的，从学习文件、检查工作、思想反省到历史审查，循序渐进，未发生大的偏差。在审干过程中，始终强调多调查研究、个别座谈和漫谈以了解情况，明辨是非。如对保育院的“车轮战”和银行、法院等个别机关的过火现象，都及时做了纠正。在我直接指导的单位中，有同志被揭发参加过国民党的学生军训并加入了三青团，有同志被揭发是国民党的骨干分子等，我都亲自过问了他们的问题，要求做到一条：注意历史情况，进行具体分析。查证结果，前一揭发是张冠李戴，把她姐姐的同学的事放在她身上了，后一揭发是小题大做，把一个集体参加国民党的普通国民党员说成了国民党骨干。这样的事例可能还有，说明此时头脑是比较冷静的。

2. 逐渐急躁。早在1942年11月，康生就用“逼、供、信”办法，强迫原甘肃地下党员、西北公学（中央社会部办的）学员张克勤承认是“特务”，进而制造了甘肃地下党是“红旗党”（这是康生对白区地下党的诬陷，意指地下党外红内白，表面是共产党，实际是国民党）的假案。1943年5月中旬的一天，康生亲自在大砭沟八路军大礼堂主持召开以各单位审干核心小组成员为主的干部大会，令张克勤以“坦白典型”面目，作“坦白”动员报告。此后，康生令张克勤到处作报告，以“感召失足者坦白”。在这种“坦白”气氛中，5月22日，边府大礼堂也召开了坦白大会。形式上，个人自觉反省与集体帮助相结合，似乎是审干的一种好办法，容易取得“成绩”。事实上，“逼、供、信”开始抬头，调查研究退居次要地位，是一种摇摆的表现。7月15日康生进一步加大压力，作了《抢救失足者》的煽动性报告，宣布经过三个月“抢救”，已有四百五十人向党坦白悔过。“号召未坦白的人赶快坦白，不要放松一秒钟的时间”，“要在此地就下决心，在这里或者回去立即坦白自己的问题”。警告“不愿坦白的人们，宽大是有一定限度的，这点要严重注意”。剑拔弩张，形势咄咄逼人。在此以前，7月1日，毛泽东已经写信给康生，明确提出“防奸工作的两条路线：正确路线是，首长负责，自己动手，领导骨干与广大群众相结合，一般号召与个别指导相结合，调查研究，分清是非轻重，争取失足者，培养干部，教育群众（即审干九条方针）；错误路线是，‘逼、供、信’。我们应该执行正确路线，反对错误路线。”康生所作《抢救失足者》的报告，是阳奉阴违，直接对抗毛泽东指示的。但由于康生当时在党内的地位，使他的报告带上了极大的权威性。此后，延安党政军民学各机关就纷纷召开“抢救”大会，出现“抢救”高潮。

边区政府系统也同样，在康生报告的第二天，7 月 16 日召开“抢救”大会，就不要实事求是，不要调查研究了。在短短十多天中，开了三次大会。第一次，以“坦白”号召“坦白”。同中央机关和军队系统一样，边区政府也把张克勤请来作“坦白”报告，要他现身说法，劝说别人“坦白”。这叫作思想发动。第二次，欢迎和劝说。劝说“回头是岸”，欢迎上台“坦白”。气氛极为紧张。大会以后的若干日日夜夜里，我自己也头脑发热，参加了几次具体的“抢救”工作。如文书科的一个女同志，在“抢救”她的时候，满头大汗，紧张极了。研究室有一个同志，×校领导人打来电话，说他是“CC 分子”，“抢救”了一个晚上，形式是和平的，实际也是“逼、供、信”。教育厅有一个同志，因档案内有“CC”嫌疑材料，也“抢救”了他。财政厅有一个同志，是中央社会部通知我，说他是“叛徒”，要我把他送到保安处。我说保安处要找你谈话，他老老实实地去了。后来的甄别证明，他们都是一条心为党工作的好党员，但却把他们当作“两条心”①“抢救”了。这时“逼、供、信”已十分明显和突出，我开始有所怀疑，有所警惕，但还没有决心停止。第三次，控告。这次是我当主席，由边区银行行长黄亚光控告一个工作人员。场内群情激愤，如果有人提议处以死刑，也是一定会得到拥护通过的。我一看形势不对，只好立即宣布逮捕送保安处了事。台下还高喊：“捆起来，捆紧点!”这样一来，我清醒了。原来还有五个被控告的，我与主席团商量，停了。会后，我请各厅负责人留下商量，我说，“抢救”大会已经搞得黑白难分，人人自危，不能再搞了。大家同意，就决定再也不搞“抢救”大会了。

3. 复归谨慎。那时，康生等在中央机关许多单位搞出了所谓“红旗党”，说甘肃、四川、河南、湖南、湖北、云南、贵州、浙江、陕西等十多个省的地下党都是“红旗党”。边区个别机关也开始在搞，高等法院就

---

① “一条心”、“两条心”是审干期间的用语。“一条心”意指一心为党工作的好党员。“两条心”意指特务、叛徒或隐瞒自己参加过其他党派的人们。同时，还有“半条心”的说法，意指共产党员但有非无产阶级思想及犯错误者。——编者注

追王怀安是四川“红旗党”派来的。适值周恩来回延安，这些党组织都是他领导的，我问他是怎么回事。他说正在清理，没有这回事。所以我们就没有追下去。

1943 年 8 月 15 日，党中央鉴于“抢救”运动中所发生的偏向和恶果，正式做出了《关于审查干部的决定》，公开阐明了毛泽东提出的审干工作包括“一个不杀，大部不抓”的九条方针，尖锐地批判了“逼、供、信”的错误方针。并发出一系列关于甄别工作的指示，甄别所有案子。

根据中央的指示，边区政府机关成立了甄别工作委员会，帅孟奇任主任，周扬、王子宜参加，工作人员有刘泽西（民政厅）、李育英（高等法院）、华子扬（政策研究室）等。此时，不少地区和单位还在召开“坦白大会”、“全县人民控诉国特和日特罪行大会”、“各界民众控诉国特罪行大会”等，因之，我再三交代帅孟奇、刘泽西说：“你们必须坚持调查研究的原则，不采取任何逼迫性的方式，不开任何斗争性的大会，不要受外来影响，调查研究是驳不倒的。”以后他们正是这样做的，特别是帅孟奇，她严格掌握政策，赤诚对待同志，坚持一个人只作一个结论，不留“尾巴”，并同本人见面。因之，一般说，甄别工作是做得比较好、比较快、比较令人满意的。

边区政府机关共有工作人员三四百人，受“抢救”的百余人，比例是很大的，其中约二三十人嫌疑较大，送往保安处；五十余人有一般嫌疑，送往行政学院（临时审查机关），个别送中央党校第三部。甄别工作从 1943 年 12 月开始，到了 1944 年四五月，机关和行政学院的甄别工作就都基本结束了，多数是无问题错“抢”的，有些是党内问题，有些是一般党派问题。也有少数人的政治性问题因受当时条件限制，无从查证，拖到 1945 年初仍然做不出否定或肯定结论，经逐级请示，最后毛泽东说：现在东北快解放了，需要大批干部，让他们到前线自己去做结论吧。是共产党人，一定留在共产党内，是国民党人，让他跑到国民党去，怕什么呀！这样一来，受过“抢救”的人就全部甄别解放了。

（二）摘帽道歉

康生夸大敌情，谎报军情，对毛泽东提出的审干九条方针和严禁“逼、供、信”指示，又阳奉阴违，拒不执行，一手制造了“抢救”运动和大量的冤、假、错案。康生的这个责任是无论如何也推卸不了的。但事实上，我从来没有听到过他在何时何地作过何种检查。真正在全党承担责任作出检查的，还是毛泽东。他在陕甘宁边区行政学院当着大家的面，公开承认“抢救”运动搞错了，说：“我向大家赔个不是”、“一人向隅，满座为之不欢”，并向大家鞠了一个躬。他又在1945年“七大”前夕，在中央大礼堂的一次有中央机关和边区系统干部参加的大会上，公开向被“抢救”错了的同志道歉，并且要求各单位对在什么场合因“抢救”戴错了帽子的，要在原场合取下来。

遵照毛泽东对全党的指示，1945年10月9日，我也召集边区政府干部大会，在会上揭露了自己在审干工作中走“之”字路的全部过程，检讨了“抢救”运动的错误，向受委屈的同志道歉赔不是，当场取下了错误戴上的帽子，说明“抢救”错误下面同志无责任，由上面负责，由我负责。我也提出彼此不要背包袱，我说：“象毛主席所说的，让我们共同当作经验教训来学吧！”

以后，我还个别地向有关同志赔礼道歉。1946年我去晋西北时，曾经请参加土改的同志带口信给一个同志：在1943年“抢救大会”上把他逮捕送保安处是错误的，我对他不住，向他道歉。1981年初，我又曾经托人征求一个同志对我在1943年错误地“抢救”他这件事的意见，并表示了歉意。

（三）经验教训

唯一重要的教训是野心家、阴谋家、两面派康生窃取了党的保卫机关的领导权。1937年，康生把苏联错误的肃反经验带回国来，用他的两面派手法，窃取了中央社会部的领导权，把它变成可以生杀予夺的权威机关，并且变成披着层层面纱的神秘机关，以掩盖他的真面目。在平时，他任意指定某一机关学校送干部去受审查，经我手的前后就有三个同志，一个去后杳无音信，两个是释放了。但三个同志的所谓“问题”和审查情况从来没有同我谈过。

延安审干是整风的继续，但实际上是两个本质不同的阶段。整风是毛泽东亲自领导的真正的马克思主义教育运动。审干则是康生企图制造一场错误肃反，肆行“逼、供、信”的“抢救”运动，并准备杀人。在党校曾召开公审大会，判决一个护士长的死刑，在延安市曾召开群众大会，要处决四个人，都被毛泽东知道制止了，并立即提出“一个不杀，大部不抓”的方针，免除了一次严重的错误。康生行为的性质不是一般的错误，而是严重的罪恶。但由于他所窃据的权位，人们把“抢救运动”当作中央的指令，普遍推行。这笔罪恶账只能记在康生等人的身上。我们的经验教训是：一、一定要注意防奸除奸。延安有特务，现在也还会有特务，混进来的，变过去的；二、一定要保持领导班子的纯洁，防止野心家、阴谋家、两面派窃取领导权；三、一定要调查研究，独立思考，实事求是，避免迷信和盲从，正确地执行肃反政策。

四、政权建设

七七事变以前，蒋介石对于我们党中央提出的和平、民主、抗战三项要求，被迫接受了和平、抗战两项，却拒绝实行民主政治。我们党为了贯彻抗日民族统一战线政策，团结各阶层人民和各党派无党派人士共同抗日，推进全国的政治民主化，加速抗日战争的最后胜利，主动在陕甘宁边区建立了团结一切抗日阶层的民主政权。1940 年 3 月 6 日，党中央发出关于抗日根据地的政权问题的党内指示，进一步提出了在各抗日根据地建立“三三制”政权（即在人员分配上，共产党员占三分之一，非党的左派进步分子占三分之一，中间派占三分之一）的任务，明确规定：“这种政权，是一切赞成抗日又赞成民主的人们的政权，是几个革命阶级联合起来对于汉奸和反动派的民主专政。”陕甘宁边区执行了中央的指示，在党中央和西北局的直接领导下，基本上完成了这个建设抗日民主政权的光荣任务。

（一）普选

陕甘宁边区的“三三制”政权，是统一战线的、民主的政权。边区、县、乡三级参议会都是人民直接无记名选举产生，三级政府由参议会选举产生。定期普选，是陕甘宁边区民主政权的首要特点。从 1937 年以来进行了三次普选：第一次是 1937 年，第二次是 1941 年，这两次选举时我还没有调到边区政府，没有参加；第三次是1945年，这一次我参加了。主要谈谈这一次普选。

1. 学习和实践。1945年边区第三次普选，是边区人民的一件大事，边区政府党组讨论过多次，作了充分的准备。在7月25日党组会上，我对这次选举的环境、目的、方法、重点以及亟待进行的准备工作，提出了自己的意见。接着，为了弄懂马列主义在代议制或代表制问题上的理论，我专门学习了列宁的《国家与革命》一书。列宁引用的马克思有关巴黎公社的论点，和列宁自己的论点，对我都有很大启发。此时各分区都已选择个别乡进行试点，以便积累经验，逐步推广。我也在8月6日至9月9日共花三十四天时间，参加了一个乡的选举试点，这就是延安市新市乡的选举试点。我亲自参加了实践，接触了群众，取得了第一手材料，增加了感性知识，发言权就多了。我在这次试点中有两条突出体会：第一，"三三制"的作用主要反映在边区、县两级政权机构上，边区、县两级政权机构要强调实行"三三制"，乡级则不必机械地实行"三三制"，只照顾党和非党联盟就可以了。因为乡参议会实质就是乡人民代表会（1945年10月14日，边区参议会常驻会、边区政府正式联合通知：乡参议会改为人民代表会），乡村的人民主要是农民和其他劳动人民，农民由地主代表，于理不通，于情不合。当时有人不同意我的意见，说："'三三制'就是党和非党联盟，罗迈把'三三制'同'党和非党联盟'两者对立起来了。"我说：这话不对，"三三制"不是一般意义上的党和非党联盟，而是在我党占优势的情况下各革命阶级包括中间派在内的抗日联盟；解放区主要在农村，这就是包括开明绅士，即一部分拥护抗日和民主的地主在内的联盟；但在乡政权不宜吸收许多地主阶级的代表参加，而应由农民自己选择他们所信任的能不损害他们的根本利益的人参加，防止硬拉"开明绅士"凑数，脱离农民群众，束缚他们的手足，这就是实事求是。第二，选举运动也包含着阶级斗争，在新市乡具体表现为店员、学徒和老板的斗争，小商人和大商人的斗争，农村中则是农民和地主的斗争。这观点现在已经过时，当时则是正确的。以上两点体会，未公开宣传，我曾建议给各级党组织发一指示，供他们参考。

新市乡试点回来，我写了一个试点笔记，题名《新市乡乡选工作初步经验》。1945年10月，选举工作全面铺开，新市乡试点经验基本上为选举委员会所接受，在全边区获得推广。

2. 三个特点。这次普选，是在日本投降，抗战胜利，普天同庆的情况下进行的，群众的政治热情十分高涨；从 1945 年 10 月半开始至 1946 年 3 月结束，历时四月余，既检查了工作，又选举了代表，取得了圆满成功。这次普选有三个特点：

第一，实现了普遍、直接、平等、自由的选举原则。普遍：根据全边区三十八个选举单位的统计，参加选举的人数占全部选民的百分之八十二点五，有的则达百分之九十六。除汉奸和刑事犯外，凡是年满十八岁以上的各族人民，都享受了选举权和被选举权。直接：采用选民所能接受的各种选举办法，如识字的用选票，识字不多和不识字的用画圈、画杠、画点、投豆等方法，按选民各自的具体情况，直接参加了选举。平等：一人一票，没有所谓财产多少、文化高低和民族差别等的限制。自由：谁要选谁就选谁，谁也不能控制谁。

第二，彻底的“三三制”。共产党限制自己的候选人，并为各阶层、各党派和无党派提出候选人。自己选多了，就主动退出。李鼎铭说：“所有这些情形，都是我亲自见到的，也是大家亲自见到的。所以国内外有个别人说边区政权是共产党把持包办，我想是很可笑的。”

第三，在选举中检查政府工作。这次选举，我们特别强调了这一点，目的是发现问题，以便改进；识别人才，以便改选。检查工作是改选人员的基础。在选举中，人民放手检查政府工作，揭发了大量有关兴利除弊的实际问题，大部分获得了解决；又自由选择和认真讨论了候选人，选举了数千个为人民信任的各级代表。

（二）政权结构

陕甘宁边区的政权结构，是特定历史条件下的产物。这个特定历史条件，就是极端分散的农村环境和战争环境。因之，和现代的政权结构比较，不免有缺点，但在当时是符合实际情况的，是正确的。

1. 三个组成部分。当时的全部政权结构，由三个部分组成。

第一，民意机关（人民代表机关）。设边区、县、乡三级参议会。边区参议会根据 1945 年第三次选举结果，共有议员一百七十人。其阶级成分，包括边区社会的广泛阶层，计有工人六，贫农十八，中农六十九，富农二十六，商人九，地主三十四等。其党派关系，有共产党员六十一人，占百分之三十五点九；国民党员十九人，占百分之十一点二；无党派人士八十九人，占百分之五十一。有回族三人，蒙古族三人，天主教徒三人，妇女七人。它是边区政权的最高权力机关，有通过《施政纲领》、确定施政方针，选举、罢免政府人员，创制及复决边区的单行法规，监督政府工作及决定一切重要问题的权力。边区参议会闭会期间，设常驻会，由议员中选出常驻议员十二人组成。这十二人是：议长高岗，副议长谢觉哉、安文钦，常驻议员习仲勋、刘培基、曹力如、高愉庭、房文礼、霍仲年、蔡丰、谷莲舫、杜洪源，其中共产党员四人，占三分之一，非党左派进步分子和中间分子八人，占三分之二。这就是说，在人民代表机关中，我们党忠实地执行了自己的“三三制”政策。

第二，政府机关。设边区、县、乡三级政府委员会。边区政府委员会在 1946 年第三届边区参议会上选举十九人组成。这十九人是：主席林伯渠，副主席李鼎铭、刘景范，政府委员贺连城、马济川、毕光斗、王世泰、霍维德、王子宜、霍祝三、唐洪澄、霍子乐、刘文卿、阿拉并巴音（蒙）、杨正甲、蔡登霄（回）、李仲仁、魏民选、靳体元。其中共产党员六人，占三分之一弱；非党左派进步分子和中间分子十三人，占三分之二强。这就是说，在政府机关中，党同样忠实地执行了自己的“三三制”政策。

第三，司法机关。边区设高等法院，分区设高等法院分庭，县设审判员，后改为县法院。根据 1943 年 4 月 25 日颁布的《陕甘宁边区政纪总则草案》规定：“司法机关为政权工作的一部分，应受政府统一领导，边区审判委员会及高等法院，受边区政府领导。各下级司法机关，受各该级政府领导。”1941 年 11 月第二届边区参议会选举雷经天为高等法院院长，1946 年 4 月第三届边区参议会选举马锡五为高等法院院长。

2. 三个争论问题。在这一政权结构上，曾有过激烈的争论，主要是三个问题：

第一个问题，社会各阶级在“三三制”政权中的地位问题，或叫“国体”问题。有的同志主张“三民”主义：民有（人民的政权）、民治（人民管理的政权）、民享（为人民的政权），实质即所谓“纯粹的无阶级差别的民权”。这实际是资产阶级专政的政权，因为“纯粹的无阶级差别的民权”在世界上是从来未曾有过的。而我则坚持毛泽东所指出的无产阶级领导下的人民大众的反帝反封建的民主政权。边区的“三三制”在阶级关系上是工、农、贫苦小资产阶级、民族资产阶级（边区为数极少）和开明地主的合作，在政治上则主要是革命民主派和中间分子的合作。因为共产党代表工人、农民和贫苦小资产阶级，所以关键在于共产党怎样领导中间分子。把“三三制”看作各阶级的制约关系，也是不对的。

第二个问题，政权构成的形式问题，或叫“政体”问题。有的同志主张议、行并列，“县与边区两级参议会与政府并列，与一般民主制度国家相同”。“立法、司法、行政三权鼎立，也不能说是多元论”。我则主张边区的政权构成应是立法、司法、行政统一的一元化的民主集中制，议、行并列的参议会制应改为符合民主集中制的人民代表会制，只有这样才能适用于边区，便利于人民。立法、司法、行政是政权的三种职能，但决不能三权鼎立。三权鼎立就是三元论，在我们边区是完全不适用的。

还有第三个问题，“最高权力机关”问题。我曾经有一种错误的看法，并把它反映到了 1943 年 4 月 25 日颁布的《陕甘宁边区政纪总则草案》中。这就是所谓“边区参议会是边区最高权力机关，在边区参议会闭会期间，边区政府是边区最高权力机关”的说法。1945 年 1 月 13 日，有同志在个别谈话中批评这种观点“为世界各国所没有，满清末年的宪法才如此，国民党才企图如此，墨索里尼、希特勒才如此。”我当时就承认我的上述看法“有毛病”，并把它改为“在边区参议会闭会期间，边区政府委员会是边区最高行政机关”。

（三）领导权

在“三三制”政权中，我们必须不是以党员数量和强制办法，而是以党的正确政策和党员的模范工作，去团结和争取党外人士尤其中间分子，既要使他们愿意接受我们的建议，保证党的领导权，又要使他们有职有权，发挥他们的积极作用，二者是不可分离的。一般说，三分之一的非党左派进步分子容易接受党的政策领导，主要是三分之一的中间分子，即民族资产阶级和开明绅士，其代表人物有李鼎铭（边区政府副主席）、贺连城（边区政府委员会委员，教育厅副厅长）、霍子乐（边区政府委员会委员，建设厅副厅长）、安文钦（边区参议会副议长）等。由于一、阶级利益和历史关系，他们和党存在一定距离；二、汉奸、特务、反革命按其“利用三三制，破坏三三制”的方针，经常挑拨离间，如造谣说“安副议长被罚款五十万元，李副主席被撤职”等。我们用两方面事实揭露了敌人的阴谋，表达了我们的诚意，巩固和发展了“三三制”政权。第一，政治上，我们坚决贯彻了“三三制”统一战线政权的政治基础即《陕甘宁边区政府施政纲领》。边区政府几年来的工作完全说明了这一点。第二，组织上，我们坚决保证了参加政权工作的党外人士的职权，务使他们有职有权，有充分机会行使他们的法定职权。在这个问题上，林伯渠做了许多工作，我和李景林、常黎夫也做了不少工作。我们的做法是：

1. 民主合作。1941 年 11 月 21 日，毛泽东在第二届边区参议会上说过：“我们一定要学会打开大门和党外人士实行民主合作的方法，我们一定要学会善于同别人商量问题。”我们执行了这个指示。

在一个时期内，我们和这些中间人士的关系，一度搞得不十分好，把李鼎铭当客人待，形式上客客气气，事实上对他的职权并不尊重。而他对是否有职有权，则非常重视。我在任秘书长以后大约半年时间内，就在若干情况上发现了他的消极和不满态度。其一，他在政务会议上，不论是否当会议主席，总是很少发言。有时林伯渠问：“李鼎老有什么意见?”他总答复：“俺没意见。”其二，有时政府行文，他不划行。其三，他同柳湜、贺连城、霍子乐等非党人士之间，和同共产党员负责人之间，亲疏不同。这三种情况，都表示党内外关系不好。我将这些情况同林伯渠讲了，林伯渠也有所感觉。经商量之后，林伯渠同意我采取下述方式去同李鼎铭开门见山、开诚布公地谈谈。某个晚上，我就专去会见李鼎铭，我说：“鼎老，我这秘书长不能当了，我要辞职了。”他问：“为什么?”我说：“好多事情，副主席不吭气，我这秘书长怎么当?!”我这样一说，把他头脑里积蓄已久的意见挑动了。他打起精神，与我谈了很久很久。他说：“我原本不愿出来做事的，是受到毛主席在参议会上的演说的感动才出来的，在党外人士有职有权的鼓励下出来的。任职后，政府开会要我主持时，只临时给我一个条子，什么都不跟我谈，我怎么办? 政府下达命令、指示，要我划行，有的内容事先我一点也不知道，怎么办? 现在同级把我当客人，下级把我当傀儡。党上有包办，政府不能决定政策。我这个副主席也不想干了。”我完全意识到，他确实把心里话说了。回来我就和林伯渠商量，也报告了党组。我说，党组当今应该尊重党外人士的职权，设法打破这种不正常局面。党组随即商定了几个改进措施：一、要各厅、处、院轮流向政府主席、副主席和参议会副议长汇报工作，我也参加；二、每次政务会议前，由有关单位的党员领导人向他汇报会议内容和可能出现的问题，取得他的同意才开会，不同意便缓期开会，进行协商；三、某些不需要经过政务会议通过，而要由副主席部署下达的文件，必须由主管负责人先向他说明内容，取得同意，然后办理划行手续；四、平日多接近，多谈心，多交换意见。一句话，要同党外人士民主相处。这样做，李鼎铭很高兴，态度完全变了。不作客人，而作主人了。不讲"你们党上"，而讲"我们团体"了。有一次财政厅长南汉宸汇报边币发行数量时，他马上以主人翁的姿态关照说："这要绝对保密，不要让其他的人也知道。"多大的变化呀！以后中外记者团来延安，一个英国记者要求同李鼎铭副主席谈话，我们给他配备了翻译，就让他自己找去了。他在谈话间问李鼎铭："你是不是有职有权?"李鼎铭爽朗地笑着回答说："我有职有权。"这位英国记者事后对我说："李鼎铭副主席真正有职有权，他在回答我的问题时，面笑心也笑了。"安文钦本来是比较右的，但他在外国记者面前，也为边区说话，痛骂国民党。后来向毛泽东汇报时，我说这些党外人士同中外记者谈话，都有一个"边区立场"，这是一个很好的局面。毛泽东听了很高兴，说延安的"三三制"搞得好。

1945 年 1 月，边区政府动员检查工作。我采取个别谈心或二三人座谈方式，征求和听取几个主要党外人士的意见。在此期间，我和李鼎铭有过多次谈心，和贺连城、霍子乐等也有过多次谈心。他们的意见，有正确的，确属我们工作中的缺点；有不正确的，有的是成见，有的是误会。当时我感到他们提的意见有两点值得我们认真对待：其一，认为党外人士有职无权。李鼎铭曾经有过这种意见，已如前述。霍子乐、柳湜也有这种意见。霍说："高厅长未病时，计划、指示由他自己搞好，就可拿出来。他病了，我们搞的就得酝酿酝酿。我们难说话，说话就可能对立起来。"柳说："我的命令，下面总是推延不执行，大概是要等支部内商量。"其二，认为非党员受歧视。柳湜说："共产党员对党外人士歧视，看不起他们。"贺连城说："主客之分不对，党外人士以客人自居，视党人为主人，不对。党人以主人自居，视党外人士为客人，也不对。这鸿沟之存在，共产党人要负主要责任。""绥米来的知识分子，民政厅分配工作要他们填志愿表，但填教育的，派去工厂；填工厂的，派去搞教育。有个青年跑去质问：'你们党员提要求，都解决了，非党员为什么不解决?'回答的同志说：'你为啥不加入组织'?"其他还有对保安工作的意见。林伯渠知道了对他们说，大家的事，要大家负责才能办好。无论对什么事，有什么意见，都可以说也应该说。发生争论，也是民主政治中的健康现象。以后希望常谈心，可以会上谈，更可以个别谈。大家表示同意。

1945 年 1 月 29 日、30 日，林伯渠和我先是向西北局，然后向毛泽东、朱德和任弼时汇报了边区政府检查工作中党外人士的意见。西北局同意李鼎铭等所提意见是好意的估计，同意他们提出的很多意见是很好的。毛泽东赞成我们和人谈心的方法，他说："议论和批评对我们总是有帮助的。说党包办，总是有原因的，我们要研究解决。凡是对的意见，我们都要研究解决。"

2. 生活照顾。党外人士、尤其中间人士，有不同的生活习惯，我们给了适当照顾。李鼎铭最初住在山沟的一个土窑洞里（防空），进出不便，没有引起注意。记得是常黎夫发现了这一情况，我们就注意了。以后在林伯渠和我住的那排土窑洞下面，为他新砌了石窑洞，这是陕北的"钢筋混凝土大厦"，请他搬到新居，他表示满意。李鼎铭有些特殊的生活嗜好，但与政治无关，我们一概不加干涉，对此他是感激的。对其他在职的党外民主人士的生活，我们也在可能范围内给了必要的照顾。

3. 适当让步。开明绅士毕竟是地主阶级分化出来的爱国民主人士，他们不可能不关心地主阶级的利益，为他们说话。为了巩固和发展统一战线，在有些问题上就需要作适当的让步，我们正是这样做的。记得我到职不久，一次开边区政府委员会会议讨论西北局提出的土地条例，我在会上作了说明，但李鼎铭对其中的一条不同意，因之不签发有关文件。最后由西北局书记高岗亲自到他家里，听了意见，让了步，才解决问题，同意签发。

当时绥德警备区包括绥德、葭县等地未经土改，经常发生农民和地主的土地纠纷事件。边区政府有一个审判委员会，林主席、李副主席分任正、副委员长，李景林为秘书长。审判委员会除按边区司法三级三审裁判制度担任第三级终审职责外，还专门研究和裁决绥、葭地区农民和地主之间的纠纷问题。有些案件裁决结果，有农民吃亏的。我见到毛泽东谈起此事，他说：和地主阶级的代表人物合作，有些事情让点步是难免的。你们可以这样做：如果农民吃了亏，可由边区政府给农民作相应的补偿，使农民不吃亏。就是说，这吃亏由政府承担，地主和农民双方就都照顾了。

4. 必要的斗争。我们对党外人士主要是对中间派需要作适当让步，让步是为了团结；又需要作必要的斗争，斗争也是为了团结。1945 年 3 月 5 日，李鼎铭副主席主持一次政务会议，讨论奖励投资条例。其中有一条说："投资开垦公荒者，其土地使用权属于投资者。"李鼎铭主张把"土地使用权"改为"土地所有权"，即改为"其土地所有权属于投资者"。说不如此人家就不来。我说开荒有两种，一种是耕者有其田，现在就是这样做的；一种是大量投资开垦，须预防土地过分集中。因土地私有是允许的，但是过分集中则是违反新民主主义的。贺连城同意防止过分集中，但主张有限制地承认所有权。这是一个原则问题，经过反复讨论，未能取得一致意见。我和民政厅长刘景范商量，原则要坚持，但方式要灵活，建议暂时取消这一条，留待以后继续研究。林伯渠同意，李鼎铭也同意，就取消了这一条。这是一次小小的斗争。

我们对边区"三三制"统一战线政权中的中间分子，经常注意了这些问题，进行了团结工作，主要团结了如李鼎铭、安文钦、霍子乐、贺连城、刘绍庭、刘文卿、王得菴、张喆卿、霍仲年、刘杰三、蔡幼轩、李元桢、张敬斋、丁志文、高寿凯（高瑜亭）、李建侯、马新民、马阁臣、姬佝雄、艾秉卿、高承斋、马润之、赵亚农、霍敬堂、白宝珊、乔松山、杜嗣尧、曹旋夫、周志其、任逢华、毕光斗等人，确实极大地巩固了党的领导权，也取得了对敌斗争的主动权，对国民党统治区，尤其对边区周围的榆林、陇东、西安等地区产生了极大的影响。正是正确执行了党的统一战线政策和实行"三三制"民主政权，他们的爱国心、正义感和主人翁感情，也大大地激发出来了。1946 年 4 月 1 日第三届边区参议会开幕会上，他们的表现完全证明了这一点。在这次会议上，安文钦、刘文卿、高瑜亭等地主出身的六十岁以上的老人，莫不怀着热爱边区和痛恨国民党顽固派的心情，慷慨陈词，感人肺腑。我当时深切地感受到，这是我们党的联合政府政策的大成功！

（四）作风问题

作风问题是党的建设，也是政权建设的根本问题之一。党的三大作风，理论和实践相结合的作风，同人民群众紧密联系的作风以及批评与自我批评的作风，是党中央和毛泽东多年来在延安培育出来的优良传统。但这一传统的形成是经过了一个艰苦的过程的。全党是这样，边区政权系统也是这样。

1942 年冬边区高干会提出了转变作风的任务，要求从适合于战争环境的动员作风转变到适合于建设环境的新的创造性的作风。经过 1943、1944 两年的实践，有所改进，仍有问题。

1. 问题在区乡，责任在上级。政权机关作风的好坏，直接地从区乡干部同群众的关系中表现出来。群众要求区乡干部的标准，大致有四条：公道、腿勤（积极）、平和、有办法。我们大多数区乡干部是从苏维埃红军运动中成长起来的，前两条无问题，老实、朴素、肯干；问题在后两条，缺平和、少办法。在执行上级任务的时候，容易发生“生硬”、“瞪眼睛”、“耍态度”的毛病，也就是命令主义的毛病。在接受群众的要求的时候，容易发生“拖拉”、“不顶事”的毛病，也就是官僚主义的毛病。他们遇事大多依靠命令、摊派。不仅上级要东西依靠强迫命令、摊派要上来，甚至上级给东西也依靠命令、摊派给下去，以致有时把好事也办成了不得人心的事。因之，在很长的一段时间内，群众对他们不满，一些党外人士也认为“上面都好，下面走了样”，“下面歪嘴子和尚念歪了经”，把一切工作的缺陷和错误统统推在区乡干部身上。事实上，问题在区乡，责任在上级。据我当时分析，上级本身存在主观主义、命令主义和官僚主义的毛病。这种毛病的表现是：第一，布置工作倾盆大雨。只知道往下交任务，不讲政策，不问情况，不看对象，不给措施，不教办法。而且求之很高，操之很急。这种命令主义的领导，怎能要求下级不搞命令主义呢？区乡干部对此是很有意见的，他们说：“乡下工作多，生产任务重，上面笔杆子摇一摇，我们就得一阵跑。跑一天回来，还得自己做饭。”“误工，得罪人，上下批评，左右为难。”这是实情。第二，对待下级的困难麻木不仁。不知道农村特点，不倾听群众呼声，不照顾干部困难。区乡干部的困难是很多的，一是山村环境，交通十分不便。二是干部农民出身，文化低，能力弱，很难独立掌握政策法令。部分地区还不适当地要求他们生产自给，生活负担很大。三是内战时期的战争动员作风一般未作必要改变。在这种主观客观都有困难的情况下，亟需上级加以支持和帮助，要多作典型调查，开会推广。要多到地方开会，就地面对面的解决问题，少发文件。要想方设法帮助区乡干部，训练和提高他们。但上级对此体会不深，支持不够，帮助不力。这也是作风问题。这说明区乡干部的作风问题，实质上反映了我们上级机关的作风问题，反映了我们整个政权机关的作风问题。

2. 党直接领导解决作风问题。基于上述认识，我们在区乡干部的作风问题上，同各种片面的指责进行了多年的争论，为绝大多数区乡干部的本质辩护。党中央和西北局也极为关怀，并直接过问和领导了这个问题的解决。

1944 年 12 月，我在向刘少奇汇报党外人士对区乡干部的意见时，他说："下面同志拉稀，说明上级领导有问题。"1945 年 1 月 7 日，高岗、林伯渠、贾拓夫、刘景范和我在毛泽东处谈劳模大会总结问题，刘少奇也在座。毛泽东说：热过头了（意指冲昏头脑），要泼点冷水（头脑冷下来）。毛泽东和刘少奇一致指出：上级指示行不通的，打个招呼，顶回来，才是真正对革命负责。党的根本宗旨是为人民服务，对人民负责。上级指示不可生硬。1945 年 1 月 10 日毛泽东在陕甘宁边区劳模大会上还说过，我们的思想要适合于目前我们所处的农村环境，从这一点出发，我们的工作效果就决不是很慢，反而是很快的。"不是采取强迫命令、欲速不达的方针，而是采取耐心说服、典型示范的方针"。毛泽东、刘少奇的这些指示，对我们解决边区政权作风问题，是一个极关重要的政策指导。

1945 年 1 月 5 日至 8 日，西北局高干会也专门讨论了作风问题，认为区乡干部的作风问题，主要是思想方法问题，缺乏文化也是一个原因。主要责任在上级，上级的关键问题在于不了解农村和农民：地广人稀、个体经济、劳动力不足、文化落后。不善于根据这些实际情况采取相应措施：组织起来；发展群众教育文化卫生事业；要特别强调自愿原则，不能性急等。这个问题在一部分领导干部中，包括我自己在内，一直没有完全解决。究其原因，一是由于对实际情况及其变化缺乏了解，二是由于对 1942 年高干会后的工作成绩产生了骄傲情绪。所以，要解决区乡干部的作风问题，首先要解决领导机关和领导干部的作风问题。西北局高干会深入地讨论了这个问题，并在会上开展了严肃的批评和自我批评。这样就为边区一级领导机关和领导干部解决作风问题打下了思想基础。边区一级领导机关和领导干部改正了自己作风上的毛病，就会给下级作出榜样，启发和帮助下级改变作风。

上级作风要改，下级作风也要改。1944 年 7 月边区参议会常驻会和边区政府委员会联席会议时，霍祝三参议员（党外进步分子）等提出了一个训练区乡干部的建议。毛泽东知道了，很高兴，打来电话说，可以一年训练一次。西北局在作风问题座谈会后，就根据霍祝三参议员的提议和毛泽东的指示，在1944年冬至1945年初办了一期区乡干部训练班，对多数区乡干部进行了一次如何正确地为人民服务，从立场、观点、方法上改进服务工作的训练，收到了很好的效果。林伯渠在边区第三届参议会政府工作报告中提出，今后要每年进行一次与乡选结合起来的乡村干部冬训。乡村干部训练从此成了制度。

1945年冬至1946年初第三次普选，群众检查政府工作，实际又是对区乡干部的一次群众性的冬训，使区乡干部受到比头一年冬训更为深刻的教育。他们经过群众的批评和帮助，多数有很大提高，开始学习和群众商量办事，命令主义少了，民主作风多了。

3. 边区政府的工作和作风检查。1945年1月初，西北局高干会讨论作风问题后，边区政府也多次讨论作风问题，并立即进行了一次工作和作风检查。检查的内容，一是业务，二是作风。从业务检查到作风，又从作风检查到业务。作风检查包括：实事求是还是主观主义；群众路线还是官僚主义；五湖四海还是宗派主义；民主集中制还是自由主义等。我进行了自我检查，也参加了办公厅的检查和整个政府机关的检查。

第一，自我检查。自从认识到区乡干部的作风问题上级要负主要责任以来，在1944年末的一些日子里，我详细反省了自己1942年9月调来边区政府到1944年末这两年多时间内的工作。在这段时间内，我主要是帮助政府研究了一些政策问题，我认识到：《陕甘宁边区简政实施纲要》虽无大错误，但有过分集中的倾向，执行中也同样；“抢救运动”中犯了“左”倾毛病；1944年1月《边区政府一年工作总结》写得不够好；在根据毛泽东提议搞一个长期建设规划时，犯了机械执行、脱离实际的毛病；在开文教大会期间，我尤其深刻地感到对下面实际了解太少，以及在实际工作中存在的命令主义、形式主义的严重性和上面责任的重大等。对这些工作虽属初步检查，已经充分说明我们边区政府（我自己在内）的领导作风是存在问题的。因此，在1945年元旦的日记中，我作了如下的记载：“关键在于进一步改造作风，立下下面几条：一、严格地实事求是，从人民、从实际、从农村出发考虑问题。二、多作酝酿，善于等待。三、冷静的头脑，热情的态度。四、从坏处着想，从好处争取。五、正确的坚持下去，错误的立刻改正，关键在于检查，自我批评，时刻防止背包袱。”

第二，办公厅检查。在1月17日办公厅全体人员大会上，我讲了这次检查的必要性、目的、内容等，并对自己的缺点进行了初步的检查。我认为主要缺点是在某些问题上还有主观主义，民主不足，急躁，生硬。要求大家批评。1 月 25 日前后，我多次参加研究室检查作风的座谈会。研究室的同志普遍进行了自我批评，也有相互的批评。对我，同意我的检查，也补充提出了一些批评意见：对他们关心、指导、帮助少。研究室的作风，肯钻研，有朝气，有干劲，反映了青年的优点。缺点是一部分同志经验不足，有骄气，需要帮助。过去我对他们确实既少表扬，也少批评，帮助不够，以后开始注意。2 月 28 日，我同常黎夫交换意见，他认为：一、政府作风各有各的一套，需要分别谈通，才好工作；二、各厅领导互不商量问题，对工作十分不利，须设法解决。我同林伯渠商量后，遂于 3 月 1 日邀请刘景范、南汉宸、李景林、常黎夫、王恩惠诸同志座谈机关作风和制度问题，确定：一、各厅分科集体办公，主席、厅长每日办公第一小时碰头，商办紧要事项；二、成立行政处，实际即政治处，以利机关政治工作。对加强政府内部的集体领导，加强政治工作，改进机关作风，发挥了积极作用。

第三，整个政府工作作风检查。2 月 28 日政务会议决定要我总结这次检查，因此我用了不少时间，作调查，听汇报，看材料，对这次检查作了小结。经过这次检查，以后又经过第三次普选中的群众大检查，在政权作风上明确了很多问题，也提出了改进措施。（1）问题的实质是群众观点问题。我们现在处在相对和平的建设环境，我们的作风问题，基本上就是怎样领导建设问题。我们的建设工作主要是为农村为农民的建设工作，这主要的是要靠农民的自觉性和积极性。因之我们的作风问题，归根到底就是同农民群众的关系问题。我们要实现“组织起来”的建设道路，就需要帮助农民将习惯势力得到改造。如何帮助农民改造自己的习惯势力？是从农村的实际出发，按群众的需要与自愿，逐步引导他们前进，还是强求速成，要群众超速前进？这就是我们作风中存在的实质问题。（2）主要毛病是犯了急性病。在执行政策的方式方法上，或不按自愿原则办事，交替出现命令主义和自由主义，忽“左”忽右。或不按实际情况办事，搞大而全，如提过高口号“耕三余一，两年完成”①；要求组织大变工队，

① “耕三余一”是当时边区的劳动模范提出的口号，意思是种三年庄稼，要存下够吃一年的余粮，即种三年，可以吃四年。提出“耕三余一，两年完成”实际上变成了“耕二余一”，要求过高了，脱离了当时边区农村的实际。——编者注

把百分之五十以上的劳动力组织到变工队；组织大运输队；强求一揽子合作社，一揽子英雄，一揽子学校等。这些都与边区政府的贪大、求全、急躁的领导思想有关。1944 年 1 月 6 日，林伯渠在边区政府委员会第四次会议上所作《边区政府一年工作总结》中提出的新任务，不少就有贪大、求全、急躁的缺点。这些新任务不是少数人匆促定的，不是少数人的缺点，而是经过十多天的酝酿讨论集体定的，是胜利声中产生的一股社会思潮，犯了急性病。(3) 改进办法：领导人员"下乡挖根子"。就是说，加强调查研究。过去也谈调查研究，也派出过多次调查小组或调查人员，但主要领导人员很少参加，以致领导体会不深，调查收效不大。上述观点林伯渠在向第三届边区参议会所作政府工作报告《今后三年的建设任务》中，又作了详细的论述。林伯渠说："为胜利地实现建设任务，政府人员应该经常努力加强作为人民勤务员的民主作风与实事求是的科学态度"，林伯渠还说："我请求各级人民的代表经常密切地督促行政干部和其他公务人员，督促和帮助我们成为名实相符的人民勤务员。"

（五）司法工作

雷经天担任高等法院院长七年，1945 年 3 月他要调到南方去，林伯渠约他谈话，我也参加了。林伯渠说，过去政府对法院关心不够，每年讨论司法工作最多一次，法院成了一个独立的山头，做好做坏凭自己；这两年抓得紧，有方向，帮助很大，但缺少经常检查。他还说自觉性差的人容易产生自流现象。我说，经常检查少，这是事实，我是秘书长，有责任。我对司法工作缺乏研究，经验也不足，因职务关系，有时也过问，时断时续，有正确的，有糊涂的。作为历史经验，我在这里也记上一笔，这只能代表边区司法工作的一斑，不能代表边区司法工作的全貌。但从一斑看全貌，在一些领导思想和具体做法中，是可以看出边区司法工作的基本趋向的。

1. 任务。司法工作，是边区"三三制"政权结构的一个有机组成部分，它的主要任务，一是保护一切抗日人民的人权、政权、财权，这是大量的；二是打击一切汉奸、反革命和破坏分子，这类人为数不多。因之，对一般犯罪分子采取教育为主、惩办为辅的方针。他们除自由受到限制外，同样看书、读报、开会、劳动、学文化、练技能。因之，许多服刑期满的罪犯，以后都变成了有一定觉悟、有一技之长的公民。

2. 领导体制。由于当时处在战时和极端分散的农村环境，司法工作不是很正规的，也可以说存在着很大的盲目性。法官判案的根据是政策、法律、民情，事实上主要是政策和民情，法律很不完备。与此相适应，司法工作的领导体制存在两个特点：第一，由高等法院全面负责审判、检察和司法行政三种职能。本来，高等法院仅行使审判职能，兼管司法行政。1944 年，李鼎铭副主席多次提出建立检察制度，这意见无疑是正确的。曾经设想由边区参议会常驻会代行检察职能，行不通。最后决定在高等法院内设检察处（专区分庭和县司法处设检察员），作为公诉机关。司法工作的三种职能就全部集中到了高等法院。第二，高等法院对边区参议会负责，日常工作则由边区政府直接领导，实质就是置司法于行政领导之下。这同现在实行的制度是不同的。1945 年 12 月 28 日，西北局讨论司法工作，同意了这种司法体制。这是过渡时期的权宜之计，是适合边区的战时和农村环境的，但是也确实遇到了不少困难。1946 年 2 月 13 日，林伯渠、李鼎铭、习仲勋集会讨论召开第三届边区参议会的准备工作时，我提出一些意见，其中有一条就是关于加强司法工作问题，我说："今后应该适当强调并逐步实行法治。为此，立制施令，必须慎重，以期制立令行；又必须培养守法观念，辅以赏罚。因我们长期同国内外敌人进行非法斗争，许多人缺乏守法观念，因此缺乏守法习惯，对此必须有所转变。"同年 4 月，林伯渠在第三届边区参议会上所作的政府工作报告中，就把"健全法律与制度"作为今后的第二个重要任务提出来，加强了对司法工作的领导。

3. "调解"问题。陕甘宁边区陇东分区专员、第三届边区参议会上被选举为边区高等法院院长的马锡五在其司法工作实践中，创造了一种审判方式，即深入实际，调查研究，调解纠纷，教育群众，受到群众普遍欢迎。以后群众就把这种方式称之为"马锡五审判方式"，把马锡五本人称之为"马青天"。我赞成这种做法，也到高等法院亲自实验过，效果很好。因此提出一个"调解为主，审判为辅"的审判方针，经过党中央和西北局同意，也经边区政府委员会讨论同意，推广施行。1943 年 6 月 11 日颁布的《陕甘宁边区民刑事件调解条例》贯彻了这一精神，规定"凡民事一切纠纷均应力行调解，凡刑事除了下列各罪（列举了内乱、外患、汉奸、故意杀人、盗匪、破坏社会秩序、贪污渎职、妨碍选举等二十三种罪行）不许调解外，其他各罪均得调解。"林伯渠在 1944 年 1 月 6 日边区政府委员会第四次会议上所作的一年政府工作总结中，进一步明确提出，要“提倡并普及依双方自愿为原则的民间调解，以减少人民诉讼到极小限度。民事一般进行调解，刑事除汉奸反革命破坏罪行外，大部分也可适用调解。”有同志不同意这个方针，认为它不符合司法正规化的要求。但经过1944、1945两年的反复实践结果，民事纠纷调解十分成功。各个地区在1945年12月司法会议上汇报，民间纠纷处理办法有三种：民间调解，区乡处理，法庭审判。多数是区乡处理。区乡处理是调解和审判兼而有之，也就是“调解为主，审判为辅”。因此，司法会议作出结论，今后民间纠纷（包括一般性刑事案件）应实行民主审判（调查研究，陪审，联系群众，保证被告有充分辩护的机会等），改善区乡处理（不打骂，不强迫），提倡民间调解。我认为，这是当时环境中边区司法工作的一个创造。

4. 捕人问题。在抗战时期，由于抗战环境和工作上的缺点，除司法机关和公安机关外，其他机关、部队、学校等也有任意捕人行为，这是违反人权、侵犯司法机关职权的严重问题。我受边区政府委员会委托，曾于1946年2月草拟政府指令，责成各专员按级口头传达至所属政府（尤其区乡政府）、机关、学校，也咨请联防司令部政治部：第一，要求党政军民学各界切实保障一切抗日人民（包括工人、农民，也包括地主、资本家等）的人权、财权及言论、出版、集会、结社、信仰、居住、迁徙之自由权。除司法机关及公安机关依法执行其职务外，任何机关、部队、团体不得逮捕、审问或处罚任何人。而人民则有用任何方式控告任何公务人员非法行为的权利。第二，司法机关或公安机关捕人，需有充分证据。民事不得捕人。第三，公安机关除违警事件得依违警条例自行处理外，其他人犯必须于被拘二十四小时内移送司法机关审理。第四，司法机关及公安机关以外的人员逮捕现行犯时，须于捕获后立即移送司法机关或公安机关依法处理。第五，军民间的纠纷或诉讼，必须经由司法机关审理，部队可派员陪审，不得自行处理。这些规定下达执行后，情况有好转，滥捕问题基本上得到了纠正。

（六）小结

抗日战争时期边区“三三制”政权建设，是我们党在这一历史时期政权建设的一个创造，也是以后在全国范围内实行新民主主义政治的一个试点。“三三制”是联合政府的一种形式，实质是新民主主义革命时期工人阶级（经过共产党）领导的工农联盟为基础的新民主主义政权的形式。“我们的同志必须懂得一条真理：共产党员和党外人员相比较，无论何时都是占少数”，“对于一切愿意同我们合作以及可能同我们合作的人，我们只有同他们合作的义务，绝无排斥他们的权利”。建国以后党中央一再强调共产党和各民主党派“长期共存，互相监督”，道理就在这里。从这一点说，陕甘宁边区“三三制”统一战线政权的实践，为我们提供了一定的经验。

五、自力更生，建设边区

（一）自力更生，克服困难

1941 年和 1942 年是抗日战争期间陕甘宁边区财政经济最困难的时期。在 1942 年 12 月西北局高干会上，毛泽东作了《经济问题与财政问题》的著名报告，号召全党努力领导人民发展农业生产和其他生产事业，组织机关、学校、部队尽可能实行生产自给，同时号召“精兵简政”。我们正是实行这些政策，终于克服了当时财政经济的严重困难，坚持了抗日战争和自卫战争到最后胜利。

《经济问题与财政问题》的第一章是《关于过去工作的基本总结》，回顾了五年以来党实行“发展经济，保障供给”的正确方针的情况和经验。我是在 1942 年 9 月带着毛泽东“要发展生产”的嘱咐来到陕甘宁边区政府工作的，12 月又直接聆听了《经济问题与财政问题》的报告，受益很大。此后边区政府领导边区人民的生产和机关、学校、部队自给生产，就是按此方针进行的。因此，我现在回忆陕甘宁边区的生产运动，就按毛泽东在上述报告中曾经提出的历史总结，对边区几年来的经济困难和生产情况作一回顾。

一、1939 年困难露头，党中央号召“自己动手”、“自力更生”。1939 年 2 月 2 日，党中央召开生产动员大会。毛泽东、洛甫、陈云、李富春，以及各机关代表七百多人出席了会议。毛泽东代表党中央发出了“自己动手”、“自力更生”的号召。他说：“饿死呢？解散呢？还是自己动手呢？饿死是没有一个人赞成的，解散也是没有一个人赞成的，还是自己动手吧！”

当时，抗战中的严重经济困难，在陕甘宁边区刚刚露头。武汉失守以后，已经明显地看出，依靠国民政府的财政支援和国内外友好人士的资助越来越不行了。因为在财政供应上存在着严重的威胁，所以，毛泽东发出了“自己动手”、“自力更生”的号召。这是一个英明的决策，科学的预见。这个思想同毛泽东在统一战线中坚持独立自主原则和党的领导权是一致的，是政治上军事上的独立自主原则在经济工作中的具体实施。

在这个动员会上，李富春代表总生产委员会作报告，就开展机关、部队、学校生产运动的目的、意义、生产计划及其实施办法，作了详细的说明，提出1939年生产运动的具体目标是以发展农业生产为主，同时，帮助人民发展手工业，如纺纱织布，整理和发展群众合作事业，并统筹发展生产合作事业。要求全边区实现增产粮食百分之二十，主要措施是开荒六十万亩和改良耕作技术。规定机关、部队、学校生产运动的具体任务是：边区政府系统（包括保安部队）生产粮食一万五千石（每石三百斤），军事系统（包括八路军留守部队以及所属学校）生产粮食二万五千石，中央直属机关（包括中央所属学校）生产粮食一千石，并动员所有机关部队学校大量种菜，从7月份起自给一部分，适当减少菜金。

在这次生产动员大会以后，机关、部队、学校的生产迅速开展起来了。党中央的领导同志毛泽东、洛甫、陈云、李富春等也都参加了生产劳动。

3月17日，中共中央财政经济部（部长李富春）发出关于生产突击的通知，规定3月20日至4月5日，各机关、学校、部队每天下午一律停止学习和工作，发动全体人员有组织有计划地进行开荒种地突击。这次生产突击，机关部队学校共开荒五万四千多亩。许多单位还在延安市区以外建立了生产基地——农场。

在党中央开展生产运动的号召下，到8月底，全边区共开荒一百零五万五千八百三十四亩，其中中央直属机关学校开荒二万七千二百二十八亩、八路军后方留守部队二万三千三百一十四亩、陕甘宁边区一级（包括延安市政府及所属学校）二万一千七百九十七亩、边区各县县级机关及县以下机关六万四千四百零九亩、边区各县群众九十一万九千零八十六亩。开荒总数超过原定六十万亩的百分之七十五。涌现了大批劳动英雄。

1939年的生产运动以农业为主。秋后，机关、部队、学校共收获粗粮一万四千石，细粮九千五百七十二石（每石以三百五十斤计。尚有部分县未统计在内），改善了机关部队学校的生活。其中，尤以八路军留守兵团和保安部队最好。他们不仅实现了蔬菜自给、肉食自给，而且还有能力为战士每人增发一套单衣，又发了毛衣、毛袜、毛鞋等用品。

这一年的生产运动，促进了大家对生产运动的认识，改善了大家的生活，得到了"自己动手"的好处。

二、1940年劳动力减少，农业生产缩小。1940年的生产任务，是要求中央和边区一级的机关、学校自给两个月粮食；边区一级以下的机关自给三个月粮食；留守部队因为战斗任务紧张，自给一个半月粮食，保安部队则自给两个半月。除保证最低限度的粮食自给以外，发展生产的主要目的是改善各机关自己的生活。

这一年生产劳动的组织有所改善。1939年规定人人参加生产劳动，从党中央毛泽东、朱德起到每一个干部、战士都进行生产。1940年规定女同志和体弱的同志不参加重体力劳动；五十岁以上的老同志和十五岁以下的小同志免除生产劳动；工业部门、医院、休养所、保育院、小学教员不参加粮食生产，主要从事蔬菜生产；较远地区的生产，组织专业生产队伍进行。

劳动组织上的改变，使生产运动能持续地进行，并把生产技术水平提到更高的程度，这是很好的。但是由于劳动组织的改变，劳动力减少很多，许多开垦出来的荒地无法下种，一些单位就采取与群众伙种的办法，有的将一部分耕地给了老百姓。所以，1940年农业生产不但没有发展，而且缩小了，结果，全年只收获细粮三千石。除部队以外，机关学校的粮食自给比例没有达到。

粮食生产虽然进展不大，合作社、商业活动却有发展，喂猪养羊数也有增加。一些单位的生活改善很快，出现了某些追求利润从事商业活动的偏向。

三、1942年是边区最困难的一年。机关、部队、学校的物质生活遇到了极大的困难，个别单位因为粮食一时供应不上，一天只能喝两顿稀的。为了保证军队和政府机关的需要，这一年实征公粮二十万零一千六百七十石，比1940年增加一倍以上，平均每人负担一斗四升（合四十二斤)。部分群众因此产生了不满情绪，说：“救国公粮任务太重，群众要饿肚子了。”“共产党的经是好经，让歪嘴和尚给念歪了。”负担过重伤害了群众的生产积极性，也损害了党和群众的关系，以致发生了所谓“雷公打死毛泽东”的故事。

事情是这样的，就在这一年的8月间，边区政府在小礼堂召开县长联席会议，讨论征粮问题，并研究减轻群众负担过重的问题。那天正值雷阵雨天气，雷击礼堂，一根柱子折了，坐在柱旁的一个县政府干部不幸触电致死。有一个对负担不满的农民便说，老天爷不开眼，雷打死县干部，为什么不打死毛泽东?！这就是当时在延安盛传的“雷公打死毛泽东”的故事。有的主张清查那个农民，有的认为是气头上的话，不必追究。毛泽东知道以后，说：“群众的意见反映了我们工作上有毛病，有些问题需要我们去解决。要允许人家讲话，讲错了也不要紧。人家说救国公粮太重，这是实际情况，1940年以来人民的负担是加重了。人家说共产党的经是好经，让歪嘴和尚念歪了，说明他是拥护共产党的，但对我们的工作和作风有意见。”这件事反映了毛泽东的高度的民主精神，也转变了一部分同志的思想和作风，促使党中央和毛泽东进一步下决心去解决边区一百五十万群众的“救民私粮”问题。

四、1941、1942年为了克服困难，采取一些重要的政策措施。从1941年起，党中央在抓机关、部队、学校生产运动的同时，更加强调边区群众的生产运动，把重点转到群众生产上来，并且提出了实现边区经济自给自足的政策。为此，陕甘宁边区党委曾在1940年12月3日召开了经济自给动员大会。毛泽东、朱德、洛甫等和陕甘宁边区的领导同志，以及群众一千多人参加了大会。会上，林伯渠作了动员报告，阐明了边区经济自给的意义和实现边区经济自给的条件，提出了1941年边区经济自给的计划。会上，毛泽东、朱德等讲了话。毛泽东在讲话中指出，经济建设的任务是适应现在的环境而提出的。我们今天进行经济建设，也要懂得这个道理，孤家寡人是什么也干不成的。朱德的讲话提出了建立革命家务的主张。他说：“我们的家今天要自己来当了。要把家当得好，我们就不能把这个责任单单放在做经济工作的同志身上。今天的动员大会就是要大家都来注意自己家里的事情。”后来朱德还专门为此写过一篇署名文章，题目就叫《建设革命家务》，发表在1943年5月1日的延安《解放日报》上。

在这次动员大会以后，党中央和边区政府先后采取了一系列有力的措施，以促进生产，克服困难。这些措施，主要的有：

第一，刷新领导生产业务的组织。先后成立了中央直属财政经济处（邓洁负责，后改为中央事务管理局）、军委系统后勤经济建设处（叶季壮负责）、边区财政经济处（曹力如负责），各分区县亦成立了生产委员会，以进一步加强对于生产运动的领导。

第二，进行思想教育，纠正轻视经济工作和技术工作的错误观点。1941 年 4 月 27 日，党中央作出《关于党员参加经济和技术工作的决定》，阐明了党对经济和技术工作的根本观点。那个决定说，“各种经济工作技术工作是革命工作中不可缺少的部分，是具体的革命工作。应纠正某些党的组织和党员对革命工作抽象的狭隘的了解，以至轻视经济工作和技术工作，认为这些工作没有严重政治意义的错误观点。”在这个决定以前，一些党组织和党员，对经济工作和技术工作存在着不正确的看法，认为只有党务、军队和政府的工作才是革命工作，经济工作和技术工作不是革命工作。少数党员甚至不愿做经济工作和技术工作。这个决定扭转了一些党组织和党员的这种错误看法。决定还要求：“每个党员必须无条件的服从党对于他的工作分配，纠正某些党员不参加经济和技术工作及分配工作时讨价还价的现象”。“一切在经济和技术部门中服务的党员，必须向非党的和党的专门家学习。他们的责任是诚心诚意的学习和熟练于自己的技术，使各部门建设工作获得发展，同时并使每个党员获得在社会上独立生活所必需的技能。”决定还要求党的组织“必须加强对经济和技术部门工作中党员与非党员的领导，照顾他们的政治进步，并在各方面帮助他们。”

第三，农业上，提倡吴满有方向。吴满有是横山人，1928 年逃难到延安柳林区二乡，难以为生。1935 年 5 月遇上革命，分得六十垧荒地，开始了新的生活。他连年开荒，改良农作，把六十垧荒地变成了熟地，获得好收成。由于他的辛勤劳动，成了劳动致富的富农。所以他说：“我是受过革命好处的人。”他带头交公粮，出负担。自己是抗属，不但不要优待，而且担任优抗主任，优待别的抗属。延安《解放日报》记者发现了他，报道了他的模范事迹。1942 年 4 月 30 日延安《解放日报》发表了题为《边区农民向吴满有看齐》的社论，号召边区的农民向他看齐。随即，边区政府主席林伯渠、副主席李鼎铭特通令各分区专员、县长，要他们“广为宣传，号召每个农民，向吴满有学习，向吴满有看齐，抓紧雨后开荒播种的好机会，利用最近一个月的春耕时间，以全力推动春耕运动，组织开荒突击、生产竞赛，更进一步提高人民生产热忱，创造更多的吴满有！”后来，学习吴满有成了边区农民的一个运动，对于提高边区农民的觉悟，发展边区的农业生产起了很大的促进作用。（吴满有本人，以后入了党，当了干部，1947 年 3 月被胡宗南部俘虏后丧失了立场，那是另一回事。——编者注）

第四，工业上，开展赵占魁运动。赵占魁是山西定襄县人，先后在太原、同蒲路做工二十多年，1938 年 9 月由安吴青训班转道到延安，入抗大职工队学习，同年 12 月入党，1937 年 7 月入农具工厂当翻砂工人，不久调任翻砂股股长。他在平凡的工作中，犹如泉水滴石一般地做出了不平凡的业绩，成为边区工人中的模范。延安《解放日报》1942 年 9 月 11 日发表了《向模范工人赵占魁学习》的社论，号召边区工人向赵占魁学习。随后边区总工会发出通知，号召开展学习赵占魁运动。通知要求通过这一运动达到提高工人政治觉悟，稳定生产情绪，激发劳动热忱。提高生产质量的目的。通知还指出，在这一运动中必然会涌现出大批像赵占魁一样的模范工人，要求各厂应详细订出评判标准和奖励办法，发扬好的，批评坏的，以推动这一运动的发展。赵占魁运动就是边区工人个个争当模范工人的运动。边区总工会根据赵占魁的工作作风提出的模范工人的标准，现在看来仍有现实意义。这些标准就是：一、爱护工厂，严守纪律；二、积极工作，始终如一；三、数量最多，质量最好；四、爱惜工具，节省资料；五、吃苦在前，享受在后；六、努力学习，帮助别人；七、克己奉公，团结群众。

赵占魁运动的总目的是推动生产，教育工人。后来成了改造工人劳动态度，推动生产发展的群众运动，有力地促进了边区的工业生产。

第五，发展盐业。盐是边区的一个极大的富源。盐对于边区物价的稳定，出入口贸易的平衡有重要的作用。盐既是边区相当大的一部分群众和军队赖以维持生活或补助生活的来源，同时又是边区财政的重要来源。在 1941、1942 年的严重困难时期，盐是用以交换外货、平衡出入的主要产品。

边区政府对发展盐业，一直十分注意。1940 年秋季开始，采取了督运政策，发动群众制盐、运盐，外销换取边区所需要的货物。计划 1941 年产盐和运盐七十万驮（每驮一百五十斤），实际外销就有二十九万九千余驮，创造了边区历史上外销盐的最高纪录，对边区的财政是一个极大的支持。

1941 年 9 月 14 日、15 日在延安《解放日报》上发表的高克林写的《鲁忠才长征记》就是反映当时发展盐业的一个具体记录。毛泽东当时十分重视，亲自为《鲁忠才长征记》作了序，说，“这是一个用简洁文字反映实际情况的报告，高克林同志写的，值得大家学习。现在必须把那些‘下笔千言、离题万里’的作风扫掉，把那些‘夸夸其谈’扫掉，把那些主观主义、形式主义扫掉。高克林同志的这篇调查报告是在一个晚上开了三个人的调查会之后写出的，他的调查会开得很好，他的报告也写得很好。我们需要的是这类东西，而不是那些千篇一律的‘夸夸其谈’，而不是那些党八股。”毛泽东的这个序表扬了高克林的调查研究作风，把它作为发展盐业的一个范例，以后又收入了《经济问题与财政问题》一书中。

第六，实行优待移民、难民政策。边区政府实行接纳安置移民、难民的政策，为边区发展农业生产创造了有利条件。边区在开展生产运动以来，增加了一百三十五万亩耕地，一个重要的原因是地多人少的区域大批地吸收了移民、难民，增加了劳动力。

就整个边区来说，除绥德分区的绥德、米脂，陇东分区的庆阳等少数地区人多地少外，多数地区都是人少地多，如延属分区的延安、鄜（富）县、甘泉，陇东分区的华池、合水等县，土地荒芜很多，需要开发，是开荒生产的好地方。

边区政府在 1940 年 3 月就公布了关于优待移民、难民的决定，1941 年连续两次发出布告，1942 年又颁布了优待移民、难民的条例。在这些决定和条例中规定优待移民、难民的内容有：1. 移民、难民开公荒可以取得土地所有权；垦私荒则三年不交租；2. 移民、难民三年不交公粮，并减轻其他负担，第一年完全免去义务劳动；3. 政府尽力帮助移民、难民解决吃住困难，借贷或调剂耕牛、农具、种子等；4. 移民有选举权，可以自己建立移民聚居处，自选乡长、行政村主任，自己管理自己的事务。

由于边区政府实行优待移民、难民的政策，边区以外的难民纷纷到边区来安家；边区内绥德、米脂等地的群众也不断南下到延属地区来安置。据统计：1941 年边区安置移民、难民七千八百五十五户（移民占绝大部分），共二万零七百四十人；1942 年安置五千零五十六户（绝大部分为移民），共一万二千四百三十二人。这些移民、难民是大生产运动中的一支劳动大军，在边区的开荒运动中作用很大。在移民、难民中劳动力占三分之一。如果以每人开荒二十亩计，上万个劳动力可开荒二十多万亩。

由于边区政府对移民、难民的优待、帮助和边区生产运动的发展，所以来边区的移民、难民的经济很快发展起来，生活得到改善。一般在一年以后就解决了吃粮问题，两三年以后就可以自己种庄稼独立经营了。

第七，军队实行屯田政策。军队实行屯田是朱德倡导的。他从前线回延安后，非常关心部队的生产，主张以部队强壮众多的劳动力，投入到生产运动中去，以减轻人民的负担，密切军民关系，同时帮助边区的建设，也改善部队本身的生活。1941 年春，朱德亲自去南泥湾察看，并且决定三五九旅到南泥湾实行屯田。一是为了防止胡宗南的进攻，南泥湾是保卫延安的南大门，军事上的地位重要，在那里屯田对战备有利；二是因为南泥湾土地肥沃，还有较为充足的水源，适宜于农作，是实行屯田的理想地方。三五九旅的指战员开到南泥湾后，就开荒种地，进行生产运动，口号是“一把镢头一支枪，生产自给保卫党中央”。三五九旅从旅长王震到每一个战士、勤务员、炊事员，无一例外地参加生产，开荒种地。第一年开荒一万一千多亩，第二年又开荒二万六千多亩，第三年种地十万亩。生产运动取得了很大的成绩，不但做到完全自给，而且交公粮一万石。在 1942 年的中共中央西北局高干会上，王震受到了大会的表扬。毛泽东在发给王震的奖状上题词：“有创造性”。

三五九旅在生产上除屯田外，还发展多种经营，如创办大光纺织厂、大光肥皂厂，产品自用有余，还在市场上出售；搞运输，陕北交通不便，三五九旅建立了一支拥有六百头驮骡的运输队，运盐运货，在绥德、三边、延安之间沿途设立了十多个骡马店；以及开设商店等。

在南泥湾政策（即屯田政策）的影响下，边区的部队基本上采取了屯田政策，先后出现了槐树庄、金盆湾、大凤川、小凤川、二家川、豹子川、清泉镇、郭家湾、关门子、田家湾、柳林、葫芦河等地的屯垦区。三八五旅在合水、东华池开荒，也很有成绩。

第八，提倡和推广植棉。棉花和棉布是边区自给自足中的主要问题之一。边区生产棉花很少，棉布都是从边区以外输入的，边区一百五十万人口，按每人每年需要二斤棉花（包括织布）计，就需要三百万斤。1939 年起各方面都感到了棉花的需要，边区政府开始提倡植棉，但只种三千七百六十七亩。1940 年增至一万五千一百七十七亩，产量低，收获量不大。

经政府大力提倡，推广植棉技术，解决棉籽等的具体困难，以及奖励政策（例如植棉三年不交公粮，奖励植棉劳动英雄等），1941 年植棉有了较大的发展，棉田达三万九千零八十七亩。1942 年又发展到九万四千四百零五亩，棉花的收获量达到边区需要量的一半。

第九，实行减租减息，发动了未土改区农民的生产积极性。边区在土地问题上存在着两种根本不同的情况：一是已经分配了土地的地区，如延属分区的大部分，绥德、三边、陇东、关中分区的小部分，共计土地九百余万亩。二是未经分配土地的地区，如绥德、三边、陇东、关中分区的大部分，延属分区的小部分，共计地主土地五十余万亩。这两种地区的阶级状况也完全不同。减租减息只在未经分配土地的地区进行。

边区的减租减息运动，大致经过三个阶段：第一阶段从 1937 年至 1940 年，主要是宣传时期，一般的都未实行。原因有两方面：从客观上讲，这些地区如延安、甘泉、鄜县、庆阳、合水、绥德、米脂等，还存在着双重政权，有国民党的县政府，也有我们的“县政府”（公开名义是抗敌后援会或农会），是所谓“统战区”。当时国民党绥德警备区的何绍南就公开反对减租，所以不利于我们贯彻减租减息政策。从主观上讲，部分同志的右倾思想，怕因减租得罪了地主，妨碍统一战线，不敢实行减租减息。第二阶段是 1940 年至 1941 年。因为国民党委派的县政府经常制造磨擦，派遣特务，刺探军情，破坏边区，在忍无可忍的情况下，1940 年我们赶跑了顽固派，结束了边区部分地区的双重政权局面，边区在行政上得到了完全的统一。减租运动客观上的困难消除了。但是，在根据“三三制”政策精神进行边区参议会选举的情况下，有些人又忘记了减租减息这一中心工作。虽然部分地区开始实行减租减息，但是没有发动群众，而是采取行政命令的办法，或者用恩赐的办法，同时，地主则采取各种手段和办法进行抵抗，结果成效不大。第三阶段是 1943 年以后。减租减息真正开始，是在 1942 年冬和 1943 年春。

1942 年 1 月，中共中央作出了《关于抗日根据地土地政策的决定》，明确地规定了减租减息政策。10 月，中共中央西北局发出了《关于彻底实行减租的指示》。指示说，“减租必须普遍地达到各地减租法令的规定的程度，必须用政府权力，特别是群众坚决的态度打破地主对抗减租所实行的一切投机取巧的办法，在政府统一的租佃条例未颁行前，各地可临时制定保护农民佃权及禁止地主一切投机取巧的行为的办法，严申政府减租法令，并使这些法令成为农民进行减租斗争的合法武器。”中央西北局并为此特制定了一个《关于减租实施的补充办法》作为附件下发，参照实行。西北局的指示还强调：“要保证减租的彻底实行，不能单凭政府减租法令的公布，还必须采取发动群众的方针”，并且“由群众组织的力量来保证之”。这时，减租采取了群众斗争的方式，有的组织了农会，有的组织了减租会，来领导群众进行减租斗争。在群众斗争的同时，在地主中还推动开明分子出面倡导减租，以维护政府法令，推动减租的进行。在这方面，李鼎铭起了很好的作用。在这一阶段中，党要求农民在地主按照法令减租之后，也按照法定额（即实行二五减租）交租。

在减租过程中有一个十分重要的问题，这就是保障佃权。在减租斗争中，一部分不明大义的地主，借故以撤佃来威胁农民减租，同时，一部分佃农也担心地主撤佃。他们说，“今年减租，明年没地种。”“减租倒好，没地种事大。”有的干脆说，“不敢减，减了租就不叫咱种地了。”为此，边区政府于 1942 年 12 月 29 日颁布了《陕甘宁边区土地租佃条例（草案）》，以确保减租政策的彻底实行。在这个土地租佃条例公布后，李鼎铭发表了很好的谈话。他说：“我以为这个条例的颁布，对于政府解决土地问题及贯彻减租交租政策，将有很大作用，希望全边区的先进士绅与开明地主能够竭诚拥护这个条例，尊重政府法令，认真实行减租并尊重农民佃权；各地广大农民亦应于减租之后依法交租并尊重地主地权，造成边区内各阶层的亲密团结，以发展生产，准备反攻，争取抗战的最后胜利。”因为减租减息政策的顺利进行，极大地调动了未土改地区农民的生产积极性。

（二）建设边区，丰衣足食

如前所述，毛泽东在《经济问题与财政问题》的报告中，提出了“发展经济，保障供给”的财政工作的总方针和公私关系上的“公私兼顾”的原则，阐明了今后在发展各项生产事业中的基本政策，规定了生产和教育为今后两大中心任务。他说：“在目前陕甘宁边区的条件下，大多数人做工作，讲革命，除了经济和教育两件工作以外，究竟还有什么工作值得称为中心工作，或者所谓第一位的工作的呢？究竟还有什么工作更革命的呢？不错，其他工作是有的，而且还有许多，但是中心的或第一位的工作，就目前边区条件说来，就大多数同志说来，确确实实地就是经济工作与教育工作，其他工作都是围绕着这两项工作而有其意义。”毛泽东的这一指导思想，我们在《陕甘宁边区简政实施纲要》中把它完整地反映了出来，规定了“第一是发展生产”、“第二是教育”的建设方针。陕甘宁边区的大生产运动，就在西北局高干会和毛泽东的伟大号召下蓬勃开展起来了。

1. 进行生产总动员，号召为实现“丰衣足食”而斗争。中共中央在1943年1月8日召开的中央、军委直属各机关学校生产负责同志的会上，李富春代表中央作了题为《丰衣足食，为改善物质生活而斗争》的报告，传达了党中央关于1943年达到“丰衣足食”的号召，说，“毛主席号召全边区在今年达到‘丰衣足食’的目的。”这次会议讨论了1943年生产的方针问题。会议认为，在全边区要实现“丰衣足食”，对机关学校来说当然更要做到“丰衣足食”。会议要求各机关把生产作为中心任务之一，立即组织临时生产委员会，总结1942年生产工作的经验，并根据各该机关人数及劳动力的比例，制订1943年的生产计划，以及生产的各种措施。这次会议以后，中共中央和军委的机关学校开始制订“丰衣足食”的生产计划。

随后，边区系统各单位也开始总结1942年的生产经验，制订1943年“丰衣足食”的生产计划。

在中央、军委直属机关和边区系统制订生产计划的基础上，于1943年3月4日，在八路军大礼堂召开了延安各机关、部队、学校生产总动员大会。朱德、贺龙、林伯渠、徐向前等和劳动英雄，以及各机关单位的代表一千五百多人出席了大会。李富春作动员报告，阐明了1943年生产运动的目的、意义和方针，规定了1943年机关生产的总任务。1943年中央、军委、留守兵团直属机关和边区等系统（不包括部队）生产的总任务为：一亿六千二百四十二万一千元（边币），其中计划种地三万零二百亩，预计收获粮食三千八百七十四石，蔬菜九百万零二千斤；喂猪三千七百四十三头，养羊三千六百五十四头，鸡鸭八千五百只；办煤矿、纺织厂、木工厂、铁工厂、纸厂、豆腐坊、粉坊、马掌铺、酱园、榨油坊、酒坊等九十五个。计划要求机关生产的自给程度比去年增加一倍。李富春在报告中还谈到了1943年机关生产与以往不同的六个特点：第一，生产的计划性加强了。各单位都制订了详细的生产计划，并经逐级慎重审查批准。第二，1943年的生产建立在广泛的群众性的基础上，实行集体生产与个人生产的结合。第三，掌握了以农业为主的方针，靠自己的劳动，建立生产的基础和积累财富，逐步建立起集体的家务。第四，有了以往的生产经验，开始掌握了生产的规律，改进了生产技术。第五，不只是一般地补助经费上的不足，而是更积极的为“丰衣足食”而斗争。第六，思想上对生产有了新的认识，自觉性提高了，大家起来动手，一定能够实现“丰衣足食”。

朱德讲了话。他在讲话中指出：“贪污、腐化、浪费是生产运动的敌人。在生产中不许有一个败家子、二流子。”他继1940年12月3日在陕甘宁边区党委召开的经济自给动员大会上提出建立革命家务以来，第二次提出建立革命家务。他说，“我们一方面艰苦的劳动，一方面改善物质的和精神的生活，革命的家务是一定可以发展起来的。”林伯渠在讲话中针对一度曾把商业作为机关自给运动主要方向的偏向，着重指出农业生产的重要性。

会上，还奖励了六十六位机关生产中涌现出来的劳动英雄。

这次生产总动员标志着边区为实现“丰衣足食”而斗争的生产运动的新阶段。

配合生产运动的新阶段，文艺、报纸等宣传工作搞得很生动活泼，十分出色。《生产大合唱》、《南泥湾》等歌曲，《兄妹开荒》、《十二把镰刀》、《二流子变英雄》等戏剧，在延安和全边区巡回演出，激励着千万群众的生产积极性，在大生产运动中发挥了巨大的动员、鼓舞和教育的作用。

2. 开展生产大竞赛。生产大竞赛是1943年全边区为实现“丰衣足食”而斗争中出现的一个新事物，是安塞县劳动英雄杨朝臣和延安县劳动英雄吴满有共同发动起来的。

1943年2月24日，安塞县劳动英雄、模范退伍军人杨朝臣写信给延安县劳动英雄吴满有，倡议开展生产竞赛。杨朝臣在信中说：“我的一切条件不如你，可是我愿意拿你我的不同条件来和你竞赛，并且请你我的区、县长作见证人，请高、霍厅长作评判员，你说好不好？第一，今年开荒五垧，要把草、树连根拔掉，并且要掏一尺多深。第二，粪要沤得好，翻两三次，每垧地上粪十袋。第三，锄草四次，培土要好到苗秆不倒。第四，牲口保证不生病，菜要种得好，粮食要比去年每垧多收一斗。第五，和民众关系一定要好，要帮助群众解决困难。第六，我是受移民优待的，三年不交公粮，但我能够做的公益事，要热心参加。我是一个共产党员，是八路军的退伍军人，你是边区农民的劳动英雄，我很赞成你的光荣，所以咱们就竞赛吧，挑战吧!”

吴满有在收到杨朝臣的挑战书以后，积极赞同，于2月28日复信杨朝臣表示应战。吴满有在信中除完全同意杨朝臣提出的六个竞赛条件，并给以补充以外，特别提出开展庄与庄之间的劳动竞赛，建设“劳动英雄庄”。吴满有在复信中说：“我想，只是在你我两个人身上比较，对于革命，固然很好，但为了扩大这个竞赛运动，我们要在群众身上来比较。现在我庄已成立生产互助小组，我已被选做组长，我们已经商量好，一定要使全庄子里的男女老少，都把他们的力量用在生产上，并且用互相帮助、互相调剂的方法，组织变工，给贫苦村民调剂口粮、籽种和农具，发挥大家的生产力量，也只有使大家的生产发展起来，才是真正响应毛主席发展生产的号召。所以，我也向你提出两条：第一，就是不仅你和我两人要竞赛，而且要首先把你我两个庄子的生产搞好，我提议根据两庄的劳动力和牛犋来竞赛，看谁个庄子打的粮食多？争取‘劳动英雄庄’的光荣名号。第二，边区的劳动英雄不止你和我两个人，各县都有，还有我们的军队这两年的生产成绩特别大，他们一定有更多的劳动英雄。所以，我主张把这个生产竞赛运动，扩大到全边区的军队、群众中去。我想你一定是赞成的。”

朱德在得到杨朝臣、吴满有开展生产竞赛的消息以后，非常重视。他立即电令边区所有部队积极响应吴满有生产大竞赛的号召。朱德在电令中特别强调，要认真发现部队中的劳动英雄，以作竞赛运动中的骨干力量，并由此而广泛地展开群众性的劳动竞赛。电文说，“八路健儿都是劳动人民的子弟，他们来自工厂，来自农村，对于生产和劳动，都是最积极的，象吴满有这样的劳动英雄一定很多。”电令还强调生产竞赛，增加粮食的重大意义，说，“这个道理很明显，多产一粒粮食，就是多增加一份抗日的力量。”贺龙也连夜打电话给南泥湾驻军，令他们迅速接受吴满有的友谊挑战。

3月3日，中共中央西北局向各地党委发出通知，要求各地党委去切实推广和领导这一生产大竞赛。通知说，“这是从党员发动的群众中的创作，各地党应特别注意这一运动，把它推广起来，切实的去组织和领导，提高和巩固群众的生产积极性，仿照延安刘秉温变工队办法组织劳动互助，发扬群众生产的组织性。生产竞赛，劳动互助，是推动春耕、增产粮食、组织群众、教育群众最重要的事情。”

接着边区政府主席林伯渠、副主席李鼎铭联名发出指示。指示要求各分区县市将生产竞赛运动推广到群众中去。

一个劳动英雄与劳动英雄之间、庄与庄之间、军队与民众之间、军队与军队之间的生产竞赛和劳动互助运动迅速在边区掀起，发展到边区的各个角落。

这个生产竞赛开展是健康的，推动了边区群众劳动互助的发展，有力地促进了生产运动的发展。正是这个生产大竞赛促使边区劳动英雄大批地出现，劳动英雄和模范工作者辈出。

3. 1943 年边区的两大盛会。为了检阅 1943 年大生产运动的丰硕成果，表彰大生产运动中涌现出来的劳动英雄，边区政府于 1943 年 11 月 26 日至 12 月 16 日在延安同时举行了两大盛会：陕甘宁边区第三届生产展览会和第一届劳动英雄大会。这两大盛会是在西北局直接领导之下，由党、政、军三结合组织实行具体领导：贾拓夫代表西北局，高自立和我代表边区政府，邓发代表中央职工运动委员会。

这次生产展览会是空前的，规模是很大的。大会展览品分为两大部分：一为总展：陈列边区各种生产事业总的情景，其中有各种极为详尽的统计图表，最能说明问题也最有教育意义。一为分展：其中有中央直属机关、军委直属机关、留守兵团直属机关和边区系统的机关生产展览部，有绥德、延属、关中、陇东、三边分区等的展览部。展览会有近百个展室，长约半里地，共有展品六千五百九十六件，图表和照片一千九百八十七张。整个展览会是边区“丰衣足食”的缩影。它表明，经过边区群众和机关部队学校同志的共同努力，尤其是 1943 年大生产运动的飞跃发展，边区人民初步实现了党中央提出的“丰衣足食”的号召。

展览会告诉我们：第一，由于全边区 1943 年开荒九十七万六千二百二十四亩，使边区的耕地面积达到一千三百三十八万余亩，粮食总产量达到一百八十四万余石，比 1942 年增产十六万石（细粮），其中因开荒增产的粮食十四万五千石，因改良耕作技术而增产一万五千石。全边区年消耗粮食约为一百六十二万石，出现了有二十二万石余粮的局面。这就是说，边区广大群众基本上做到了“足食”，而部分群众开始有了余粮。

第二，由于1943年植棉十五万零二百八十七亩（比1940年的一万五千一百七十七亩，扩大近十倍），收棉花一百七十三万斤，达到边区棉花需要量的一半以上。1943年1至9月已产布一万五千八百四十大匹（比1940年产布三千零八大匹，增长近五倍），棉布的自给率已达百分之七十三。

第三，1943年1至9月产盐四十七万驮（每驮一百五十斤），估计年产盐可达六十万驮，比1942年的二十七万驮增产一倍以上。盐是边区用来进行外贸的主要物资，对边区说，盐就是粮和布。

第四，六畜兴旺，也是“丰衣足食”的一个侧面。据统计：牛由1940年的十九万三千二百八十三头增加到1943年的二十二万零七百八十一头；驴由1940年的十二万五千零五十四头增加到十六万七千六百九十一头；羊由1940年的一百七十二万五千零三十七头增加到二百零三万三千二百七十一头。

第五，随着边区经济的发展，合作社事业也迅速提高，1943年边区有合作社二百五十五处，股金约一亿五千万元。

第六，展览会还充分体现了1943年生产运动的群众性，生产领导上的组织性和计划性，劳动组织上的由分散到互助合作的方向，以及公私兼顾、军民合作的特点。展览会表明，1943年是边区生产大发展的一年。为数年后进行的自卫战争，打下了坚实的物质基础。它以充分的事实说明，党的新民主主义的经济政策是完全正确的。

这一经济的辉煌成就，是边区千百万劳动群众共同努力的结果，大批劳动英雄和模范工作者在这里起了积极的带头作用、骨干作用和桥梁作用。

召开劳动英雄大会，就是为了表彰他们对边区新民主主义建设的巨大贡献。

陕甘宁边区第一届劳动英雄大会，有著名的农业劳动英雄吴满有、刘玉厚、张振财、贺保元、杨步浩、郝树才，工业劳动英雄赵占魁，部队劳动英雄李位，机关劳动英雄黄立德，合作社劳动英雄刘建章，劳动英雄、模范党员申长林，移民劳动英雄冯云鹏，妇女劳动英雄郭凤英、张芝兰等一百八十五名劳动英雄出席。

这样的劳动英雄大会在边区的历史上还是第一次。在旧社会被认为是“下等人”的劳动人民，现在成了新社会的“状元”，受人尊敬。大会会场的布置说明了这一点，有十几位劳动英雄的肖像，同毛泽东、朱德等领导同志的肖像挂在主席台上。

两大盛会揭幕时，有近三万人参加。延安附近三十里内外来的群众也在千人以上。朱德、贺龙、高岗、林伯渠、李鼎铭以及晋绥行署主任续范亭等参加了大会。会上，林伯渠代表边区政府作了报告，详述了1943年边区“丰衣足食”的情况。他说，在边区“这样一个战争环境又是比较穷困的地区，人民和军队今年居然能做到丰衣足食，这是边区人民和八路军力量的表现”。

会上，朱德、贺龙、续范亭等讲了话。续范亭说：“我五十岁了，第一次才看见这样的事情。”接着他对劳动英雄表示衷心的祝贺，并且以幽默的语言，严正驳斥了把共产党人描绘成“三头六臂”的怪物。他说：“是的，共产党人是有三头六臂的。三头就是‘枪’头、‘锄’头和‘笔’头，六臂就是‘两只手’能打仗，‘两只手’能生产，另外‘两只手’能写文章，能学习，能抓汉奸特务分子。这样的三头六臂，对老百姓是好的，对中国是好的。”他的这种说法，是当时我们在延安一面打仗，一面生产，一面学习的一个生动的写照。

毛泽东没有出席这两大盛会的开幕式，但他非常关心这两大盛会。1943年11月29日下午，他把全体劳动英雄请到杨家岭中央大礼堂，同朱德、刘少奇、周恩来等一起接见并宴请了劳动英雄，作了著名的《组织起来》的讲话。12月9日，毛泽东参观了生产展览会，又专门找了吴满有、申长林、刘生海、孙万福、冯云鹏、高仲和、张振财、石明德、李位、刘玉厚等十七位劳动英雄座谈了生产经验。毛泽东与冯云鹏、安兆甲谈移民问题，与张振财、李长清、梁显荣、刘玉厚谈变工札工的问题，与田荣贵谈合作社问题，与李位谈部队生产问题，与张清益谈义仓问题等，一直从下午谈到深夜才结束。

大会期间，劳动英雄们互相交流了经验，热烈地讨论了毛泽东“组织起来”的号召，制订了“组织起来”搞互助合作的计划；提出了1944年进一步“丰衣足食”的生产任务和具体计划。

大会给予劳动英雄和模范工作者以优厚的奖励，有二十五名劳动英雄获特等奖，各得奖金三万元；三十四名劳动英雄获甲等奖，各得奖金两万元；八名获乙等奖，各得奖金一万元。所有参加大会的劳动英雄由边区政府发给奖状及由毛泽东、朱德、高岗、贺龙、林伯渠、李鼎铭等的亲笔题词。在大会上，还奖励了五个模范村：淳耀的白塬村（劳动英雄石明德所在村）、延安的吴家枣园（劳动英雄吴满有所在村）、绥德的郝家桥（劳动英雄刘玉厚所在村）、华池的城壕村（劳动英雄张振财所在村）、定边的贺家园（劳动英雄贺保元所在村），各奖耕牛一头。

大会最后通过了《陕甘宁边区第一届劳动英雄代表大会宣言》，总结了大会的盛况，要求全边区农民、工人、战士、机关干部、学校学生进一步发展生产，以便充实物质力量，准备消灭日寇和对付反动派的袭击，取得对敌斗争的最后胜利。宣言最后要求实行毛泽东“组织起来”的号召，做到：

第一，普遍发展变工、札工。向淳耀的白塬村、延安的吴家枣园和安塞的马家沟学习。

第二，实行移民政策，增加新的劳动力。全边区要向赤水的冯云鹏、延安的马丕恩学习。

第三，1944 年要把边区的全部二流子改造好，一面由政府督促，一面由群众劝说。全边区的二流子都要向吴旗的刘生海学习。他过去是个二流子，没吃没穿，婆姨也离开了他。自从 1941 年转变以后，努力生产，到现在有九个牲口，打粮二十多石，成了边区的劳动英雄出席了这次大会。

第四，发动能劳动的妇女参加农业生产。全边区的劳动妇女都要向米脂的郭凤英学习。她和男人一样，既能种庄稼，又会纺纱。

第五，多开荒地，深耕细作，增修水利，发展副业。全边区的老百姓都要向延安的吴满有学习。他 1943 年一家开荒三十二垧（每垧三亩），多打四十石粮。

第六，多种棉花，发动妇女纺织。多种棉花要向吴堡的刘秉仁学习。他种的一亩棉花产净花四十四斤，并推动全村每户种一亩棉花。纺纱要向刘（桂英）老太婆学习。她除了自己纺纱，还组织了一百八十个妇女纺纱。

第七，办好合作社。全边区的合作社都要向延安的刘建章学习。他办的南区合作社，发展成为消费、生产、运输、信用的综合合作社，给老百姓谋了几千万元钱的利益。

第八，组织运输队，多运盐出口。全边区的运输队都要向延安的刘永祥学习。他在南区合作社的帮助下，利用公盐代金，组织了七百多头牲口

1944 年李维汉在延安

的公私合作的运输，运盐一万八千驮。不但方便了群众运盐，而且凡出公盐代金的还可以有许多红利。

第九，一面努力发展生产，一面还要节约粮食，储存粮食，多种洋芋。

第十，号召部队、机关、学校，加紧生产。部队要向张治国、李位、胡青山、郝树才、武生华学习，从半自给做到全自给。工厂要向赵占魁、袁生华、李凤莲学习。机关学校要向黄立德、佟玉新学习。

4. 1944 年底至 1945 年初边区的两大盛会。1943 年底召开的边区劳动英雄大会充分显示了劳动英雄运动在大生产运动中的重大作用。为了进一步推动生产运动，边区政府在 1944 年把劳动英雄运动推广到一切部门，边区的群众和机关、部队、学校，人人都可以争当劳动英雄和模范工作者。1944 年劳模运动的特点，第一，运动全面开展。劳动英雄及模范工作者运动，从农村、工厂、机关、部队的生产运动推广到了文化、政治、军事及其他各项建设事业。第二，英雄大量产生。七十二行，行行有英雄、有模范。第三，由个人到集体。劳动英雄带动了一个村、一个单位，出现模范村，模范班、排、连，以及机关团体中的模范单位。第四，劳动英雄与模范工作者是选举产生的，具有更广泛的群众性，受到更多的群众的尊敬和拥护，在群众中的带头作用、骨干作用和桥梁作用更大。第五，劳动英雄和模范工作者的标准更高了。第六，领导更加自觉了。经过几年劳模运动的实践，领导干部领导劳模运动积累了经验，提高了自觉性。

为了总结劳模运动和边区生产运动的经验，陕甘宁边区在 1944 年 12 月 22 日至 1945 年 1 月 14 日，召开了“劳动英雄与模范工作者大会”，当时，大家都叫它“群英会”。有四百七十六位劳动英雄和模范工作者出席了大会。

在群英会开幕那天，延安十分热闹。开幕式在参议会大礼堂举行。会场上，张灯结彩，劳动英雄披红戴花。林伯渠致开幕词，他首先指出一年来劳动英雄与模范工作者运动的新发展，以及他们在新民主主义建设中的积极作用。林伯渠强调劳动英雄要时时抑制自满，互相学习，交流经验，发扬优点，克服缺点，开展批评与自我批评，力求进步，以期完成边区新民主主义建设的新任务。朱德出席了开幕式，讲了话。他说：几年来，我们靠着“血和汗”，坚持抗战，建设边区，获得举世的称道。对于这一奇迹，劳动英雄、战斗英雄和模范工作者起了决定作用。

这次群英会的重点是交流经验。会议以农业、工业、运输合作、纺织、部队、机关学校、财政、金融贸易、司法、保安、文教及其他等十一个组，分别进行经验交流和典型介绍。在分组交流经验的基础上，选举和评比产生边区劳动英雄和模范工作者的等第，共评选了特等劳动英雄和模范工作者七十四名，甲等劳动英雄和模范工作者二百名，乙等劳动英雄和模范工作者一百八十九名，以及模范村、模范连队和模范单位团体十四个，并给予奖励。

在会议期间，毛泽东于1945年1月10日向全体劳动英雄和模范工作者作了题为《必须学会做经济工作》的报告。毛泽东在报告中称赞劳动英雄和模范工作者起了三种作用，即带头作用、骨干作用和桥梁作用（这三大作用是在群英会中反映出来的，我们向毛泽东汇报时提到了，他称许这些提法很好），鼓励他们戒骄戒躁，争取更大的进步。毛泽东在讲话中提出了在两三年内完全学会经济工作的任务，强调“我们边区和整个解放区，还要有两年至三年工夫，才能学会全部的经济工作。我们到了粮食和工业品全部或大部自种自造自给并有盈余的日子，就是我们全部学会在农村中如何做经济工作的日子。将来从城市赶跑敌人，我们也会做新的经济工作了。中国靠我们来建设，我们必须努力学习”。

大会最后由边区政府民政厅长刘景范作总结：《更加推广劳动英雄和模范工作者的运动》。说明边区劳模运动的历史和现状，劳模运动的作用，以及今后的方针等问题。

大会于1945年1月14日闭幕。在闭幕式上，李鼎铭致闭幕词。彭德怀、陈毅、刘伯承、聂荣臻、吴玉章等讲了话。他们在讲话中都强调了边区劳模运动对全国，尤其对敌后抗日根据地的作用。彭德怀说：“你们和全体人民把陕甘宁边区贫穷的山谷建设成富庶的边区，创造了许多模范的事迹。八路军和新四军有这样边区作为立脚点和出发点，所以能够在敌后坚持抗战，愈战愈强，在华北开辟了三十倍于边区的人口及在全国开辟了六十倍于边区人口的抗日民主根据地。同时由于边区的带头作用，我们在敌后开展了生产和战斗结合的劳模运动，军民吃饱穿暖，大大提高了我们的战斗力。”聂荣臻也说，陕甘宁边区不仅是抗日的出发点，并且是建设新民主主义中国的出发点。

在群英会召开的同时，陕甘宁边区建设展览会于1944年12月25日正式开幕。这次展览会与以前的工农业生产展览会不同，增加了边区军事、政治建设的内容。展览分四大部分：第一部分：军事，包括练兵习武、民兵训练、军队文教工作、医药卫生、官兵关系、拥政爱民、军事工业、生产、供给和战利品等，在八路军大礼堂展出。第二部分：经济建设，包括农业、公营工业、民间纺织和工业、运输业、合作事业、机关生产、财政、贸易、金融等。第三部分：民主建设，包括民政、吴满有模范乡、保安工作、司法工作等。第四部分：文化教育，包括医药卫生、反对巫神运动、民办小学、国民教育、文艺、报纸等。展览会反映了一年来边区财政经济、民政司法、文化教育、保安等方面所取得的巨大成绩。一直到 1945 年 1 月 15 日闭幕，参观展览会群众达三万余人次。

5. 开始进入“丰衣足食”境地。经过全边区群众的努力和机关部队学校大生产运动的继续开展，边区 1944 年的自给自足经济有了更进一步的发展，“丰衣足食”的程度又有提高。总计全边区增产细粮二十余万石，机关部队学校生产细粮十万石。因此，除了边区群众和机关部队学校的消费，尚可节余二十八万石，连同以前几年的结余，边区积存的余粮在七十万石以上（实际不止此数）。这一年边区植棉三十万亩，收棉花三百万斤，可以织布一百五十万匹（三八布），自给率达到三分之二。工业方面，生产的日用品如毛巾、肥皂、火柴、纸张、陶瓷、纸烟等已经自给或者大部分自给。延长石油生产也有恢复和长进。军事工业也得到了很大的发展，除了生产步枪、子弹以外，又陆续生产出掷弹筒、炮弹等武器。对于边区的工业发展，边区劳动英雄、模范工程师沈鸿起了极大的作用。沈鸿是学徒出身，经过自己的刻苦钻研，终于成了一个工业家。1938 年自带十台机床到延安参加革命。他到延安以前，边区除延长的煤油厂有少数几台机器以外，其他地区没有现代化的机器。他到延安以后，又亲自设计、制造了许多设备，配备了边区的许多工厂，帮助了边区工业的发展。延安中央印刷厂的油墨机、造纸厂的造纸机、制药厂的压片机、煤油厂的炼油设备，以及边区其他工厂的许多机器，主要都是经过他的设计，直接或间接地从他带来的十台机床上生产出来的。更重要的是他还帮助了八路军后方修械所，并亲自设计、制造了掷弹筒、炮弹等前方急需的武器、装备。

具体说，边区人民的生活水平和机关部队学校的供给标准，都有了很大的提高。林伯渠在陕甘宁边区参议会第二届第二次会议的报告中充分反映了这一情况，他说：“坚持从经济到财政的发展路线之结果，人民的收入大大增加了，部队和机关学校也逐渐建立了家务，但政府取之于民的部分，却相对地减少了，以至绝对地减少了。例如公粮，去年十八万石，今年减至十六万石，其他税收也有减轻。因此，军民生活一年一年地更加改善了。

“农民方面，以清涧辛家沟村为例，全村共二十六户，1941 年收获量为二百零九石六斗二升；消费量为一百四十二石四斗二升；负担为二十四石七斗，占收获量的百分之十一点七六；收支相抵，盈余四十二石五斗。1943 年收获量为二百八十五石六斗九升；消费量为一百八十四石三斗，较 1941 年增加百分之二十七点二，生活上升；负担为十九石九斗八升，占收获量的百分之六点九九，负担下降；收支相抵，盈余八十一石八斗一升。

“工人方面，城市手工业工人实际工资比战前提高百分之一百四十九点八至四百；公营企业工人的实际工资则提高百分之五十八点七至八十四，但公营企业工人的医药、文化和娱乐等费，劳动保险和社会保险统由公家负责。

“部队方面，战士的衣食两项供给标准，如以 1939 年为一百，则 1943 年已提高至百分之一百二十五点五。1944 年当续有提高。

“一般公务人员和学生方面，以今年（1944 年）为例，单就衣食两项实物供给标准，平均为小米六石以上，其他如办公、文娱、书报、医药等费，概由公家供给，病员、产妇、婴孩等更有特殊待遇。公务人员家庭有土地而无劳动力者，为之代耕；全无产业者，帮助其家属从事生产或给以适当工作，其子女的抚养教育费用，亦由公家供给。

“值得指出的，去年以来，工厂人员合作社，部队人员合作社，机关和学校人员合作社，普遍成立，便利个人储蓄，并为个人建立了家务，已有相当成绩。

“可以说，边区军民生活已开始进入丰衣足食境地。”

1945 年边区受了特大旱灾，农业歉收，粮食作物减产。为了照顾部分地区的歉收，1945 年的公粮又从 1944 年的十六万石减到十二万石。因此，人民的生活仍然有所改善。

这时，边区农村的情景已经大变样了。不仅人民的生活有所改善，而且农村的阶级状况也有了变化，最突出的一点是从前雇农和贫农是农村的主要群众，这时变成了以中农和富裕中农为主要群众；从前乞丐到处可见，这时已经绝迹。这种情况反映了边区建设已经进入了一个更新的阶段——全面建设边区。

6. 小结。

以上事实说明，在边区生产运动中，党中央、西北局和边区政府抓“两点论”抓得好。第一，抓“两个环子”。这就是毛泽东所说的：“一九四二和一九四三两年先后开始的带普遍性的整风运动和生产运动，曾经分别地在精神生活方面和物质生活方面起了和正在起着决定性的作用。这两个环子，如果不在适当的时机抓住他们，我们就无法抓住整个的革命链条，而我们的斗争也就不能继续前进。”我们党抓住了整风运动，使我们党在思想上、政治上、组织上达到了空前的团结和统一，大踏步地稳步地前进了。同样，我们党抓住了生产运动，达到了“丰衣足食”，我们又活跃了，我们又生气勃勃了。可见，同时抓整风和生产两大运动，精神和物质两个领域，这在历史上是极端重要的，在现在也是极端重要的。第二，抓统一战线。在政治上要抓统一战线，在经济工作上也要抓统一战线。陕甘宁边区在政治上贯彻统一战线政策是有成绩的，在经济工作上贯彻统一战线政策也是有成绩的。劳动英雄中间，就包括了各阶层的人。如工业方面的沈鸿，他现在已经是革命干部了，但他在未来边区以前曾经是一个拥有生产工具的工业家；农业方面的吴满有，是劳动致富的富农；延安市商会会长王克温就是一个商业资本家，在国民党对边区实行经济封锁以后，我们的对外贸易，有许多是通过他办的。又如，我们在发展公营商业的同时，私营商业的发展也很快，延安市 1936 年仅有各种私营商店一百二十三家，到 1943 年即达四百七十三家。第三，抓两股力量。一是抓民也抓军，军民齐奋战。在大生产运动中，我们打破了当兵“吃粮”、“脱产”革命的旧习惯，使机关、部队、学校的“脱产”人员一律变成不脱产人员，又工作（打仗），又生产，同广大人民群众共同组成劳动大军。不仅有利于生产，而且有助于改善军民关系，增强劳动观念，加强纪律性，对人民群众的生产也起了促进作用。二是抓兵也抓“官”，官兵一致。司令员和战斗员，领导和群众，同吃，同住，同劳动。这同样不仅有利于生产，而且有助于改善官兵和上下级关系。三是抓公也抓私，公私兼顾。参加机关生产，这是为公；进行个人副业生产，这是为私。个人副业生产发展了，个人自给比例增大了，需要公家供给的比例就缩小了。这是符合当时实际需要的。

六、文化教育

发展文化教育事业，是1942年9月毛泽东当面嘱咐要求边区政府抓紧进行的四项任务之一。边区政府1943年确定："目前政府工作必须集中力量于急要和首要的任务，第一是发展生产"，"第二是教育"，把发展文化教育事业列入重要议事日程。边区政府的教育工作由教育厅主管，我因在来边区政府工作之前曾经做过几年教育工作（主要是干部教育），并且教育厅厅长柳湜当时是以救国会代表的身份参加边区工作的，副厅长贺连城也是党外人士，边区政府党组便要我多帮助他们工作。我主要是协助他们做了一些政策研究工作和某些会议的组织协调工作，因此对教育工作接触较多，感受也较深，现将我对边区文化教育发展概况和各项方针实施情况简要记述如下。

（一）历史发展概况

要了解陕甘宁边区政府执行文化教育政策的情况，首先必须了解陕甘宁边区在旧社会的经济文化教育状况。陕甘宁边区在旧社会经济文化十分落后，地主阶级对农民的残酷剥削和压迫，使分散的落后的农村经济长期处于停滞状态，社会分工和商品生产都很不发达，基本上是自给自足的自然经济。荒山遍野，地广人稀，农业粗放，交通不便，农民终日劳动难得温饱。反映在文化教育上，就是封建、文盲、迷信和不卫生。知识分子缺乏，文盲高达百分之九十九；学校教育，除城镇外，在分散的农村，方圆几十里找不到一所学校，穷人子弟入学无门；文化设施很缺，人民十分缺乏文化生活；卫生条件极差，缺医少药，人畜死亡率很高，婴儿死亡率达百分之六十，成人达百分之三；全区巫神多达二千余人，招摇撞骗，为害甚烈。人民不仅备受封建的经济压迫，而且吃尽了文盲、迷信、不卫生的苦头，人民的健康和生命得不到保障。

1939年9月陕甘宁边区政府正式成立后，在扫除文盲、破除迷信、改变不卫生情况等方面，做了很多工作，很有成绩。但从数字增长和社会效果对比看，还是很不够的。小学数量有增加，但失学儿童仍在四分之三以上。文盲数量有减少，但仍高达百分之九十三至九十五。人畜死亡率也很高。客观原因是经济发展不足，群众的物质生活问题未解决，文化生活问题也很难解决。但主观上也存在着一些缺点和错误，表现在：

第一，政治上有某种程度的右倾，这是抗战初期统一战线工作中右倾错误的一种表现。在教育内容上强调抗日，这是对的，但忽视了民主；强调团结，这也是对的，但忽视了必要的斗争。当时发生过这样一件事：教育厅口试鲁迅师范的毕业生："顽固分子来了怎么办?"问了几个，都答"退让"。又问："他们再进攻怎么办?"答："还是退让。"问到第三次，他们无法回答了。只有一个长征过来的毕业生挥拳高呼："打!"这件事曾引起边区党组织的注意，并在1939年边区党第二次代表大会上特别指出过。但在以后的教育领导工作中仍未引起足够重视，如绥德分区的教育在1940年新政权建立后，政府与一些开明教育家做了许多工作，但直到1941、1942年对何绍南反动统治时期的旧教育，仍然未能有计划地进行改造，许多地区的小学教育仍被顽固分子把持，他们仍以各种敌视人民、敌视边区、敌视共产党的反动思想继续毒化青年。

第二，学校教育搞旧型正规化，对边区落后的经济、文化状况和地广人稀的特点注意不够，未能及时解决教育和实际结合、适应分散的农村、为边区服务的问题。当时干部教育（培养边区的知识分子）是提高边区一切工作包括教育工作的决定因素，长期未被重视。国民教育也不顾边区具体情况，先是不切实际地普遍推行普及教育、义务教育，后又走到另一个极端，提出了所谓"减少数量提高质量"的口号。边区人民在1938、1939年，生活还很困难，首要任务是恢复民力，发展生产，推广义务教育则为时过早。但1940年《陕甘宁边区实施义务教育暂行办法》反而把要求又提高了一步，提出要逐步普及义务教育，学龄儿童（八岁到十四岁）都要按规定入学，否则予以处罚。这是主观主义、命令主义和形式主义的规定，当然行不通。后来在边区召开的教育科长会议上，又决定重质不重量，精简和合并学校，每县宁可取消十个普小，一定要办好一个集中的完小；每个学校不满二三十人不能开办；年限、班级、开学、放假等制度必须"整齐划一"。在这种错误思想的指导下，小学由1940年的一千三百四十一所减至1942年的七百二十三所，减少百分之五十四，学生也减少了一万余人，将近减少三分之一。这是忽视了边区生产落后、村庄分散、交通不便、劳动力缺乏等特点，抄袭旧的一套教育体制所造成的恶果。

此外，社会教育、文艺工作也存在一些问题。社会教育流于形式，文艺工作侈谈提高，忽视普及，以外边进来的知识分子为主要对象，忽视人民群众需要。民间文艺仍是封建的旧的东西占统治地位。特别严重的是，对大批人畜死亡现象，迄未给予应有的重视。

上述这些问题都是亟待解决的问题。我到边区政府后，全党正在开展整风运动，西北局又召开了高干会，为我们纠正教育工作中的缺点错误指明了方向。我们在党中央和西北局的直接领导下，仔细分析了边区教育中存在的问题，主要是旧型正规化问题。开展了批评和自我批评，纠正了缺点错误，进行了教育改革，整掉了旧型正规化，实质就是整掉了主观主义、命令主义和形式主义。教学内容和教学方法逐步做到了与群众需要相结合，与边区实际相结合，真正为边区人民大众服务，边区教育出现了向着新的方向改革的大好局面，这是整风的重大成果。1944 年 10 月陕甘宁边区文教大会，总结了边区教育工作正反两个方面的经验，特别是总结了 1943 年整风以来教育改革的新鲜经验，提出了今后发展文教工作的方针和政策，明确了文化教育在整个革命事业中的地位和作用，收获是很大的。尤其是毛泽东在会上的讲演，对边区文教工作作了高度的理论概括，为今后进一步发展文化教育事业指明了前进的方向。

以上是历史发展概况。下面想就边区小学教育、中等教育、社会教育、文艺工作等方面分别作些具体说明，也对边区文教大会作一专门介绍。

（二）小学教育

边区政府成立后，即注意了教育建设，历年均有发展。1937 年春全边区仅有小学校三百二十所，学生五千六百人（不包括绥德警备区）。1940 年春增至一千三百四十一所，学生四万一千多人，学校数和学生数分别增长了三倍多和六倍多。整风运动批判了教条主义的错误倾向，促进了教育事业朝着按照群众需要的方向改革。1944 年后，各地陆续出现了一种新事物，即民办学校，发展到五百余处，这是教育改革的良好开端。民办学校形式多样，各有特色，创造了很多的好经验。主要有：

延安市杨家湾小学。这种类型的小学，特点是民办公助，是在农民积极分子倡议下，由政府领导和帮助办起来的。陶端予是这所小学的教员，是当时杨家岭中央机关到北效乡做居民工作，应农民之请派下去的。教员到了村里，便帮助群众修理纺车，与群众建立感情；学校办起来后，经常进行家访，家长、教员、学生连成一片，群众的意见成了教员工作的依据，群众的反映就是教员检查自己工作的尺度；在与群众密切联系中，吸取了人民丰富的语言和生活的滋润，编成教材，进行教学。学校设有语文、算术、卫生、常识、习字等课程，教语文，学写便条；教算术，学心算、珠算和记账；教生产知识，同时培养劳动观念，紧密结合家庭和生产实际。教学中，不光学文化，还要养成儿童民主与遵守纪律的习惯；提倡讲礼貌、团结友爱，讲究卫生，尊重父母、家庭和睦的道德风尚；教育儿童懂道理，服从道理而不是服从个人。学校还开展成人教育，推动全村卫生运动，使杨家湾成为全边区最好的模范村。

米脂高家沟民众学校。这种类型学校的特点，是农民自动起来办学校。高家沟的农民说："咱们这辈子不识字，是睁眼瞎子，可不能再让子孙受害了。"于是便立下这个学校，推举全村唯一识字较多的高怀山当教员，自办，自管，自教。经过群众讨论，课目有识字、算术、读报、写仿（习字）、唱歌或游戏等，按新编课本教，教员也自编一些辅助教材，注重应用文和珠算的教学。农忙放假，平时鼓励学生参加家庭劳动，做到学习、生产两不误。学制分全日班、半日班，还有拦羊娃的早班，无固定年限，能写会算就毕业。学校同时也是本村文化建设的中心，成立了变工队员读报识字组，妇女纺织识字组，并与村、乡政府配合，开展卫生运动和文化活动。

米脂杨家沟学校。这是一种穷人翻了身，迫切要求文化的"一揽子"形式的村学，特点是以成人教育为主，和生产密切结合。教育对象主要是成年男女，也包括儿童。教学内容按群众和生产需要规定，全体学生都不脱离生产，教学时间也根据生产时间不同，分为早、中、晚三班进行。

巡回学校。在教育改革中，志丹县七区一乡，从改造旧轮学（即轮回教学）中，吸取其合理部分，创办了一所巡回学校。这个乡共六个小村，比较大的如红石峁等四个村子，每村才六七户人家，最大的也只十二户，相隔都在三五里路，地区分散，农民生产负担很重，每个儿童也要拦羊三四十只。要办学，一个村办"供不起"（经费），一个乡集中办又"误不起"（时间）。他们就共同请了一个教员，选定这四个较大村子作为基本巡回教学范围，定名为巡回学校，每天轮教两个村子，每隔一天就可轮到一次。每村都有简易的校舍，有桌凳、黑板等校具。学校有校董会，每村选一人任校董，协助教员管理学生，教员轮到哪个村子时，他就把学生集合在一起，平时则督促儿童复习。儿童不离本村，就地上学，不误生产。“误不起”、“供不起”的问题解决了。志丹其他乡及靖边、吴旗一些较偏僻的乡村，也创办了这样的巡回学校或轮学，同样得到群众的拥护。

教育改革，民办小学带了头，做出了榜样。1943 年特别是 1944 年以后，公办小学和完全小学，也在逐步地进行改革。我们一方面号召各地继续试办民办小学，一方面推广了吴旗县赵老沟小学教员刘保堂结合实际和群众需要办学的经验。许多小学教员经过整风，批评了旧型正规化的思想，开始认识到，不结合边区实际，不懂得农民的要求，办教育是没有出路的。他们向民办小学学习，向刘保堂学习，在课程设置上，增加了农村迫切需要的教材，增教应用文和珠算，增教生产知识和卫生知识，向着新的方向转变，迈出了可喜的一步。同时，我们还抓了私塾的改造。边区文化落后，私塾仍占相当数量，陇东分区就有一百五十处，他们多半教些封建迷信的东西，改造是必要的。我们推广了陇东贾其昌私塾改造的经验，促进私塾按照政府的教育方针办，向着新式的村学转变。农民对小学的改革是欢迎的，有的要求办得好的中心小学、普通小学继续公办，有的因为需要或有的小学办得不好，则改为民办，使学校更能按照群众的意愿办。但是小学教育的改革，仍然存在一些问题，一部分小学教员习惯于过去旧的一套，只知道政府办，不知道根据群众意志由群众决定学校的形式与内容；在另一部分学校中，则又过分强调生产劳动，过多地参加社会活动，忽视了知识的教学。这两种倾向，在继续改革的过程中，都是要注意解决的。

小学教育改革的情况说明，群众本来蕴藏着办学的积极性，但被旧型正规化束缚住了。经过整风和大生产运动，这种积极性迸发出来了，他们要求创办学校，改革学校。这种改革，也只是开始，它将随着边区经济、文化的发展而逐步提高。在当时的情况下，小学教育的改革具有如下一些特点：

第一，读书与抗日、建设相结合，教育和政治、生产劳动相结合。这是抗战时期教育改革的基本原则。边区小学是传授儿童文化科学知识的阵地，同时又是宣传抗日和党的政策，推动农村建设的重要环节，教员在这方面起了很大作用。当时边区多数教员工作勤奋，生活刻苦，政治觉悟较高，他们不仅教儿童读书，开展成人教育，开展卫生运动，使乡村小学成为农村文化建设的中心；而且还指导学生各种抗日救亡活动和生产建设活动，发挥了教育为抗战为生产服务的作用。

第二，学校的设置和组织形式，因时因地因人制宜，贯彻群众需要与自愿的原则。既有适应农村分散的特点和农民生产生活需要的各种形式的民办小学，又有适合县城和集镇的中心、普小和完全小学。经济文化的落后和发展不平衡，不仅偏僻的乡村与城镇有差异，就是县城的完全小学，因地区不同，要求也各异。绥德、米脂的完小毕业生多希望升学，而延长和环县的毕业生则多参加工作，所以课程设置和毕业年限也不必强求一律，而应因地因人有所侧重。

第三，坚持群众路线，学校与群众配合。边区政府重视教育事业，教育经费占支出的七分之一。但由于实施免费教育，学生入学不交学费和杂费，而且要创办更多的新学校，所以经费仍有困难。这就要发扬艰苦奋斗的精神，因陋就简，发动群众自已维持学校用费，来解决这个困难。群众了解儿童教育，社会教育和救亡活动的重要，自愿担负起维持学校经费的任务。政府则着重在政策、教材、培养教员等问题上加强领导。这样我们在边区经济落后，物资困难的条件下，仍然把教育事业扩大到穷乡僻壤，使教育事业得到发展。民办公助方针为人民所拥护，深深地扎根于群众之中。

1945 年 2 月 26 日，我在保小（保育院小学、即过去的干部子弟学校、是唯一直属教育厅的小学）、抗小、延属干小、完小等四校的教员训练班上，曾经根据了解的情况，讲过以下四个问题，这是我个人对当时边区小学教育的意见：

（1）干部子弟学校教育方针应该是健康、文化与人生观三者并重。前一代人的弱点是文化落后，身体不强，后一代人将是建设人才，应把身体搞好，文化搞好。前一代人有为人民当勤务员的传统，后一代人必须继承与发扬这种传统，切不可沾染新贵族思想。

（2）教育态度应该是一切为了学生——未来的人民勤务员。用做人民勤务员的精神去教育他们，先做学生，后做先生。要坚持真理，又要善于说服。以说服方法和集体生活，培养孩子们的纪律观点。要从正确方面启发学生，也要从错误方面教育学生。要在教育方面培养一种纯正的实事求是与联系群众的作风。

（3）加强教员的修养和学习。一是思想作风修养，要放下包袱，打开脑筋，用民主方法争取别人的帮助，从实践中破旧立新。二是政治和政策学习，上级要给予帮助。三是业务学习，要从实践到理论，做什么，学什么。此外，教员的政治待遇与物质待遇，应该适当解决。

（4）要克服学校教育领导工作中存在的作风问题，即官僚主义问题。领导部门要了解下面的意见和要求，解决实际问题。

在训练班上，学员们对领导上的官僚主义作风，意见比较多，为此，我曾给教育厅的负责同志写过信，又同他们谈过话，建议他们亲自去教育训练班主持些日子，以便提高学员的信心，建立领导的威信，解决实际存在的问题。

（三）中等教育

边区的中等教育，是一个从无到有，探索前进、逐步成熟的过程，大致可分为三个时期。

边区在1937年前，没有一所中等学校。1937年3月成立鲁迅师范，1938年成立边区中学，这是边区中等学校的初创时期。时间虽短，但在教育实施上却带有初创时期的许多特点和创造。教学内容为了适应当时抗战的需要，一般是政治重于文化或政治文化并重。学制也是按实际需要，灵活掌握，有的半年毕业，也有的一、二个月毕业。学生随到随考随编班，如果工作急需，也可以随时调出。学生入学不受严格限制，初期很多是部队机关的勤务人员、退伍红军、红军家属、残废军人等。文化程度高的设中学班或师范班，低的设预备班，都属训练班性质。学生要参加社会活动，做群众工作，并适当参加生产劳动。

这个时期的中等教育，虽然在教学组织、内容、制度、方法上还有很多缺点，但它打破了过去只有富人子弟才能入学的阶级界限，的确是一种新教育的雏型。由于当时具体条件的限制（国民教育刚刚开始发展，完全小学只有一、二个），还不可能把培养边区知识分子当作主要目的，但是因为接受了内战时期革命队伍艰苦奋斗的优良传统和作风，所以培养出来的学生在当时边区文教工作中依然起了很好的作用。

1940年是边区中等学校在数量上大发展的一年，学校由两所增加到了七所，就是边区师范（1939 年 8 月由鲁迅师范和边区中学合并而成）、三边师范、关中师范、陇东中学、绥德师范、米脂中学、边区医药学校；1941 年后又发展为十所，即增加了鄜县师范、新文字干部学校、边区职业学校（1940 年创办边区农校，1941 年创办边区职业学校，1942 年将两校合并成职校）。这十所中等学校，有普通中学二所，占百分之二十；师范中学五所，占百分之五十；中等专业学校三所，占百分之三十。中等教育这个结构的比例，在文教建设的初期，是大体上符合边区经济发展和社会分工的需要的。师范学校占的比例最大，这反映了边区对培养知识分子和发展文教事业的迫切需要。当时中等学校的学制，确定为两年到四年。后来边区的青年学生逐渐占了多数，开始提出了为边区培养小学教师和新知识分子的任务。文化教育内容的比重大大增加了。边区师范、三边师范、绥德师范还附设了行政人员训练班（地干班），这是一个新的发展和改革，正符合边区要提高现任干部文化水平的需要。但是在执行过程中，也发生了两种偏向：有些学校对旧学校遗留的教学内容、方法、作风的改造不够，存在着不切合边区实际需要的所谓“正规化”倾向，学了一些不急需或用处不多的东西。又有些学校提出抽象的政治和思想要求，用教条主义、形式主义的方法盲目地给学生讲许多政治和社会科学概念，学生学不了，也减少了文化教育的时间。这同样是脱离边区实际需要的。

1943 年的整风，针对上述偏向，即旧的教育思想和新的教条主义倾向，进行了检查和批判，实现了重大的改革。首先，明确规定了中等学校带有干部学校的性质，并增设地干班，使边区中等教育与边区建设实际需要进一步结合。其次，为此目的，削减了不急需的课程，增加了当时有实际需要的课程。再次，确定了政治教育、思想教育的原则，是在学生的实际活动中培养他们的革命观点、群众观点与劳动观点，而不是只讲抽象的理论。通过这些改革，边区中等教育出现了新气象，不再把自己的任务限制在只是培养小学教师与一般中学生的圈子里，而是扩大到了同时培养边区建设所需的各种干部和人才。因此在中学班、师范班以外，增设了地干班或其他实际需要的班次。这样一来，进校学生增加了，学生热爱边区及为人民服务的热情大大提高了，不愿去偏僻的农村工作的愿意去了。

中等教育的这一次重大改革，也有缺点。规定课程教学大纲是好事，但有些规定得太广泛、太复杂，以致教员教不了，学生学不了。注意教学与边区实际相结合也是好事，但有些把实际理解得太狭隘，忽视了一些必需的知识的学习。还存在着教条主义的残余。

1946年1月14日至2月12日，在边区政府领导下，在延安召开了边区中学教育会议，对从1943年以来的整风和改革的成果，进行了认真的检查和总结。这次会议在边区中等教育的发展史上，是有重大意义的。除三所中等专业学校未参加外，七个中学校长、教导主任、地干班主任及教员代表等共三十余人参加了会议。主要讨论了中等教育的方针、学制、课程、教材、教学法、地干班、思想教育、组织与领导等问题。

边区中等学校教育的总任务，是有计划地培养边区知识分子，提高现任区、乡干部的文化水平。根据这一总任务，会议进一步明确了中等学校的方针，应是与边区实际结合，学以致用，培养未来干部和提高现有干部（包括小学教师），即具有为人民服务精神并有一定文化水平的干部。教学内容必须以文化教育为主，文化教育又必须以语文为主。

2月7日，我受边区政府主席的委托，听取了教育厅长柳湜的汇报，并看了边区政府政策研究室同志的书面汇报，经过共同商议，获得了如下一致的意见：

“今后中等教育需要有点计划。边区迫切需要知识分子和工农干部知识化，否则边区建设很难前进。

“‘地干班’，应成为工农干部取得语文工具的场所，因此应予扩大，并确定轮训计划，强制执行。

“‘普通班’，应照顾临时、一般和将来的需要，而以一般需要为主。所谓临时需要，指目前过渡期间的紧急需要（接替外来干部），可指定若干班次为之。一般需要，是指初级知识分子和小学师资，保证三年毕业。这两种，均以搞好语文，达到清顺为主。将来需要，是开办若干高级中学班，不仅语文要流畅，并须掌握普通科学知识。”

边区的中等教育，一向重视思想教育，但长期存在两种偏向，一是简单化，企图用“斗争会”、“反省”、群众压力和组织手段等办法，解决细致、复杂的思想问题。二是急性病，企图入校一年就克服学生的家庭观念，并完全做到大公无私。会议批评和纠正了这些偏向，认为思想教育中的简单化和急性病，不符合青年思想的发展规律，也不符合对青年应以启发、诱导与培养为主的训导原则，因之是错误的。会议明确了思想教育应是新民主主义的，人民大众的，确立为人民大众服务的观点；日常生活中的思想指导，应该通过民主、自由讨论的方式，坚决纠正强迫、斗争等方式。

关于政治课设置，政治课小组曾发生过激烈争论，以后基本上取得了一致的意见。认为各学校的政治课教学各有长短，今后应当取长补短，根据实际需要，决定课程设置。并研究了课程的具体内容为：社会科学一般常识、边区史地、国民党与共产党、三民主义与共产主义、边区政策、工作方法、时事教育等。

（四）社会教育

边区社会教育主要对象是农民，是成年农民（包括失学儿童）不脱产的教育。边区农民不但从人力、物力上支援抗日战争，而且是边区经济建设和文化建设的直接承担者。社会教育是国民教育的一个组成部分，是党领导农民进行革命斗争的重要一环。抗日战争和发展生产不但要求办好小学和中学，培养知识分子，而且要求农民群众逐步消灭文盲，破除迷信，讲究卫生，提高政治觉悟，加强农村的文化建设，把陕甘宁边区建设成为抗日民主的模范根据地。

经过教育改革，边区的社会教育，贯彻了毛泽东提出的按照群众的需要和自愿的原则。基本方针是民办公助，主要靠群众觉悟，自己动手，政府除加强领导外，并在干部、课本、部分经费等方面，予以必要帮助。

边区的社会教育，从边区实际出发，创造了适合边区情况的成人和失学儿童教育的多种形式，主要有读报识字组、夜校、半日校、冬学和民教馆。其中又以各种类型的识字组和冬学最受群众欢迎。

读报识字组是扫盲运动中最经常最普遍的一种群众教育形式，它最能发挥“民教民”的作用，又识字，又学时事政治，又可结合生产。当时边区还没有广播的条件，通过读报识字，“农民不出门，能知天下事”，扩大了农民的眼界。这对提高农民文化和政治觉悟，移风易俗，促进生产，都起了很大的作用。如听了《边区群众报》批评有的变工队管理不善，有名无实，就联系自己的情况检查；听了报上植棉技术、防治病虫害，就在自己的地里照着做；报上登载了医治牲畜疾病，讲究卫生，反对巫神，破除迷信等，各地读报识字组就进行讨论和实行等。当时的读报识字组最受群众欢迎的有四种类型：一种是以生产组织建立起来的读报识字组，它主要依靠劳动英雄或变工队负责人领导，组织村学教员、学生、政府干部当教员，实行民教民的办法，能者为师，互教互学，子教母，夫妻互教，识字多的教识字少的，像淳耀县白塬村识字组就是这种类型的代表。一种是以小学校为中心的读报识字组，这种类型的识字组主要是靠“小先生”开展工作，它也是民教民的一种形式。在边区经过 1944 年的教育改革，各种类型的民办小学和公办小学，“小先生制”得到较普遍的推广。“小先生制”既适用于分散的农村，也适用于小城镇；既可按小组活动，也可深入到家庭对妇女儿童进行教学，方式灵活多样，不误生产，送上门去。当时绥德实验小学执行的“小先生制”，在扫除文盲中发挥了作用。还有一种是民教馆领导的识字职业教育，定边民教馆办的七个妇女职业学校，学生不脱离生产。一面识字，一面学编织等手艺，很受群众欢迎。第四种是任逢华识字班。任逢华是中师毕业生，在旧社会当了二十年小学教员，退职回家后，先在吴堡创办了一个识字班，五年内从二十一人发展到一千七百零一人，从一个村庄发展到八十五个村庄，从吴堡发展到绥德。他给农民送字，经常一天跑几十里，风雨无阻。有一次他要给二十里路远的一个村庄送字，天下了三寸厚的大雪，当时老百姓以为他不会来了，但他天不明就从家里动身，到得村来，大家还没有起床，他就站在大门口等着，学生打开大门看到这种情景，无不感动不已。“雪里送字”，传为美谈。所以，他在边区文教大会上受到奖励，被誉为“民间教育家”。

各种类型的读报识字组，在 1943 年至 1944 年发展较快，最高时达五六万人，但在部分识字组中仍有强迫命令的事情发生。1944 年总结了经验，指出了这种缺点，又出现了放任自流的现象。尽管如此，农民的识字教育已经开始走出一条路子来了，成绩是很大的。

特别值得重视的是冬学。冬学是群众创造的有历史传统的一种成人和失学儿童教育的组织形式，陕北地方党组织曾利用冬学进行革命宣传活动和文化活动。边区政府及时总结了这个经验，从 1937 年开始就得到推广。1943 年以后，人民生活得到改善，对文化生活的要求也提高了，1944 年共办了三千四百七十所冬学，入学的农民达五万余人。延安各单位派下去支援办冬学的就有一千余人，数量和质量都比往年提高了。这一年举办的冬学，在边区政府发出的卫生第一，消灭婴儿百分之六十的死亡率的号召下，各地创办了一批以妇婴卫生为主要内容的妇女卫生冬学。延安大学派了一批学生到陇东分区帮助办冬学，在镇源刘家城办了一所妇女卫生冬学，教员从调查入手，弄清楚了妇女临产，习惯用破瓷片断脐带，婴儿得破伤风死亡的情况。教员就抓住群众这个最迫切的问题，进行卫生教育，用新旧对比的办法，使群众接受了新法接生，为民造了福。各地举办的卫生冬学，也收到同样的效果。这是教育改革的一个新创造，把扫盲和普及科学卫生知识结合起来。这一年的冬学，从读、写、算，到群众迫切需要的卫生知识都成了教学的主要内容。一冬三个月的学习，有的学会了写信，能读《边区群众报》；有的学会了珠算，能记账；特别是在冬学里进行妇婴卫生的教育，使冬学的发展往前推进了一步，成绩是显著的。这些成绩的获得，首先是坚持了自愿与需要的原则。群众眼看人畜死亡的严重，迫切要求在发展生产的同时，发展医药卫生，发展文化教育，做到人财两旺。边区文教工作者抓住了群众的切身利害，启发群众起来向愚昧作斗争。其次是认真贯彻了民办公助的原则。群众自己办，政府在人力、物力上给予必要的帮助。把过去以乡为单位改为以村为单位办。但发展不平衡，还有一部分冬学重复了过去命令主义的错误，强迫招生，集中办学，这一部分冬学，群众反对，教学效果也差。

1945 年 10 月上旬，我受命修改当年办冬学的指示信，研究了前一年办冬学的经验和问题。我们分析了群众对冬学的思想顾虑，是男怕误工，女怕误活，妨碍生产；怕当公家人，减少劳动力；怕老婆离婚；怕天冷、路远、孩子往返不便；怕心杂、意乱，识不下；觉得一辈子不识字也过来了，识字顶啥用等。在指示信中，第一，要求针对不同思想，具体进行工作。第二，重申了需要与自愿原则。要具体发动，不搞命令主义；要分散经营，不搞集中办学；要因人施教，不搞硬性灌输。第三，强调了民办公助方针。主要靠群众自己动手，政府予以适当帮助。“形式是民办公助，精神是需要与自愿”。第四，肯定了前一年冬学的一个好经验，即以妇婴卫生为主的妇女冬学，要求卫生机关参加，积极推广。第五，阐述了争取和团结农村旧知识分子的重要性，要求尊重和争取他们参加办冬学。这一指示信对当年冬学工作的开展，起了很好的指导作用。

（五）文艺工作

1. 中国文艺协会。旧社会边区的教育事业落后，文化事业更落后。1936 年 11 月，才由丁玲等主持成立陕北根据地第一个文艺团体——中国文艺协会，毛泽东誉为“苏维埃运动的创举”。中国文艺协会成立后，就沿着发扬苏维埃的工农大众文艺和民族革命战争的抗日文艺方向，积极开展活动。曾经发起“苏区一日”、“长征记”等征文，收获不小。先后创办《红色中华副刊》、《苏区文艺》、《解放周刊》、《新中华副刊》等刊物，发表过不少文艺作品。“人民抗日剧社”、“锄头剧社”演出过《亡国恨》、《放下你的鞭子》等十四五个剧目。“平凡”、“中央”和“战号”三个剧团还联合演出了《阿Q正传》，文化活动开始活跃。

2. 陕甘宁边区文化协会。1937年七七事变后，丁玲等又组织西北战地服务团奔赴山西前线参加战斗，上海各地一些文艺界骨干力量来到延安，文艺队伍又扩大了。1937年11月新成立了陕甘宁边区文化协会，先后由艾思奇、周扬、丁玲、柯仲平等主持工作。1940年春，举行了第一次文化协会代表大会，选举吴玉章为主任，艾思奇、丁玲为副主任。文化协会成立后，开展过街头诗运动和诗歌朗诵等活动，组织过文学顾问委员会、民众剧团、文艺小组、世界语小组等，为群众文艺提供了活跃的阵地。其中1938年夏成立的先后由柯仲平、马健翎领导的民众剧团，几年内足迹遍及二十四县（边区共辖二十九县。边区的行政区划时有变动，所辖县市亦因此而有变动），观众达二百万人次，成绩卓著。文协和八路军总政治部共同组织过五个抗战文艺工作组，各组组员有卞之琳、吴伯箫、鲁藜、刘白羽、周而复等，先后派赴晋冀鲁豫和晋察冀等敌后抗日根据地，进行抗战文艺宣传工作，收获很大。

边区文协还创办了大众读物社，由周文、胡绩伟、胡来、赵守一、林今朋等负责。该社出版了《边区群众报》，曾受到毛泽东的表扬，一直出版到全国解放后。还出版了大众读物丛书，出版刊物《大众习作》，很受中小学的欢迎。

3. 中华全国文艺界抗敌协会延安分会。1940年，在我党的影响和支持下，重庆成立了中华全国文艺界抗敌协会，延安相应成立了中华全国文艺界抗敌协会延安分会（简称文抗）。相继组织过文学顾问委员会和文艺小组工作委员会，创办过文艺学园，出版过“谷雨”和《文艺月报》，又成立了文化俱乐部，萧三任主任，创办了“作家之家”。在学术研究方面，成立了鲁迅研究会、青年文艺习作会。各种街头黑板报不断兴起，成立了诗刊社并出版了《诗刊》，群众性的文艺活动如秧歌等更是遍地开花，搞得热火朝天。

延安整风之前，在知识分子中关于文艺为什么人服务的问题并不明确，思想比较混乱，存在着侈谈提高、忽视普及、脱离实际、脱离群众需要的现象。1940 年 1 月，毛泽东发表了《新民主主义论》，提出了民族的、科学的、大众的文化即新民主主义的文化。1942 年 5 月，召开文艺座谈会，毛泽东在会上讲了话，即著名的《在延安文艺座谈会上的讲话》，明确了文艺工作的两个根本问题即为群众的问题和如何为群众的问题，与此同时，又在全党开展了整风运动，文化工作中的教条主义和脱离群众的倾向得到克服。接着，1943 年发动了全区大生产运动，大大地改善了工农群众和部队、机关、学校的战士、干部、学生的生活，达到了“丰衣足食”。这样就为文化运动的大规模开展奠定了思想基础和物质基础，边区的文艺工作就空前活跃起来了。我们亲眼看到群众性秧歌活动和戏剧活动的极大发展，文艺工作呈现一派大好形势。在创作方面，产生了许多新的作品如《兄妹开荒》、《夫妻识字》、《十二把镰刀》、《血泪仇》等，在演出方面，“鲁艺”和中央党校等组织的秧歌队，由于结合了抗战和人民群众生产生活的需要，群众称之为“斗争秧歌”，文协、民众剧团和延安各文艺团体纷纷下乡，到群众中生活、工作和演出，为贯彻党的革命文艺路线贡献力量，博得广大群众的普遍拥护和热情欢迎。这是毛泽东指出的文艺为工农大众服务的方向的可喜实践。

（六）文教大会

1944 年 10 月 11 日至 11 月 16 日，西北局、边区政府和边区文协联合召开了陕甘宁边区文化教育大会，总结了 1942 年整风运动和 1943 年生产运动以来文教工作的经验，表扬了各条战线群众创造的文教工作的典型，奖励了一批文教工作的模范，明确了继续发展文教工作的方针，提出了今后五至七年内文教工作的目标。这是边区文教工作的一次检阅、评比和总结。意义重大，影响深远。

党中央和毛泽东对这次文教大会是十分重视的。早在 1944 年 4 月上旬，毛泽东就召集中央宣传部、西北局宣传部、边区政府的负责同志和陕甘宁边区五个分区的地委书记的座谈会。我和李卓然、董纯才等参加了这次会议。会上，毛泽东反复阐明了文教工作的重大意义。他说，1943 年一年把经济搞好了，但文化问题还未提到议事日程上来。有些宣传部门不知如何干法，只会搞军事、政治，不会搞经济、文化，这不行。接着毛泽东又进一步就文化教育与政治、军事、生产的关系作了论述。他说，过去军事政治第一是对的，要打垮阻碍经济文化发展的东西，才能搞经济文化。军事政治是推翻阻碍生产力发展的力量，目的在发展经济文化。他又说，文化反映政治经济，反过来又影响政治经济。孔夫子办学校，目的是宣传封建秩序。资本主义没有文化建设不成。我们建设抗日根据地，没有文化也不行。军队需要文化，才能战胜旧军队。战士没有文化，不可能提高战斗力。如果不发展文化，经济发展会受阻碍，最后，毛泽东说，现在就要开始准备，今年冬天要展开讨论文化教育问题。文化教育中有四个问题，就是：报纸、学校、艺术、卫生。

毛泽东的讲话成了边区教育改革的指导思想，也是召开文教大会的指导思想。

西北局为了具体实现毛泽东的讲话精神，4 月 15 日约集五个分区的地委书记及延安各有关负责同志开座谈会，讨论边区文教建设，并就报纸、教育、卫生、文艺等方面的工作，作出了决定。4 月 23 日边区政府发出《关于提倡研究范例及试行民办小学的指示信》，对试办民办小学和小学改革作出了具体的安排。这样，在党中央、西北局的领导下，边区文教大会的准备工作就全面展开了。

在毛泽东召开座谈会以后，我受边区政府委托，参加了文教大会的筹备工作和组织工作。6 月 17 日，西北局宣传部，边区政府教育厅，边区文协举行联席会议，推选罗迈、徐特立、乔木、李卓然、柳湜、周扬、萧向荣、赵伯平、赵毅敏、柯仲平、蒋南翔、吴文遴等二十五人组成大会筹备委员会，并选我为筹委会主任。25 日召开第一次筹委会，推选罗迈、李卓然、柳湜、萧向荣、赵伯平五人为筹委会常委，处理筹备大会的日常工作。28 日召开了第二次筹委会，组成了五个文教工作组，分别到延安、绥德、关中、陇东、三边等五个分区调查研究文教工作的典型范例。各组负责人是：陇东组蒋南翔，关中组柯仲平，绥德组柳湜，三边组吴文遴，延属组赵毅敏。当时边区政府常黎夫、李之钦、张健、孙伟、翟定一，鲁迅艺术学院刘安波，《边区群众报》胡绩伟等参加了各组的工作。7 月 6 日赵毅敏率领中宣部文教工作组到达延属专署，12 日分别下到安塞、子长、延川、志丹等县，其他各组也于 7 月中旬以前到达分区，调查历时两个月，于 9 月上中旬先后返回延安。这次调查，为大会准备了各类典型和总结经验的材料，是整风后文教工作纠正教条主义，贯彻理论联系实际，实事求是，一切从实际出发的学风的实际行动。

大会于10月11日开幕，会场两边贴着两张巨大的条幅。右边一幅写着：要战胜日本帝国主义，必须要武装部队与文化部队的结合；左边一幅写着：文教工作与生产结合起来。充分体现了毛泽东关于文教事业的地位和作用的战略思想。这次大会，出席代表共四百五十余人，有在实践中涌现出来的工人、农民、士兵的文教工作者，有知名学者、诗人、作家、画家、医生，有蒙、回等少数民族和宗教团体的文教代表，旧知识界人士、热心文化建设的绅商，还有帮助边区文教建设的国际友人等。

毛泽东、朱德对大会十分重视，在会议期间，先后作了重要讲话，在政治上、政策上指导了大会的胜利进行。

朱德在开幕式上讲话，他说，文化教育工作取得了巨大成就，这是毛主席在文艺座谈会上的讲话的积极成果。文教工作对于争取抗战胜利有极大作用，希望大家时刻要求进步。朱德的讲话鼓舞了到会代表，增强了大家的荣誉感和责任心。

毛泽东在10月30日向大会作了题为《文化工作中的统一战线》的讲演，第一，明确了文教工作在整个革命事业中的地位和作用。他说："我们的工作首先是战争，其次是生产，其次是文化。没有文化的军队是愚蠢的军队，而愚蠢的军队是不能战胜敌人的。"第二，阐明了统一战线的重要性。他说：要同文盲、迷信和不卫生的习惯作斗争，"不能不有广泛的统一战线。而在陕甘宁边区这样人口稀少、交通不便、原有文化水平很低的地方，加上战争期间，这种统一战线就尤其要广泛。""我们的任务是联合一切可用的旧知识分子，旧艺人，旧医生，而帮助、感化和改造他们。为了改造，先要团结"。第三，强调了为人民服务，群众路线的重要性。他说："文化工作者必须有为人民服务的高度的热忱，必须联系群众，而不要脱离群众。要联系群众，就要按照群众的需要和自愿。""这里是两条原则：一条是群众的实际上的需要，而不是我们脑子里头幻想出来的需要；一条是群众的自愿，由群众自己下决心，而不是由我们代替群众下决心。"毛泽东的讲演，解决了边区文教工作中的几个要害问题，为边区文教工作的发展指明了前进的道路和正确的方法。

会议期间，吴玉章、徐特立等也参加了会议并讲了话。

大会对教育、卫生、文艺、报纸等工作进行了讨论，作出了结论，并拟定了各项决议草案。

关于教育工作。大会回顾了边区教育发展的历史，讨论了当前及今后的教育工作。10 月 30 日我在会上作了一次发言，谈了我对于边区教育发展三个时期的看法：第一个时期是内战时期，比较粗糙和简单，但把教育的权力从敌人转到人民手中，人民在教育上翻了身，教育的内容和当时人民政治上和生活上的需要相结合，所以方针是正确的。第二个时期是抗战初期，学校的数量和规模都有发展，但受旧型正规化指导思想的影响，存在一些严重缺点，实际效果受到限制。第三个时期是 1943 年以后，这是贯彻新教育方针时期，教育工作开始了新局面。这个发言获得大会教育组的一致同意。

11 月 15 日，教育厅长柳湜作教育工作总结，提出三点意见：第一，认真培养边区知识分子，同时提高现任干部的文化水平。第二，开展群众教育，要适应农村环境和当前群众的迫切需要。第三，要加强对民办公助学校的领导。

关于医药卫生工作。大会热烈讨论了这个问题，尤其对中西医合作问题讨论得很好。会前，有些地方已经成立了中西医合作的组织“医药研究会”，会上，中西医双方互相学习，态度诚恳，很多中医当场公开秘方，介绍经验，体现了中西医合作的良好气氛。11 月 1 日中央财政部长李富春作了一次发言，强调指出：第一，边区当前存在“财旺（已做到‘丰衣足食’）人不旺（疫病流行、人畜死亡率仍高）”的严重情况，群众医疗卫生问题亟待解决。第二，边区医生应为工农兵服务，成为解决医疗卫生问题的“救星”，批评了某些医务人员的所谓“自由职业者”的态度。第三，新民主主义卫生事业应针对两个方面进行，一是群众方面，要提高群众的文化水平，改造他们的不卫生习惯；二是医药卫生工作和医务人员方面，要普及和提高结合，中医和西医合作。11 月 12 日民政厅长刘景范向大会提出了发展医药卫生抢救人畜的四项任务：第一，开展群众卫生运动；第二，贯彻文教统一战线；第三，改造巫神；第四，改进牲畜管理。这次文教大会对发展边区医药卫生事业起了很大的促进作用。

关于艺术工作。大会经过讨论，对群众文艺运动的方针等问题取得了一致意见。11 月 12 日周扬向大会作了总结，明确了以下三个问题：第一，要有计划地发展和普及群众新文艺运动，要求文艺工作者深入工农兵群众，也发动工农兵群众自己动手，创造表现群众生活的新艺术，各尽所能，自由发展。第二，要发展文艺统一战线，改造旧秧歌、旧戏，改造和团结旧艺人。第三，党政机关要加强领导，提高文艺工作者的政治和生活待遇，发挥他们的创作积极性。

关于报纸工作。大会讨论了大众黑板报、读报组和工农通讯等问题。11 月 15 日，西北局宣传部长李卓然对讨论情况作了总结。他在充分肯定了前段的工作成绩后，要求各级党组织普遍在识字组、变工队、合作社、运输队、妇纺组和夜校组织读报，在市镇及人口较为集中的大村庄创办黑板报和大力发展工农通讯，使每一个读报组，每块黑板报，每一篇工农通讯，均能起教育干部、群众与推动各种工作的作用。

11 月 16 日，大会胜利闭幕。在闭幕会上，大会筹委会委员胡乔木主持通过了各项决议，包括：教育、卫生、艺术、报纸工作决议，部队及工厂、机关、学校文教工作各项决议，加强荣誉军人学校的文教工作决议，并通过了确认邹韬奋为模范革命出版工作者的提议。值得强调指出的，是《关于培养知识分子与普及群众教育的决议》。这个决议指出了由于战争形势与边区建设的发展，在边区培养知识分子和扫除文盲的极大重要性。决议指出，培养大量的边区知识分子，是边区的头等任务之一。要达到这个目的，须经过提高在职工农干部的文化和培养与工农相结合的新的知识分子两个方法。教育内容应从边区实际需要出发，继续纠正脱离实际脱离群众的恶习。我们所要培养的知识分子，应该不仅具有为人民服务的满腔热忱与实际技能，并且具有一定水平的现代科学知识。决议接着提出在目前边区情况下群众教育的中心任务是扫除广大成人与失学儿童的文盲，提高其文化与政治觉悟。群众迫切要求学会读、写、算能力，应以成为群众生活中最大问题的生产与卫生两项知识，构成群众学习读、写、算的主要内容。群众教育的形式，应适合边区环境。小学应以民办公助的村学为主要形式，推行“小先生制”，要组织校外识字组，在冬季组织冬学。决议并对实现上述任务所需教育干部和教材问题的解决作了切实的规定。这个决议，总结了边区教育工作的正反两方面的经验和教训，问题集中，方向明确，指导意义是很大的。

我受边区政府委托，作了大会总结，题目是《发展大规模的群众文教运动》。其中关于文化统一战线问题是按照毛泽东讲话精神结合边区实际谈的。此外，还谈了两个问题。第一，边区群众文教工作当前的任务，是开展卫生、教育、报纸、文艺的大规模群众运动。在继续发展生产的基础上，要求在十年之内，消灭原来占成人百分之三、婴儿百分之六十的不正常的死亡率，消灭男子四十岁与女子三十五岁以下的文盲，使大家能读能写，健康愉快，享有文化生活，从而有充分能力向前发展政治经济，因此应该重视文教工作，动员一切可以动员的力量一致奋斗。第二，要为边区培养大量的足够的本地知识分子，这是边区今后一切工作的关键，更是开展文教工作的关键。我们的干部教育除学习必要的政治、文化、科学知识与专门技能外，应该着重学习边区建设，学习边区的经济政策和文化政策，尤其注意新的人生观的培养，使每个干部具有为人民大众服务的无限热情和向人民大众学习的真正决心。这是知识分子与工农兵结合的决定关键，又是业务成功的决定关键。我们应该充分重视和信任革命知识分子，他们是边区的宝贵财产。党和政府对他们应给予政治上的指导、照顾和学习的机会，应关心其物质生活、家庭生活，解决其工作上的需要，鼓励他们努力前进。

最后由边区政府主席林伯渠致闭幕词。他刚从重庆赶回来，兴奋地说：这是陕甘宁边区第一次文教大会，是新民主主义社会建设中的一件重大工作。在全国来说，这样的大会，从来没有开过，现在也只能在边区开，有这样一个边区，中国便有前途。他勉励全体代表为中国的新文化运动继续努力，做出更大成绩！

边区文教大会以后，各分区也都召开了文教大会。

1946 年 4 月我离开边区政府，在此以前，1946 年 4 月 13 日，我在习仲勋、林伯渠和李鼎铭座谈边区参议会的准备工作时，对今后边区文教工作提出过如下建议：“边区建设前进的速度，文化将有决定影响，今后应当适当地强调国民教育，尤其要认真解决培养知识分子及消灭干部文盲的中学教育的建设。”这是我在边区文教工作中长期坚持的主张，也是我在离开边区前向负责同志提出的建议。

七、土地改革

彻底改变土地制度，解决土地问题，实现“耕者有其田”，这是中国新民主主义革命的一项基本任务，必须完成。采取什么政策解决这一问题，则因时而异，几经变化。我党在新民主主义革命过程中解决土地问题，经历了三个时期，采取过三种政策。这就是十年内战时期，采取暴力没收地主土地的政策；抗日战争时期，采取减租减息政策；解放战争时期，采取多种方式没收地主土地的政策。此问题当时是一个中外瞩目、影响深远的大问题。由于我党策略运用灵活，既坚持原则，又因时制宜，不仅得到了亿万农民的衷心拥护，也得到了多数民主人士的同情和支持，进行得十分顺利。现根据历史发展的真实情况，对陕甘宁边区的土地问题解决过程作一综合回忆。三个时期，三种政策都谈，重点谈抗日战争时期的减租减息政策和解放战争时期的多种方式的土地改革政策。

（一）十年内战时期

进行土地革命，实行用暴力没收地主土地分配给农民的政策。这一政策是在 1927 年蒋介石集团背信弃义叛变革命，血腥镇压工农群众之后采取的。1927 年“八七”会议把没收地主土地作为尔后革命总方针之一规定下来，并在赤色根据地开始实行。1928 年 7 月党的“六大”正式确定了这一政策，即“没收一切地主阶级的土地，耕地归农”。当时，陕甘革命根据地同样执行了这一政策。以后陕甘宁边区政府成立，共辖二十七个县，其中就有十几个县，即延安直属分区的大部分，三边、陇东、绥德和关中分区的一部分，已经进行过土地革命，打倒了封建势力，消灭了封建剥削制度，剥夺了地主在农村中的政治经济特权，基本上做到了“耕者有其田”。在这部分地区，农民土地问题获得基本解决。

（二）抗日战争时期

实行减租减息政策。这就是毛泽东所说的这样一种情况：“在抗日战争时期，为着同国民党建立抗日统一战线和团结当时尚能反对日本帝国主义的人们起见，我党主动地把抗日以前的没收地主土地分配给农民的政策，改变为减租减息的政策。”1936 年 12 月西安事变和平解决以后，我党即于 1937 年 2 月致电国民党三中全会，为着表示团结御侮之诚意，向他们提出了四项保证，其中一项就是“停止没收地主土地之政策，坚决执行抗日民族统一战线之共同纲领”。1940 年 12 月 25 日毛泽东为中共中央写的“论政策”的党内指示中，进一步明确了“关于土地问题”的政策，即"一方面，应该规定地主实行减租减息，方能发动基本农民群众的抗日积极性"，"另一方面，要规定农民交租交息，土地所有权和财产所有权仍属于地主"。陕甘宁边区经过土地革命解决了土地问题的十几个县不复存在减租减息问题。但还有十来个县如延安直属分区的小部分，陇东、绥德分区的大部分，三边、关中分区的一部分，约占边区一半人口的地区，没有进行过土地革命，封建剥削制度依然存在，地主在农村中的政治经济特权未经触动，他们对农民的经济剥削和政治压迫，仍然是农村亟待解决的主要问题。因之，在这些地区，陕甘宁边区政府领导农民执行了减租减息政策。现将历史情况和执行过程简述如下。

1. 残酷剥削。这些地区的土地，大部分集中在地主手里。以同宜耀县为例，全县仅有耕地六万余亩，地主即占四万二千九百余亩，达百分之七十强。土地的这种高度集中充分说明了农民受地租剥削的普遍性和残酷性。绥德是一个人多地少的地区，租额更高，最高达全部收获量的百分之四五十，即劳和不劳，各得其半。由于陕北地处黄土高原，气候干旱，自然灾害多，歉收荒年多，佃户经常交不足租子。一旦出现欠租现象，就会背上几辈子还不清的欠租重担，农民生活陷入极度困境。在租佃关系上，还有一种极不正常的状况，即许多佃户租种的土地，实际是他们自己的土地。过去因为生活困难，出卖或典给了地主。虽说"典地千年活"，随时都可以赎回来，但多数农民无此力量，典地实际也成了卖地，只好向地主租种原属自己的土地，祖祖辈辈挨穷受剥削。说明地主对农民的剥削是残酷的，要发动农民的生产和抗战积极性，减租减息，势在必行。

2. 顾虑重重。但是，要彻底执行减租减息政策，并非易事。边区的减租减息是从1937年开始的，到1942年为止，整整搞了五六年，进行了宣传，公布了条例，动用了一切行政手段，结果或明减暗不减，或减也很不彻底。强制推行，收效甚微。其中1937年至1940年主要是政治原因。当时这些地区叫"统战区"，存在双重政权，国民党委派县长，主持政务，我们只有驻军和群众团体，因之群众有顾虑。1940年至1942年主要是经济原因。当时国民党县长已经撤走，结束了双重政权的局面，许多农民迫切要求减租，但仍裹足不前，顾虑重重，一个重要问题是佃权无保障。他们说："今年减租是好事，但如果明年没地种咋办?"明明想减而出现明减暗不减的现象，大都就是在地主威胁抽地、倒佃的情况下发生的。

3. 减租高潮。1942 年冬至 1943 年，终于出现了群众减租运动的高潮。党和政府为此做了一系列工作，制订政策，组织群众。1942 年 2 月中共中央公布了《关于抗日根据地土地政策的决定》，中共中央西北局和边区政府随即作出了贯彻执行的办法，并且成立了由刘景范负责、崔田夫、张邦英、高长久、李景林等参加组成的土地问题专门委员会，集中研究边区土地问题，处理边区土地纠纷。同年 10 月，召开西北局高干会纠正了一部分干部对地主只讲团结不敢斗争的倾向，提高了干部的政策思想。12 月，边区政府又颁布了《陕甘宁边区土地租佃条例草案》，明确规定出租人和承租人均应按本条例所规定的减租率和减租额收租和交租，不得多收，不得少交。尤其明确规定了出租人不得任意收回租地。除此之外，有些地区还创造了一种发动群众进行减租斗争的方法。这就是说，佃权有了保障，斗争有了方向，佃农敢于面对面地同地主进行减租斗争，减租高潮起来了。

减租高潮的主要标志是：第一，有了群众基础。广大群众，主要是佃户真正发动起来了，他们成了开展减租斗争的主力军。第二，有了领导组织。佃户组成了减租会或减租小组或农会，由这些组织具体领导减租工作。第三，有了周密部署。斗争包括三个步骤：清账、退租、换约。首先是清账，就是清算 1939、1940 年以前减租条例已公布，未执行，从而多交了的租额的账目；然后是退租，就是根据清算结果，确定应退数量，由地主将多收租子如数退回佃户；最后是换约保佃，巩固减租成果。有条不紊，成绩显著。

4. 农民获益。经过减租斗争，用佃户自己的话说，他们获得了“半翻身”。经济和政治地位都有很大提高。经济上，一是当年不仅少交大量租子，而且收回大量退租，获得实际收益。据陇东地区庆阳、合水、镇原三个县十七个乡在 1942 年 7、8 两月减租统计：共有佃户四百三十二户，承租土地二万二千五百余亩。经过减租，免去 1939 年以前欠租四百零五石，退回 1942 年以前多收租子七十一石，本年减租二百八十二石，合计纯收益达七百数十石。在当时对一般佃户说，无疑是一笔很大的收入。这不是个别事例，而是减租后的普遍现象。二是土地所有权发生部分转移，有一部分土地逐步从地主手里转移到了农民手里。如庆阳高迎区就有六户佃农靠减租等收入，从地主那里换得了二百亩土地，其中有四户成了自耕农；米脂民权区也有一些佃农在 1941 至 1944 年期间，同样用减租等收入买地一百三十三垧，使七户贫农上升为中农。这样的事例也是很多的。政治上，经过减租斗争，不仅削弱了地主经济，而且打垮了地主对乡村的政治统治。减租会和农会获得了实际统治权，农民确实扬眉吐气了。

5. 地主动向。在减租减息中和减租减息后，地主有各种不同表现。在减租减息中，有三类地主，三种表现。第一种，表现好，积极拥护政府减租政策，自动实行减租。如李鼎铭副主席的兄弟李风雄，他是米脂桃镇区地主，表现很好，就邀请他参加减租检查会，对减租起了积极促进作用。又如绥德辛店区地主王随合，过去也是苦出身，减租法令下达后，积极响应，说："我知道穷人的困苦。八路军在前方拿命在拼，我们为啥不出公粮，不好好执行减租法令?"当时我们对这类地主的言行，在报上予以公布表扬，称之为"自动"减租，给了充分的肯定。第二种，表现坏，公开或不公开抵制减租政策，破坏减租运动。抵制和破坏的手段很多，如抽地"自种"（"自种"是借口，实际是改租），假典假卖，改变租佃形式，丈地加租，变相加租，明减暗不减等等。对这类地主，一般采用群众开会斗争方式。在群众会上，选定一、二个表现特坏的地主，进行有效的斗争。这样一来，"杀一儆百"，局面就打开了。第三种，表现不好不坏，一般对减租不公开抵制，也不积极响应，抱观望态度。这类地主居多数。对这类地主，我们大多采取主佃双方座谈，进行说理斗争的方式。经过这样的斗争，一般都能按条例规定进行减租。

在减租减息后，地主经济发生了很大的变化，主要是有一部分地主改变了自己的经营方向。他们出典或出卖土地，改营工商业和合作事业。如米脂、绥德等县就有十八家地主，在 1942 至 1944 年三年中共出典或出卖土地八百六十八垧，占他们原占有土地数的百分之二十，将全部所得作为资本投入了工商业或合作事业。他们经营工商业或合作事业的收益，占了他们经济总收入的一半。这种经营方向的改变，使地主经济逐步发展成了资本主义经济，极大地削弱了封建制度的基础。

因此，1944 年 6 月中外记者团访问延安向我们提出土地政策问题时，我就是这样回答他们的："我们现在的土地政策是减租减息和交租交息，我们执行这个政策已经得到很好效果。地主在减租以后，有的已经开始自己劳动，有的雇人劳动，有的转办工厂、合作社，改变了他们的经济地位。政府鼓励这种改变。这些经验说明，在民主政府领导下，土地问题是可以和平解决的。"

(三) 解放战争时期

进行土地改革，实行用各种方式没收地主阶级的土地分配给农民的政策。这就是毛泽东所说的这样一种情况：“日本投降以后，农民迫切地要求土地，我们就及时地作出决定，改变土地政策，由减租减息改为没收地主阶级的土地分配给农民。”

为此目的，党和边区政府根据不同情况，先后采取过三种不同方式的土地改革，帮助农民获得土地。

1. 进一步减租查租，部分地达到“耕者有其田”。1946 年 5 月 4 日中共中央发布《关于清算减租及土地问题的指示》（简称“五四”指示）强调指出：“必须明确认识解决解放区的土地问题是我党目前最基本的历史任务，是目前一切工作的最基本的环节。必须以最大的决心和努力，放手发动与领导目前的群众运动来完成这一历史任务。”“党应坚决拥护群众从反奸、清算、减租、减息、退租、退息等的斗争中，从地主手中获得土地，实现耕者有其田。”方法是：“（甲）没收分配大汉奸土地。（乙）减租之后，地主自愿出卖土地，而佃农则以优先权买得此种土地。（丙）由于在减租后保障了农民的佃权，地主乃自愿给农民七成或八成的土地，求得抽回二成或三成的土地自耕。（丁）在清算租息、清算霸占、清算负担及其他无理剥削中，地主出卖土地给农民来清偿负欠。农民用以上各种方式取得土地，且大多数取得地主书写的土地契约，这样就基本上解决了农村土地问题，而和内战时期在解决土地问题时所采用的方式大不相同。”

根据中央“五四”指示精神，陕甘宁边区政府于同年 7 月 21 日发出《关于减租和查租的指示》，要求“在减租已较彻底的绥德和关中一带，应以复查和保佃为主；在减租尚不彻底不普遍的陇东庆（阳）、合（水）、镇（原）一带，应以减租、退租、勾欠、换约、保佃为主；在安边除切实依照租佃条例进行退租、勾欠、换约、保佃达到彻底减租外，同时应根据其具体情况适当照顾各阶层利益。非法倒动的土地，仍应退还农民耕种，假典假卖，抬高租额，骗取陈租等行为，应受到法律的制裁并补偿农民的损失，消灭明减暗不减现象，揭露招摇撞骗，愚弄农民的手段。贯彻减租政策并研究妥善办法，逐步达到耕者有其田。”随后，边区政府派出了三个工作组，分赴陇东、绥德、三边分区的各县进行查租保佃工作。

在减租查租中，群众起来斗争并清算了一些大恶霸，如庆阳“八大家”地主之一的王铨，经过清算斗争，应退租一千四百五十三石，折地五百十九亩，分给了农民。镇原县孟坝区在清算大恶霸李某时，也索回土地千余亩。总计庆阳、镇原、合水三县二千二百四十家佃户，几年来从地主手里收回过去多交的租子折合土地共五万五千九百余亩。

在减租查租高潮中，也有一些开明士绅自动提出向政府献地，如安旗庭先生代表其母及弟安子文、安志文（都是我党干部）自动献出山地十垧，水地三垧，窑三孔。安文钦（边区参议会副议长）献地三百垧。刘文卿（抗战胜利后新解放的安边县县长）是一个小地主，也把多余的土地献给了政府，并号召全县地主献地。在他的号召下，全县的地主献地达两万余亩。

经过上述清算恶霸、减租减息、退租退息和开明士绅的自愿献地等活动，边区未经分配土地的一些县，平均已有约百分之五十的土地转入了农民手中。说明彻底解决边区土地问题的条件已经接近成熟。

2. 征购地主土地给农民。1946 年 10 月 30 日至 11 月 5 日，第三届边区政府委员会召开第二次会议，着重讨论了征购地主超额土地问题并作出了决定，接着边区政府土地委员会制订了《征购地主土地条例》（草案），予 1946 年 12 月公布试行。条例规定：“在未经土地改革区域，发行土地公债，征购地主超过应留数量的土地，分配给无地或少地之农民，以达到耕者有其田之目的”，“富农耕种之土地，不得征购”。这是一种“和平土改”的尝试。

为了取得经验，普遍推广，中共中央西北局、陕甘宁边区政府从 1946 年 11 月至 1947 年 1、2 月，组织了三个征购土地工作团，分赴绥德新店区一乡、庆阳高迎区王家塬乡，米脂杨家沟进行试点。

绥德新店区一乡征购土地试点工作，从 11 月 25 日开始，进行了十天左右。首先是宣传解释土地公债条例，然后组织征购委员会，以乡农会为主，村代表和公正人（非征购户和非承购户）参加组成，弄清土地情况，评定土地等级和地价；评议成分，确定征购户和承购户及征购和承购数量。征购结果，以该乡贺家石村为例，全村六十一户无地或少地的农民，用十九石八斗米买了四百二十四垧地（内有典地一百四十一垧半）。七户地主共五十七人留地二百七十二垧半，每人留地四点八垧，多是近地好地，照顾多了。

庆阳高迎区王家塬乡的试点工作，是由西北局组织部长马文瑞率领工作团进行的。从 12 月 24 日开始，历时十七天结束。其步骤是：第一，调查研究，宣传政策；第二，召开大会，发动群众，讨论征购，控诉恶霸；第三，根据实际情况，确定征地和分地原则；第四，换约，丈地，定界，给地主发公债，给农民发土地证；第五，在此基础上，健全村政权，推行乡自治。

米脂杨家沟的试点工作，在政府工作团的帮助下，从 1947 年 1 月开始，2 月结束，起步比较晚些，但同样获得很好效果。杨家沟是陕北有名的"地主窝"，全乡七十七户地主，占有土地四万四千八百五十四垧。经过几年来的减租运动和开明地主的自动献地，已有百分之四十一的土地转入农民手中，但是全乡还有二百九十二户无地或少地的农民。征购结果，全乡从六十三户地主手中征购了二万零八百八十一亩土地，全部分给了无地或少地的农民。杨家沟附近七个区的二千余农民还在杨家沟联合召开了诉苦斗争大会，控诉杨家沟地主集团的罪行，推倒了他们的"功名碑"，建立了自己的"翻身碑"，上书："二月十五日，八路军领导人民翻身纪念碑"。会上一致通过 2 月 15 日为"翻身节"，并写信给毛主席，报告他们的翻身经过，感谢毛主席、共产党、八路军领导他们翻了身。

根据绥德新店区一乡、庆阳高迎区王家塬乡的试点经验，边区政府在 1947 年 1 月下旬召开了专员、县长联席会议，边区政府副主席刘景范总结了这些经验。他强调：第一，要完成征购土地的任务，必须自下而上地发动群众；第二，在承购土地中，必须使贫苦农民能够普遍获得土地，并做到在数量和质量上大体平均；第三，彻底解决农民的土地问题，是推动一切工作的关键。

试点证明，由政府发行土地公债，向地主征购土地分配给农民，这样一种用和平方式进行土地改革，解决土地问题，是可能的。但必须具备一个条件，就是要有可能实行和平改革的环境。

3. 彻底改革土地制度。1947 年初征购土地试点工作尚未完全结束，陕甘宁边区的和平环境就被国民党反动派破坏了。他们集中了二十三万多兵力，大举进犯边区，并于 1947 年 3 月 19 日悍然占领了延安。和平环境变成了战争环境，"和平土改"的道路也就被堵死了。为了广泛动员群众，最后战胜敌人，彻底改革土地制度就成了当务之急。所以，毛泽东在

1947年12月25日中央杨家沟会议的报告中向全党明确指出："全党必须明白，土地制度的彻底改革，是现阶段中国革命的一项基本任务。如果我们能够普遍地彻底地解决土地问题，我们就获得了足以战胜一切敌人的最基本的条件。"因此，在解决土地问题上，我们就开始了彻底改革土地制度的阶段，在各个解放区进行了普遍的彻底的土地改革运动，规模十分巨大，真正发动了农民群众，打击了地主阶级。但在有些地区，也发生了一些"左"的偏向。

我于1946年11月因蒋介石已经发动全国性内战，国共和谈破裂，乃奉命随周恩来从南京回延安。我在延安干部会上听过康生的报告，总结他们在晋西北某地进行土改工作的经验，这个经验当时给我印象最深的，是他说的"对地主实行扫地出门"。这是毛泽东曾经严厉批评过的过左政策。1947年3月撤出延安，我直接到了晋西北。在路上，见到某些圩场的商店全都关了门。我把从国民党统治区撤回来的干部派去参加土改，我自己没有参加土改，但参观了驻地的土改。我看到土改工作队把地主仰放在地上推磨，逼供"地财"所在，强迫挖"浮财"。后来知道，晋西北土改有"左"倾，主要是：一、错划阶级成分，把某些并无封建剥削或只有轻微剥削的劳动人民错划入地富圈子，扩大了打击面；二是侵犯了地富所有的工商业和打击了一般工商业；三是发生了一些过火做法如挖"浮财"、"扫地出门"等。但这些"左"倾做法，党中央很快发现并切实纠正了。主要是1947年12月，毛泽东在中央杨家沟会议上作了《目前形势和我们的任务》的报告，随即派任弼时召集西北中央局和晋绥分局负责同志在晋西北三交镇召开会议（我参加了会议），对土改政策作了检查并作出了正确的决议。当时政策上的"左"倾在各解放区或多或少都有发生。1948年1月18日毛泽东为中共中央起草的《关于目前党的政策中的几个重要问题》的党内指示和以后陆续发出的好些党内指示，反复阐明了党的正确的土改政策，指出必须避免对中农、中小工商业者、知识分子采取任何冒险政策，照顾开明绅士，区别地主和富农，区别新富农和旧富农，区别地主的大、中、小和恶霸、非恶霸，严禁乱杀，不应过分强调斗"地财"等，这样就对各解放区在实践中已经发生或可能发生的"左"的偏向作了纠正和防止。

这时，边区政府林伯渠主席等也到了晋西北三交以西地区暂住，我专程看望了他。以后李鼎铭从临县（晋西北党政领导机关驻地）看望刘少白回来，路过三交，我也专程看望了他。他表示赞成中国土地法大纲和土地改革。他后来回到边区政府，主持会议通过了土地法令。不幸在杨家沟会议期间逝世，中央决定隆重举行追悼，并电唁他的家属。这位从地主阶级分化出来的开明绅士的代表，对边区的政权建设和土地改革，是有相当贡献的。

八、接待中外记者参观团

1944 年 5 月至 10 月，陕甘宁边区接待了一个中外记者参观团，这是我国土地革命时期至抗日战争时期在同国际友好人士交往中，继斯诺、斯沫特莱等来访之后的第一个规模最大的中外记者参观团。

1944 年 2 月，在重庆的十名外国记者联名写信给蒋介石，要求到延安参观、访问。4 月 10 日，在国共两党谈判前夕，国民党中央宣传部长梁寒操被迫表示同意，同时批准了一部分中国记者的要求，组成“中外记者西北参观团”，实际上是解放区参观团。

这个参观团有六名外国记者：史坦因（美联社、《曼彻斯特导报》、《基督教科学箴言报》）、爱泼斯坦（美国《时代》杂志、《纽约时报》、《同盟劳工新闻》）、福尔曼（合众社、伦敦《泰晤士报》）、武道（路透社、《多兰多明星周刊》、《巴尔的摩太阳报》）、夏南汗神甫（美国《天主教信号杂志》、《中国通讯》）、普金科（塔斯社），和九名中国记者：孔昭恺（《大公报》）、张文伯（《中央日报》）、谢爽秋（《扫荡报》）、周本渊（《国民公报》）、赵炳烺（《时事新报》）、赵超构（《新民报》）、金东平（《商务日报》）、徐兆镛（中央社）、杨嘉勇（中央社）。另有两名正副领队：谢保樵、邓友德，四名国民党中央宣传部工作人员：魏景蒙、陶启湘、张湖生、杨西崐。

中外记者参观团于 1944 年 5 月 30 日进入陕甘宁边区，先在固临、延长参观访问，后到南泥湾，在王震陪同下参观了三五九旅的军事训练和生产建设。6 月 9 日抵达延安，由十八集团军参谋长叶剑英、第二战区副司令长官部秘书长杨尚昆、边区政府民政厅长刘景范等设宴洗尘。第二天，叶剑英代表第二战区副司令朱德在王家坪设宴欢迎。

1944 年 6 月 12 日，毛泽东接见了中外记者参观团，并设宴招待。席间，毛泽东畅谈了国内外局势，对欧洲第二战场的开辟表示庆祝，重申了我党在处理国共两党关系中的一贯政策，批评了国民党及其政府对各党派和人民的不民主制度。在回答记者的问题时，毛泽东又强调了民主与统一的关系，指出："政治需要统一，但是只有建立在言论、出版、集会、结社的自由与民主选举政府的基础上面，才是有力的政治。统一在军事上尤为需要，但是军事的统一，亦应建筑在民主基础上，在军官与士兵之间，军队与人民之间，各部分军队互相之间，如果没有一种民主生活、民主关系，这种军队是不能统一作战的。"

毛泽东在同记者的交谈中，解释了我党的共产主义世界观与新民主主义制度的关系。他说："没有共产主义的思想方法，我们就无法指导目前我们社会革命的民主阶段。而没有政治上的新民主主义的制度，我们也无法将我们共产主义的哲学，正确的运用到中国的实际上面。"当美联社记者史坦因问毛泽东："你以什么权利在这里指导政府和军队"时，毛泽东答："靠人民的信任，靠当前在我们新民主主义的各政府之下的八千六百万人民的信任。"

以后，十八集团军参谋长叶剑英应中外记者的要求，在王家坪向他们介绍了敌后战场的抗战概况。他以大量的事实说明了八路军、新四军、华南游击队和敌后抗日民主根据地的抗战业绩，有力地驳斥了国民党的所谓八路军、新四军"游而不击、破坏抗战、危害国家"的诬蔑。

延安文化界也举行过招待中外记者的集会。出席的有吴玉章、周扬、范文澜、丁玲、艾青、柯仲平、周立波、吴伯箫、陈家康等数十人，介绍了延安文化协会的一般情况。

1944 年 6 月 26 日起至 7 月上旬，陕甘宁边区政府接待了中外记者参观团。当时，边区政府主席林伯渠去重庆同国民党谈判，我作为边区政府秘书长主持了接待工作。接待的原则是"敞开大门"，让他们自由参观访问，并由有关部门分别介绍情况，讲解政策，回答问题。记者们在延安参观访问了很多工厂、机关、学校，如解放日报社、新华社和中央印刷厂，并就新闻业务问题进行了座谈。又参观了被服厂、兵工厂、难民工厂、皮革厂、振华纸厂、光华农场、国际和平医院、中央医院、中央总卫生处门诊部、医科大学、日本工农学校等。为了使中外记者能够更自由地提出各自感兴趣的问题，同时也为了语言上的方便，接待工作是分别进行的。方法是首先由他们书面提出问题，然后由有关部门按问题作情况介绍，并发给书面材料，同时回答记者们临时提出的问题。

6 月 26 日，第一次接谈是进行综合介绍。首先由我介绍了陕甘宁边区的历史演变和现实情况。说明红军时代开创的陕甘宁边区，在抗日民族统一战线形成以后，改变为陕甘宁特区，以后又改变为陕甘宁边区，经国民政府行政院第三三三次会议通过，予以正式承认，但后来他们违背诺言，不断封锁和侵袭边区。也简单地介绍了边区的政治、经济、军事、文化的现状。并当场发给他们《陕甘宁边区建设简述》书面材料（附件一）。这个材料是我起草，并经毛泽东、周恩来审阅同意的。最后，我就记者们临时提出的问题作了答复（附件二）。

会上，边区政府副主席李鼎铭向记者作了《关于边区总政策的报告》。他说：我们总的政策只有一个，就是抗战，一切都是为了抗战。在这个总政策下面，边区做了四件事：第一，抗战。尽管中央政府对边区施加种种压力，进行骚扰和破坏，但并不因此放弃抗战；第二，团结。在抗战中间，边区政府一贯坚持团结；第三，民主。主张不分阶级、党派，不分宗教信仰，男女平等，民族平等；第四，生产。由于中央政府停发军饷，同时为了减轻人民负担，坚持抗战，边区党政军自己动手，开荒织布，发展生产。外国记者对李鼎铭的讲话很感兴趣，并提出要同他就党外人士在政府工作中是否有职有权的问题进行座谈。通过他们与李鼎铭进行自由座谈后，说李鼎铭是“有职有权的”，“他对我们的谈话是真心实意的，皮笑肉也笑了”。

以后的接谈，是由各有关主管部门分别向中外记者介绍边区的政治、经济、文化各方面情况。主要是：边区参议会副议长谢觉哉介绍了边区的民主政治，即边区的选举制度和选举方式；边区政府民政厅厅长刘景范介绍了边区的行政机构；财政厅厅长南汉宸介绍了边区的财政收支、税收、人民负担和工作人员的供给制度等问题；建设厅厅长高自立介绍了边区的劳动政策和合作政策；建设厅副厅长霍子乐介绍了边区的工业、农业和私营工业的政策；教育厅厅长柳湜介绍了边区的教育制度和施教方针；边区贸易局经理叶季壮和边区银行行长黄亚光分别介绍了边区的贸易活动和边币的发行、银行的金融等问题。他们的情况介绍以及回答各种问题，基本上满足了记者们的要求。

7 月 12 日，参观团的全体中国记者和外国记者夏南汗神甫离开延安返重庆。8 月中旬，外国记者史坦因、爱泼斯坦、福尔曼、武道、普金科和国民党中央宣传部的张湖生离开延安，到边区的绥德等地参观访问。8月22日在绥德由专员袁任远、副专员杨和亭主持，专门同绥德的士绅安文钦、刘绍庭、刘述三、张喆卿、王德安、丁子文、张敬斋、王文卿，以及霍子乐等进行座谈。有记者问过去的一个国民党员，他是否国民党员，他答：过去是，现在没有关系，对国民党印象不好。问过去的一个国民党军官，他对国民党的看法，他答：国民党不民主，政策不转变，前途暗淡。问过去国民党的又一个军官，对原驻扎在绥德地区国民党部队的看法，他答：天天找八路军摩擦，暗杀八路军公务人员等。这些回答，说明这些开明士绅明辨是非，有正义感。晚间文艺晚会上为记者们演出《打碉堡》等节目，反映演得好。

8月30日，记者团东渡黄河进入晋西北根据地。通过敌马坊驻点封锁线时，适值我八路军攻克该地，遂参观了作战现场，并询问了敌伪俘虏。9月中旬，进入晋西北军区八分区，参观了分区医院和兵工厂等，实地观察了我军和地方游击队夜袭敌战略据点——汾阳。这次夜袭中，炸毁了汾阳大营盘电灯公司，火烧了汾阳火车站、飞机场和火柴公司，火光冲天。战斗后，爱泼斯坦向指战员要了一面缴获的日本战旗，并请指战员在旗帜上题词。福尔曼到处给指战员拍照留念。在祝捷大会上，福尔曼说：“过去有人告诉我们说，八路军不打仗，没有伤兵，没有俘虏，人民害怕八路军，恨八路军。今天这些谣言已被事实揭穿了。我们看到了八路军在英勇作战，人民热爱八路军。”他们离开时，用汉语向欢送的群众齐声高呼：“八路军、游击队、民兵、老百姓万岁！”

10月下旬，中外记者由晋西北回到延安后不久，就相率离开延安返回重庆。爱泼斯坦在晋西北军区八分区的欢迎会上曾经说过：“我们在陕甘宁边区、晋绥边区住了几个月，看到了敌后的军队与人民在怎样艰苦英勇地工作与战斗，怎样牺牲自己的生命，为自己的祖国，为世界人类和平而斗争。我们的责任是将所知道的告诉全世界人民。”他们回去后实现了自己的诺言，向全中国和全世界说了公道话，延安及解放区的许多消息很快地就传播了出去。比如1944年7月1日，在毛泽东接见中外记者参观团之后不到二十天，英国伦敦《泰晤士报》就刊载了毛泽东对中外记者团的谈话。8月3日，美国旧金山电台在《美国之呼声》的广播中，广播了美国著名报纸《纽约时报》、《纽约论坛报》、《基督教警世报》上由驻延安记者发出的通讯，称赞陕甘宁边区的军民，并报道八路军不依赖政府，自己生产自给，在中国军队中给养最好；八路军办的医院效率高，能克服各种困难，但是由于国民党对边区的封锁，八路军很难从外面得到药品；在共产党领导的地区，已经广泛地实行了民主等。8 月 31 日，旧金山电台，再次广播驻延安记者的通讯，报道陕甘宁边区的建设情况，并说："在延安的人们是愉快的，他们深信他们的事业是正确的。"他们在返回重庆以后，写了更多的文章和小册子，如史坦因等的《毛泽东印象记》。他们中间的一些人，如爱泼斯坦、史坦因等，后来成了中国人民的好朋友。

外国记者对解放区的友好访问及其报道，使国民党当局大为恼火，把进入解放区的大门再次堵上了。这就是毛泽东在"七大"政治报告中所指出的："在国民党统治区，在国外，由于国民政府的封锁政策，很多人蒙住了眼睛。在 1944 年中外新闻记者参观团来到中国解放区以前，那里的许多人对于解放区几乎是什么也不知道的。国民党政府非常害怕解放区的真实情况泄露出去，所以在 1944 年的一次新闻记者团回去之后，立即将大门堵上，不许一个新闻记者再来解放区。"但实际上，"堵门"政策已经不行了，以后解放区日益扩大，"堵门"政策遭到了完全的失败。

附件一：

陕甘宁边区建设简述

（1944年6月）

1930年，刘志丹、谢子长等同志在这地方发动游击战争，实行土地革命。九一八事变后，创立工农抗日军。至今，已经是十五个年头了。

十五年前，这地方的景况是：军阀争夺，土匪横行，苛政如虎，烟毒遍地，民不聊生，荒凉满目。十五年来改革了多少，只要问问上了些年纪的老百姓，会很清楚地告诉大家的。

1935年，中共中央率各个主力红军北上抗日，会师于此，发起抗日民族统一战线，呼吁国内和平，中经西安事变，经中共斡旋，内战予以停止，和平因以告成。

1937年，苏区自动改为特区，旋改名陕甘宁边区，停止没收地主土地，实行普选的民主政治，红军改为国民革命军，积极作抗日准备，请求国民政府与蒋委员长直接领导。

此时，边区所辖地区为：延安、延川、延长、清涧、绥德、米脂、葭县、吴堡、神府（即神木、府谷两县各大部）、子长（即安定）、安塞、靖边、定边、志丹（即保安）、甘泉、鄜县、淳化、栒邑、正宁、宁县、庆阳、合水、镇原、环县、豫旺、盐池等二十六县，面积十二万九千余平方公里，人口二百万。经蒋委员长指定与行政院三三三次会议通过，为边区政府辖治及八路军募补区。

不幸，抗战一年后，边区即被数十万大军及西起豫旺东至黄河之重重封锁线所包围。不时遭受军事袭击，先后占去豫旺全县，镇原、宁县、正宁、栒邑、淳化等五个县城，及东西南北边境大小村镇数千处，共计土地面积三万余平方公里，人口五十万。

边区现只人口一百四十八万，面积九万九千平方公里。为行政实施便利计，划为一市三十县，五个分区。

延属分区，辖：延安市、延安县、甘泉县、鄜县、志丹县、安塞县、子长县、延川县、延长县、固临县，人口约三十八万。主要出产：小米、小麦、棉花、枣子、梨子、杏子、煤、铁、煤油、石膏、牛、驴。

绥德分区，辖：清涧、绥德、米脂、葭县、子洲、吴堡、神府，人口约五十六万二千。主要出产：小米、小麦、高粱、黑豆、小盐、枣子、土布、煤、大黑驴。

关中分区，辖：淳耀、赤水、新正、新宁等四个县，人口约十二万一千。主要出产：小麦、蜂蜜、药材、木耳、铁、煤、木材。

陇东分区，辖：庆阳、合水、环县、镇原、曲子、华池等六个县，人口约二十六万二千。主要出产：小麦、蜂蜜、烟叶、牛、羊、皮毛。

三边分区，辖：定边、盐池、靖边、吴起等四个县。人口约十五万五千。主要出产：糜子、荞麦、盐、皮毛、甘草、麻子、清油、牛、羊。

以上老百姓人口一百四十八万（加上部队、机关、学校人员十万，则为一百五十八万）。一百四十八万人口中，分配过土地的占半数，各个分区都有部分地区未分配土地。

1938 年，边区开始实行直接、平等、不记名投票的普选（不分阶级党派，不分宗教信仰，男女平等，民族平等）。1939 年，第一届参议会召集。

1940 年，准备实行三三制。1941 年，中共中央西北局发布五一施政纲领，并举行三三制普选。各级参议会，常驻委员会与政府委员会，即边区政权的权力机关，共产党人约束自己只占三分之一，让其他三分之二，属于各阶级、各党派、各民族中赞成抗日与民主的非共产党人士。共产党责成自己的党员选举他们，并宣传群众选举他们；选举结果，遇有共产党人超过三分之一时，大多以辞职办法退至三分之一（边区参议会议员中，共产党人仍超过三分之一）。

1941 年冬，边区二届参议会第一次大会召集，通过边区施政纲领，保障人权财权条例，选举议长和常驻议员，选举边区政府主席和委员。

共产党的原则，是让非共产党人士在政权机关中有职有权，共产党人必须遵守少数服从多数的原则，不许包办和一意孤行。

但政府机关的一般职员中，共产党人尚占多数，主要原则在于战争环境的工作条件与生活条件，经过相当时间，可以逐渐改变过来。

边区民主制度是由下而上，少数服从多数与下级服从上级的人民大众的民主集中制。参议会即人民代表大会，为最高权力机关；参议会闭幕期间则所选出之政府为最高行政机关，对参议会负责以行使其职权；县、乡两级政府则同时对同级参议会与上级政府负责。边区司法机关，亦在政府统一领导之下，行使其职务。所以边区政制是立法、司法、行政统一的一元化的民主集中制（请参看政纪总则），但某些具体制度未臻完善，尚在实验和研究中。

去年（1943 年），边区、县两级只开了议会常驻会与政府委员会。前半年生产忙，后半年边区环境吃紧，参议会大会未能召开，开了劳动英雄大会。今年，边区、县两级参议会大会都要开。至于乡参议会，去年开了多次，比前年更为活跃，多采"一揽子"形式。"一揽子"会是适合三三制民主的最好形式，不但乡级要普及，县以上也要适当的采用。

边区民主政治的最高原则是新民主主义，亦即革命的三民主义，其政纲是在此最高原则下的边区施政纲领。它的基本原则与抗战建国纲领也是相符合的。在此纲领基础上，边区为适应环境与人民的需要，制定了许多地方现行法令，均经边区参议会或其常驻委员会通过。民主的具体内容和形式，包括抗日战争与反法西斯；三三制与民主集中制；民族平等与男女平等；直接民权，言论、出版、集会、结社与信仰之自由，武装抗日之自由，民众团体在组织上之独立性；"一揽子"会形式；劳动英雄与模范工作者，模范家庭与模范村、乡；批评与自我批评，下级人员对上级有控告与越级控告之权，等等。我们的口号是一切为人民，依靠人民；我们的方法是从人民从实际中集中起来，又回到人民与实际中去。

边区是八路军、新四军的总后方，同时，又处于河防前线。边区建设的首要目的和边区人民的第一个口号，是一切为了抗战，为了前线的胜利。十四万五千三百余壮丁组织在人民自卫军之内，其中百分之七十五有各种形式的武装；百分之十五为基干自卫军。普通自卫军一般担任后方勤务，基干自卫军则用以配合正规军作战（东线一部分多次参加过保卫河防的战斗），必要时动员他们补充正规军（前后动员了七千以上）。除此，则为前线部队安置了一万一千五百余个伤病退伍人员，优待抗属七万九千七百七十七人，其中为之代耕者一万七千五百六十九人，代耕土地五万一千七百九十六垧。其次则为粮草动员，保证了军队供给；归队运动，以巩固部队。

增强与提高抗战武装力量方面，我们的努力放在：第一，整训正规部队，准备反攻；第二，整训民兵，巩固后方；第三，动员人民拥护军队（帮助部队发展生产、后方勤务与动员归队），军队则实行拥政爱民，以巩固军民团结；第四，优待军人家属，今年更提出为他们建立家务的方针；第五，优待残废军人和退伍军人，帮助他们成家立业。去年以来，所有这些工作都大有进步。

社会政策方面，在土地未分配区域，实行地主减租减息，农民交租交息；土地已经分配区域，欢迎土地革命时期逃亡的地主回乡，分给以耕种必需的土地与窑房；改善工人生活，实行劳动保险、社会保险，使工人有工做，有饭吃，有衣穿，发展工商业；实行十小时工作制，使资本家有利可图；使贫苦人民免粮免税，实行地方救济，推广义仓运动；提倡男耕女织，做到丰衣足食。

司法方面，近年来确定以调解为主（民事全可调解。刑事除汉奸反革命罪外，亦可调解；民间调解，区乡政府与县府一科调解，司法机关先调解后审判）、审判为辅的方针；提倡审判与调解、法庭与群众相结合的审判方式（马锡五方式）；废止肉刑与无期徒刑，死刑取慎重态度（须经边区政府主席批准）；人民检查与保安机关检查并行；监狱政策教育与生产并重；监狱感化与民间改造（假释、保释、缓刑）结合。

防奸方面，采取宽大政策，不杀一个，争取大多数，不轻易送法庭判罪。总路线是：领导与群众结合、保安机关与其他机关配合；总方法是群众性坦白运动与领导机关分别是非轻重相结合；甄别原则是调查研究，重证据不重口供。

民主政治的当前中心任务，是抗战、生产与教育；而生产与教育，又首先是为了坚持抗战与准备反攻。

前年以来，我们实行了精兵简政政策，以适应抗战需要与战时环境。政权方面，曾三度实行简政，其目的在求精简（克服机关庞大、业务不集中的现象）、统一（克服命令不一、各自为政的现象）、效能（提高工作效能）、节约（克服浪费现象）与反官僚主义（改进领导作风和工作方法）。特别重要的，是集中力量于发展生产，为抗日战争增加物质力量，为文化教育奠定经济基础。

发展经济是支持抗战与普及文化教育的关键。我们接受下来的历史遗产，是地广人稀，落后的经济与贫困的人民。而我们的遭遇，是文钱颗弹，样样不发，军事经济，重重封锁。我们要生存，要抗战，就不得不自力更生，集中力量于发展生产。我们设立银行，发行边币，也就是在饷源断绝后，为了生存，为了发展生产以支持抗战而被迫采取的措施。

农业第一，首先解决吃的问题。去年有大进步，收获细粮一百八十四万石，部分农民已有余粮，个别部队已能大部自给。今年提出“耕三余一，两年完成”的方针。我们的办法是：奖励开荒（公荒地权为开荒人所有，去年已开百万亩，今年再开百万亩），提倡深耕细作（这方面还差）；军队实行屯垦政策，以建立革命家务（今年计划产细粮十万石）；农民实行变工政策，以提高劳动生产率（去年百分之二十七的劳动力已组织起来，今年计划提高到百分之五十）；优待移民难民（政府与人民的帮助，三年不交公粮，去年争取劳动力八千八百多个）；改造二流子（去年改造四千五百多个）；鼓励妇女参加农业生产，以增加劳动力；发放农贷（去年二千七百万，今年一万万），以帮助农民解决耕牛、农具等困难；奖励劳动英雄，以提高生产的热忱，技术与组织性。

主要农业副业有三：一为植棉，东三县（延长、延川、固临）原为植棉区，曾经中断，七年之间已恢复并扩大到其他县份，至去年已有十五万亩。估计收花二百万斤，今年继续推广，并在其他分区试种，面积将近三十万亩。如天气好，收到四百五十万斤，就够自给；但幼苗已冻死四分之一，今年很难全部自给。推广植棉的办法，是贷款，免税（三年），技术指导。二为食盐产运，逐年有增加。去年产五十三万驮，内外运销约三十五万驮（北大池入口盐在内）。在我们手工业与毛驴运输的条件下，这是一件很困难的组织工作。盐池附近，要及时组织男女老幼抢打盐，长脚运输需要二万七千头牲口（平均年运十三次），而后者是靠运输合作与放青时大量动员解决的。三为畜牧业，也逐年有发展，去年有牛二十一万四千多头，羊一百九十二万三千多只，骡、驴十六万九千多头。但牛羊死亡率甚大，我们还没有使农户都学会牲畜的饲养、防疫与治疗。

旧社会遗留给我们的，不只有一大块荒地，而且是遍地童山。开荒容易植树难，既无经验，又缺水利，故成绩小。但我们决心改造，务使每家都能植树，并将成为今年参议会的议题。

以私有财产为基础、自愿为原则，培养大批劳动英雄为骨干的多种多样的合作方式，用它来将个体的、分散的、落后的农村经济逐渐组织起来，这是去年以来农业及其副业生产大踏步发展的关键。十万农业劳动力组织在变工队和札工队里，将近二十万人组织在消费的、运输的、生产的和信用的合作社里，十三万七千多妇女组织在纺线组里，这就是边区农村生活的新面貌、新样式。由此节省了劳动力，提高了生产率，发展了生产，出现了丰衣足食，出现了模范家庭、模范村以至于模范乡。

我们的部队是战斗军又是生产劳动军，我们的机关、学校也普遍地从事生产，以农业为主的公家生产，以手工业为主的个人生产。去年，个别部队已做到连粮食在内大部自给，其他部队除粮食外大部自给，今年粮食部分自给，明年将全部自给。这是世界上未曾有过的军队。去年，机关学校除粮食外，自给小部分，今年将半自给或大部自给，明年粮食也可能部分自给。这样，就减轻了人民负担。农业税，去年征公粮十八万石，与同年产量总额比，为百分之十，单就纳税人计算，则为百分之十二（因百分之二十的贫苦人民免税），加上公盐及地方教育、救济等附加，亦不过百分之十四。今年产量增高，征粮减少二万石，征税与产量的比例，将降低至百分之十。至于商业税，则平均只占纯利百分之十三。另方面，又建立了抗战家务，公私兼顾，先公后私的原则，使每个部队每个机关有一个家务，而每个战斗员和每个工作人员也有一份由合作社组织起来的家务。

农业生产，我们已能自给，就全边区说，还有剩余。为了备荒，为了准备反攻，要争取储一年粮。但工业品，迄今为止，大部分靠输入，靠用土产换入（食盐为大宗，其次为油类、粮食、牲畜、皮毛、药材等）。由于封锁严，土产不能大量出口，军工器材根本不能入口，药品医具也不能入口，必需品和优质成品难以入口，非必需品和劣质成品却大量入口。另方面，就是土产出口品价格低，入口品价格高，造成严重不等价交换（食盐利润率，延安盐业公司百分之九，洛川官盐店百分之十七点二。柳林与耀县相距五十里，去年 12 月，入口棉花，耀县每百斤法币六千九百六十元，柳林一万二千一百八十元，相差五千二百二十元。出口食盐，柳林每百斤二千八百元，耀县三千零三十元，相差二百三十元）。这就是边区外来货物高涨、贸易入超（去年几达百分之二十，计法币一万五千多万元），从而发生财政赤字、金融不稳的根本原因（特别是去年秋冬之季）。其次，就是我们还不会经营。因此。今天边区经济自给的关键问题在于发展工业。

1935 年我们仅有一个四十余个工人的修械所。抗战前，加上被服、印刷等工厂，也不过二百七十余职工。1939 年已有七百多人。1942 年冬，增长至七千。现在公私企业和生产合作社一起计算，已有一万二千职工

（小手工业工人及零工雇农不在内），可见边区工业是在发展中。发展的特征是：大家动手，自给为主；分散经营（集中领导），手工业为主（落后条件）；公私兼顾，军民结合（政府对私营企业和生产合作社，同样用投资、订货等办法予以支持）。

政府和机关部队经营的工业，一般是为了自给目的。现有纺织、被服、陶瓷、玻璃、肥皂、火柴、造纸、印刷、制革、煤矿、煤油、炼铁、化学、机器制造与兵工等业。中心环节是纺纱与织布，铁炼与制造。前者，解决最大量需要；后者为工业发展的基础。今年工厂代表会议提出为全面自给奋斗的方针。

公营工厂的管理原则是公私兼顾，先公后私，一方面要求工人以新的态度从事生产，又方面适当地改善工人生活。去年平均工资为八石（每石三百斤）小米，今年新工资标准将续有提高；此外，部分的实行正业合作，一般地实行副业合作，以解决劳动保险与社会保险，为工人建立家务。

我们的缺点，是质量差，成本贵，不会经营。我们的困难是原料分散，交通不便，资金不足，技术与技术人员缺乏。

最后谈谈文化教育。革命前，除绥德分区外，大都是文化十分落后地区。内战时期，我们就已经注意文化教育工作，办学校，搞识字班，但受战争环境所限制。抗战后，学校数量有相当发展，小学校曾一度增至一千三百四十一所，学生四万一千四百五十六人，中等学校五所。前年冬季以来，鉴于各级学校教育内容多脱离实际与人民之需要，小学校又因此多采强迫动员办法，人民不满意，学校极不稳定，乃一面实行精简合并，一面进行整顿改造。现在有大学一（延大），是政治、经济、文化、建设的高级干部学校。中等学校五，以为边区建设提高现任干部与培养未来干部为主要目的。大学和中等学校制度、课程、教材均在改造中。现有普小七百五十二所，完小五十五所。普通小学教育，开始为农民办形式，教育内容从人民今天的需要出发，学制、课程按当时当地的实际需要决定，不求一律。如此办法，甚受人民欢迎。完小毕业生，拟定小部分直接升学，大部分进入经济、卫生战线，经过一时期工作再升学。因为边区人民还是文盲占极大多数，除学校教育外，还采取各种方式进行识字运动，今年冬季拟举行全边区有传统性的为人民欢迎的冬学运动，每乡至少一个冬学，已在准备中。消灭文盲，人识千字，将为下届参议会的议程。

文化教育的另一方面，就是人民的文化娱乐与卫生习惯。前者，如秧歌之类，已大为普及，但仍是季节性的。后者则迄今还是个严重问题。民间疾病甚多，婴儿死亡率极大，多的至百分之五十以上。现动员一部分医务人员下乡工作，并在延市、延县试办中西医合璧的卫生合作社，取得经验，以资推广。正着手大批训练助产人员与民间卫生工作人员，准备在区、乡建立医务所。严重的困难是药品医具缺乏。

现在，边区生产发展，人民生活提高，文化教育已有物质基础。拟于三年至五年之内，做到消灭文盲，人人能读群众报，消灭不卫生现象，每个乡每个市镇有一个医务所的设备。那时，边区人民不但是政治上觉悟的，经济上丰衣足食的，同时也是享有文化生活的。

上面这些，就是边区建设的轮廓，我们确有成绩，还会继续发展与进步。但由于知识不足与经验不足，也由于内部与外部条件限制，工作中难免有缺点，甚至有错误。欢迎记者参观团诸位实地考察，给以指教和帮助。

附件二：

罗迈秘书长的谈话

今天时间已不早，还有一点钟工夫，只谈几个一般的问题。属于各厅的具体问题，分别交谈，如何？（**外国记者**：就这样办。）我要答复的两部分，一部分是今天口头提出来的，一部分是过去书面提出来的。这些问题原则上在我交给各位的《简述》上都已提到了，现在再来解释一下。

边区这地方，原来由军委会划给二十六个县，作为八路军的募补区，同时经国民政府行政院三三三次会议通过。当时没有明文公布。到以后我们知道，这是他们的骗局，以便不实行诺言。详细情形周恩来同志清楚，都是他经手的。因为是一个骗局，虽然承认了，但不实行诺言，以后我们屡次提出，他们都不能否认。

这件事实及其他许多事实教训了我们，使我们对国民党的许多诺言再也不敢随便相信了。

这件事是很痛心的，我们是很愤慨的。不仅如此，他们还要军事袭击。这种材料很多，诸位想要可以给。（回答：想要！）

中国记者提出，边区制度是永久的还是临时的；如果是临时的，在什么条件下可以取消，以便符合政令之统一？我们正式答复他们：边区的民主制度，人民创造的制度，人民选出来的政府，是永久的，不能改变的。如果说“边区”这个名称将来是不是可以改变，那末我们答复：如果全国将来都真正实行了民主，“边区”的名义还要不要，是可以由全国人民来决定的。今天，在全国还未实行民主以前，边区的行政区不允许有任何的改变。为什么？因为第一，国民党当局承认过；第二，边区人民不允许失去既得的权利，不允许边区有这样的改变。不仅边区人民不允许，边区附近的人民也不允许。我手边有这样的材料，边区附近的人民自己取下他们的门牌，要求加入到边区来（外国记者要材料），材料可以给，但有一点声明，假使随便公开，这些老百姓就会没有生命了（**史坦因**：只要乡村的名称，不要人名）。刚才讲的这个问题，如果弄清了，很多问题就可由此得到答复。

国民党当局有人说，因为边区自己发行了票子，所以停发了军饷。事实怎样呢？是国民政府停发军饷，为了生存，为了抗战，我们才发行边币（**史坦因**：当我们没有离开重庆前，有人说：边区三八、三九年就有票子的）。那时发的是光华代价券，面额最大七毛五分（**问**：上面说的是停发军饷，政府经费什么时候停发的呢？**答**：从来没有发过政府经费）。总之，国民党当局为要反对边区，什么谣都可以造出来，各位先生既到边区，很多事情都可以调查清楚（**史坦因**：外面政府是这样说的："八路军在政府停发军饷前就发行了边币，四〇年以前就发行的。八路军自己用边币，将政府给的钱用到外面去做宣传工作。"并且还拿出边币来，票额有一元到十元的，后来还有五十元票）。边币发出后，总要在群众中流通的，说四〇年前就发边币，假使能找得出来，他的话是对的；否则，又是一个骗局。

（**南汉宸**：当时发的是光华代价券，因为一毛、五毛的辅币不够。原来我们边区通用的都是法币，但法币的票额至少一元，又没有辅币。最初是用邮票当辅币来补辅币的不足，但邮票不是辅币，数量也少，后来只能出一种代替物，就叫代价券。这种过去曾经用过的代价券三八、三九年就有，陈列室内都有，明天可以看一下。**高自立**：当时林伯渠主席在西安，请调零票，调不到；好几次请发，不发。只得自己印代价券。**问**：一九三八年代价券发多少？**高答**：一千元。**夏神甫问**：当时要求国民政府，如何要求？）

我们要求国民政府承认边区民主政府，而他们认为边区政府是奸政府、伪政府。所有问题都要从这一问题出发了解，这个问题不明白，什么问题都谈不到。我想国民党当局有一个权利问我们：边区是不是执行了孙中山的三民主义和抗战建国纲领？如果我们执行了三民主义，那么我们也有权利问他们：为什么不承认？我们执行了三民主义他又不承认边区，请问我们如何办？在这种情形下，如果我们还要抗战，要生存，我们要不要想些合理的办法？

（**南汉宸**：说我们在停发军饷前就有边币，请看事实：我们发行是在四一年皖南事变后，这是有案可查的，停用法币是一月二十八日，我们二月十八日才发出布告与发出边币。他们的停发军饷实际上在四〇年九月间就开始，十、十一、十二各月都没有发。十二月后半月我到西安去交涉，程潜（当时是蒋介石的西安行营主任）说："以后还发。"一月间皖南事变发生，就正式不发了。一切事实俱在，完全可以证明国民党这话是造谣。**史坦因**：不发八路军军饷的确实日子？**答**：可以调查一下。）

边区政府边区人民所做的事情都是合乎三民主义，合乎抗战建国纲领的，国民党却相反。我们要继续抗战，继续生存，因之我们不能承认他们的许多反民主、反人民的办法，如果照他们的意旨办事，就要亡国。问题的关键就在这里。

再一问题：如果今天在边区恢复国民党，要什么条件？国民党过去在边区本来有的，本来没有什么条件。但三九年后，他们抢去了我们的好几个县城，所以四〇年留守兵团才致电西安行营，要求撤退，因为这些党部里应外合。今天如要恢复，就是一个条件：我们在西安、重庆等地也可建立共产党党部，像他们在这里也可建立党部一样。（**问**：留守兵团请他们撤退的日期？**答**：可以查一查。）由此可见，我们总是愿意同国民党搞好的，一向总想团结抗日。但当它做坏事的时候，就不允许照它的办，因为那样就会亡国。（**问**：国民党说，"国民党允许《新华日报》在重庆出版，但边区不允许有国民党的报纸。"**答**：《新华日报》存在于重庆，前两天一位外国朋友说得很对。……《新华日报》在那边有多少自由，你们都是知道的。过去我没有听说过国民党想在这里办报；今后如何，是整个边区与国民党政府的关系问题。但就是过去，国民党党部还在时，虽然没有铅印报，油印报是有过的，可以自由贴出去。**高自立**：报名《新肤施》，记得还登过一篇叫《日本天皇被杀了》的文章。）

再一问题：我们教科书中有没有批评国民党的地方？去年下半年国民党要进攻边区，教科书内有了批评国民党的地方，以前没有。批评是批评它的反动政策，而不是一般的批评国民党。这种批评是在一定时期内进行的，是暂时的。

关于宗教问题：对宗教信仰，我们这里是自由的。信仰或不信仰，在我们法律面前是平等的。所以作为一个宗教的团体，宗教的财产，可以享受人权、财权的保障。

关于土地政策：我们现在的土地政策就是减租减息与交租交息，过去进行过没收土地的政策。这中间有没有矛盾呢？我们的看法是这样的：中国是一个半封建的国家，土地问题是一定要解决的。可以用两种方式解决：一是和平的，一是暴力的。我们希望和平解决。一九二六、二七年时，国共合作，那时共产党与国民党中的进步人士都一致主张用减租办法解决土地问题，所以有二五减租的决定。如果那时真正实行了二五减租，那么土地问题的解决就会与今天边区所解决的办法一样。因为今天我们所实行的减租还是和二五减租一样。可是大革命失败了，国民党当局对人民的减租要求，采取了用刀枪残杀的政策，因此激起了广大农民群众采取暴力的方法没收土地。历史走的道路是违反我们的愿望的。抗战后我们又有了这样一个可能：在广大地区实行和平解决土地问题的办法。我们现在的减租政策，已经收到了大的效果，照我们经验看，只要在民主的政府下，是可以和平解决土地问题的。拿边区说，有些地主在减租以后，已经开始自己劳动，有的雇用雇农来经营农业，有的转向于办合作社，有的转向于办工厂。这次合作社会议中就有一个数百垧土地的大地主，现在转办合作社了。诸位如果愿意同他谈话，我们可以介绍。我们相信在民主政权下可以帮助地主改变他的经济地位，政府帮助鼓励他向这方向转变。（**问**：李鼎铭是不是大地主？**答**：地主在政府委员、在参议员中都有。）我们相信，在民主政权下和平解决土地问题是可能的。所以我们说，现在的减租政策抗战后还是要执行下去的。

关于边区公私经济的关系：我想只讲一讲原则，具体情形将来各位可找建设厅长谈。边区经济大致可分三种形式，就是公营经济、私营经济、合作经济。这三种形式无论在工业、农业、商业上都有。公营经济是公家经营的，是为解决自己需要；私营经济是个人经营的经济；合作经济，是以私有财产为基础，人民联合起来经营。三种经济在边区都是自由发展的。私营经济与合作经济是人民自愿来办的，都没有任何限制，同时政府对这两种经济都是扶持的。

关于宽大政策：宽大政策是我们很重要的一个政策。因为敌人深入国土，占领了中国大部分地方，搞了许多汉奸、敌探、伪组织；同时因为中国大部分地区政治不良，也训练了很多特务来破坏进步力量，所以汉奸、敌探、特务在中国特别多。这已经是一个多少带有群众性的问题，所以我们采取的政策，主要是感化、争取。这种感化争取政策，和对俘虏同样。我们对汉奸、特务，破获后不杀，目的在于感化、争取他，化反革命为革命。各位可以问：假使他顽固到底，不感化，怎么办？我们的办法就是八个字：自己动手，生产自给。我们实行这个政策有效果没有？我们不杀他，他们解除了武装，现在都在很好工作了。所以许多汉奸、特务被破获后，如经改悔，就不再送法院了。假使他顽固，送法院，我们还是不杀。这一办法使国民党当局很失望，因为严重地瓦解了他的特务政策。

关于什么是群众观点？群众观点还有一种说法，就是群众路线。所谓群众路线，或群众观点，在我们这里是一种工作方法与领导方法。因为是一种工作方法，所以大家都要有。一方面，政府工作人员自主席到乡长，首先要向群众学习，先做学生，后做教师。因为群众中有很多创造，只要我们将他的进步方面拿起来，就变成了我们的领导方法了。例如现在有两种很重要的政策，一种是变工队，一种是民办小学，原来都是老百姓中有的，我们将它发扬就是了。另一方面，我们领导上要做一个什么决定时，都必须首先根据群众的需要及其意志，因为我们是老百姓的政府。根据人民的意志和要求决定下来，然后拿到老百姓中去执行。所谓群众观点，用另外一句话来说，就是从人民中来，又回到人民中去。

还有一个问题：老百姓向政府提意见，要不要写请愿书？没有任何形式。老百姓有意见，随便什么时候、什么地方，口头、书面都可以提出来。政府纪律上有一条：如果老百姓要告县长，可以将状子交给县长转到边区政府来。不转的话，县长要受严厉处罚。此外，老百姓还可越级控告。

再一问题：厅长是怎样产生的？厅长不是直接由参议会选举的，是由政府委员会选举的。现有的四个正厅长、二个副厅长，都是参议会选举出来的政府委员。政务会议即政府的例会，是按时开的，每礼拜一次。

我们对盟国在延安设立常驻通讯社、常驻记者是非常欢迎的。因为像爱泼斯坦先生在长官部所说的："边区的门曾经被长期关闭着。"自然不是我们这方面愿意关闭。如果你们能常驻此地，门就会关不住了。那时边区许多问题，大家就可以亲自看到，大家就可知道我们是如何说如何做的。大家还可帮助我们做，这样多好。

你们要自带翻译，只要你们信任的，我们当然是尊重的。

关于检查制度，因为过去还不曾有过这种事实，所以还没有具体地考虑过。

关于金元与边币兑率问题：过去不曾有过这种事实，但有一点可以确定，就是绝不使大家吃亏。（大笑）

旧政治协商会议和南京谈判

1946年4月8日，王若飞、秦邦宪、叶挺等在晋西北黑茶山飞机失事遇难。“四八”惨案发生后的某一天，接到中央秘书长任弼时通知：中央决定要我即赴重庆，参加以周恩来为首的中共代表团。我于4月18日到了重庆，参加了同国民党的谈判斗争，直至同年11月19日返回延安，历时七个月。国共谈判虽因蒋介石决意召开非法国大而破裂，但这样便彻底暴露了国民党反动派违背人民意志、妄图以武力消灭共产党的反动面目；同时，共产党坚持和平、坚持民主的正义立场也更加得到广大人民群众的拥护，从而争取了朋友，争取了人心，取得了重大的政治胜利。时隔三十七年，重温这一段历史，仍有重要的现实意义。

一、抗日战争胜利后的形势和我党的方针

1945年8月14日，日本宣布无条件投降，抗日战争取得最后胜利，中国人民抵抗日本帝国主义侵略的民族矛盾得以解决。国内阶级矛盾，即以国民党为代表的大地主大资产阶级同以共产党为代表的工农人民大众的矛盾，突出为主要矛盾。

在八年抗战中，国民党反动派坚持其一党专政、个人独裁，消极抗战、积极反共的反动立场，丧失了大片国土，龟缩在西南、西北。在其统治下的大后方，政治腐败，民生凋敝。而共产党及其领导下的人民武装力量，坚持抗战，建立了许多敌后解放区和根据地。日本投降时，解放区共有一亿人口，一百万八路军、新四军，二百万民兵。

抗战结束，蒋介石为了抢夺应该属于人民的胜利果实，“下山摘桃”。他一面利用美国的运输工具和武器装备，急于抢占东北、华北；一面勾结敌伪，命其继续抗拒八路军、新四军，积极准备发动内战。

经历了八年抗战流离困苦的广大人民，强烈反对内战，迫切希望和平建设，重整家园。二次大战刚刚结束，国际舆论也不希望中国发生内战。当时的美国，虽然与国民党反动派采取反对共产党及中国人民的一致立场，但鉴于国民党的腐败和中国人民力量的强大，怕打下去国民党会垮台，失去美国在华利益，并使美国在国际战略上处于不利地位，便以调解为幌子，插手中国内政。它企图以政治手法，即促使蒋介石实行。吸收共产党和其他政治力量，参加以国民党为主体的政府的政策，来维持蒋介石的统治，使中国成为美国的殖民地和势力范围。当时国民党内部也有一部分反对蒋介石独裁统治的民主进步力量如宋庆龄、李济深、冯玉祥、何香凝、李德全、柳亚子、谭平山、王昆仑以及主和人士如于右任、张治中、邵力子等，赞成同我党实行和平谈判。更重要的是蒋介石运兵部署需要时间，这些因素使得蒋介石采取了假和谈、真备战的两面手法。

至于我党的方针，毛泽东在中共七大时即指出：在打败日本以后，中国仍有两个命运、两个前途，“是建立一个无产阶级领导的人民大众的新民主主义的国家呢？还是建立一个大地主大资产阶级专政的半殖民地半封建国家？我们应当团结一切可以团结的力量，力争第一个前途，反对后一个前途。”抗战胜利后，我党又发表了《关于目前时局的宣言》，提出“巩固国内团结、保证国内和平、实现民主、改善民生，以便在和平民主团结的基础上，实现全国统一，建设独立自由与富强的新中国”。但是，对于蒋介石发动内战的阴谋，我党是早有高度警惕的。毛泽东同志曾及时指出：“虽然我党坚持反对内战，但是必须清醒地看到，内战的危险是十分严重的。”“蒋介石对人民是寸权必夺、寸利必得，我们呢？我们的方针是针锋相对，寸土必争。”“人民得到的权利，绝不允许轻易丧失，必须用战斗来保卫。”

二、重庆谈判

1945 年 8 月蒋介石连发三电，邀请毛泽东赴重庆谈判。他想通过谈判达到三个目的：一是欺骗人民；二是争取时间，准备内战；三是签定一个有利于他的条文，套住我们。他还开动宣传机器，造谣说共产党不要和平。为了尽可能地争取和平民主，澄清蒋介石对我党的谣言诽谤，揭露他假和谈、真内战的面目，党中央决定派毛泽东、周恩来、王若飞三同志赴渝，同蒋介石直接谈判，同时向全党发出了关于同国民党进行和平谈判的通知。通知中估计：国民党“在国内外压力下，可能在谈判后，有条件地承认我党的地位。我党亦有条件地承认国民党的地位，造成两党合作（加上民主同盟等），和平发展的新阶段。”争取好的，准备坏的，这是毛泽东历来的思想。我们的谈判方针是：“在谈判中准备作出某些不损害人民利益为前提的让步。以击破国民党的内战阴谋，取得政治上的主动，换得我党的合法地位及和平局面。如果国民党还要发动内战，它就陷入被动，我们就有理由反击。”通知中并告诫全党，绝不要希望国民党发善心，必须依靠自己的力量。毛泽东去重庆，中央是经过反复考虑才作出这一重大决策的。开始，大家没有估计到毛泽东会去重庆，消息传开后都很紧张，许多解放区负责同志为他的安全计，或者口头劝说，或者打电报来，认为不去为好。我当时也是担心他安全的。但是周恩来对当时形势作了正确的分析，主张毛泽东去，因为这样可以同蒋介石直接谈判，争取有利于人民的谈判成果，并向国民党统治区的广大人民宣传我党要求实现和平民主的政治主张，打破蒋介石的谰言。关于安全问题，周恩来估计了在我们有强大的力量作后盾和美方作为“调解人”的情况下，国民党特务不敢随便动手，同时也作了必要的部署。毛泽东同志在重庆期间，他一直伴随在毛泽东身边，亲自掌握保卫工作。

1945年8月28日，在张治中、赫尔利（当时的美国驻华大使）的陪同下，毛泽东到了重庆。这是一件举世瞩目的大事。然而，就在毛泽东到达重庆的第二天，国民党即密令各战区印发蒋介石于1933年编纂的《剿匪手册》。9月17日，蒋介石又亲自密令送发《手册》，要他的部下“遵照中正所订‘剿匪手本’督励所属，努力进剿，其迟滞贻误者必当执法以罪”。谈判期间，双方军事冲突时有发生。特别是9月间，国民党阎锡山部纠集了十三个师的兵力，在日伪军配合下进攻晋东南解放区，但在十月间被我英勇的军民击退了。

在解放区和大后方人民力量和国际形势的影响下，10月10日国共双方会谈纪要即《双十协定》终于签定了。在协定中，国民党不得不同意我党提出的和平建国的基本方针和保障人民民主权利、承认中共及一切党派平等合法地位的主张。我党也主动承认蒋介石的领导地位，承认为彻底实现孙中山先生的三民主义而奋斗，并让出南方八个解放区。协定中还规定了“由国民政府召开政治协商会议邀请各党派代表及社会贤达协商国是，讨论和平建国方案及召开国民大会各项问题”。（按：我党原来提出的是召开各党派政治会议。政治协商会议这一名称，是根据国民党王世杰的拟议商定的。）

没有达成协议的有：解放区政权问题，国民大会旧代表重选问题，双方军队整编问题。前二者留待政治协商会议解决。第三个问题，双方同意组织包括美方代表在内的三人小组解决。

《双十协定》，受到了各方面的欢迎。它在政治上使我党获得极大的主动，而使国民党陷入被动。为遵守协定，我驻江南新四军，包括苏南、皖南、浙东、浙西四个解放区的部队，开始撤往长江以北。但是，蒋介石并没有和平诚意，仍然加紧内战部署，向我进攻。战火日烈，我党和各民主党派以及各界人士频频呼吁，反对内战的呼声弥漫全国。国际上，美国总统杜鲁门于 12 月 15 日发表声明，希望中国停止内战，并派马歇尔来华“调处”。12 月 27 日，英、美、苏三国外长莫斯科会议也发表声明，认为：“必须在国民政府之下建立一个团结而民主的中国，必须由民主分子广泛参加国民政府的所有一切部门，而且必须停止内战。”12 月 18 日，中共代表团在重庆举行记者招待会，周恩来指出：“首先待解决的是停战问题”，“在政治协商会议中，停止内战是第一件事”。12 月 27 日，中共代表团再次提出无条件停止内战的声明。在这种国际国内形势下，1946 年 1 月 10 日国共双方签定了停战协定，发布了停战令。停战令要求双方停止一切军事冲突并恢复一切交通，保持双方在 1 月 13 日以前的军事位置。同时成立了国共及美方代表参加的三人军事小组，签署了建立军事调处执行部的协议。在毛泽东签署的停战令即《中国共产党中央委员会关于停止国内军事冲突的通告》中，我党明确提出：“全中国人民在战胜日本侵略者之后，为建立国内和平局面所作之努力，已经获得重要之结果。中国和平民主新阶段即将从此开始，望我全党同志与全国人民密切合作，继续努力，为巩固国内和平，实现民主改革，建立独立、自由、和平、富强的新中国而奋斗！”

关于“和平民主新阶段”的问题，这是党中央根据抗日战争胜利后的形势提出的一种估计。我党当时同国民党的斗争，在当时阶级力量对比的条件下，确是以争取和平民主为上策，同时对蒋介石蓄意发动内战，妄图用武力消灭我们，我们也是有准备的。蒋介石发动内战的结果，是加速了国民党反动统治的彻底崩溃。我认为，这不能反证说上述估计是错误的，更不能说这是刘少奇的个人杜撰。

三、旧政治协商会议

旧政治协商会议（以下简称旧政协），于1月10日国共双方下达停战令的同一天开幕。参加会议的，共有五个方面的代表：

一、中国国民党（名为政府代表）：

孙科、吴铁城、陈布雷、陈立夫、张厉生、王世杰、邵力子、张群。

二、中国共产党：

周恩来、董必武、王若飞、叶剑英、吴玉章、陆定一、邓颖超。

三、中国民主同盟：

张澜、罗隆基、张君劢、张东荪、沈钧儒、张申府、黄炎培、梁漱溟、章伯钧。

四、中国青年党：

曾琦、陈启天、杨永浚、余家菊、常乃惪。

五、社会贤达：

莫德惠、邵从恩、王云五、傅斯年、胡霖、郭沫若、钱永铭、缪嘉铭、李烛尘。

会议分设五个小组：（一）改组政府组；（二）施政纲领组；（三）军事组；（四）国民大会组；（五）宪法草案组。

旧政协会议的斗争是十分激烈的，斗争的焦点主要是两个：一是政治民主化问题，一是军队国家化问题。

关于政治民主化问题，我党的主张是：（1）结束国民党一党专政、个人独裁，但承认国民党是第一大党和蒋介石的领袖地位；（2）彻底实行孙中山先生的三民主义，以和平、民主、团结、统一为基础，制定和平建国纲领，成立民主的联合政府；（3）联合政府成立后，重新制定宪法草案，重选国大代表，召开国民大会；（4）实行地方自治；（5）保障人民民主权利。国民党方面则提出“扩大政府”、“五·五宪草”、“国民大会”等几个方案。他们对和平建国纲领实际上持反对态度，主张用他们原来的抗战建国方案。“扩大政府”的意图是吸收几个国民党以外的人士来装点门面，并非改组为联合政府；“五·五宪草”是国民党于1936年5月5日公布的维护国民党一党专政、个人独裁的旧宪草；国民大会的代表则是十年前人民处于毫无权利、极不自由的情况下由国民党一党包办产生的，其中不少人已经投敌当了汉奸。

关于军队国家化问题，国民党强调“军令政令统一”、“先军队国家化，后政治民主化”，目的就是要把人民军队“化”掉，从而消灭共产党。我党的主张是：实行军队国家化，首先必须实行国家民主化，即废止国民党一党专政，建立民主的联合政府；并且必须实行军队民主化，即军队一致、官兵一致。如果成立了民主联合政府和联合统帅部，解放区军队就应交给它，国民党的军队也必须同时交给它。这一主张无疑是公正的，合理的。

从1月10日到31日，经过激烈的斗争，参加会议的各方共同签署了五项决议，即（一）政府组织案；（二）国民大会案；（三）和平建国纲领；（四）军事问题案；（五）宪法草案案，统称为政协决议。

在达成这五项决议的过程中，我方是作了很大的让步的。比如在改组政府问题上，我方同意国民党在改组后的国府委员中占一半即二十个名额，只要求中共加民盟有三分之一的名额以保证在必要时的否决权，这是国民党口头上同意了的。我党并说服民盟，承认旧国大代表有效，另增选各党派代表和社会贤达代表七百名，台湾省和东北几省代表一百五十名，要求中共和民盟的代表占总名额数的四分之一，这也是国民党同意了的。特别是整编军队问题，我方同意了三人小组拟定的整军方案，即国民党与我方按五比一的比例整编，这将使人民武装力量受到限制，对我们是不利的；但另一方面，也使我军在政治上得到美蒋的承认，同时在和平建国纲领中规定了地方自治权。实行地方自治则可保有人民的地方武装，如果国民党不按政协决议办事，我们仍然可以保存实力和他们抗争。

一个停战协定，一个政协决议，在当时敌强我弱的形势下，总的看来对人民是有利的。两个协议的墨迹未干，就为国民党反动派所撕毁，这当然是件坏事，但这样国民党反动派就在政治上输了理，广大群众就看清了它蓄意发动内战的面目，我党就有理由采取自卫战争击败其进攻。因此，以后的斗争就是破坏协议与反破坏协议的斗争：国民党反动派破坏停战协定和政协决议，我们则维护停战协定和政协决议。

四、第三方面的表现

旧政协会议，在国共两大力量外，还有民盟、青年党、社会贤达，统称为“第三方面”。他们当中少数人是左派，多数人代表着中国中产阶级及其知识分子的利益，是中间派，他们要求和平、民主、自由，反独裁，反内战，在这个重要方面同我们是一致的，是主流。至于青年党、社会贤达的一部分和民社党（组成民盟的三党三派之一），则是倾向或依附于国民党的，是右派。

政协会议期间，我方对第三方面，特别是民盟，做了许多工作，双方合作得很好。民盟作为一个方面参加政协，是我党提出来的。政协会前，国民党唆使青年党（原为民盟中的三党三派之一）无理要求在民盟的九个代表名额中占五名，给民盟制造困难，也是我党提出方案即让青年党单独作为一个方面参加政协占五个名额，民盟占九个名额不变，而由我党减少两名，国民党减少一名，在总名额中增加两名，使问题得以解决。以后在国府委员、国大代表名额分配问题上，我们也尽量照顾他们的利益。会议期间，我方同民盟曾有君子协定，即对重大问题事先交换意见，以便互相配合。罗隆基在他关于旧政协的回忆文章中就专门谈到他同王若飞在政治小组中的合作情况，他对此是很感动的。后来在王若飞的追悼会上，他又表示了为争取一部民主的宪法决不让步的决心。虽然他在这一段时间的斗争中对美国一直抱有幻想，希望得到美国的支持以壮大第三方面的力量，但总的说表现是好的。对其他第三方面的人士，我方也做了许多工作，往往是白天开会，晚上再到特园（民盟发起人之一鲜英的公馆，民主人士常在这里聚会。1941 年起成为我党对外召开会议、与民主人士会见的场所之一）碰头，互相交换情况和意见。即使对青年党，我党也不采取排斥的态度，仍把它作为第三方面的一部分与之交往，一方面对其亲国民党的政治立场心中有数，一方面又采取积极争取的方针，直到它最后宣布参加伪国大，公开暴露其投靠国民党反动派的真实面目为止。这是我们对青年党以及同青年党具有相同立场的人们十分灵活的政治斗争策略。

还有几个代表中间势力的民主党派如民主建国会、民主促进会、九三学社筹备会等，当时未能参加政协会议。他们都很关心会议的召开，在会外积极提出他们的主张和建议，在政治上和社会舆论上起了重要的配合作用。国民党内部的民主进步力量也以个人或组织（如民主革命同盟即“小民革”）积极配合，做了许多工作，发挥了很好的作用。

五、中央派我参加中共代表团工作

1946年4月8日，王若飞、秦邦宪回延安向中央汇报工作，在飞返延安途中不幸遇难，即“四八惨案”。同时遇难的还有叶挺、邓发、黄齐生等。邓发是出席国际工会会议刚回国，准备回延安的。黄齐生是党外人士，他原先在延安，因为认识一些国民党人，想到重庆做点工作，一看没什么可干的事又回来了。叶挺是刚从国民党监狱中出来，接到毛泽东贺电，带着夫人和孩子到延安来的。4月8日那天，阴云密布，边区参议会正在开会，休息时，我和一些同志在会场外散步，听到上空有飞机盘旋的声音，不见下来。次日，中央办公厅向各县查问飞机下落，不得。过两天，知道飞机因不能降落，飞往北平，在晋西北兴县黑茶山失事。“四·八”烈士遇难，延安、重庆都开了隆重的追悼会，我写了一幅挽联：“惨剧何来，把血债记在反动派身上；民主必胜，愿英灵安息人民大众中。”

当时旧政协谈判正紧张，中央决定我去补代若飞、邦宪的工作。4月18日，烈士遗骸运至延安机场，我去一一致敬，19日即乘送李培之等回延的飞机去重庆了。到重庆后，环境、工作、生活都是突变。周恩来、董必武等同志都有丰富的同国民党谈判的经验和统一战线工作的经验。对我来说，这既是一次严肃的任务，又是一个很好的向他们学习的机会。我到重庆时，正值宪草“起草小组”开会期间。其实并非起草，只是将国民党1936年订的“五·五宪草”与张君劢在政协会议期间提出的修改草案比照研究，提出问题与意见而已。这之前，是由秦邦宪和齐燕铭参加这项工作的。我参加了“起草小组”的一次会议，参加会议的有王云五、邵力子、张君劢等人。我方对宪草修改问题，原先有一个草稿，是秦邦宪起草的，因为他牺牲了，我也刚去，未暇多加研究，因此，我即代表中共代表团声明：凡对于宪草修改小组会上的一切意见，我方均予保留。

还在政协会议期间，政协各方代表就达成了《关于宪草问题的决议》，同意保持原“五·五宪草”中的“五院制”，并一致决议：（一）立法院为国家最高立法机关，由选民直接选举，其职权相当于民主国家的议会；（二）行政院为国家最高行政机关，对立法院负责，立法院有同意权与不信任权，立法院可以否决行政院的措施；（三）监察院为国家最高监察机关，行使同意、弹劾与监察权；（四）省为地方最高自治单位，得制定省宪。政协会后，国民党召开了六届二中全会，竟整个地推翻了以上决议。国民党反动派胡说上述协议违反了孙中山的遗教，提出：（一）必须坚持以“五·五宪草”为宪草修改蓝本；（二）立法院不应对行政院有同意和不信任权；（三）监察院不应有同意权与弹劾权；（四）省不能制定省宪。这就是说仍然要原封不动地保留“五·五宪草”。“五·五宪草”的实质是：中央集权、总统独裁，人民自由权利被剥夺，民族自治权利被取消，是一部保护国民党一党专政、蒋介石个人独裁的御用宪法。

综观宪草一案的斗争，有两个关键问题：一是行政院与立法院的关系，这个问题由于国民党一方反对“行政院对立法院负责”一项，坚持不让，一开始即成僵局。二是地方有无自治权问题，国民党要中央集权，我们要地方分权。中央集权实际上是要否定我们的解放区，这是关系到保护我们根据地的大问题，是不能让步的。到了4月21日，孙科又召集了一次宪草小组会，我被邀参加，争执一场仍无结果。我在重庆二十七天，有十天工夫花在研究宪草问题上，到南京后，也用了不少时间研究宪法，但是，由于国民党整个地破坏了停战协定和政协决议，宪草修改一事终成泡影。

我在重庆期间，董必武陪我到各处进行礼节性的走访，因为我刚从边区来，需要熟悉一下这里的情况。以延安为中心的陕甘宁边区，是抗战圣地、民主堡垒，许多人很向往，很关心，很想知道边区的情况。当时陶行知等办了一所社会大学，对象有中小学教员、小公务人员、文化工作者、工商从业人员、失业青年、在校学生。邓发、张友渔、章汉夫、潘梓年、华岗、许涤新、孙起孟、于刚等许多同志都在那里讲过课。这所学校的学生，后来有不少成为西南地区的干部。社会大学要我去讲讲边区的情况，我去讲了两次，内容是介绍边区抗战、土改、“三三制”政权建设等方面的情况，他们听了很感兴趣。此外，我还参观了育才学校（陶行知

1939—1940年创办的一所学校，曾为中国革命培养和输送了一批革命战士）。

1946年4月国民党“还都”南京。周恩来、邓颖超、陆定一等于5月3日先行到了南京，我和董必武后走，包了一架飞机，机上有我们一批干部刘宁一、张晓梅、陈家康等二三十人，民盟派往南京打前站的叶笃义也搭机同行。飞机起落两次都没有飞成，一检查，发现飞机有严重故障。我们曾登报声明，向国民党政府表示抗议，后来分乘班机到达南京。这次飞机事故发生后，国民党方面只有邵力子一个人来看我们。邵力子先生对我们的态度较好，每当谈判遇到危机的时候，他都要来和我们谈一谈。

中共代表团在南京期间，住在梅园新村，有一百多个工作人员，分别负责外事、军事、新闻、统战、妇女运动等工作。齐燕铭是代表团的秘书长，钱之光是代表团办公厅主任，童小鹏是副主任。梅园新村三十号楼上，是代表团的机要科。这是三间低矮、狭窄的小阁楼，平时就气闷难受，到了盛夏，简直像个大蒸笼。机要人员就在这样艰苦的条件下，不分昼夜地紧张工作。平时，在我住的办公室，经常有许多客人，每当一来人，对面三十一号楼住的国民党特务就出来监视，我们不管，照样谈我们的。

到南京，我们就筹备出版《新华日报》，第一件事是与国民党交涉给我们出版报纸的合法权利。我们找了国民党的宣传部长彭学沛，彭便推给内务部长张厉生，找到张厉生，他又推给彭，他们互相推诿，表面上恭恭敬敬，一直把我们送到大门口，实际上就是要扼杀我们报纸的出版。我们连印刷机器都已买好放在上海了，可就是不让出版。这样，新闻组的同志便根据谈判斗争情况，每天抄收新华社电讯稿，以新华社南京分社的名义编写和油印出版《新华社通讯稿》，分送到各党派、各报社和文化新闻机构。我在代表团，起初主要研究宪法，以备国民党倘能停战，则可将宪草一案提到议事日程上来。在陆定一于6月初随恩来回延安后（恩来三天后就回来了，定一留在延安），我又代管宣传工作。廖承志也是搞宣传工作的，还有范长江、梅益等同志。这时期我曾主编《群众》杂志，杂志的稿子是我们在南京编好，送到上海由章汉夫、潘梓年、乔冠华等同志负责印刷和出版的。

六、蒋介石蓄意发动内战，破坏政协决议

蒋介石本无实行和平民主的诚意，政协决议刚刚签定，国民党反动派就着手破坏。在重庆，他们指使特务制造了捣乱会场、殴打民主人士的“沧白堂事件”、“较场口事件”；纠集暴徒和诱骗一部分不明真相的青年、学生举行反共示威；捣毁重庆《新华日报》及民盟机关报《民主报》。在北平，他们唆使一伙流亡地主和地痞流氓，组织“还乡请愿团”，捣毁军事调处执行部。3 月，国民党召开六届二中全会，蒋介石表示要“就其荦荦之大端，妥筹补救”，意在政治上公开撕毁政协决议。及至 3 月 20 日，国民党又召开了它一手包办的第四届国民参政会第二次会议，蒋介石在会上公然说：“政协会议在本质上不是制宪会议……如果政协会议果真成为这样一个性质的会议，我们政府是决不会承认的。”这充分暴露蒋介石出尔反尔，毫无信义可言。

国民党反动派不仅从政治上，主要的还是从军事上破坏停战协定和政协决议。首先是东北，这是美蒋急于占领的地区。早在 1 月 10 日国共双方发布停战令时，我方就主张停战应是包括东北在内的全面停战，但是国民党不同意，以“恢复主权”为名，坚持将东北除外。我方让步，协定中保留了“国民党政府军队为恢复中国主权而开入东北九省或在东北九省境内调动，并不影响”这一项，这是为了达成停战协定。但是，在美帝的大力支持下，蒋军连续向东北增兵达七个军之多，不断向我发动进攻，3 月中悍然攻占沈阳。在我方及其他各方的不断呼吁下，3 月 27 日军事三人小组曾经达成一个东北停战协定。国民党一手签订协定，一手又加以撕毁，继续扩大东北内战，开始向长春进攻。5 月 22 日民盟代表发表了致国共两党领导人的电文，吁请即刻停战，并提出三点建议：（1）中共军队撤出长春；（2）中央不再进兵长春；（3）东北政务委员会驻长春，主持政务，就地组织警察行使职权；所有委员人选由各方协商而中央简命之。毛泽东于同日电复民盟，表示“原则上极表赞同，一切由恩来面商”。5 月 23 日我方主动撤离长春。蒋介石在占领长春后，气焰更加嚣张，于我军撤出长春之日飞到沈阳，经马歇尔向我方提出有关谈判的三个先决条件：（1）必须竭尽全力促成交通的恢复；（2）必须规定在一定日

期之内实行军队复员和整编方案；（3）当意见不一致时，应由美方作出最后决定。一句话，要我们屈服。至于赋予美方最后决定权，则完全是丧权辱国的行径，对此，我们当然进行坚决的抗争。在关内，5 月间，蒋介石调集了三十余万兵力，将我中原军区六万多人层层包围在湖北宣化店一带，妄图一举消灭我中原部队。据当时统计，自 1 月 10 日至 5 月 20 日，国民党向我之大小进攻达三千六百七十五次之多，先后用兵二百五十八万人，强占我解放区村镇二千零七十七座，县城三十六座。

七、六月停战谈判

国民党占领沈阳、长春以后，为了进行新的军事部署，再次玩弄假和平花招，于 6 月 6 日下了一道期限为十五天的停战令，要求我方在十五天内提出“完全停止东北冲突的详细办法”、“完全恢复国内交通之详细办法及进度”，并迅即实施“有关全国军队复员统编整编”。说这是给中共“一个最后反省机会”，并一再强调“中共必须接受美方最后的决定权”。

十五天的时间虽然短暂，但我方为不放弃任何机会争取和平，并揭露国民党反动派蓄意内战的真面目，除“美方最后决定权”一项决不承认外，仍同意与国民党商谈。

在十余天的休战与谈判期间，围绕着“美方最后决定权”、“恢复交通办法”、“东北整军”等问题，又展开了激烈的斗争。蒋介石坚持要我方撤出察哈尔、热河两省，威海卫、烟台两市和苏北，想把我们赶出铁路线和大城市，形成对我方的包围圈。他们昼夜运兵运粮械，部署对鲁南、苏北大进攻；发动舆论工具，妄图将谈判破裂的罪名强加于我。他们还封闭了北平《解放》三日刊。对我方的宣传工作施加压力。在谈判中，我方提出逐案解决问题的办法，即达成一个协议就签订一个协议，而国民党却要求一起解决才肯签字，这就暴露了他们本无丝毫和平诚意，不过是为了争取时间进行军事部署和欺骗人民罢了。6 月 21 日，蒋介石又下令将休战有效时间延长八天，接着又提出新的条件，要我方退出苏北、皖南、胶东半岛、张家口、承德、哈尔滨、安东及一切铁路线，而所有撤出的地区均由国民党进驻。他们想用军事上的优势压我方屈服的狂妄企图，使人们看得越来越清楚了。

本着凡有一线和平希望我们都努力争取，同时用事实来教育人民的精神，我方以极大的容忍承认了《三人会议主席（马歇尔）所提出的关于整军方案修正及其执行之初步协定》，同意在军队的驻地与数量上予以考虑。但为保证人民已经取得的民主权利、自由权利和土地改革的成果，决不允许国民党军队进驻我方退出的驻地。停战谈判未得结果，关内大战迅即展开。当时的主要战场在中原、山东、苏北、晋南四个地区。国民党用于内战的正规军达一百九十三个旅（师），约一百六十万人，占其全部正规军的百分之八十。蒋介石、陈诚吹嘘说：两个月消灭苏北中共军队，五个月在军事上整个解决中共。

国民党反动派在“军事上整个解决中共”的一片叫嚣下，于7月3日的国民党“国防最高委员会”上通过了于当年11月12日召开国民大会的决议。这种片面宣布国大召开日期的行径，是他们彻底破坏政协决议的又一次大暴露。此时，中共中央发布了著名的《七·七宣言》，重申了中国共产党坚持中国的独立与民主，坚持和平的决心，并提出四点紧急呼吁：（1）立即重行发布全国停战令；（2）重开政治协商会议，以改组国民党一党专政的独裁政府为民主联合政府；（3）迅速复员裁兵，彻底废止军队只属于少数人的军阀制度；（4）美国必须重申忠实执行莫斯科三国外长会议决议，取消对华租借法案，立即撤走一切在华海陆空军及军事顾问团。

到了8月，在美国的默许和援助下，蒋介石为进一步大打作准备，通过司徒雷登向我方提出了更加苛刻的五项条件，要我方退出苏北、胶济线、承德以东，东北退至兴安、龙江两省及嫩江之北部及延吉，山东及山西退出6月7日以后的占地。

在这种形势下，谈判已不可能，为了表示抗议，周恩来于9月16日离开南京到了上海。

八、美帝国主义者积极支持蒋介石打内战

蒋介石所以敢一意孤行，发动大规模的内战，主要是仗恃着美帝国主义者的支撑。如果说马歇尔从1到3月份的调解还多少保持了一点“公正”的外貌（如促成了停战协定、整军方案及恢复交通的决议，并促使政协会议达成五项决议），到4月他由美国返回中国后，就狰狞面目毕露，

积极支持国民党反动派压迫我方。4 月间美国驻华海军增运国民党两个军到东北，6 月又运三个军到青岛及秦皇岛。在马歇尔来华五个月内，经美国国务院及海军系统供给国民党的物资，据杜鲁门声明，即达十三亿美元之多。美国还将对华租借法案延长十年，将八亿二千五百万美元的美军剩余物资转让给国民党政府。除了在物质上大量援助国民党外，美国海军公然以避暑为名，将舰队开到秦皇岛、青岛，其陆战队则多次向我军挑衅。7 月 29 日还侵入香河安平镇，制造了美国海军陆战队配合国民党进攻我驻当地八路军的“安平事件”。待到蒋介石关内大打的战略部署已经就绪，司徒雷登、马歇尔就发表联合声明，宣布“调处”失败，妄图推脱美方的责任，放手让蒋介石大打。由此可见，美国的对华政策，总的目的是要从政治、经济、军事上独占中国，变中国为美帝国主义的殖民地和附庸，并以中国作为反苏堡垒和跳板。它的策略手法，前后则是有变化的。我党对美国的策略方针，是利用其客观上不能不在一定程度上限制和约束国民党的一面，而对其支持国民党的实质及其种种行为则严肃地加以揭露和反对，以教育广大人民群众认清美帝国主义的真面目。这一斗争方针取得了显著的成效。

九、反内战运动风起云涌，蒋介石残酷镇压

随着内战的不断扩大，群众性的反内战运动有很大的发展。6 月初，由上海人民团体联合会发起，联合各界知名人士马叙伦、陶行知、王绍鏊、吴耀宗、罗叔章、包达三、许广平、周建人、闵刚侯、阎宝航、胡子婴、雷洁琼、沙千里、盛丕华、胡绳、林汉达、张䌹伯、郑振铎、巴金、徐伯昕、宦乡、唐弢、秦怡等一百六十四人联名上书蒋介石、马歇尔、中共代表团和各党派，吁请和平。6 月 14 日杭州市十八所院校数千名师生集会，提出反对内战的口号，马寅初先生等在游行队伍中领头前进。6 月 23 日在我地下党的推动下，上海各界人士又组织了和平请愿团赴南京请愿。他们是：马叙伦、阎宝航、盛丕华、胡厥文（因事中途在镇江下车）、包达三、篑延芳、张䌹伯、雷洁琼、吴耀宗、陈振中、陈立复。代表团秘书是罗叔章、胡子婴。请愿前，先在上海火车站广场集会，然后举行盛大的示威游行，有十万多群众参加。高呼“反对内战，要求和平”、

"反对独裁，要求民主"、"反对分裂，要求统一"、"民主统一的新中国万岁"等口号。代表团到了南京下关车站，竟遭国民党特务、暴徒凶蛮的殴打，造成了震惊中国、轰动世界的"下关惨案"。周恩来、董必武、邓颖超、滕代远和我，都先后到医院去慰问受伤的代表。我们还在梅园新村宴请了请愿代表，恩来同志向他们介绍了形势，指出蒋介石假谈判、真内战的反动面目，并听取了他们对和平的要求和愿望。代表中盛丕华、包达三都曾是蒋介石当年在上海证券交易所的老朋友。还有一位篑延芳，是资本家，任浙江兴业银行董事、大生纱厂董事、丰盛实业公司董事，是蒋介石的知交。他到南京后就有人给他通风报信，没有挨打，蒋介石还单独召见了他。篑并不倾向共产党，我们同样地同他交朋友，对他进行工作。我曾邀他来开过座谈会，让他提问题，我们回答，谈了两个半天。此后他的政治态度有了改变，1949 年还参加了新政协。

这次上海和平请愿运动和"下关惨案"，是大革命以来上海的乃至全国的第一次声势浩大的群众运动，影响极大，深刻地教育了广大人民。因为在沦陷八年以后，人们渴望和平，有些人对蒋介石假和平的手法认识不清，仍有幻想，通过这次事件，由蒋介石这个反面教员自己教育了人民，打破了人们对他的幻想，特别是对于中间阶级的人们，有着重大的教育作用。

"下关惨案"后，国民党对民主运动的镇压更加疯狂了。7 月中旬，在昆明采用了卑鄙的暗杀手段，在光天化日之下杀害了民主人士李公朴、闻一多，白色恐怖笼罩着整个国民党统治区。但人民群众反对内战、要求和平的正义呼声是镇压不住的。在这黑云压城城欲摧的时刻，周恩来于 7 月 17 日发表《反对扩大内战与政治暗杀的严正声明》，民盟代表多次向国民党政府提出严重抗议，郭沫若、茅盾等十三人也致电联合国人权保障委员会吁请调查。7 月 22 日宋庆龄以她的高风亮节，发表了《对目前时局的主张》，要求停止内战，成立联合政府，并呼吁美国停止向蒋介石提供军事援助。

十、在上海的统一战线工作

1946 年 8 月 21 日，我同董必武、齐燕铭到了上海。董老是去参加黄河堵口复堤会议。我和燕铭主要是向各党派人士征求对宪法草案和对解放区土地改革的意见。邓颖超也在上海，那时世界妇女民主联合会执行委员会要在巴黎举行，来函请她参加，国民党拒不发放护照，所以她没有走成。我到上海住在郭沫若家里，郭沫若同我是在大革命时期认识的，久别重逢，十分高兴。他写了一幅对联送我："路遥知马力，岁寒见后凋。"

上海的马斯南路107号周公馆，原来是筹办新华日报的办公地点，后中共代表团拟在上海建立办事处，遂将107号改为中共代表团驻沪办事处。当时国民党政府对中共代表团是严加限制的，不让成立上海办事处，董老知道后就说："不让设办事处，就称周公馆，是周恩来将军的公馆。"因此办事处便称周公馆。周公馆有代表团派去的华岗、章汉夫、许涤新、陈家康、乔冠华、龚澎等同志，主要是搞统一战线工作，宣传党的方针政策，同时也作疏散、转移我党党员和进步人士的工作，此外还筹集经费等等。我曾在办事处向我们的工作人员讲了一次话。内容是分析美国的对华政策，指出美帝国主义者假公正、真支持蒋介石打内战的反动面目。我在上海的活动是同齐燕铭、许涤新一起进行的，主要是对第三方面人士作些调查、访问和交换意见，了解他们的看法和动向。

关于宪法问题。在南京时，我曾同燕铭拟了一个对"五·五宪草"修正案的未定稿，作为同各方面交换意见的准备。当时我们假定有两种可能：一是如果按照政协决议，召开各派力量合作的国大，即提出我们的未定稿作为修改研讨的根据；二是如果国民党违反政协决议，召开分裂的国大，则在我解放区召开人民代表大会时，以此作为人民自己的宪草。从当时战火纷飞的实际看，这些当然仅仅是一种设想。而在宪法问题上主要的是设法多听第三方面人士的意见。

关于土地改革问题。比较进步的知识界人士和比较开明的资产阶级人士，均赞成耕者有其田的政策，但一部分中间乃至偏右、带有封建性的人士，则不满于对地主的清算，甚至不赞成耕者有其田。经过我们的解释，他们大部分人还是同意土改的。比如黄炎培，在土改问题上与我们的看法有分歧，我和燕铭、涤新找他谈，整整谈了两天，他基本上同意了我们的观点。

我们也调查了上海中产阶级和民主党派的政治态度，据了解，他们中的大部分人，逐渐不满意美国，其原因主要是美货在我国大量倾销。但他们又觉得美国的"民主"制度好，且又需要美国的技术帮助，因此，寄希望于美国改变对华政策，对马歇尔存有幻想。对国内问题，他们中的大

1946 年，李维汉（右）和周恩来、郭沫若在上海合影

部分人对国民党深怀不满，认为理在中共方面，但又存在苟安心理及怀疑中共的力量，希望中共在军事方面让些步，国民党在政治方面让些步，以求取和平。另外，他们对解放区的情况不了解，有疑惧心理。有些人则企图形成“中间派”，要“在国共之外造第三条船”（章乃器、施复亮语）。这些人在当时具有相当的影响力，了解和分析第三方面人士的政治态度，是为了更好地研究和确定党的有关政策，更好地进行统一战线工作。

我和燕铭原计划做完以上调查分析工作，便返回南京，后恩来为抗议国民党拖延和破坏谈判到了上海，我们便留了下来，一直到10月21日才返回南京。

十一、十月谈判，争取教育第三方面

9月20日国民党进攻张家口，周恩来在上海以备忘录致马歇尔转国民党政府代表，称“如国民党不立即停止对张家口及周围一切军事行动，我方则认为政府公然宣告全面破裂。”但国民党竟悍然置我方声明于不顾，于10月11日占领了张家口。当晚国民党政府又下令国民大会于11月12日如期召开。

10月16日蒋介石发表文告，提出要中共接受八项条件。其第八条为：在共产党同意以上各条后，即下停止冲突令，在下令之同时，共产党应宣布参加国民大会，并提出代表名单。这是八条的中心内容，即逼迫我方交名单；我方交了，国大便合法化了。按政协决议，应当首先改组政府，由改组后的联合政府来召开国民大会。对于这种破坏政协决议的做法，我们当然予以拒绝。

这时第三方面的大多数人也在上海。作为中间势力的第三方面，是国共双方都在争取的对象，因为他们代表着一大批人，谁争取了他们，谁就扩大了自己的同盟军。由于阶级地位的局限，他们当中一部分人怕国共分裂，对美蒋有幻想，不相信人民的力量，因而想避重就轻，甚至要我方作出不能容忍的让步。这时国民党在军事上处于优势，并单方面宣布召开国大，第三方面人士中有一部分人对参加国大问题又有动摇，蒋介石就利用这一部分人士的矛盾心理，向他们施以恐吓、利诱等手段，企图达到拉拢、分化第三方面人士的目的。

蒋介石提出八条的第二天，国民党代表吴铁城、邵力子、雷震三人到上海同第三方面与我方正式接触。一见面吴铁城就说："我们是肉请帖。"周恩来当即指斥道：你们是拿哀的美敦书来请的。他们假惺惺地反复解释说八条里没有新要求。我们明确提出恢复谈判的两个条件：（1）军事方面应恢复 1 月 13 日停战协定生效时双方驻守的位置；（2）政治方面按政协决议办。他们申辩说恢复 1 月 13 日位置已不可能，至于政协决议，可能的话当然照办。由于"八条"和"两条"争执不下，第三方面乃建议先不谈实质，而谈谈判程序问题，即所谓先停战后谈判或是先谈判后停战的问题。

对于继续谈判，我方已清楚不会有什么结果。但鉴于第三方面某些人士仍有幻想，十分积极，为了争取教育他们，并向广大人民群众进一步揭露国民党反动派假谈真打的阴谋，我们决定把谈判斗争进行下去。对于我们同意继续谈判，第三方面是欢迎的。

10 月 21 日我们和第三方面人士到达南京，孙科等人到飞机场迎接，说委员长在等候大家见面。于是就从飞机场直接到蒋介石那里。蒋介石接见后，就马上飞往台湾，这又一次暴露了他们要求谈判是虚伪的。当天下午，政府代表约我们与第三方面代表在国际联欢社举行餐会。会上梁漱溟说：中共代表此来是抱着不妥协方针的，回京可能是回延安的第一步，现在是死马当作活马医。周恩来接着说：不可讳言，由于政协决议及停战协定未能实施，反被破坏，情形已非常严重和恶化。现在政协同人又聚首一堂，只有按政协决议办，才有希望。

25 日晚间，梁漱溟、黄炎培、罗隆基、章伯钧来我方住处，谈他们分头与政府各代表谈话的情况。黄炎培说，陈诚催促快些谈好停战问题。周恩来即问：安东如何？章伯钧答，陈诚说安东已于昨天拿到手了。听他一说，我们一致表示愤慨。周恩来放下手中的茶杯，厉声说：还有什么可谈的！并立即要人去把梅益和记者找来，告诉他们安东被攻占的消息。黄炎培当时竭力请求我们暂时不要发表声明，并说这几天如有什么行动，彼此先打个招呼，请我们转告延安加以考虑。我们同意了他的意见。

在谈判毫无进展的情况下，第三方面的某些人却背着我们搞了一个所谓的折衷方案，其主要内容如下：（一）（国共）双方下令全国军队一律就地停战，停战之执行调处及恢复交通，由军调部及执行小组依三人小组已有协议处理，双方军队依整编方案整编，驻军地点之分配由三人小组商定（东北军队驻地须在停战前获得谅解，中共军队拟驻（1）齐齐哈尔，（2）北安，（3）佳木斯）；（二）全国地方政权应依照政协决议及和平建国纲领，由改组后之国府委员会解决。发生争议地区应尽先依照军民分治原则解决。长春铁路沿线各县政权除中共已经接收者外，应由中央派县长和警察一律接收之；（三）依照政协决议及其程序，召开综合小组商定改组政府问题一致参加政府，商定国大问题一致参加国大，尽速召集宪草审议委员会，商定宪草修正案。梁漱溟、莫德惠等人还商定：这个方案，如果一方接受，一方不接受，他们就站到接受方面去。

以上三条中，诸如一律就地停战，片面规定我军驻地，由国民党派县长和警察接收等，均无视我方提出的恢复谈判的两个条件，明显地是迎合蒋介石八项无理条件的，即要使我方在军事上处于不利的地位。这个方案是第三方面集会后，推黄炎培、梁漱溟、莫德惠起草的，他们签了字以后，派代表分途送往国民党政府、美方代表及我方。我方是由梁漱溟、莫德惠、李璜三个人送来的，由梁漱溟读给我们听，旋又加以解释。对于这个方案和第三方面的这种表现，我们感到十分气愤。周恩来以非常沉重的语气痛斥梁漱溟等不守信义，落井下石。并说：我们是打出来的，我们可以去打游击，你们怎么办？我们是代表人民利益的，不是多一块地方，少一块地方的问题，蒋介石要把我们打倒在地下，你们还要踩上一只脚！董必武说这是政府凭以摧残人民的根据，问他们何以交待国人。我对梁说，这个方案是关系千百万人生命的大事。在我方的严正指斥下，他们都觉得错了，便赶快找来黄炎培、罗隆基、章伯钧。黄等来后，周恩来、董必武又对他们进行了严肃的批评，指出这是站在哪一边的问题，何去何从，请他们自己选择。他们经过商量后，由黄炎培、莫德惠、罗隆基、李璜跑到国民党政府代表孙科那里，佯称方案里还漏抄了一条，要拿回去补上，收回了这一方案。随后又到马歇尔处收回了这一方案。事后，恩来对我说，对中间分子，平日以说服教育为主，但在他们严重的动摇关头，必须坚决斗争，以自己的坚决态度纠正他们的动摇。

10 月 28 日蒋介石飞返南京，在听取国民党政府代表的报告后，派孙科和邵力子去通知民盟，说交出参加国大代表名单是最重要的事，交了就停战。在这种情势下，第三方面的某些人又在交名单以换取停战的问题上发生了幻想。

10 月 30 号那天，我方参加了第三方面的会议，周恩来再次阐明了我方的态度：对于政府要我方交名单才停战，这种哀的美敦书的方式，我们坚决不接受，但可以把三人小组会议和综合小组会议先开起来。董必武说，军事与政治不可分割，政协五项决议也不能分割。我补充说，如政府答应开这两个会，其程序不能片面规定，须经我方同意。

10 月的最后一天，李璜、胡政之、章伯钧来谈第三方面人士昨夜与国民党政府代表谈话经过。告知，孙科表示长春路各县仍须如第三方面的方案（即那个收回的方案）接收，八项条件主要的还是交名单，行政院改组应在国大召开之后。黄炎培和罗隆基当即向孙科声明那个方案已经收回，拒绝他引用。他们还说，第三方面人士一致向孙科表示，中共不交名单则他们也不能交。周恩来再次向他们指出，蒋介石是拿停战作为交换名单的诱饵，是假停战，我们要的是真和平、真停战。希望第三方面人士要团结，这次谈不成，将来还会有机会，要他们保持自己的立场和信誉。

到了 11 月上旬，情况已经很明白了。蒋介石拒绝任何方式的商谈，要谈就要我们接受八条。他知道我们是不会屈服的，为了欺骗和诱惑第三方面人士，故意让第三方面人士两头跑，疲于奔命。同时蒋介石又耍了一个花招，单方面宣布停战。我方的态度也很明确：宣布停战系片面行动，对此我方持保留态度；国大不能开，如 12 日照样开，则一切无从谈起。而第三方面仍在积极寻求实际上不可能的调解办法。他们当中的一部分人是认识不清，某些人的用心则在于“名正言顺”地参加国大。同时，蒋介石也加紧了对第三方面人士的逼迫。如莫德惠、胡政之说，蒋介石曾对他们说，中共不出席国大，现在看你们社会贤达，是为国家还是为中共？他们都不吱声。当胡政之劝蒋介石找个办法延期开国大，并说这于政府威信也不妨碍时，当场遭到蒋的训斥。胡政之还向我们谈了他的难处，说他有一个事业团体要照顾，意即要参加国大。

11 月 11 日，第三方面人士又背着我们给蒋介石写了一封信，建议国大延至 12 月 1 日开，还以“弟等先交名单”为建议之第一条。这封信原先多数人不同意，经过张君劢和李璜分别活动，结果都在上面签了字。事后章伯钧、沈钧儒、张申府把信的原稿给我们看，经过我方向其指出这种自投火坑的错误做法之后，他们三人才去交通银行（这是当时第三方面人士的聚会地）把他们三人的签名涂掉了。12 日中午，周恩来、董必武、邓颖超和我又出席了一次第三方面人士的会议。张申府说出内情，左舜生火了，说：“甚矣哉！尾巴之不能当也。”陈启天也说：“宁为鸡首，不为牛后。”表面上说的是张申府等人，矛头实则指向中共。当时周恩来、董必武和我都在场，恩来立刻驳斥道：牛吃的是草，挤的是奶，造福人类，鸡最可耻，只知抢粮食吃，共产党就是要俯首甘为孺子牛。至此，第三方面的分化已经渐趋明朗，青年党、民社党和所谓社会贤达的一部分人要参加国大，以民盟为主的中间派尚在动摇。

于是恩来又对他们讲了一番很恳切的话，他说：二十多天追随诸位先生之后，一切都是为了实现政协决议及停战协定。政协召开决定于双十会谈，有国共谈判才产生政协，有政协才有第三方面。现在国民党要我们交名单，就是要分化中共与第三方面。昨天有人答应交名单，事前我们完全不知道。事情牵涉全体，变成中间人避着我们去跳火坑，违背了政协决议。我们曾再三向诸位恳切说明，只有一切问题商量好，才能说到交名单。我们愿意谅解各位的苦衷，但我们必须坚持政协决议。国民党的用心很清楚，请大家进国大，为的是在脸上搽粉，而把中共踢开。我们共事了多年，现在临别了，我们对将继续挨打无所畏惧，我们党就是在“围剿”压迫中发展壮大起来的。我们有武装，可以同国民党周旋，而诸位将难免受压迫，希望有一天仍能在一起为和平民主奋斗。会后，我对罗隆基说：你们的建议（即11日给蒋介石信中的建议），我们是反对的，你明知我们反对，为什么当时不告诉我们？政治家做事应该光明磊落，我们决不强求别人和我们一致，但应该讲信誉。饭后，恩来又向第三方面人士表示：蒋介石违背了自己的诺言与共同决议，对这个独裁者，我们是要同他斗争到底的。

十二、谈判破裂，胜利返回延安

11月15日，国民党片面召集的非法国大匆匆开幕。青年党、民社党和一部分“社会贤达”参加了伪国大，臭了。民盟总部秘书处则于11月14日发出紧急通告，民盟主席张澜于同日向记者发表谈话，公开表明不参加国大的立场。这样，民盟便在人民群众中赢得了政治声誉。李烛尘先生参加国大，是我们同意的，是为了照顾他的困难。于是，历时一年多的谈判斗争就此结束了。

11月16日，周恩来在梅园新村举行最后一次记者招待会。周恩来首先发表声明，指出“国大”是国民党一手包办的伪国大，中国共产党坚决反对，坚决不承认。他历数了蒋介石破坏政协决议，发动反革命内战的罪行，庄严宣告：“假和平、假民主绝对骗不了人，我们中国共产党愿同中国人民及一切真正为民主而努力的党派，为真和平真民主奋斗到底!”

我于1月19日随周恩来等返回延安，董必武暂留南京，继续领导中共驻南京、上海办事处的工作。在这一天的日记上我写道：国共谈判破裂了，但我党满载人心归去，这是党的统战工作的最大胜利。

1947年2月28日，国民党又进一步逼迫中共驻南京、上海、重庆三地的工作人员全部撤走。3月7日董必武率领驻南京、上海的全体工作人员撤离南京。董必武在告别南京人民时说：“再见之期，当不在远。”

从重庆到南京的一年多的时间里，周恩来卓越地进行了对美蒋的政治斗争，卓越地进行了统一战线工作。周恩来还是执行民主集中制的典范。他不搞一言堂，每天晚上我们都要到他的房里去开会，大家先汇报情况，议一下，再由他作结论。会议完了，他还要拟电文，向中央报告，每天都工作得很晚。这场斗争是十分艰巨复杂的，周恩来率领中共代表团出色地进行了这场斗争，取得了重大胜利：从政治上孤立了美蒋反动派，争取了朋友，争取了人心，配合了人民解放战争的胜利进行。周恩来回到延安后，除参加党中央的领导工作外，还兼任中央城工部部长，蒋管区的斗争，仍由他继续领导。

真假和谈的斗争

——记北平和谈

1949年4月，中央指派我参加以周恩来为首的我党代表团，同以张治中为首的南京政府代表团在北平进行了二十天的和平谈判。围绕着北平和谈所进行的近四个月的和谈斗争，是在人民解放战争即将取得最后胜利时我党与国民党反动派的一场重要的政治斗争，即真和谈与假和谈的斗争。现将此次和谈的前后经过回顾于后。

一、美蒋策划假和谈阴谋　我党的基本方针

1946年下半年，国民党反动派在美帝国主义的支持下，公然撕毁《停战协定》、《政协决议》，发动了全面的内战。战争的头一年，我军粉碎了敌人的全面进攻和重点进攻。1947年夏，我军即由战略防御转入战略反攻。从1948年秋至1949年初，辽沈、淮海、平津三大战役相继进行。三大战役的胜利，使国民党精锐部队丧失殆尽，人民解放军即将渡江。至此，人民解放战争的胜利已成定局。

伴随着国民党军事上的惨败，其经济、政治也陷入全面危机。

在经济方面，国民党统治区通货恶性膨胀，物价连续飞涨，民族工商业纷纷倒闭，农村经济日益破产，人民苦难深重，民不聊生。

在政治方面，虽然国民党反动派加紧镇压，但在我党领导下的广大群众爱国民主运动继续高涨，一浪高一浪。以反饥饿、反内战、反迫害、反对美帝侵略中国为主要内容的学生运动和工人运动，以反对横征暴敛为主要内容的农民抗粮抗捐抗税斗争，都在蓬勃发展。中间阶级对蒋介石独裁统治也更加不满。国民党统治区人民爱国民主运动的高涨，形成了人民大革命的第二条战线，震撼和动摇着反动统治的根基。统治集团内部矛盾也

日益加剧，愈演愈烈。

凡此种种表明，国民党反动统治已是日薄西山，气息奄奄。为了挽救行将崩溃的命运，美蒋反动派又一次玩弄起假和谈的阴谋。他们企图利用和谈，欺骗全国人民，阻止人民解放军向江南进军，争取军事上的喘息时间，以便重整旗鼓，伺机反攻。

美帝国主义除了同国民党反动派积极策划假和谈的阴谋外，又积极拉拢某些既同中国反动派和美帝国主义有联系，又同我党有联系的中间派右翼，准备在其无法阻止的人民革命胜利后的联合政府中，形成反对派，从而使革命就此止步，或带上温和的色彩。

在国民党内部，以桂系为首的一些国民党地方势力，则企图利用对蒋介石的不利形势，取蒋而代之。1948 年 12 月 24 日和 30 日，白崇禧两次致电蒋介石，要求举行和谈，实质是逼蒋下野。与此同时，程潜、张轸及河南、湖北、湖南的参政会都致电蒋介石，表达了同样的主张。以后，白崇禧还一度策划湘鄂赣豫黔“五省联盟”，促蒋下野，以李宗仁出面，代表国民党南京政府与我“和谈”。

就是在这样的形势下，蒋介石于 1949 年 1 月 1 日发出文告，称：“只要和议无害于国家的独立完整，而有助于人民的休养生息，只要神圣的宪法不由我而违反，民主宪政不因此而破坏，中华民国国体能够确保，中华民国的法统不致中断，军队有确实保障……则我个人无复他求……个人的进退出处，绝不萦怀。”

国民党统治区各阶层人民对美蒋反动派的假和谈阴谋有着不同的反应。广大民众饱受剥削压迫，迫切希望将革命进行到底，翻身作主人。民族资产阶级、上层小资产阶级及其知识分子中许多人对蒋介石的反动独裁统治虽已有较清醒的认识，但仍有一部分人对美帝和李宗仁有幻想，支持李宗仁的和谈活动。如有一个包含了一部分较有名望的工商界和工程技术界人士的中国工程师学会曾写信给国共双方，要求“迅速达成全面和平之使命”。民主党派中也有少数人持中间道路思想，有的幻想通过和谈，保留国民党的一部分力量，以巩固自己的中间派地位；有的幻想吸收国民党的残余力量，以壮大自己；有人并写信给毛泽东，希望多给李宗仁、白崇禧保留一些东西。

我党对这一和谈阴谋以及各阶级、阶层的政治动向是密切注意的。在即将取得全国胜利的关键时刻，要不要将革命进行到底，成为一个尖锐的问题，摆在中国人民面前。1949年元旦，发表了毛泽东为新华社写的新年献词《将革命进行到底》。文章分析了形势，指出虽然伟大的人民解放战争就要取得最后的胜利，但是“敌人是不会自行消灭的，无论是中国的反动派，还是美国帝国主义在中国的侵略势力，都不会自行退出历史的舞台。正是因为他们看到了中国人民解放战争在全国范围内的胜利，已经不能用单纯的军事斗争的方法加以阻止，他们就一天比一天地重视政治斗争的方法。中国反动派和美国侵略者现在一方面正在利用现存的国民党政府来进行‘和平’阴谋，另一方面则正在设计使用某些既同中国反动派和美国侵略者有联系，又同革命阵营有联系的人们，向他们进行挑拨和策动，叫他们好生工作，力求混入革命阵营，构成革命阵营中的所谓反对派，以保存反动势力，破坏革命势力。”文章尖锐地指出：“现在摆在中国人民、各民主党派、各人民团体面前的问题，是将革命进行到底呢，还是使革命半途而废呢？……中国各民主党派、各人民团体是否能够真诚地合作，而不致半途拆伙，就是要看他们在这个问题上是否采取一致的意见，是否能够为着推翻中国人民的共同敌人而采取一致的步骤。这里是要一致，要合作，而不是建立什么‘反对派’，也不是走什么‘中间路线’。”文章还以《农夫与蛇》的故事，寓意深刻而生动地告诫人们，决不要怜惜蛇一样的恶人。新年献词的发表，对于揭露美蒋的阴谋，争取教育各阶层人士，起了重大的作用。此时，已有一部分民主人士为了筹备召开新政协，应我党邀请陆续来到解放区的哈尔滨市和河北省平山县李家庄（中央统战部所在地）两地。新年献词发表后，他们进行了多次热烈的讨论。我参加了李家庄的讨论并作了报告。1月7日，在李家庄的符定一、周建人、韩兆鹗、翦伯赞、刘清扬、楚图南、田汉、胡愈之等人，联名致电在哈尔滨的李济深、沈钧儒、章伯钧、马叙伦、王绍鏊、陈其尤、彭泽民、沙千里等人，认为民主人士在当前必须认清三点：一、“养痈贻患，芟恶务尽，时至今日，革命必须贯彻到底，断不能重蹈辛亥革命与北伐战争之覆辙。”二、“薰莸不同器，汉贼不两立。人民民主专政，决不容纳反动分子……务使人民阵线内部既无反动派立足之余地，亦无中间路线可言。”三、“经纬万端，实有赖于群策群力，有赖于中国共产党的继续领导与团结所有忠于人民革命事业之党派团体及民主人士一致行动，通力合作，方可完成人民革命之大业。”并提议：“倘荷赞许，尚祈诸公率先发起，联衔向国外发表严正声明。”

1 月 5 日，新华社发表《评战犯求和》，深刻地揭露了蒋介石 1 月 1 日文告的虚伪性和反动性。

1 月 14 日，毛泽东发表具有重要意义的《关于时局的声明》，严正指出：蒋介石要确保其宪法、法统、国体和军队“是继续战争的条件，不是和平的条件”。同时声明：虽然中国人民解放军完全能够消灭国民党反动分子的残余力量，但为了迅速结束战争，实行真正的和平，减少人民的痛苦，我们愿意在八项条件的基础上进行和平谈判。八条是：（一）惩办战争罪犯；（二）废除伪宪法；（三）废除伪法统；（四）依据民主原则改编一切反动军队；（五）没收官僚资本；（六）改革土地制度；（七）废除卖国条约；（八）召开没有反动分子参加的政治协商会议，成立联合政府，接收南京国民党反动政府及其所属各级政府的一切权力。声明说：“上述各项条件反映了全国人民的公意，只有在上述各项条件之下所建立的和平，才是真正的民主的和平。如果南京国民党反动政府中的人们，愿意实现真正的民主的和平，而不是虚伪的反动的和平，那么，他们就应当放弃其反动的条件，承认中国共产党提出的八个条件……否则，就证明他们的所谓和平，不过是一个骗局。”《声明》的发表，使我们无论是谈是打，都掌握了斗争的主动权。

《声明》一出，立即得到广泛的拥护。1 月 15 日，在李家庄的部分民主人士召开讨论会。大家说：和平有两种，一种是维护反动势力和战犯利益的“南北朝”式的假和平；一种是毛泽东提出的维护人民利益的真和平。因此，只有将八条作为和谈的先决条件，才能实现人民所要求的真正的、民主的、彻底的、永久的和平。与会者一致同意与在哈尔滨的民主人士联系，共同起草一个支持毛泽东八项条件的声明。翌日，周建人、胡愈之、楚图南、符定一、田汉、吴晗等联名致电哈尔滨方面，略谓：（一）“毛主席所提的八条实为完成中国革命之最低限度的先决条件”；（二）“中国人民正注视着所谓国际干涉阴谋之酝酿，并坚决反对美、英、法等帝国主义国家借调停为名而干涉中国内政”；再次提议“以上两点倘蒙赞许，请连同前电所陈意见，由诸公发起，联衔向国内外发表声明”。同日，在哈尔滨的李济深、沈钧儒等就符定一、周建人等 1 月 7 日电复电云：“顷奉来电，对完成人民民主革命提出宝贵意见三点，高瞻远瞩，谋国情深，业经详细讨论，一致决议发表告国人文件，严正表示吾人对革命进行到底之态度。”1 月 22 日，抵解放区的各民主党派、各人民团体的代表人物及无党派民主人士李济深、沈钧儒、谭平山、郭沫若等五十五人联合发表声明，拥护毛泽东提出的八项条件。声明说："八项条件，正是对于蒋介石所提的无耻要求的无情反击，我们是彻底支持的。毫无疑问，全国人民的公意是在这儿反映出来了。我们希望全国人民，全民主统一战线上的战友，务须一致团结，采取必要的行动，坚决执行人民的公意，而使这八项和平条件迅速地全部实现。"中国国民党革命委员会、中国民主同盟、中国民主促进会、民主救国会、中国农工民主党、中国国民党民主促进会、三民主义同志联合会、九三学社、中国致公党、台湾民主自治同盟、上海人民团体联合会等民主党派和团体，香港、海外各界民主人士以及清华大学、燕京大学的教授们，也纷纷发表声明，热烈响应。

蒋介石在其内外矛盾和我党八项条件的强大压力下，不得不于 1 月 21 日宣布"引退"，由李宗仁代总统。实际上他退居幕后操纵，冀以玩弄其假和谈、真备战的手法。

二、李宗仁的"谋和"活动　我党的斗争策略

李宗仁代总统后，便积极进行"谋和"活动。首先是争取第三方面。他摆出开明姿态，一方面下令"释放政治犯"，"恢复各党派的合法地位"，"启封停刊报纸"；另一方面电邀李济深、章伯钧、张东荪去南京，又派邵力子、甘介侯去上海访晤宋庆龄、章士钊、颜惠庆、罗隆基、张澜等。(李宗仁在他后来写的回忆录中说："这些人对我还友好，似乎不怀恶感。我若得到他们的支持，定能造成第三种力量，以制造反共之舆论。这样共产党就不得不放弃毫无意义的把内战打到底的目的。")对李宗仁的"谋和"活动，我党采取针锋相对的策略，1 月 25 日即以发言人名义发表谈话，指出："对国民党的伪善，人们应保持清醒的头脑"；同日，中央发电指示上海、香港党组织，要求"迅即将李（济深）、沈（钧儒）、马（叙伦）、郭（沫若）等的声明及我党上述谈话，连同我党 1 月 14 日声明向国民党各大城市广为启（散）发，使广大群众不受美帝及国民党的欺骗。尤其要注意争取中间分子。"1 月 28 日，中央又致电上海党组织，要他们同尚在上海的张澜、黄炎培、罗隆基等交换意见。电文谓："如果南京反动政府及李（宗仁）、孙（科）、邵（力子）、张（群）等接

受毛主席的八项条件，并即逮捕各主要战犯（如蒋介石、陈立夫一大批等），以便实现真和平真民主，那就是好的；如果只提出要南京反动政府释放政治犯，取消特务，恢复民主同盟活动及容许被封的报纸、杂志复刊等等，那就是很危险的。因为对前项要求张（澜）、黄（炎培）、罗（隆基）等人不一定肯提出，而对后项要求既易为张、黄、罗等赞同，又易为南京在形式上接受，结果转使民主人士陷入被动，且有承认反动统治之嫌。”要求着重说服他们坚持李济深等五十五人声明的立场。

已来解放区的民主人士在这方面做了许多工作。周建人、翦伯赞、田汉、胡愈之、韩兆鹗、严信民、吴晗、楚图南等联名致电张澜、黄炎培、史良、陈铭枢、罗隆基等人。章乃器、施复亮、孙起孟等也致电香港的民主人士，请他们坚持正确的立场。

与此同时，中央还向上海等地党组织发出指示，要求他们配合这一斗争，在国民党统治区各大城市发动工人、学生等群众运动，在条件成熟的地方，工会、学生会等团体可公开活动，被启封的报纸可自动复刊，并注意使中间阶层人士的民主运动和群众运动相配合，以揭露李宗仁和平谈判的欺骗性。实际上，李宗仁虽然想采取一些旨在争取中间力量的做法，但在国民党顽固派的阻挠抵制下，所谓“释放政治犯”，“恢复各党派的合法地位”，“启封停刊报纸”等命令，多未兑现。这样，就在广大人民面前暴露了国民党并无和平诚意，反使李宗仁处于政治上更加被动的地位。在上海、香港的民主党派人士，亦未受其蒙骗，李宗仁争取第三方面的企图基本失败。

李宗仁这时仍未放弃假和谈的基本立场，但迫于形势，于 1 月 27 日致电毛泽东，表示愿意以八项条件作为和谈的基础。

在此前后，为了试探我方的反应，李宗仁还安排了一些人士直接与我接洽。

1 月 12 日，白崇禧派黄绍竑飞抵香港，想托李济深帮忙，促成桂系方面单独与我和谈。但此时李济深已来解放区了，黄即通过我在港负责干部，致电李济深，表示为促蒋下野，“尤宜与中共方面取得谅解与合作，方为有利”。李宗仁代总统后，1 月底派黄启汉、刘仲华为代表抵平，叶剑英接待了他们。黄、刘转达李宗仁的话说：李宗仁愿意以和平方式解决问题，具体办法是：（一）实现局部和平；（二）切实在八项条件之上内应外合，推动全面和平。叶剑英答应将其谈话内容转陈中央。2 月 1 日，中央致电彭真、叶剑英、林彪、罗荣桓、聂荣臻等人，指出：黄启汉、刘仲华的谈话“是有政治内容的，且有文章可做”，“如刘仲华尚在北平，望令其迅速返宁，面告李宗仁，如其果有反蒋、反美，接受毛主席八条要求的真意，即应迅速与蒋分裂。……如李、白托黄、刘转告之言，纯系骗局，则中共便无此余暇与之敷衍。”

2月12日，刘伯承、陈毅在河南信阳接见了白崇禧派来的私人代表李书城。李此行的目的，主要是受托了解我方对白崇禧及国民党湖北省主席张笃伦、河南省主席张轸的态度。刘伯承、陈毅向他说明我党必须将革命进行到底的根本立场，并以傅作义为例，反复说明了如果白崇禧能以实际行动作出贡献，我们将欢迎和优待，对张轸、张笃伦也是这样。

李宗仁还直接、间接地安排了一些人士组成“南京人民和平代表团”、“上海人民和平代表团”前来洽谈，我方都采取了积极接待的态度。“南京人民和平代表团”邱致中、吴裕后等于2月6日抵平。叶剑英接待了他们，并说明了和平必须是在八条基础之上的真正的和平。经过交谈，他们表示认识到共产党是要和平的，战争贩子在南方。2月14日，由颜惠庆、章士钊、江庸组成的“上海人民和平代表团”抵平，邵力子以私人资格随团前来。对于这个代表团，我党采取积极热情、诚恳坦白的方针，由叶剑英负责接谈。还邀请傅作义、邓宝珊等同他们接触。翌日，叶剑英与颜、邵、章、江会晤，并于当晚设宴招待代表团一行，傅作义、邓宝珊也应邀赴宴。初晤结果表明，颜、邵、章、江对我们是友好的，向我们表示敬佩之意，也提出了今后工作的某些建议。但他们此次的目的，是想国共两党以对等身份实行南北议和。叶剑英坦率地指出：实现民主、和平、统一的新中国的伟大目标基本上有两种方式，即天津方式和北平方式。从我们的愿望讲希望北平方式，但这取决于国民党是否以民族利益为重，以人民利益为重，希望李宗仁认清形势，按照八条，同蒋介石真正决裂。2月17日，我方召开欢迎“上海人民和平代表团”大会，北平市副市长徐冰讲了话。会后，叶剑英又分别与代表团成员晤谈。翌日，董必武、林彪、罗荣桓、聂荣臻、叶剑英宴请颜惠庆一行，进行了深入的谈话。2月20日，还邀请他们参加招待民主人士的四百人的大宴会。22日，他们飞抵石家庄，傅作义、邓宝珊同行。我去石家庄迎接他们，陪同他们抵达西柏坡。毛泽东、周恩来接见了代表团成员，商谈了有关和谈及通邮、通航事宜。这样就为正式和谈铺平了道路。他们也比较充分地了解了解放区的情况和我党的主张。这对他们回去后向李宗仁做工作以及后来参加新政协，是有重要作用的。叶剑英曾按照中央的指示挽留邵力子，邵力子答道：此次恐怕仍须回去，不过，下次可以再来。2 月 17 日，他们带了毛泽东给李宗仁的一封信离平返南京。

三、北平谈判

3 月26 日，中共中央通知南京政府，以毛泽东八项条件为基础，于 4 月1 日在北平举行和谈。4 月1 日，南京政府派出由张治中（首席代表）、邵力子、刘斐、章士钊、黄绍竑、李蒸组成的和谈代表团抵平。我方首席为周恩来，代表是：林伯渠、叶剑英、林彪、李维汉，后来又加派聂荣臻为代表。

李宗仁虽然公开表示愿意以八项条件作为谈判的基础，但这是假的，实际上是想保存国民党的政府与军队，占有江南数省，以期东山再起。李宗仁在台上进行和谈活动，蒋介石在台下则加紧实施在三至六个月内完成大规模扩军的计划。其备战计划包括：重建四百个师；征募二百五十万新兵；重新召集退役军官；编制新的装甲兵团；扩充空军。这是我们和广大人民完全不能同意的。因此，谈判的焦点是：南京政府是真接受八条还是假接受八条。

谈判前夕，张治中曾去溪口①见蒋介石。对此，我党是有警惕的。张治中抵平后，周恩来即当面质问他，指出这显然是蒋介石仍在幕后操纵，并质询南京“四一惨案”② 事件真相。张治中作了一些解释。4 月6 日，新华社发表社论尖锐地指出：虽然李宗仁政府“表示希望参与和平解决国内问题，但是他们和继续主战的蒋介石及其死党一样，反对人民解放军继续前进，反对接受中共的八项条件”，“他们要把反动势力‘平等’地‘光荣’地保存下来，以为卷土重来的资本”。社论指出这是一种极荒谬、极反动的态度，是与立功赎罪的态度完全不相容的。社论严肃地表明了我方的态度，打破了南京代表团的幻想。

① 1949 年 1 月蒋介石辞去总统后，一度住在他的老家浙江省奉化县溪口。

② 1949 年 4 月 1 日，南京反动政府指使军警特务向前往机场为南京谈判代表团送行并要求实现真正和平的六千余名爱国学生行凶，造成流血事件。

为了充分交换意见，4 月 2 日至 12 日，双方代表先进行了个别商谈。南京代表们一方面与我方代表就一些问题交换意见，一方面还与李济深、黄炎培、谭平山、傅作义、邓宝珊等多方面交谈。

4 月 8 日上午，毛泽东、周恩来在香山接见张治中，就谈判中有关事宜，长谈了四个小时。毛泽东谈到，为了减少南京代表团的困难，可以不在和平条款中提出战犯的名字，对南京代表团的处境和困难，也表示谅解。并说，和谈方案先由中共方面草拟，拿出方案后，正式谈判就容易了。将来签字，如李宗仁、何应钦、于右任、居正、童冠贤等都来参加则更好。毛泽东还邀请张治中吃午饭，张得知毛、周昨宵一夜未眠，便辞谢而归。

4 月 13 日，举行第一次正式会议，我方提出了在八项条件原则基础上制定的《国内和平协定》草案。周恩来对草案的各条作了说明，双方进行了充分的讨论。我们的态度是：如南京政府真正接受八项条件，那一切都好商量，而是否接受八条，又主要集中在两个根本问题上，周恩来说："中心问题是接收和改编。"

（1）关于我军渡江接收国民党军队问题。南京方面企图划江而治（何应钦曾在 12 日电示南京代表团说："签约后驻军，第一期最好各驻原防地"，"渡江问题要严加拒绝。"）。我方则指明，人民解放军必须渡江接收国民党政权。周恩来说，今天的革命，再不能像辛亥革命和北伐战争那样，由于中途妥协而使反动派最后又得到胜利。因此，要坚持将革命进行到底。南京代表团虽然不能反对渡江，但总希望慢一点。我方指出：慢一点渡江，无异给广州、溪口以掩护，使之获得喘息之机。同时我方也向他们表示，在谈判期间可暂不渡江。

（2）关于改编国民党军队问题。南京代表团希望双方军队分期分批各就驻在区域内自行改编，这实质上是要保留其军队。我方则坚决主张依据民主原则，改编国民党的反动军队。至于改编方法，考虑到国民党军队的出路，提出先依照原编制集中整理，然后再改编为人民解放军。后来，南京代表团同意改编，但希望将改编划分为两个时期，在联合政府成立前，国民党所统辖的部队由他们自己处理；联合政府成立后，再由整编委员会处理。我方不同意这样办。

以上两条是关系到人民革命能否进行到底的根本问题，是不能让步的。但是为了尽量争取以和平方法解决问题，我党在其他问题上作了许多让步。在讨论协定草案时，南京代表团对草案提出了四十余条意见，我方接受了二十余条。例如战犯问题，南京方面是很关心的。毛泽东在4月8日致李宗仁电中就谈到："贵方既然同意以八项条件为谈判基础，则根据此八项原则以求具体实现，自不难获得正确之解决。战犯问题，亦是如此，总以是否有利于中国人民解放事业之推进，是否有利于用和平方法解决问题为标准。"讨论协定草案时，南京代表团对战犯问题争得很厉害，主张不要将战犯问题写入协定。我方照顾他们的意见，将战犯分为两类，对其中怙恶不悛者，应予从严惩办；而"一切战犯，不问何人，如能认清是非，翻然悔悟，出于真心实意，确有事实表现，因而有利于中国人民解放事业之推进，有利于用和平方法解决国内问题者，准予取消战犯罪名，给以宽大待遇。"除战犯外，对于国民党军队官兵及国民党政府工作人员，决议修正案也表示了予以宽大处理的精神，其他各项问题也在认真听取南京代表团的意见后，作了适当的解决。

谈判中，我方代表团还主动向他们保证，若李宗仁政府接受和平协定，我党将负责同各民主党派协商，接受他们以及南京政府方面若干人参加新的政治协商会议，也参加联合政府。

4月14日，我受周恩来之托向在平的部分民主人士报告第一次谈判的经过以及南京代表团对《国内和平协定》草案的意见，并广泛征求民主人士的意见。沈钧儒、马叙伦、黄炎培、谭平山、彭泽民、蔡廷锴等人先后发了言。他们的意见很集中，认为我方已作出了不小的让步，《国内和平协定》草案之宽大已出乎意料之外，在渡江接收国民党反动政权、改编其军队及战犯这些根本问题上，不应该再让步。最后，我将接受了南京政府代表团二十余条意见后修改过的《国内和平协定》（八条二十四款）修正案稿向大家宣读，大家均表同意，并认为不需要逐条讨论了。

4月15日，召开第二次正式会议。会上宣布了协定的修正案。周恩来说：这是定稿了。我们总是尽量求取原则上的同意和实施技术上的合理，以便南京代表团说服南京政府，使协定很快签字，从而推动和平事业的进行。最后他郑重宣布：谈判以4月20日为限期，南京政府是否愿意签字，须在20日以前表态。南京代表团派黄绍竑、屈武于4月16日携《国内和平协定》修正案飞南京请示，希望南京政府能接受这一协定。

4月20日晚，我方得到李宗仁、何应钦的复电，不同意在《国内和平协定》修正案上签字，并反对渡江。21日，毛泽东、朱德发布渡江命令，谓：“拒绝这个协定，就是表示国民党反动派决心将他们发动的反革命战争打到底。拒绝这个协定，就是表示国民党反动派在今年1月1日所提议的和平谈判，不过是企图阻止人民解放军向前推进，以便反动派获得喘息时间，然后卷土重来扑灭革命势力。拒绝这个协定，就是表示南京李宗仁政府所谓承认中共八个和平条件以为谈判基础是完全虚伪的。”命令一下，中国人民解放军便全面渡江。

谈判破裂后，我陪同周恩来在北京饭店召集各党派、团体和民主人士代表会议，周恩来作了《关于南京政府拒绝和谈及时局的发展》的报告。与会的冯友兰等一批教授会后向我们表示：“中共所提和平方案，条件非常宽大，南方人民将更清楚地看到谁是谁非。”并希望人民解放军早日解放全中国，相信我党今后能与各民主党派真诚合作。

四、争取南京代表团的工作

南京代表团大多数人同我党是熟悉的。他们当中有的人同情我党（如章士钊），有的人长时间同我党进行和平谈判，并不赞成蒋介石的内战政策（如张治中、邵力子），有的人属于地方派系，在国民党政府中并不得势（如刘斐、黄绍竑），他们一般是有和平愿望的。我党既把他们作为谈判的对手，同时又把他们作为争取、教育的对象，并通过他们争取李宗仁真正同蒋介石决裂，按照八条达成协议。因此他们来平后，我方除热情接待外，还对他们做了大量的思想工作。正式谈判前，我方代表多次与他们个别谈话，交换意见。特别是毛泽东，从4月8日起，分别邀请张治中、邵力子和章士钊、黄绍竑和刘斐、李蒸和卢郁文（南京代表团秘书长）谈话，使他们思想有了转变。见了毛泽东后，张治中很兴奋，吃饭时，他谈到了共产党的朴素、诚恳、吃苦耐劳、自我批评和虚心学习种种美德，感慨万端地说：“国民党的失败是应该的，共产党的成功并非偶然。”在这一期间里，他们亲眼看到了解放区的新气象，人民当家作主的情形及我党干部的优良传统，很为感动。4月7日晚，我们为南京代表们安排了晚会，演出了秧歌剧。演出完后，张治中对我方人员说：“真好！站在代表的立场，我不能鼓掌。但站在领会一种新艺术的观点，我始终是在笑着。我衷心地喜悦，这是我们民族的活力，一种青春的质素在里面。”南京代表中有人还与三轮车夫、饭店茶馆店员、大学生中学生谈话，深切地感到共产党的领导是大有前途的。他们承认国民党的错误和失败，承认今后的国家工作应由共产党来领导，同意了《国内和平协定》修正案，并表示愿意说服李宗仁接受这一协定。在谈判桌上，张治中坦然地表示：“国共两党的斗争，到今天可以说告一结束”，“我们应该把眼光放大些，把胸襟开扩些，重新合作”。

民主党派和无党派人士也积极配合做南京代表的工作。和谈开始前，毛泽东接见李济深、沈钧儒等多人，并将我方的具体方案、文件先与民主人士商量。会议开始后，也将情况向他们通报。李济深、谭平山、王昆仑、陈此生、陈邵先、朱学范、许宝驹等也多次与南京代表谈话。如 4 月 2 日，张治中等六人去见李济深，李向他们说：“孙总理的三民主义与三大政策始终未能实现，而中国共产党的反帝、反封建、反官僚资本主义都做到了。他们与孙总理的主张是一致的。我们做错了，我们要承认。”张治中等就“中共是否允许其他党派存在”等问题提出询问，李一一作了解释。这些谈话，对南京代表团接受《国内和平协定》修正案，起了积极的促进作用。李济深还派私人代表朱蕴山、李民欣同刘仲容一起去南京，做李宗仁、白崇禧的工作。

人民解放军渡江后，南京方面曾派飞机来接代表团返宁。我们考虑他们回去后的安全问题，挽留他们。周恩来曾于 20 日夜打电话给张治中、邵力子，说他代表中共中央、代表毛主席和他本人，请南京和谈代表团同人全部留下；对已协议的《国内和平协定》，日后还会起作用；代表团各位，今后还会有贡献，请他们考虑。周恩来还语重心长地对张治中说：“西安事变，我们对不起一个姓张的朋友，今天再不能对不起你了。”于是，在平的南京谈判代表张治中、邵力子、章士钊、李蒸及其随从人员开会讨论后，一致同意留下。张治中在 6 月 26 日发表对时局的声明说：“以我所见所闻的，觉得处处显露出一种新的转变，新的趋向，象征着我们国家民族的前途已显出新的希望。……我以国民党党员一分子的立场，只有感到无限的惭疚；但是站在国民一分子的立场说，又觉得极大的欣慰。我们中国人，毕竟还有能力把国家危机挽转过来，还可希望把国家搞好……我多年来内心所累积的苦闷，为之一扫而空。”黄绍竑因携《国内和平协定》修正案赴宁，解放军渡江后，他即辗转到了香港。为了尽最后的努力争取李宗仁、白崇禧，刘斐于 6 月抵达香港，并曾秘密去过广州。8 月

13 日，黄、刘联合在港国民党军政人员龙云等四十四人共同发表《我们对于现阶段中国革命的认识与主张》，坚决拥护中共的领导，同国民党政府公开决裂。9 月，张治中致电新疆的陶峙岳等，对促成新疆和平解放起到一定的作用。后来，南京代表团的全体代表，都应政协筹备会的邀请，参加了中国人民政治协商会议。会后都参加了政府工作，对新中国的建设事业，作出了积极的贡献。南京代表团转向人民，意义是很大的，这在谈判史上确属少见，它充分反映了国民党政府已丧尽人心，而共产党领导的人民革命则是众望所归，也反映了党的统一战线的极大成功。

五、和谈斗争的成果

自 1 月 1 日至 4 月 21 日解放军渡江，和谈斗争历时近四个月。虽然南京政府最后拒绝在协定上签字，但这场斗争却有着重大的政治影响。

首先，和谈斗争揭穿了美帝国主义和国民党反动派假和谈的阴谋，宣传了我党将革命进行到底的基本立场及为此而制定的实现真正和平的八条主张，深刻地教育了人民，包括一部分曾经幻想走中间道路的同盟者，从政治上提高和加强了统一战线。

其次，毛泽东提出的八项条件及《国内和平协定》修正案对于分化瓦解敌人，争取局部和平解放，配合全国解放战争的胜利进行，起了重要作用。在反动统治行将崩溃之时，其内部四分五裂，人心涣散，士气沮丧，充满了失败的情绪，许多人急于找出路。八条及《国内和平协定》修正案向他们指明了出路。这样，一方面是人民解放军强大的军事威力，另方面是“八条”及《国内和平协定》强大的政治威力，这就加速了反动营垒的崩溃。当“八条”发表时，党中央即指示将“八条”在国民党统治区内广泛宣传。谈判破裂后，毛泽东、朱德又在渡江命令中指示：“向任何国民党地方政府及地方军事集团宣布《国内和平协定》的最后修正案，对于凡愿停止战争用和平方式解决问题者，你们即可照此最后修正案的大意和他们签订地方性协定。”在解放战争的最后阶段，国民党军政人员接受和平条件和率部起义者极多，最著名的有傅作义率部二十万在北平接受改编；程潜、陈明仁接受《国内和平协定》，率部在湖南起义；陶峙岳、包尔汉率新疆十万军政人员归向人民，等等。这些与“八条”和

《国内和平协定》的政治作用是分不开的。记得当年有个说法："八条"抵得上百万军队。这样说是有道理的。

最后谈谈李宗仁。他由于当时的立场所限，未能在和平协定上签字，走错了一步棋，后来不得不远去异国，这确实是个遗憾。值得欣慰的是，出于爱国热忱，并在党的统一战线政策的感召下，1965 年 7 月，他毅然排除险阻，远渡重洋，回到祖国的怀抱。周恩来、叶剑英及党和国家其他领导人，各民主党派负责人、无党派人士、国民党起义人士以及当年南京政府和谈代表等多人去机场迎接。毛泽东在中南海接见了李宗仁，与他亲切握手，笑谈契阔。他参观、访问了祖国各地，所到之处，受到盛情接待。在回国声明中，他说："一九四九年我未能接受和平协议，至今犹感愧疚。"李宗仁先生最后选择了叶落归根、回归祖国的光明道路，是令人敬佩的。爱国一家，爱国不分先后，只要对国家和民族的事业做了贡献，人民都是欢迎的，人民优待他们，也不会忘记他们。

建国以来十五年统战工作的回顾与再认识

统一战线是无产阶级在解放运动中实现自身团结统一和争取联合广大同盟军，以夺取革命和建设事业胜利的重大战略和策略。它从来是马克思列宁主义的一个重要组成部分。在半殖民地半封建的旧中国，各民族的最大多数人民都有从帝国主义、封建主义奴役压迫制度下解放出来的强烈要求和斗志。由于旧中国经济发展落后，无产阶级人数很少，因而争取联合广泛同盟军，结成革命统一战线，更加具有特别重要的意义。毛泽东同志把统一战线提高到夺取民主革命胜利的三大法宝之一的战略地位。他科学地总结了我们党在历史上曾经出现过的“左”的和右的两个方面的经验教训，提出了统一战线的规律和根本原则，成功地解决了在中国革命中无产阶级的自身团结统一和争取同盟军问题，丰富和发展了马列主义关于统一战线的理论。

中国共产党领导的统一战线经历了两个历史阶段，即民主革命阶段和社会主义阶段。在每个历史阶段，统一战线都是在当时的历史条件下，为实现当时的战略目标，最大限度地团结一切可以团结的社会势力、集团和个人，组织浩浩荡荡的革命大军和建设大军，把敌对势力和困难缩小到最小限度，从而把革命和建设事业胜利地推向前进。中国革命和建设的长期经验生动地表明，中国共产党领导的最广泛的统一战线，在民主革命时期是三大法宝之一，在社会主义革命和建设时期，同样是一个重要法宝。没有一个包括全国绝大多数人口在内的广泛统一战线，把一切可以团结的力量都团结起来，把一切积极因素，直接的、间接的积极因素，全部调动起来，人民民主专政就不能巩固，社会主义改造就不能胜利，社会主义建设就不能成功。

新中国成立以来，我国统一战线在党的领导下取得了伟大成就，发挥了巨大作用，同时也和党的其他工作一样经历了曲折的发展过程。大体上说，从中华人民共和国成立到1957年反右派斗争以前的七年，党的指导方针和基本政策都是正确的，党的统一战线工作取得了辉煌成就。在反对国内外敌人和巩固人民民主专政，在恢复国民经济和实现各项社会改革，在推进生产资料私有制的社会主义改造和消灭民族资产阶级，并把这个阶级的人们改造成为自食其力的劳动者，以及调动一切积极因素为发展我国的社会主义建设服务等各方面的伟大斗争中，我国统一战线都发挥了巨大作用。

在开始全面建设社会主义的十年中，统一战线工作仍然取得很大成就。但是由于这期间党在指导方针上有过严重失误，统战工作也经历了曲折。1957 年开展的反右派斗争是必要的，但是混淆了两类不同性质的矛盾，产生了严重的扩大化，把民主党派、知识界和工商界以及党的干部等一大批人错划为“右派分子”，伤害了许多朋友和同志。从 1959 年到 1961 年的三年暂时困难时期，在党中央的领导下开始注意纠正“左”的错误，发扬民主，调整关系，调动党外人士为社会主义服务的积极性。在当时严重困难的形势下，促进了国内团结，稳定了这条战线，为顺利贯彻执行“调整、巩固、充实、提高”的八字方针，迅速克服暂时困难作出了重要贡献。1962 年下半年党的八届十中全会以后，毛泽东同志“左”的错误指导思想重新抬头，提出了“阶级斗争为纲”的社会主义时期的基本路线，把社会主义社会中一定范围内存在的阶级斗争扩大化和绝对化，并在党内开展反对所谓修正主义的斗争。在这种“左”的思想指导下，在中央统战部开展了对统战、民族、宗教工作中所谓“投降主义”、“修正主义”的批判，造成了理论和政策是非的严重颠倒，统战工作重新受到“左”的错误的严重干扰和损害。

在“文化大革命”的十年期间，林彪、江青反革命集团利用毛泽东同志的“左”的错误，并且把它推向极端，全盘否定建国以来统一战线的正确理论、政策和工作，疯狂迫害民主党派、无党派民主人士、少数民族上层人士和宗教界爱国人士，使我国统一战线遭到极其严重的破坏。

1976 年 10 月粉碎“四人帮”以来，特别是党的十一届三中全会以来，在党中央的领导下，统战工作清算了林彪、江青反革命集团的罪行，从理论政策到各项统战工作深入进行拨乱反正，认真纠正“文化大革命”及其以前的“左”倾错误，狠抓落实政策，努力恢复和发扬统战工作上的优良传统与作风，充分调动了各民主党派和各方面党外人士为统一祖国和振兴中华服务的积极性，统一战线重新出现了生气勃勃的新局面，党的统战工作重新走上马列主义、毛泽东思想的轨道，进入了建国以来统战工作的最好时期之一。

现在，我国正处在为实现社会主义高度的物质文明和精神文明而奋斗的新时期。我国统一战线内部的阶级关系，经过建国以来长期的社会主义改造与社会主义建设的实践，已经发生了根本变化。原来的民族资产阶级作为阶级已经不存在了，他们的绝大多数人已经成为自食其力的社会主义劳动者；从旧社会来的知识分子绝大多数早已成为工人阶级的一部分；各民主党派已经成为它们所联系的一部分社会主义劳动者和一部分拥护社会主义的爱国者的政治联盟，实际上已成为以社会主义劳动者为主体的为社会主义服务的政党。我国统一战线已经发展成为全体社会主义劳动者、拥护社会主义的爱国者和拥护祖国统一的爱国者组成的，包括台湾同胞、港澳同胞和国外侨胞在内的广泛政治联盟。它在为实现四个现代化建设、完成祖国统一大业和反对霸权主义、维护世界和平的共同斗争中，正在发挥着越来越大的作用。

我在新中国成立后到 1964 年一直担任中央统战部部长。1962 年底到 1964 年底，由于受到错误批判停止工作。我实际主持中央统战部工作十三年。在这期间，中央统战部在党中央的直接领导下，坚决贯彻执行了中央的路线和方针政策，提出和制定了统一战线工作的各项指导性文件，进行了大量的统战工作，取得了重大的成绩，成为党在实现总路线总斗争中的一个方面的参谋和助手。这是主要的和基本的方面。在实际工作和研究政策的过程中，我们也出现过一些失误，在某些问题上有过“左”的或右的偏差。但从总体上看，这些偏差和错误属于次要的和非基本的方面。现在，根据实践是检验真理的唯一标准，理论同实际相结合和实事求是的基本原则，对建国后十五年统战工作的历程，进行回顾和再认识，找出经验教训，以期有助于今后的统一战线工作。

为了叙述的方便，下面分为九章进行回顾和说明。

一、新中国成立初期的形势任务和党对统一战线工作的基本方针

1949 年 10 月 1 日，伟大的中华人民共和国光荣地诞生了。从此，我国进入一个新的历史时期，即由新民主主义有步骤地转变到社会主义的过渡时期。我们党所领导的以工农联盟为基础的包括城市小资产阶级和民族

资产阶级在内的人民民主统一战线，也开始进入新的历史发展阶段。这个统一战线已经发展到全国的规模，包括了各民族、各民主阶级、各民主党派、各人民团体以及其他各界爱国民主人士，贯穿于党和国家的各个方面的工作，并且正式形成了自己的组织——中国人民政治协商会议。它的政治基础已从反帝反封建反官僚资本主义，发展到具有向社会主义过渡的性质和特点的中国人民政协《共同纲领》。它的基本任务已从配合武装斗争夺取政权，完成民主革命，发展到巩固人民民主专政的国家政权，恢复和发展国民经济，然后逐步进行社会主义改造和社会主义建设，为实现社会主义而奋斗。这是一个巨大的历史性的变化，是我们党和全国人民的伟大胜利，是马克思列宁主义和毛泽东同志的统一战线思想的光辉胜利。

（一）建国初期的阶级斗争形势和党的第一次全国统战工作会议

新中国成立后，我国建立和巩固了工人阶级领导的、以工农联盟为基础的人民民主专政即无产阶级专政的国家政权，没收了足以控制整个国民经济的官僚资本主义经济，并改造成为国营社会主义经济。这个决定性的政治的和经济的条件，使中华人民共和国建国的开始即成为向社会主义过渡的新开端。中国人民的历史从此揭开了伟大光辉的篇章。

但是，在建国初期，我们党所面临的阶级斗争的形势和任务是错综复杂的。当时，国民党反动政权已被推翻，但残余的反革命势力尚未完全消灭，仅西南地区就有土匪百万、特务八万，还有一批坚持反动立场的反动党团骨干、恶霸分子以及反动会道门头子。他们到处进行破坏活动，严重威胁社会治安和经济、文化的恢复与发展。在广大农村，尚有三分之二的农业人口（约计二亿六千四百万人）的地区还没有进行土地制度的改革，那里的主要矛盾仍然是封建主义和民主主义之间的矛盾。因此，我们党在建国初期不能不用很大力量去彻底完成这些民主革命的遗留任务。这是一个方面。另一方面，要着手没收官僚资本主义企业，使之变为全民所有制的社会主义企业，并要在全国范围内着手建立社会主义的国营商业和合作社商业；同时对私人资本主义经济要实行利用和限制的政策，保护一切有利于国计民生的私营工商业，在统筹兼顾的总方针下，通过合理调整工商业，改善公私关系和劳资关系，使私人资本主义经济在国营社会主义经济的领导下，分工合作，以促进整个国民经济的恢复与发展。对外，还要随时准备对付帝国主义的侵略，保卫国家的独立与安全。

建国初期的这种错综复杂的形势和繁重艰巨的任务，要求我们党进一步巩固和发展我国工人阶级领导的、工农联盟为基础的，包括全国各民族、各民主阶级、各民主党派、各人民团体以及各界爱国人士和海外华侨在内的广泛统一战线，最大限度地团结一切可以团结的力量，为彻底完成民主革命、逐步向社会主义过渡和反对帝国主义的侵略而共同奋斗。

早在新中国成立前夕召开的党的七届二中全会上，毛泽东同志就强调指出了革命胜利后继续巩固加强统一战线的重要性和必要性。他说："无产阶级领导的以工农联盟为基础的人民民主专政要求我们党去认真地团结全体工人阶级、全体农民阶级和广大的革命知识分子，这些是这个专政的领导力量和基础力量。没有这种团结，这个专政就不能巩固。同时也要求我们党去团结尽可能多的能够同我们合作的城市小资产阶级和民族资产阶级的代表人物，它们的知识分子和政治派别，以便在革命时期使反革命势力陷于孤立，彻底地打倒国内的反革命势力和帝国主义势力；在革命胜利后，迅速地恢复和发展生产，对付国外的帝国主义，使中国稳步地由农业国转变为工业国，把中国建设成一个伟大的社会主义国家。"我们在建国初期的统一战线工作，就是适应当时复杂的形势和任务，在七届二中全会精神的指导下进行的。

建国初期，因为革命的胜利，党内一部分同志滋长了骄傲情绪和以功臣自居的思想，在对待统一战线的问题上存在着一种"左"的关门主义倾向，看不到统一战线的重要性，瞧不起民主党派和民主人士，对于安排他们的代表人物担任人民政府的领导职务不服气，有些同志甚至发牢骚，讲怪话，说什么"早革命不如晚革命，晚革命不如不革命"；对于民族资产阶级则强调斗争和限制，要求提早消灭私人资本主义，实行社会主义；对统战工作和统战干部瞧不起，甚至说什么"统战路线，地主路线；民族观点，糊涂观点"。这种"左"的关门主义的思想和倾向，严重障碍党的统一战线工作的开展。同时在少数同志中也存在着敷衍主义和迁就主义的倾向，对有明显的错误观点不进行必要的批评教育，而是一味迁就。这些错误倾向不克服，就不利于人民民主统一战线的巩固与发展。

为着统一和提高党内对统一战线工作的认识，研究建国初期统战工作的方针任务和各方面统战工作的基本政策，经中央批准，我们在 1950 年

3 月召开了第一次全国统战工作会议。会前，经过部里集体讨论研究，我起草了题为《人民民主统一战线的新的形势与任务》的报告提纲，经中央和毛泽东同志审阅同意，提交全国统战工作会议讨论。这个报告提纲对建国初期统一战线的形势和任务以及各方面的基本政策作了明确的阐述，主要内容是：

（1）指明新中国成立后我国统一战线已经发生了历史性的变化。党的统一战线工作的总任务是要在实现《共同纲领》、巩固工农联盟的基础上，密切团结全国各民族、各民主阶级、各民主党派、各人民团体、广大华侨、各界民主人士及其他爱国分子，争取尽可能多的能够同我们党合作的人，为着稳步地实现党在新时期的历史任务而奋斗。

（2）说明统一战线内部的阶级关系和党对中间阶级、中间力量的基本政策。特别强调提出，无论从政治上或经济上，我们对民族资产阶级都必须执行既团结又斗争，斗争为了团结的方针。在当时特别要注意同民族资产阶级搞好经济上的合作，以巩固政治上的合作。

（3）说明在民主革命胜利和中华人民共和国成立以后，国内的民族关系已经发生了根本变化，从压迫与被压迫的关系转变为平等互助的关系。但是民族间的矛盾并未完全消除。为使各民族人民在平等互助的基础上互相团结起来，为各民族的共同幸福和发展而奋斗，必须采取有效办法逐步消除历史上造成的民族间的仇恨、隔阂、猜忌、歧视和不信任的心理。要在大民族中反对大民族主义，在少数民族中反对狭隘民族主义，目前尤应着重反对汉族中的大民族主义倾向。要有计划地逐步帮助各少数民族提高和发展政治、经济和文化水平。做到这一切的关键是实行民族区域自治政策。就是在中央人民政府统一领导之下，让各少数民族人民按照他们大多数人的意志和经过他们自己乐意的形式，去管理各民族的内部事务。

（4）说明民主党派的性质、作用和党对民主党派的基本方针政策。指出各民主党派均对民族资产阶级、城市小资产阶级和它们的知识分子有不同程度的联系和代表性，都是阶级联盟的性质，不是单一阶级的政党。过去，民主党派对于争取中间力量，扩大人民革命阵营，孤立革命的敌人，起了重要作用。今后，在肃清国内残敌，反对帝国主义侵略，巩固人民民主专政，建设新中国的事业中，我们党仍要继续巩固同民主党派的合作。我们党同各民主党派关系的基本原则是，既要在政治上和思想上以

《共同纲领》为准则，团结它们共同奋斗，同时又必须在组织上适当尊重它们的独立性。我们的态度应该是热情地帮助它们，惟愿它们团结和进步，我们的方法是诚恳地协商、建议和说理，必要时进行适当批评，而不是从组织上去控制它们。

（5）说明各种人民团体的性质、任务和组织形式各有不同，但都负有统一战线工作的任务，都要认真做好统战政策的教育。工商业联合会是我们党对私营工商业者进行统战工作的一个重要环节，要充分发挥它在这方面的作用，同时必须承认工商联是工商界自己的组织，有权代表工商界的合法利益，不能把它当成简单的办差机关。对那些有一定群众、享有合法地位和有一定政治影响的旧的社会团体如某些宗教团体等，也要到里面去做工作，逐步改变它们的政治面貌。

（6）关于各级人民政权机关和协商机关中的统一战线工作。提出政权机关统战工作的中心任务是建立党与非党人士合作的正确关系。一要同党外人士沟通政策思想，二要使党外人士有职有权。各级协商机关是统一战线组织，应该更多地通过它们进行一般统战工作。

（7）提出要在全党加强统战政策的宣传教育，克服关门主义和敷衍主义、迁就主义倾向；统战部门的主要职务是了解情况，掌握政策，安排人事，调整关系。

这个报告提纲提交全国统战工作会议讨论后，争论较多的主要是两个问题，集中地反映出当时党内严重存在的“左”的思想倾向。

第一是对民族资产阶级的方针问题，是“团结为主”还是“斗争为主”？是节制资本还是搞垮资本？有的同志在会上发言提出，“今天的斗争对象，主要是资产阶级”。资本家要求划分国营和私营的经营范围，“我们不允许”。国营经济要“无限制地发展”。国营经济“越发展，就越要排挤私营，例如火柴工业是有利于国计民生的，国营生产很多，对私营即可不必扶持，甚至禁止”。对于资本家提出不要与民（即民族资产阶级）争利的问题，说我们就是要“与民争利”，我们就是“只许州官放火，不准百姓点灯。大资本家要停工，就让他停工”，等等。按照这一种思想搞下去，对私人资本主义经济就不是党的七届二中全会所确定的利用和限制的政策，而是要排挤掉，对民族资产阶级就不是采取统一战线政策，继续团结它们，而是要立即消灭资产阶级。

第二是关于民主党派的性质、作用和党对民主党派的方针问题。有的同志说，“民主党派应是我党的外围，应是一个进步分子的团体，应由大到小，由多到少，由政治上的复杂到统一，由与我党有距离到无差别，不应在政治上去抬高他们，在组织上去扩大他们，为我们找下麻烦”。有的同志认为，革命已经胜利了，民主党派“任务已尽”，认为“民主党派是包袱”，“可有可无”。这种思想实际上就是要取消民主党派。

周恩来同志到会作了报告，对上述“左”的观点进行了批驳和教育。指出：“今天我们中心的问题，不是什么推翻资产阶级，而是如何同他们合作。”“新民主主义经济是有领导有计划的经济。要领导和计划，就得全盘规划，适当划分经营范围。”在讲到民主党派问题时，恩来同志说，“各个民主党派，不论名称叫什么，仍然是政党。都有一定的代表性。但不能用英美的政党标准来衡量他们。他们是从中国的土壤中生长出来的”。“各民主党派中都有而且必须有进步分子，这样才能与我们很好合作。但不能把民主党派搞成纯粹进步分子的组织。若都是进步分子，还有什么意义呢？里面必须包括广大中间分子及一部分右翼分子”。“民主党派在人民民主统一战线中起着相当重要的作用”。通过民主党派，把上层政治活动分子组织起来，“便于他们学习，便于他们把各个阶级的意见反映给我们，在政治上他们也能够更好地同我们合作和配合，有些工作他们去做有时比我们更有效，在国际上也有影响。民主党派的成员在我们的帮助和教育下，愿意同我们一道进入社会主义，我们多了一批帮手，这不是很好嘛”！

毛泽东同志听取了会议的汇报，针对会议中反映出来的问题，作了重要指示。

对于挤垮资产阶级的错误主张，毛泽东批示：第一，今天斗争对象主要是帝国主义、封建主义及其代表国民党反动派的残余，而不是民族资产阶级。第二，对于民族资产阶级是有斗争的，但必须团结它，是采取既团结又斗争的政策，以达到团结它共同发展国民经济之目的。当然是团结为主。第三，对私营工商业中应限制和排挤的是那些不利于国计民生的工商业，即投机商业、奢侈品和迷信品工商业，而不是正当的有利于国计民生的工商业。对这些工商业，当他们困难时应给以扶助，使之发展。第四，国营经济无限制地发展是长远的事，在目前阶段不可能无限制地发展，必须同时利用私人资本。因此，应当划分公私阵地，即公私经营范围。“要与民争利”，“只许州官放火，不许百姓点灯”的说法是错误的，“大资本家要停工就让他停工"是不对的。我们建立百货公司也不是代替全部私营商业。我们只能控制几种主要商品（粮、布、油、煤）一定的数量，例如粮食的三分之一等。除此之外，应当划定经营范围，不要垄断一切。

对于民主党派问题，毛泽东强调指出要充分看到民主党派的作用。有人认为民主党派只是一根头发的功劳，一根头发拔去不拔去都没有什么关系。这种说法是不对的。民主党派和民主人士是联系资产阶级、小资产阶级的，从他们背后的联系看，就不是一根头发，而是一把头发，就不可藐视。其实，他们起的作用很大，从整体看，从长远看，必须要民主党派。对民主党派的经费问题，干部学习和失业问题，都要帮助解决，要把他们的干部看成跟我们的干部一样。要搞好同党外人士工作的关系，要照顾他们的生活。我们对民主党派在抗战时有"团结、抗战、进步"的口号，今天应该是"团结、建设、进步"。

毛泽东同志还针对党内严重存在的"左"倾关门主义倾向，强调要在党内广泛开展对统一战线政策的宣传教育。他指出：《共产党宣言》1883年德文版序言中说，"被剥削与被压迫的阶级（无产阶级）如果不同时使整个社会永远摆脱剥削、压迫和阶级斗争，就不再能使自己从剥削它压迫它的那个阶级（资产阶级）下解放出来"。整个《宣言》的基本思想就是：工人阶级只有解放全人类才能最后解放自己。中国工人阶级只要求得自己的解放不行，必须求得四个阶级的共同解放，对地主也要改造他们，否则，工人阶级自己就不能得到解放。毛泽东同志的这段话，把统战工作提高到无产阶级解放全人类的战略需要的高度，这样就把统一战线的重要性给彻底说透了。

这次全国统战工作会议是开国以后的第一次，是一次很重要的会议。会议经过讨论和学习中央的指示，统一了思想，提高了对统一战线工作的必要性和重要性的认识，明确了新中国成立后统一战线面临的新形势和新任务以及各方面统战工作的基本方针政策，着重纠正了"左"的关门主义倾向，也指出了敷衍主义和迁就主义的危害，为统战工作指明了方向。我在这次全国统战工作会议上提出的《人民民主统一战线的新的形势与任务》的报告，经过会议讨论修改后报送中央批准，成为建国初期指导全国统战工作的一个重要文件。这次全国统战工作会议的召开，对于推动各项统战工作的顺利开展和充分发挥统一战线在国家政治生活中的积极作用，是有很重要的意义的。

1950年4月，毛泽东在中南海接见第一次全国统战工作会议代表

1951年4月27日，应中央人民政府的邀请，班禅额尔德尼·却吉坚赞率堪布会议厅部分官员，从青海省西宁起程抵达北京。中央人民政府及各界代表500多人到车站迎接。右起：中央人民政府副主席朱德、副主席李济深、总理周恩来、中央人民政府委员郭沫若、副总理黄炎培、解放军代总参谋长聂荣臻、中央人民政府政务院秘书长李维汉。

（齐观山摄）

1951 年 5 月 27 日，中央政府民族事务委员会主任李维汉（右）与班禅额尔德尼·却吉坚赞（中）、阿沛·阿旺晋美在北京合影

（齐观山摄）

（二）巩固发展党同民主党派的合作

我国各民主党派原来的社会基础主要是民族资产阶级、城市小资产阶级、同这些阶级相联系的知识分子，以及那些从封建地主阶级中分化出来的爱国民主分子。在全国解放以前，我们党对这些阶级、阶层的争取团结和教育工作，多是经过各民主党派和无党派民主人士进行的。新中国成立以后，我们党同这些阶级、阶层建立了多方面的直接联系，可以从多方面直接向它们进行工作。但是，在团结、教育和改造这些阶级、阶层，并且充分发挥它们积极作用的工作中，各民主党派和无党派民主人士仍然具有重要的地位和作用。在中国共产党的领导下，党同各民主党派坚持团结合作，吸收它们的代表人物参加各级人民政府，同他们进行政治协商，推动和帮助他们在国家政治生活和人民民主统一战线中发挥积极作用，从而形成了我国人民民主专政制度的一个重大特点。为着巩固和加强我们党领导的这种多党派合作，充分发挥各民主党派的作用，我们在建国初期的统一战线工作，主要的和大量的是对民主党派和民主人士的工作。

1949年10月1日中华人民共和国宣告成立的时候，我国共有十二个民主党派，即中国国民党革命委员会、中国民主同盟、民主建国会、无党派民主人士、中国民主促进会、中国农工民主党、中国人民救国会、三民主义同志联合会、中国国民党民主促进会、中国致公党、九三学社、台湾民主自治同盟。从新政协筹备开始，我们就把无党派民主人士列入党派单位，是因为他们长期参加民主革命斗争，虽然形式上没有结成党派，但实际上是有党派性的政治力量。这是中国革命的具体历史条件发展形成的。同年11月，中国国民党民主派举行第二次代表会议，决定中国国民党革命委员会、三民主义同志联合会和中国国民党民主促进会统一成为一个组织——中国国民党革命委员会。同年12月，中国人民救国会宣布解散。这样就形成了我国现有的包括无党派民主人士在内的九个民主党派。这些民主党派的领导人和成员的多数是民族资产阶级、城市小资产阶级和它们的知识分子的代表人物，同时都包含一部分革命知识分子和极少数共产党人。这种政治上和组织上的广泛性，是我国民主党派的一个重要特点。

中国民主党派和民主人士的出现不是偶然的，而是我国具体的政治历史条件所决定的。解放前的旧中国是两头小中间大的半殖民地半封建社会。一头是领导革命的无产阶级，人数很少；另一头是反革命的地主阶级和官僚买办资产阶级，他们的人数也很少。民族资产阶级、城市小资产阶级、同这些阶级相联系的知识分子，以及从封建地主阶级中分化出来的其他爱国民主分子，都属于中间阶级和阶层。这些阶级、阶层在不同程度上受到帝国主义、封建主义和官僚资本主义的压迫和束缚，有要求反帝反封建的革命性的一面。在近代中国历史上，他们曾经领导过中国的旧民主主义革命，取得过辛亥革命推翻帝制、建立共和的历史性胜利。但是生长于半殖民地半封建的旧中国的民族资产阶级无论政治上或经济上都很软弱，不仅有革命性一面，还有妥协性一面，小资产阶级则有着动摇性和散漫性的特点。这些，就决定了无论民族资产阶级或者小资产阶级都不可能领导中国革命达到彻底胜利。辛亥革命就是终于以同帝国主义和封建势力的妥协而告结束的。在 1919 年五四运动以后，中国无产阶级建立了自己的政党——中国共产党，开始以一个觉悟了的独立的政治力量登上近代中国的政治历史舞台，并且勇敢地担负起领导中国革命的责任，使中国革命的面貌为之一新。从此，中国革命进入新民主主义的历史时期。上述这些阶级和阶层从旧民主主义革命的领导者发展成为我国无产阶级在新民主主义革命中的重要同盟军。

在我国的新民主主义革命时期，这些中间阶级和阶层走过了曲折的道路。他们曾经参加了第一次国共合作所形成的民族民主统一战线和 1925 年到 1927 年的大革命。1927 年大革命失败后，民族资产阶级许多人一度附和了蒋介石的反动，但是他们基本上没有掌握过政权，政治上和经济上都没有得到什么好处，而是受到当政的国民党反动派所代表的大地主、大资产阶级的限制、排挤和打击。1931 年“九一八”事变以后，面对日本帝国主义企图灭亡全中国的严重威胁，这些中间阶级和阶层不满蒋介石的不抵抗政策，积极要求抗日，并在国共两党的斗争中逐步采取了中立的立场。抗日战争时期，他们参加了我们党所领导的抗日民族统一战线，在抗日和民主的要求上同我们党合作，反对蒋介石国民党的对日妥协投降阴谋和独裁专制的反动政策。在解放战争时期，他们遭到帝国主义、封建主义和官僚资本主义的严重压迫，在我们党的进一步争取团结和教育下，不同程度地参加了反帝反封建反官僚资本主义的斗争，并且随着人民革命战争的胜利发展逐步转到我们党所领导的人民革命方面来，为夺取新民主主义革命的胜利作出了贡献。各民主党派就是这些中间阶级、阶层的人们，在新民主主义革命时期，主要是抗日战争时期和解放战争时期，基于反帝爱国和争取民主的共同要求，经过长期的酝酿和分化与组合，终于先后形成和建立起来的。它们在政治上主要反映民族资产阶级、城市小资产阶级和同这些阶级相联系的知识分子的动向和要求，是这些阶级、阶层的政治代表。

中国国民党革命委员会（简称民革），1948 年 1 月在香港成立，主要由国民党内各爱国民主的反蒋派和爱国民主分子联合组成。民革的产生经历了一个长期的孕育过程。它的创始人和成员中，许多人如李济深、蔡廷锴、冯玉祥等早在抗日战争爆发以前，就同蒋介石集团在抗日和民主的问题上存在尖锐矛盾和斗争；有些人如何香凝、柳亚子等在大革命时期就是国民党左派，一贯坚持孙中山联俄、联共、扶助农工的三大政策，同蒋介石集团进行了长期的斗争。抗日战争爆发后，他们都参加抗日民族统一战线，联合在国民党内。1941 年 1 月皖南事变后，蒋介石消极抗日、积极反共的面目更加暴露，抗日阵营面临分裂、妥协、投降的严重威胁。这时，国民党内一贯坚持孙中山革命三大政策的宋庆龄、何香凝、柳亚子、彭泽民等在香港联名发表通电，严厉谴责蒋介石的反共投降政策。国民党内一部分民主分子即有组织国民党民主派的酝酿。国民党内另一些爱国民主分子如王昆仑、许宝驹等同我党合作，秘密组织“中国民主革命同盟”（即小民革），在国民党内进行爱国民主活动。1943 年到 1944 年间，谭平山、柳亚子、郭春涛、陈铭枢、朱蕴山、王昆仑等国民党民主派在重庆有民主座谈会的组织。这个座谈会在 1945 年 10 月间发展成为“三民主义同志联合会”（简称民联），宣布以国民党第一次全国代表大会宣言为最高纲领。1945 年 9 月，何香凝、李济深、蔡廷锴、李章达等另一些国民党民主派发起组织民主促进会，1947 年 3 月在香港宣布正式成立“中国国民党民主促进会”（简称民促）。1947 年 11 月，在人民革命战争转入战略反攻并且取得节节胜利的形势下，三民主义同志联合会、中国国民党民主促进会和中国民主革命同盟中的某些成员以及其他一些国民党内的民主分子，在香港举行国民党民主派第一次代表会议，决定联合成立中国国民党革命委员会。民革的成立，标志着国民党民主派同国民党反动派的公开决裂，深化了国民党内部的分歧和斗争，使国民党反动派更加陷于孤立。

中国民主同盟（简称民盟），主要是一部分中上层知识分子的集团。它的前身是中国民主政团同盟，成立于 1941 年 3 月。当时的组成成分是：

中华全国各界人民救国联合会（1946 年改名中国人民救国会），中华民族解放行动委员会（1947 年改名中国农工民主党），中华职业教育社，乡村建设派，中国青年党，国家社会党（1946 年同伍宪子的民主宪政党合并改名民主社会党），和某些无党派的爱国民主人士。这些小的党派、组织早在抗日战争以前就先后成立了。由于它们所联系和代表的阶级、阶层不同，其政治倾向也不同。但是基本上是爱国的，并有不同程度的民主要求，所以能够在抗日战争时期联合组成中国民主政团同盟。

（1）中国人民救国会，是在中国共产党领导的抗日救亡运动中形成的。1935 年 8 月 1 日，我党发表《中共中央为抗日救国告全国同胞书》（即“八一”宣言），上海各界爱国知识分子相继组织座谈会，响应我们党的号召，积极开展各种抗日救亡活动。“一二·九”学生运动爆发后，抗日救亡运动更在全国范围特别是广大知识分子中蓬勃地开展起来，纷纷成立抗日救亡团体。1936 年 5 月，上海各界救国联合会召集全国各抗日救亡团体的代表及个人开会，在上海成立中华全国各界救国联合会。主要负责人有马相伯、沈钧儒、邹韬奋、李公朴、史良、章乃器、陶行知、刘清扬、王造时等。成员中有许多革命知识分子，政治上倾向共产党。在抗日民主运动中曾作出重要贡献。

（2）中国农工民主党，前身是 1930 年由邓演达等国民党左派和一些脱离共产党的人们组成的中国国民党临时行动委员会。该会成立时的政治主张是坚持孙中山联俄、联共、扶助农工的三大政策，反对国民党反动派的统治，也不赞成共产党的主张。1931 年邓演达被国民党反动派杀害。1935 年 11 月，章伯钧、黄琪翔、彭泽民等在香港重整组织，召开第二次全国干部会议，决定改名为中华民族解放行动委员会，发表《告同志书》，响应我们党“八一”宣言提出的各党各派合作抗日、共赴国难的号召，从此采取同共产党合作的态度，在抗日民主运动中同我们党相配合，发挥了重要的积极作用。

（3）中华职业教育社，成立于 1917 年，主要领导人有黄炎培、冷遹、江恒源、杨卫玉等。职教社成立后的主要活动是倡导和从事职业教育，以适应民族工商业的发展对技术、管理人才的需要。“九一八”事变后，于从事职业教育之外积极参加抗日救亡活动，先后创办《救国通讯》、《展望》等刊物，宣传爱国主义和民主运动。

（4）乡村建设派，主要代表人物为梁漱溟等，形成于 1927 年大革命失败以后的时期。当时由于帝国主义的加紧侵略和连年军阀混战，造成农村破产，不仅贫雇农无法生活，就是富农和中小地主也遭到损害，因而产生资产阶级乃至地主阶级的乡村改良运动。以梁漱溟为代表的乡村建设派抗日战争前主要在山东省邹平和菏泽二县的一些地方从事乡村建设实验。抗战开始后，梁漱溟被国民党政府聘为国民参政会参政员，曾提出“一多相容，透明政权”的主张，即是政府不能带有党派色彩，参加政府的各党派的成员一律要退出党派，使政府成为超阶级的“无色透明体政府”。这是一种根本行不通的空想。此后开始参加民主运动。

（5）中国青年党，1924 年成立，主要领导人有曾琦、左舜生、李璜等，成员多是地主、资本家和政客。政治上鼓吹国家主义，一贯反对共产主义，也不满国民党的一党专政。在“九一八”事变后曾提出“政党休战”，“共赴国难”的口号，抗战期间曾参加某些爱国民主活动。

（6）国家社会党，即民社党。1934 年成立，前身是张君劢、张东荪、罗隆基等于 1931 年组织的再生社。政治上反对共产主义，也不满国民党反动派的统治，倡导国家社会主义以对抗共产主义。其领导层中一部分是参加过梁启超的进步党或研究系的分子，如张君劢、张东荪等；一部分是依附过直系军阀的失意政客，如汤芗铭、徐傅霖、罗文干等；还有一部分是上海的一些大学的教授，如诸青来、潘光旦、罗隆基（1942 年宣布退出）等。该党在“九一八”事变后，也提出抗日救国的要求，表示同情学生的爱国运动，但坚持反共。民社党同青年党基本上都是地主资产阶级在野的官僚政客集团，在抗日战争时期由于受国民党的排挤和打击，逐步参加了一些民主运动。

早在 1939 年 11 月，上述中国人民救国会等三党三派的主要负责人和不属于这些团体的某些民主人士如张澜等，就在重庆有统一建国同志会的组织，并订有信约十二条。1941 年 1 月皖南事变后，国民党反动派气焰嚣张，不但对共产党实行军事进攻和政治压迫，对各小党派也加紧实行消灭异己的政策。这时，各小党派为促进国内团结和坚持抗战，也为着有力量对付国民党反动派的压迫，感到有进一步联合的必要，经过酝酿，于当年 3 月宣布成立中国民主政团同盟，制定了十条纲领，以贯彻抗日、实践民主、加强团结相号召。1944 年 9 月，民主政团同盟在重庆召开全国代表会议，决定打破团体会员制，改为个人参加，并改名为中国民主同盟。中国民主政团同盟的成立和它发展成为中国民主同盟，反映了中间阶级、阶层在爱国民主要求基础上的团结和发展，促进了国民党统治区的爱国民主运动，对于我们党加强同中间阶级、阶层的团结，巩固扩大抗日民族统一战线，有重大意义和影响。

中国民主建国会（简称民建），是以民族工商业者为主的政治团体，1945 年 12 月成立。当时它的主要成员有五个方面：（1）民族工商业资本家，包括迁川工厂联合会和重庆中小工厂联合会的代表人物，抗日战争胜利后在京、津、宁、沪等地吸收的某些工商业资本家。（2）中华职业教育社的代表人物。（3）川康金融资本家。（4）和工商界有联系的知识分子。（5）部分工商业的从业人员。民建的成立也经历了一个酝酿过程。在抗日战争期间，民族工商业受到官僚资本的兼并和排挤，大批中小民族工商业纷纷倒闭。抗日战争后期，大后方的部分民族资本家即有聚餐会和座谈会的活动，对时局和共同有关的问题交换意见。抗日战争胜利后，他们感到有加强联系、成立组织的必要，1945 年 12 月在重庆正式宣布成立中国民主建国会，推选黄炎培、胡厥文、章乃器、施复亮、孙起孟等十五人为常务理事。这是一个主要反映代表民族资产阶级的愿望和要求的政治团体。中国民主建国会的成立，促进了民族资本主义工商业者的团结，并且鼓舞和推动他们参加反美蒋的爱国民主运动，发挥了积极作用。

其他几个民主党派的情况，这里就不详细说了。

各民主党派由于其所联系和代表的阶级、阶层都有爱国民主的共同要求，这同我们党在民主革命阶段的要求是基本一致的。这些民主党派中，有一批革命知识分子和极少数共产党人参加和发挥作用。在我们党的统一战线政策的影响和争取团结下，它们早就同我们党建立了合作的关系。它们都有爱国的革命光荣历史。在抗日战争时期，他们同共产党合作，共同为坚持团结、抗战、进步，反对国民党顽固派的分裂、投降、倒退而努力。在抗战胜利后的旧政协和国共和平谈判期间，他们主要同共产党一起反对国民党反动派的内战、独裁政策，为和平、民主而共同奋斗。其中，民盟和一些无党派民主人士作为“第三方面”，参加了旧政协。在旧政协会议期间，他们同我们党合作得很好。民盟同我们党的代表团还曾有君子协定，对重大问题事先交换意见，互相配合。其他几个民主党派如民主建国会、中国民主促进会、九三学社筹备会等，没有参加旧政协，他们在会外积极提出建议和主张，在政治上和社会舆论上对我们党在政协会内的斗争起了重要的配合作用。国民党内部的民主进步力量，也以个人或组织的活动，积极配合，发挥了很好作用。在国民党反动派不顾全国人民的和平民主要求，悍然撕毁政协决议，片面召开伪国大，发动全国内战的重要历史时刻，民盟和一些无党派民主人士同共产党一道，拒绝参加伪国大和由国民党一党包办的反动政府，并且先后把投靠国民党反动派、参加伪国大的青年党和民社党从民盟中开除出去。各民主党派都严正声明不承认伪国大和由这个伪国大制定的伪宪法。他们都积极参加国民党统治区的民主运动。各民主党派的这些重大政治行动，鼓舞和配合了当时在国民党统治区蓬勃兴起的广大学生反饥饿、反内战、反迫害的正义运动，成为打击国民党反动政府的第二条战线的一个组成部分，有效地支持了人民革命战争的胜利发展。

在这期间，民主党派的领导层中曾有少数人，主要是某些民族资产阶级的右翼分子出来鼓吹中间路线。宣称既反对国民党的反革命道路，又反对共产党的革命道路，要走一条在国共两党的道路之外的第三条道路。他们要求和平民主，反对国民党反动派的内战独裁政策，是有积极意义的，但是他们又对国民党反动派，尤其是对美帝国主义抱有很大幻想，害怕人民以革命战争反对反革命战争，散布无原则的和平主义，这些是中间路线的消极方面，对人民革命是不利的。这条中间路线的实质，就是要在中国建立资产阶级的民主共和国。它从来是民族资产阶级的一个幻想，在我国具体历史条件下是根本行不通的。当时，由于国民党反动派不仅残酷镇压我们党所领导的各项革命运动，同时对各民主党派也进行打击和迫害，不容许中间路线存在；由于我们党对民族资产阶级和民主党派坚持了又团结、又斗争的统一战线政策，一方面积极争取团结他们共同进行争取和平、民主的斗争，另一方面对中间路线进行了有理、有利、有节的批评和反复耐心的教育，帮助人们包括中间路线的鼓吹者提高认识，缩小中间路线的影响；还由于民主党派内部进步力量的反对，他们团结广大成员对中间路线的鼓吹者形成制约力量，这样一些外部的和内部的因素，使中间路线在民主党派中未能形成主导地位。各民主党派在这段时间的主要方面，是同我们党继续合作共同奋斗，并在共同奋斗的实践中受到锻炼和教育，不断进步。

正是由于各民主党派坚持同共产党合作，为争取和平民主，反对国民党反动派的内战独裁政策而斗争，他们受到国民党反动派的残酷迫害，一批著名的领导人和成员被殴打、监视甚至逮捕，著名爱国民主人士李公朴、闻一多、杜斌丞等惨遭杀害，为革命流了血，献出了生命。民主同盟、三民主义同志联合会、民主建国会、民主促进会、农工民主党等党派被诬为“中共操纵指使之工具”。1947 年 10 月，民盟甚至被国民党反动政权宣布为非法组织，被迫宣告解散。在这样严重的白色恐怖下，各民主党派得到中国共产党的支持和帮助，转入地下继续进行斗争。

1948 年 1 月，在人民革命战争转入战略反攻并且取得节节胜利的形势下，国民党民主派在香港成立了中国国民党革命委员会，提出了推翻蒋介石独裁政权，实现中国独立、和平、民主的奋斗任务。民盟的一部分领导人沈钧儒、章伯钧、周新民等先后从上海秘密到达香港，同在香港的领导人会合，召开了民盟一届三中全会，重组民盟总部，正式宣布同中国共产党亲密合作，共同为摧毁国民党反动政权和反对帝国主义的侵华活动而斗争。对此，民盟留沪的领导人张澜、黄炎培、史良、罗隆基等也表示同意和支持。在此以后，民盟实行“一面倒”，就是倒在新民主主义方面。其他几个民主党派的领导人也先后秘密到达香港，继续从事反对国民党反动派的革命活动。1948 年 5 月，各民主党派在香港发表通电、决议，响应中国共产党关于召开新政协、成立民主联合政府的“五一”号召。随后，各民主党派的领导人应中国共产党的邀请，陆续进入东北和华北解放区，并且经过协商于 1949 年 1 月 22 日联名发表了《对时局的意见》，宣布“在人民解放战争进行中愿在中共领导下，献其绵薄，共策进行，以期中国人民民主革命之迅速成功，独立、自由、和平、幸福的新中国之早日实现”，并宣布“全国真正为人民民主革命而努力的人士，必能一致努力，务使人民民主阵线之内，决无反动派立足之余地，亦决不容许有所谓中间路线之存在”。

1949 年 9 月，各民主党派同我们党一道参加了中国人民政治协商会议，成为人民政协的重要组成单位。他们同我们党和其他各界代表人物一道参与讨论制定了具有临时宪法性质的《中国人民政治协商会议共同纲领》，参加选举产生了中央人民政府，庄严宣告了中华人民共和国的光荣诞生。各民主党派的领导人分别参加了中央和地方各级人民政府的工作，担任了中央人民政府副主席、委员，政务院副总理、政务委员，一些部、委的部长、主任和许多部的副部长，以及省、市人民政府的重要领导职务。所有这些，标志着民主党派地位的根本变化。它们不再是旧中国反动政权下的在野党，而成为新中国人民民主专政政权的参加者，在中国共产党的领导下，和共产党一道担负起管理国家和建设国家的历史重任。从此，各民主党派走上了新的历史道路。

新中国成立后，我们党对民主党派的总的方针是，帮助他们团结、进步和发展，在国家政治生活和祖国建设事业中同他们真诚合作，充分发挥他们的积极作用。党对民主党派采取这样方针的依据主要是：（1）他们有一定的社会基础，主要的就是民族资产阶级，城市小资产阶级和同这些阶级相联系的知识分子。这些阶级、阶层不仅合法存在，而且是我国人民民主统一战线的重要组成部分。因此，联系和代表这些阶级、阶层的民主党派应当继续存在。（2）有合作的历史。各民主党派在民主革命时期已经同我们党合作多年，并且对革命胜利作出了贡献。新中国成立后，他们又公开宣布接受共产党的领导和中国人民政协《共同纲领》，因此，更有条件和必要继续合作下去。（3）有作用。在团结教育和改造民族资产阶级、城市小资产阶级、同这些阶级相联系的知识分子以及其他爱国民主分子的工作中，民主党派可以因其固有的联系和影响，发挥重要作用。（4）有人才。各民主党派中有许多知识分子，有不少专家、学者，是开展经济、文化建设事业所不可缺少的知识力量。（5）有国际影响。在共产党的领导下实行多党派合作，有利于国际统一战线的发展。

为着帮助民主党派团结、进步和发展，我们在开国初期对民主党派进行了以下一些工作。

第一，帮助各民主党派召开全国代表大会或中央会议，总结历史经验，确定新中国成立后的政治纲领和组织方针。1949 年底和 1950 年，各民主党派相继召开了各自的全国性会议。在这些会议的会前或会议过程中，恩来同志和我（有时是我一人）分别会见他们会议的代表，向他们作了报告，表达了我们党同民主党派继续保持政治联盟和实行长期合作的根本方针，帮助他们回顾过去走过的历史道路，确定今后的方向和任务。经过会议的讨论，各民主党派作出决议，进一步明确宣布接受中国共产党的领导，放弃他们原来制定的旧政治纲领，以中国人民政协《共同纲领》作为各自的政治纲领，同时确定在组织上进行清理、整顿，并在此基础上发展成员。

在各民主党派的全国性会议上都是有争论的。争论的主要问题是要不要以人民政协的《共同纲领》为政治纲领？发展成员要不要有一定的政治条件？民主党派中的极少数右翼分子虽然已经宣布放弃他们过去鼓吹的中间路线，但在思想深处仍然怀着资产阶级民主制的思想，想在人民民主专政下搞反对派，在组织上则力图排斥进步分子，把民主党派搞成单一的资产阶级政党，民革有人甚至主张发展成员可以不问政治面貌，要求登报号召国民党员归队。对极少数右翼分子的这些错误主张，我们遵照党中央和毛主席的指示，采取“政治严肃、组织宽大”的原则，支持进步分子对他们进行批评教育，使这些右翼分子在成员中陷于孤立，同时在组织上团结他们，仍给他们以一定的政治安排和实际工作。做到既坚持了原则，又坚持了团结，从而使这些民主党派中央会议取得圆满成功。

第二，清理整顿组织。解放初期，民主党派存在着组织不纯和领导机构不够健全的问题，有的地方组织严重不纯，甚至组织系统也不统一。例如南京解放的时候，民革就出现九个市级组织，各不相属。其中有个叫民革特别小组的，它的领导人王龙为南京著名的土豪，一直为国民党军统工作。这个小组在社会上公开招收党徒，滥发党证，吸收国民党国防部军闻社的全部职员（都是特务）参加，影响很坏。农工民主党在南京也出现两个市级组织，其成员包括各色复杂分子。这种情况同民主党派在新中国的地位和所担负的政治任务很不相称。为此，各民主党派的全国性会议都作了清理整顿组织的决议。要求把那些混进民主党派组织的反革命分子和政治面目不清的人清洗出去，把领导机构健全起来，在各级地方领导机关尽可能做到：左派加中间偏左的分子占优势，同时包括一批中间分子和少数在社会上有影响的右翼分子。当时，民盟四中全会扩大会议确定的清洗对象主要是五种人：（1）过去和现在的特务分子，（2）反苏、反共、反人民者（包括反土改的在内），（3）过去在反动党、团、军、警、宪及日伪机关服务，罪恶昭著而无主动赎罪表现者，（4）过去作恶多端为人民所痛恨者，（5）贪污腐化者。各民主党派经过清理整顿，健全了各级领导班子，为在新中国发挥应有作用，在组织上创造了必要的条件。

第三，明确指导思想。各民主党派内部都有左中右的政治分野，包含了不同阶级的人们，因此，不可能要求民主党派以工人阶级的思想作为指导思想。但是当时有些进步分子脱离实际，要求规定以马列主义作为民主党派的指导思想。按照这种意见去做，就会把民主党派同共产党相混淆，脱离广大中间群众的思想水平，只能造成混乱。我们及时地向民主党派提出这个问题，帮助各民主党派明确以“承认工人阶级为领导”的思想为指导思想，而不是以工人阶级的马列主义思想为指导思想。

第四，帮助各民主党派协商确定各自分工活动的主要范围和重点：民革的对象是原国民党员及与国民党有一定历史联系的人士。民盟是文教界的知识分子。民建是工商业资本家和与工商界有联系的知识分子。民进是中小学教师和文化出版界人士。农工民主党是公职人员和医务工作者。九三学社是科技界的高级知识分子。致公党是归国华侨及与华侨有联系的人士。台盟是在祖国大陆上的台湾省籍同胞。

第五，为避免引起有关国家的疑虑和外交纠纷，经协商确定各民主党派原在国外以及香港、澳门等地建立的分、支组织，停止活动。

第六，帮助发展成员。各民主党派在解放前由于历史条件的限制(处在国共两个阵营的尖锐斗争环境中，很少有活动余地；国民党反动派的法西斯统治，不允许它们公开活动，等等）和自身的弱点（软弱性、活动圈子小，更多局限于上层人士范围等)，其成员人数在解放初期都很少。最多的是民盟，只有七千余人，有几个党派只有一二百人。为着使各民主党派能够担负起它们在新中国的政治任务，在它们的组织经过清理整顿之后，很需要适当发展一批新的成员。1950 年 10 月各民主党派举行中央会议时，恩来同志代表中共中央向各民主党派提出了发展成员的建议。我向他们的这次中央会议作了题为《更加巩固与发展人民民主统一战线》的讲话，其中重要内容之一就是讲民主党派的发展与巩固问题。1951 年 1 月召开的第二次全国统战工作会议上，把帮助民主党派发展组织问题作为一项重要议题，进行了讨论。毛泽东同志在听取这次统战会议的汇报时说，去年说要巩固，今年说要发展，如果今年还只是一个巩固，那是不行的。因为社会上有民主党派的阶层和人物存在，所以就应当发展。中国人口四万万七千五百万，所有民主党派不到二万人，今年发展一倍也不过四万人，并不算多。这个问题应该写出几条指示发到各地去。我们在这次统战工作会议上，提出了《一九五一年协助各民主党派发展党员的建议》，要求各地在 1951 年协助各民主党派发展成员一至二倍；发展地区主要是大中城市和省会；发展成员的条件应该是拥护《共同纲领》并愿为其实现而奋斗。经过各民主党派的努力，加上我党有关组织和统战部门的积极帮助，到 1953 年初，各民主党派的成员共发展了两倍，可以说是初具规模。

第七，推动帮助各民主党派进行学习改造。主要是学习《共同纲领》，学习时事政策，学习毛泽东思想。为此目的，中国人民政协全国委员会成立学习座谈会，负责各民主党派和民主人士的学习工作。对于各民主党派中在文教、科技方面工作的知识分子，则帮助他们学习马列主义，用马列主义武装头脑，以适应他们所担负的工作任务的要求。

经过上述工作，为各民主党派在建国后的新的历史条件下继续前进，和在国家政治生活中更好地发挥积极作用，打下了较好的基础。

（三）开展政权机关、协商机关的统战工作

1949 年 10 月建立的中华人民共和国在当时是属于新民主主义的共和国。当时建立的人民民主专政的政权是工人阶级领导的、工农联盟为基础的、包括小资产阶级和民族资产阶级以及其他爱国民主分子在内的人民民主统一战线的政权。中国人民政治协商会议及各级协商机关是人民民主统一战线的组织。中国人民政协的第一届代表会议，代行全国人民代表大会的职权。在普选的全国人民代表大会召开以后，中国人民政协不再代行全国人民代表大会的职权，而作为人民民主统一战线的组织继续存在和发挥作用。

在县以上各级政权机关和协商机关中，都有民族资产阶级、民主党派和民主人士的代表人物参加。因此，作为政权、协商机关的统战工作，对于巩固人民民主专政，发展人民民主统一战线，具有非常重要的意义。我们党对这两方面的统战工作都非常重视。当时，我兼任政务院和全国政协的秘书长。1950 年政务院各部、委成立之后不久，我们即推动各有关部、委党组，进行统战政策执行情况的检查，改善同党外人士的合作共事关系。1951 年 4 月，在中央领导下，以政务院的名义召开了政务院第一次全国秘书长会议，同时以全国政协的名义召开了省、市协商委员会秘书长会议，分别讨论政权、协商机关的统战工作问题。我在政务院召开的全国秘书长会议上作了题为《进一步加强政府机关内部的统一战线工作》的报告，经会议讨论同意，报请中央批准，下达各地执行。

这次政务院第一次全国秘书长会议，在政权机关统战工作方面主要明确了以下几个问题：（1）一个基本原则。一方面要使政府机关每个工作人员不仅在形式上而且在实际上有职有权，有与自己职务相称的权力，以便履行其职责；另一方面又要使每个工作人员不仅口头上而且行动上，对共同纲领和政策法令的实施，保持高度的统一性与纪律性。（2）必须把

沟通政策思想的工作，视为政府机关工作人员团结进步、统一行动的基本工作。(3) 必须有职有权有责。一份职务，一份权力，一份责任，三者不可分离。有职无权是不对的，有职有权而不尽其应尽的责任也是不对的。(4) 共产党员要主动团结非共产党员。(5) 必须采取批评和自我批评的方法。(6) 大家学习毛主席，学习他的思想、理论和作风，使理论同实践结合起来。(7) 政府机关的统战工作由有关部门的秘书长和办公厅主任掌管，要定期检查和总结。

在全国政协召开的省、市协商委员会秘书长会议上，着重讨论了各级协商委员会的工作问题。会上反映，各地对协商委员会的性质及其与各方面的关系在认识上存在原则性分歧。有的认为协商委员会是一种政权性质的机关，是行政或立法机关。有的认为协商委员会对各民主党派和人民团体的关系应该是领导关系。也有的将协商委员会看成政府的隶属机关，政府对它可以命令行事。还有的认为协商委员会可有可无、是无足轻重的机关。我在会上就这些问题和协商委员会的工作问题作了报告。经过会议讨论，获得以下共同认识：各级协商委员会的性质是统一战线组织，它不是政权性质的机关，更不是政府的上级机关，也不是政府的隶属机关。它同政府的关系是协商、建议和协助政府联系人民推动工作的关系。它同各民主党派和人民团体的关系，也不是领导关系，而是它们协商和团结合作的机关，靠协商办事。协商委员会与中共统一战线工作部的关系，也是协商和团结合作的关系，统战部应协助协商委员会的工作和活动。这次会议根据协商机关的这种性质，制定了《省、市各界人民代表会议协商委员会组织通则》和《关于各省、市各界人民代表会议协商委员会工作的意见》，提出了协商委员会如下的工作任务。

(1) 协助人民政府实行各界人民代表会议的决议，并了解决议执行情况。

(2) 协助人民政府联系人民，征求并反映人民意见。

(3) 审议政府交议的文件和议案。

(4) 系统地搜集政治法律、财政经济、文教卫生、市政建设、宗教事务及其他方面材料，进行研究，提出意见，供政府采择。

(5) 召集各界人士座谈会，协助政府解释政策法令，并征求对政策法令的意见。

(6) 接受人民的建议、询问、要求、申诉与批评，并负责加以处理。

（7）协助与推动各民主党派、人民团体、民主人士参加各种人民革命运动和建设工作。

（8）组织时事座谈会和学习会，协助各民主党派、人民团体、民主人士进行时事、政策和理论学习。

（9）协助各民主党派、人民团体、民主人士解决相互有关的问题，加强团结合作。

（10）对各民主党派的发展及训练干部等工作予以可能的协助。

（11）协同人民政府筹备下届各界人民代表会议。

这两个秘书长会议的召开，对于全国政权机关和协商机关的统战工作的开展，是一个很大的推动，明确了方向和任务，为进一步开展这方面的工作，打下了良好基础。

（四）筹备建立全国工商联，开展人民团体的统一战线工作

工商业联合会是各类工商业者联合组织起来的人民团体。在社会主义改造基本完成以前，其成员中私营企业占绝大多数，国营企业、公私合营企业以及合作社等也参加在内。它的基本任务一方面是代表私营工商业者的合法利益，向人民政府或有关机关反映意见、建议和要求；另一方面以《共同纲领》和人民政府的政策法令教育私营工商业者，并指导他们积极从事合法的生产和经营，进行思想改造，参加各种爱国运动。

我国的私营工商业者在旧中国没有一个全国性的工商业联合会的组织。他们曾经组织过商会和同业公会，大都是地区性的，并且带有封建行会的性质，根本不能适应新中国成立后的形势和任务，需要加以整顿和改造。1949 年 8 月，中共中央就发出了《关于组织工商业联合会的指示》，提出“工商业以合并成立工商业联合会为好。我公营企业的主持人员亦应参加进去一些，以便教育和团结私人工商业家”。“工商业联合会的重心应是私营企业，工业较商业的比重应逐步增加”。在中国人民政治协商会议的筹备过程中，我们党同各民主党派曾协商过筹建全国工商业联合会的问题，但由于时机不成熟，未能开始筹建。

新中国成立后，各级党组织和人民政府积极帮助私营工商业者进行政治学习和自我改造，对各地原有的同业公会等组织进行整顿改组，并在大

中城市逐步建立市级工商业联合会，为筹建全国工商联创造了有利条件。1951 年 2 月，中央在《关于进一步加强统一战线工作的指示》中再次指出，“必须加强工商业联合会的工作，准备成立全国工商业联合会，公营企业必须积极参加工商业联合会的活动。党和人民政府则经过统战部门和财经部门，去实现对工商业联合会的业务的和政治的领导”。1951 年 10 月，各地来京参加国庆节观礼的工商界代表人物，普遍要求成立工商界的全国性组织，并且为此开展了广泛的活动和酝酿。上海等地的一些工商界大户还表现了企图控制全国工商联和排斥中、小户的苗头。10 月 6 日，中央统战部邀请来京参加国庆观礼的工商界代表座谈，我在会上提出工商界应当有他们自己的从地方到中央的组织，以便有效地搞好工商界内部和外部的团结工作，用民主的方法进行工商业者的自我教育，以利于更好地参加国家经济建设。同时提出目前各地工商联还都存在对中、小工商业者照顾不够的缺点，并强调说明新民主主义的工商联应当成为代表全体工商业者的机构，不但应当广泛地吸收中、小工商业者为会员，工商联的领导机构也必须有适当数量的中、小工商业者的代表。我还讲了工商界的自我教育和自我改造问题，肯定工商界两年来在这方面已经取得较大成绩，但是目前还有部分工商业者存在暴利思想，因此工商界的自我教育和自我改造工作还要进一步普及和深入。

这次座谈会后，我向中央写了报告，建议由政协全国委员会常委会指定一个筹备全国工商联的小组，负责进行准备工作。中央同意这个建议。随后全国政协常委会决定成立全国工商联筹备处，指定由陈叔通、李维汉、章乃器三人负责。陈叔通任筹备处主任，他很热心很积极，受到各地工商界代表人物的欢迎。筹备处成立后，在 11 月份先后同各地参加一届政协三次会议的工商界代表座谈协商两次，确定全国工商联的筹建工作分三步走。第一步成立筹备处，进行准备工作。第二步召开筹备代表会议，产生全国工商联的筹备委员会及其常委会。第三步，经过必要的准备，召开全国工商界代表会议，正式成立全国工商联合会。筹备处成立后，积极进行了以下几项准备工作：（1）起草了《中华全国工商业联合会筹备代表会议组织条例》和《中华全国工商业联合会筹备代表会议地区代表产生办法》，经政协全委会常委会批准实行。（2）提出了筹备代表会议代表的分配办法，确定了国营和私营企业代表的人数比例。经协商全部筹备代表会议的代表为三百七十三人。其中国营企业和合作社的代表六十三人，约占百分之十七。私营企业代表三百一十人，约占百分之八十三。大户和工商界上层代表人物一百二十四人，占代表总数的三分之一。小户代表五十五人，占代表总数的百分之十五。介于大户和小户之间的代表一百二十八人，占代表总数的百分之三十四。另有三名为台湾保留。这样做到大中小户各得其所。(3) 推动各地工商界积极做好筹备代表会议的准备工作，包括推选好代表等。原计划全国工商联的筹备代表会议在 1952 年 3 月召开，因“五反”运动尚未结束，推迟举行。

为着开好全国工商联筹备代表会议，中央统战部和中财委在会前分别进行了调查研究，采取了相应的政策措施。我在 1952 年上半年带调查组到华东等一些地方调查研究了“五反”中及“五反”后资产阶级的思想情况，以及如何分别领导大中小资产阶级的组织路线问题，草拟了改组各地工商联的方案，修改了原草拟的工商联组织通则稿。1952 年 6 月，召开了全国统战部长会议，审慎地学习研究了党对民族资产阶级的政策，通过了《关于改组工商业联合会的指示》（草案），报经中央修改批准。这个指示内容主要有以下几点：

(1) 工商联是工商业者联合组织起来的人民团体，其成员中私营企业占绝大多数，国营、公私合营企业及合作社也要有代表参加，它既有代表私营工商业者合法利益，以至为此进行合法斗争的权利，又有以《共同纲领》及有关政策法令教育私营工商业者，并指导他们积极从事合法的生产和经营的义务。只有结合这两个方面，才能发挥私人资本的有利于国计民生的积极性，才能使工商联成为党和人民政府团结、教育和改造私营工商业者，并在广大工商业者中享有适当信仰的团体。

(2) 改组工商联，是要使工商联的各种组织经过适当调整后，既能实现大、中、小户各得其所，又便利于党和人民政府向他们分别地、直接地进行工作，实现领导。

(3) 为适应大、中、小各得其所的方针，大城市的工商联应有市、区两级组织。市工商联是全市工商界的统一组织，其常务委员会应以大户和上层为主体，个别吸收中、小户代表参加，使之成为大户和上层日常活动的场所。区工商联则应成为中、小工商业者在经济上和政治上的活动阵地。

(4) 同业公会是工商界历久相沿的组织，在处理劳资关系、公私关系和今后国家实行计划经济时具有重要作用。要改变过去少数上层把持操纵、压迫中小工商业者的情况，使之成为工商联领导下的专业性组织。

（5）在大、中城市，摊贩、手工业者一般可不建立全市性的联合组织。摊贩可按市场建立委员会，手工业者可按行业分编小组。

（6）加强各级党委对工商联的领导。要加强国营企业代表和合作社代表在工商联的工作，以保证党的领导作用。并应在大、中、小户中，特别是在大、中资本家中培养政治上拥护共产党的领导、积极执行《共同纲领》的有代表性的进步分子。

中财委也进行了一系列工作。1952 年 5 月间，他们在大区财委主任会议上研究了“五反”后的市场情况，定出了活跃市场的各种具体措施。随后，接连公布了政务院关于胜利结束“五反”运动的指示，花纱布公司提高了棉纱工缴，人民银行降低了存放款的利息，贸易部门指示有关专业公司扩大推销工业品。这些措施，使私营工商业者喜出望外，对政府的照顾表示感激，为开好筹备代表会议作了重要的政治和思想准备。

1952 年 6 月下旬，全国工商联的筹备代表会议在北京召开。这是一次以民族资产阶级工商业者为主体的会议，也是我们党对民族资产阶级集中进行统战工作的一次会议。中央对这次会议很重视，明确地提出对这次会议的方针是要在消除“五毒”的基础上团结民族资产阶级，并且指定由薄一波、李维汉、叶季壮、程子华、李立三、王首道、南汉宸、薛暮桥、孟用潜、赖若愚、许涤新、吴雪之、曾传六、李哲人、黄达、李维新、王廷弼组成党组干事会，负责具体领导这次会议。恩来同志到会作了关于学习《共同纲领》的报告。陈云同志亲自指导会议的召开并到会讲话。毛泽东同志亲自接受他们献旗，使参加会议的代表受到极大的教育和鼓舞。

这次全国工商联的筹备代表会议是在“五反”运动胜利结束的时候召开的，参加会议的私营工商业者代表大多数在“五反”运动中受到批评教育，对我们党和人民政府有疑虑、有牢骚。有些代表不敢讲话，有些代表则想抓住某些地方人民政府工作上的一些缺点泄愤。他们对私营工商业者的前途或多或少地丧失信心。针对这种思想情况，筹备处主任陈叔通在开幕词中说明“五反”的必要和重大意义，并且说明了私营工商业者在消除“五毒”以后仍有光明前途，鼓励工商界发挥生产和经营的积极性。我们遵照中央的方针，在会议中既引导他们检讨过去的缺点错误，又鼓励他们对目前私营工商业所存在的困难和政府对私营工商业的各种措施大胆发表意见，有意识地让他们诉诉苦。在这样的基础上，陈云同志到会讲话，针对私营工商业者在会上所提出的和最关心的问题，主要是：(1) 关于加工订货的合理利润问题，(2) 关于加工订货的规格问题，(3) 如何活跃城乡交流和内外交流，(4) 银行利息问题，(5) 税收问题，(6) 劳资关系问题，(7) 关于防止“三害”、“五毒”问题等，一一作了明确解答，使他们在经济上的要求，大体上得到适当解决。陈云同志讲话中还指出了开国三年来国家建设的巨大发展和今后的光明前途。大多数私营工商业者听了陈云同志的讲话和周恩来同志的报告后都感到满意和兴奋，普遍认为不但解决了经济问题，而且解决了资产阶级的政治地位问题，不但解除了当前的困难，而且解除了将来进入社会主义的顾虑，并对国家和自己的前途增加了信心。会议最后经过协商选出了中华全国工商业联合会筹备委员会。主任陈叔通，副主任李烛尘、南汉宸、章乃器、孟用潜、盛丕华、许涤新、荣毅仁、傅华亭、陈经畬、黄长水、胡子昂、巩天民、李象九。

这次全国工商联的筹备代表会议取得完全成功。通过这次会议，贯彻了党对民族资产阶级的方针政策，直接向他们做了大量统战工作，既巩固了“五反”运动的胜利，又缓和了“五反”运动后紧张的阶级关系，安定了资产阶级的情绪，为今后的社会主义改造和国家经济建设发展创造了有利条件。参加会议的全体党员同志经过会议，对于党对资产阶级又团结又斗争、斗争为了团结的政策和策略的运用方面，有了进一步体会和了解，为今后开展对资产阶级的统战工作打下了较好的基础。实际上，筹建全国工商联的过程，就是我们逐步开展工商方面统战工作的过程。这次会议的圆满成功，也使我们把工商方面的统战工作大大向前推进一步。

二、为实现共同纲领而努力

建国初期统战工作的中心任务，总的说是为完满实现共同纲领而奋斗。

中国人民政治协商会议第一次全体会议制定的共同纲领，集中地体现了当时全国人民的意志和利益，具有向社会主义过渡的性质和特点，是我们党和人民民主统一战线在开国初期的共同奋斗纲领和共同政治准则。共同纲领的基本任务是要彻底完成新民主主义革命的全部历史任务，恢复和发展遭受长期战争破坏的国民经济，为社会主义准备必要的条件。为着实现这些繁重艰巨的任务，我们党在建国初期领导和团结全国各民族、各民主阶级、各民主党派、各人民团体和各界爱国民主人士，在政治、经济、思想文化等各条战线上开展了多方面的斗争，进行了大量的卓有成效的工作。1950 年至 1952 年在全国范围进行的土地改革、抗美援朝、镇压反革命，知识分子思想改造和“三反”、“五反”五大运动，或者是新民主主义革命任务的彻底完成，或者是社会主义革命的组成部分，都是为实现共同纲领而进行的伟大革命斗争。人民民主统一战线为推进五大运动的顺利开展做出了重要贡献，并且在斗争的实践中受到了锻炼和考验，更加巩固和扩大，它在国家政治生活中显示了更加重要的地位和作用。

（一）为三大运动的胜利而努力，在三大运动中经受锻炼和考验

建国初期，我们党领导全国人民开展了土地改革、抗美援朝、镇压反革命三大政治运动。这三大运动的矛头都是针对着帝国主义、封建主义以及他们的代表国民党反动派的残余势力，都是为着彻底完成新民主主义革命而进行的伟大革命斗争。夺取三大运动的胜利，必须要有一个在中国共产党领导之下的广泛的统一战线，把一切可以争取的、可以团结的人们都团结起来，使革命的敌人彻底陷于孤立的境地，以便战而胜之。由于当时帝国主义和封建主义以及国民党反动派在民族资产阶级、民主党派和民主人士中还有一定的社会联系和影响，因而三大运动的开展，对我国的人民民主统一战线又不能不是一个很大的锻炼和考验。经过这种锻炼和考验，人民民主统一战线必然更加巩固与扩大。

1. 土地改革运动

土改运动是一场伟大的反封建的革命群众运动。实行土地改革，废除封建半封建的土地所有制，消灭地主阶级，是我国新民主主义革命的一项基本任务，是解放农业生产力、发展农业生产和建立工业化的独立富强新中国的必要条件。中国共产党为实现这个历史任务进行了长期的斗争。全国解放以前，已在约有一亿四千五百万农业人口的老解放区基本上完成了土地改革。新中国成立时，全国尚有二亿四千六百万农业人口的新解放地

区没有进行土改。在那里，封建土地制度仍然存在，广大农民仍然受着地主阶级的剥削压迫。完成这些地区的土改，是开国初期面临的一个重大的革命任务。

我国人民民主统一战线内部在对待土改的问题上，总的说是一致的。不仅工人、农民和城市小资产阶级坚决要求土改，民族资产阶级由于身受封建主义的束缚和压迫，对土改的基本态度也是大体上拥护的。伟大的民主革命的先驱孙中山先生早就提出了“平均地权”的口号，后来又提出了“耕者有其田”的口号。以民族资产阶级、城市小资产阶级及其知识分子为主体的各民主党派在成立时制定的政治纲领中，也提出了改变土地制度的某些主张和要求。但是由于民族资产阶级、民主党派和民主人士中不少人同地主阶级有不同程度的联系，和土地有着密切关系，有些人自身就是工商业者兼地主或者地主兼工商业者，还有少数从地主阶级分化出来的爱国民主分子，同土地更有着密切的关系，他们自身的利益同土地改革又是相矛盾的，加以国民党反动派和地主阶级对土改的长期造谣、诬蔑的影响，因而民族资产阶级、民主党派和民主人士中的一些人对土改还有着不同程度的疑虑，有些人甚至有很大保留。他们中的某些代表人物在全国解放以前，就和中国共产党有过不断的争论。

1946 年，我参加中共和平代表团在南京同一些民主人士的接触中，就曾直接同他们中的某些人进行过争论和说服工作。当时，一些民主人士对解放区的土改提出了许多批评，黄炎培为此给毛主席写了信，同时抄一份给国民党上海市长吴国桢。国民党得到这封信如获至宝，立即派陶希圣、陈立夫先后去找黄谈话，要他把这封信公开发表。黄坚决拒绝了他们的要求，这是做得对的。事后，陈立夫从国民党上海市党部给黄打电话说，“我接到一个材料，说共产党要暗杀你。”黄想，共产党是不会要暗杀他的，但为提防国民党借口共产党来暗杀，他就在电话上说，“那请你保护。”结果国民党立即派了一个武装特务来把门，黄要见任何人都得通过这个特务，把黄气病了一场。这件事给他很大教育。有一次我去向他和冷御秋、杨卫玉等说明土改问题，黄向我说，“民主要武装，我们没有武装的民主就成了这样！”他们对土改的意见主要有两条。一条是怕地主没有出路。另一条是怕地主挨斗争，不赞成发动群众。我向他们解释土改的必要性，指出这是中国独立、民主、富强和工业化的必由之路，孙中山先生早就主张“耕者有其田”。我们党的政策是也给地主分一份土地，使他们能够自食其力，他们在土改后只要好好劳动改造是有出路的。对此，他们表示同意。至于发动群众起来斗争，我向他们说明，没有群众路线，不把群众发动起来，靠官办土改是搞不好的。他们听了也觉得有道理，黄炎培还举了国民党的例子，说蒋介石在抗战胜利后要在十二个县实行减租就是官办的，结果十一个县都没有办，说明靠官办不行。但是他们对发动群众同地主进行斗争，在思想上感情上总觉得使地主丢面子，有些接受不了。特别是对我们的基层干部有意见，说“你们那个苏北，党是好的，军队是好的，但坏就坏在政府，下边有很多干部是流氓”。这是反映地主的观点。我举出苏北的材料，向他们解释，同时说明我们工作中也有一些缺点。他们说他们也是有理之争。这次接触，虽然没有能够取得完全的一致，但是总的说，还是赢得了他们的同情和支持。

新中国成立后，要在广大新解放地区进行土改。民族资产阶级、民主党派和民主人士中的一些人在土改问题上同我们党之间的矛盾和斗争再一次表现出来。这集中表现在 1950 年 6 月召开的中国人民政协第一届全国委员会的第二次全体会议。

这次政协会议的中心议题是土改问题。中共中央向会议提出了土地改革法草案。刘少奇同志在会上作了《关于土地改革问题的报告》，系统地说明了土改的必要性，正义性和各项有关方针政策。他指出：封建土地占有制度的存在，使占乡村人口百分之九十的贫农、雇农、中农及其他人民，惨遭剥削，终年劳动，不得温饱。这“是我们民族被侵略，被压迫，穷困及落后的根源，是我们国家民主化、工业化、独立、统一及富强的基本障碍”。这种情况如果不加改变，中国人民革命的胜利就不能巩固，农村生产力就不能解放，新中国的工业化就没有实现的可能，人民就不能得到革命胜利的基本的果实。他提出，在土改时期，“应该在工人中，学生中，职员中，工商业者中，在部队的指挥员和战斗员中，解释人民政府的土地改革政策法令，使他们了解，并同情农民，帮助农民，而不要去同情地主，帮助地主，更不要去庇护地主，庇护自己亲戚朋友中的地主分子”。

对于我们党提出的土地改革法草案和少奇同志的报告，大部分民主人士在讨论中表示赞同，但是其中有不少人表露出“和平土改”的幻想，主张“只要政府颁布法令，分配土地，不要发动群众斗争”。一些从地主阶级分化出来的开明士绅和爱国起义将领，则对土改表示怀疑、不满以至抵触。他们说“地主养活农民”。“地主和佃农相依为命，谁也离不开谁”。“地主的好处不可一笔抹杀”。“土改偏差很大”，“斗争过火”。党和国家的干部“上层好，中层少，下层糟”，“地方的农会常常被土匪流氓所把持”，等等。有的人则散布“江南无封建”的错误言论，对土改进行抵制。对于这些错误言论，有些民族资产阶级的代表人物曾一度表现附和和共鸣。这是在土改问题上一场严重的阶级斗争。

我们党在会议过程中对各种怀疑、反对土改的错误言论和幻想“和平土改”的错误思想，进行反复的说服教育。中共中央的负责同志分别约请各民主党派、无党派民主人士和一些从地主阶级中分化出来的爱国民主分子的代表人物，进行协商座谈，沟通思想，交换意见。在小组会和大会上，开展批评和自我批评，摆事实，讲道理，在共同纲领的基础上统一认识。我们党的一些参加会议的同志，对攻击基层干部的错误言论进行了有力批驳。明确指出：广大基层干部特别是南下干部是在敌我生死斗争中久经考验过，忠心耿耿，艰苦朴素，在敌人面前奋不顾身，在解放西南、剿匪与稳定物价等工作中，成绩是主要的。他们的缺点，要帮助改正，但要实事求是，夸大他们的缺点是不符合实际的。有些党外的朋友也进行了批驳。著名爱国民主人士程潜说，土改中所传的偏差和错误，“有的是事实，而大部则是匪特的造谣和顽固地主的叫嚣，决不可一概而论。据我的考察，广大的新老干部，在生活上及其服务情绪上，都是能够忍苦耐劳，充分发挥了公而忘私的奋斗精神，表现了纯正的作风。就是留用的旧军政人员，很多正积极自求改造，亦在工作中有了好的表现。假使没有这些干部的艰苦奋斗，我们几个月来的成就，是不会有这样伟大的”。爱国起义将领傅作义说，“根据我耳闻目睹的事实，这些同志们的功绩，是应该无愧的受到人民的表扬。……他们常常是下铺地，上盖天和蚊虫一块儿睡觉。但他们念念不忘的是执行政策，时刻在怀念的是完成任务。执行政策，完成任务，无保留的为人民服务，就是他们所有的一切”。“这就是我们新民主主义建设中，全新的基层工作干部的作风和风貌”。还有些党外朋友提出，对基层干部要从正反两方面的反映去分析问题，不能盲目听信无根据的谣言。

经过大会、小会以及各种形式的会议的协商讨论和辩论，开展批评自我批评，分清了是非，统一了认识，这次政协会议通过了土地改革法草案。各民主党派的领导人分别在大会上发言，宣布拥护土地改革法草案，并且号召它们的成员为土改的圆满完成而努力奋斗。民革主席李济深说，“封建半封建土地所有制的存在，障碍了人民的中国走上工业化现代化的前程，我们中央人民政府和人民民主统一战线的每一个参加单位，都以最大的决心，来完成土地改革这一历史任务”。“并号召中国国民党革命委员会全体同志为全会决议的实现而奋斗到底”。民盟主席张澜代表中国民主同盟表示完全拥护土地改革法草案，并对所谓“人民负担过重无法生存”的叫喊进行了批驳，说“这种叫喊的来源，主要的是帝国主义和国民党残余挑拨离间的阴谋。其次，这种叫喊是大部分来自地主阶级。对这种反动恶意的叫喊，应该加以警惕，并且不要轻于置信”。民建常委会召集人黄炎培表示，完全同意刘少奇副主席关于土地改革问题的报告。认为依据国家的政策和法令，“今后的土改工作，可以做得比过去更加好，而且可以收得更大的效果”。民进主席马叙伦代表中国民主促进会全体会员向大会郑重宣布：“为保证这些报告所提出的历史任务的全部彻底实现而奋斗。”农工民主党主席章伯钧说：“我们中国农工民主党，在二十二年前，创党的时候，虽然提出耕地农有的土改政策……因为没有采取依靠贫雇农的路线，不是站在以工人阶级为主导的立场，所以只提出发行土地债券，收买地主土地的办法，结果，对于中国农民的解放运动没有实际的贡献。这不是偶然的。”“我代表中国农工民主党对于中国共产党所提出的土地改革法草案和刘少奇副主席在大会上所作的关于土地改革等问题的报告，表示彻底拥护和无条件接受。”

有些爱国起义将领也在大会上表明了支持和拥护土改的立场。爱国起义将领刘文辉坦率地说，“我就是一个大地主，拿四川话来说就是‘大绅粮’。我将无条件无保留的献出我所有的一切土地，分给农民，在没有实行土改以前，当然还要照章缴纳粮税。今天是川康所有‘大绅粮’应该觉悟的时候了!”爱国起义将领卢汉说，土改“关系今后建国的根本”。“自己原是一个地主，回到家乡，一定要多方解说，劝导，为实现土改而斗争，自己首先放弃过去地主享有的非法权益”。爱国起义将领邓锡侯说，“这样一个土地制度的改革，在我个人，我可以坦白的说，是和我本阶级（地主阶级）的阶级利益相冲突的”。“我愿诚挚的拥护这样的一个土地改革，我要坚决的放弃本阶级的利益，来服从全国人民的利益，服从整个革命的利益”。“我抱定决心，不仅做到军事上的‘起义’，而且更要做到阶级上的‘起义’”。

各民主党派、民主人士和爱国起义将领的这些发言、讲话、现身表示态度，批驳了各种怀疑、反对土改，以及庇护地主阶级的错误言论，打击了地主阶级攻击诬蔑土改的反动叫嚣，支持了广大农民的土改运动，促进了人民民主统一战线的巩固和发展，对于顺利进行土改有重要积极意义。这是党的统一战线政策的一个出色的成功。

毛泽东同志在会上致了闭幕词。他号召各阶层人士积极支持土地改革，过好土改关，做一个完全的革命派。他说，“战争和土改是在新民主主义的历史时期内考验全中国一切人们、一切党派的两个‘关’。……战争一关，已经基本上过去了，这一关我们大家都过得很好，全国人民是满意的。现在是要过土改一关，我希望我们大家都和过战争关一样也都过得很好。大家多研究，多商量，打通思想，整齐步伐，组成一条伟大的反封建统一战线，就可以领导人民和帮助人民顺利地通过这一关，只要战争关、土改关都过去了，剩下的一关就将容易过去的，那就是社会主义的一关，在全国范围内实行社会主义改造的那一关”。他重申了党同党外人士长期合作的方针。指出，“只要谁肯真正为人民效力，在人民还有困难的时期内确实帮了忙，做了好事，并且是一贯地做下去，并不半途而废，那末，人民和人民的政府是没有理由不要他的，是没有理由不给他以生活的机会和效力的机会的”。毛泽东同志最后强调提出，一定要巩固和扩大我国的广泛统一战线。他说“我们必须团结各民族、各民主阶级、各民主党派、各人民团体及一切爱国民主人士，必须巩固我们这个已经建立的伟大的有威信的革命统一战线。不论什么人，凡对于这个革命统一战线的巩固工作有所贡献者，我们就欢迎他，他就是正确的；凡对于这个革命统一战线的巩固工作有所损害者，我们就反对他，他就是错误的。要达到巩固革命统一战线的目的，必须采取批评和自我批评的方法”。“这是一个很好的方法，是推动大家坚持真理、修正错误的很好的方法，是人民国家内全体革命人民进行自我教育和自我改造的唯一正确的方法。”毛泽东同志的这个讲话，明确地表达了中国共产党的统战工作的基本方针和基本方法，提出了党同党外人士长期合作的光明前景，对各民主党派、民主人士和一切爱国的人们是极大鼓舞，在党的统一战线工作上有着长期的指导意义。

这次人民政协的会议之后，各民主党派都发布了拥护、支持土改运动的指示和决议，号召和动员它们的成员认真学习和遵守政府的政策法令，积极支持和参加土改运动，更好地团结一致，为完成这一伟大历史任务而斗争。

2. 抗美援朝运动

抗美援朝是一场伟大的反帝爱国运动。我国人民民主统一战线在这场伟大斗争中表现了高度爱国主义的一致和热情，作出了重要的贡献。

1950 年 6 月 25 日，朝鲜战争爆发。27 日，美国总统杜鲁门宣布武装干涉朝鲜内政，扩大朝鲜战争，同时宣布派遣它的第七舰队侵占我国领土台湾省。周恩来同志代表我国政府于 6 月 28 日发表声明，强烈谴责美国政府侵略朝鲜、台湾及干涉亚洲事务的侵略行为。9 月 15 日，美国侵略军在朝鲜仁川港登陆，占领汉城，越过三八线，迅速把侵朝战火烧到我国东北边境，派飞机不断轰炸扫射鸭绿江边我国的城市和乡村，严重威胁我国的和平和安全。9 月 30 日，周恩来同志代表我国政府庄严表示，“中国人民决不能容忍外国的侵略，也不能听任帝国主义者对自己的邻人肆行侵略而置之不理”。全国人民对美帝国主义的侵略行为表示极大愤慨。广大工人、农民和知识分子纷纷要求以志愿的行动抗美援朝，保家卫国。民族资产阶级、民主党派和民主人士也表现了爱国的热忱，拥护周恩来同志代表我国政府表示的不能“置之不理”的声明，一部分人并且主张以武力抵抗美帝国主义的侵略。但是另一方面，他们中不少人也暴露了崇美、恐美、亲美的思想，把美帝国主义的力量估计过高，认为它不是纸老虎，怕打仗，怕“引火烧身”，担心美帝把战争扩大到中国来，尤其怕原子弹，幻想“关门建设”。极少数人则主张“隔岸观火”，主张在忍耐退让中求生存。

我们党对这个问题采取了非常慎重的态度，先在党内进行讨论，征求意见。有一次在中央书记处讨论这个问题，我也在场。毛泽东同志问我的意见，我本着列宁关于胜利了的无产阶级要援助尚未胜利的国家的道理，主张出兵援助朝鲜。中央决定后，又同各民主党派和无党派民主人士的少数代表人物进行协商座谈，征求他们的意见。主要由恩来同志和我出面，分别约他们座谈三次。他们也都是同意出兵援朝的，有的一开始座谈就很坚决，主张出兵。个别人有点疑虑，经过座谈，很快取得了一致。1950 年 11 月 4 日，中国共产党同中国国民党革命委员会、中国民主同盟、民主建国会、中国人民政协无党派民主人士、中国民主促进会、中国农工民主党、中国致公党、九三学社、台湾民主自治同盟以及中国新民主主义青年团联名发表了抗美援朝，保家卫国的《各民主党派联合宣言》。严正宣布，“中国各民主党派誓以全力拥护全国人民的正义要求，拥护全国人民在志愿基础上为着抗美援朝保家卫国的神圣任务而奋斗。”各民主党派还分别在各自党派内部发出指示，动员他们的成员积极投入抗美援朝的伟大斗争。

中国人民志愿军出国后，和朝鲜人民军一起，在朝鲜战场上连续取得光辉胜利，根本扭转了朝鲜的战局，使全国各阶层人民和全世界一切爱好和平的国家和人民都受到巨大鼓舞，我国人民民主统一战线更加巩固团结，爱国主义热情更加高昂。1950 年 11 月 30 日，天津市工商界坚决站在抗美援朝保家卫国的爱国立场上，举行了正义的示威游行。毛泽东同志复电表示赞许，号召“全国工人、农民、知识分子及工商业家，凡属爱国者，一致团结起来，反对美帝国主义的侵略”，“希望全中国一切爱国的工商业家，和人民大众一道，结成一条比过去更加巩固的反对帝国主义侵略的统一战线，这就预示着中国人民在反对帝国主义侵略的神圣斗争中一定要得到最后胜利。”

正是在这种胜利的形势下，民革、民盟、民建、民进、农工党和九三学社于 1950 年 11 月至 12 月分别召开了中央会议，着重讨论了如何集中力量实行抗美援朝的问题，并讨论发展组织的问题。在他们的会议开幕之前，中共中央统战部举行了招待会。恩来同志到会作了形势报告，并向各民主党派建议巩固发展组织。我在会上作了题为《更加巩固和发展人民民主统一战线》的报告，针对统一战线内部一些人存在着崇美、恐美甚至亲美的情绪和错误言论，作了分析批评和解释，说明需要在全国各阶层人民中普遍地开展抗美援朝运动，肃清帝国主义的影响。并对统一战线中的团结和斗争，共产党人同民主党派和民主人士的关系等问题，作了说明，向他们表示，我们一定本着诚恳坦白、知无不言、言无不尽之义，有建议，有批评，希望彼此成为诤友、益友。

各民主党派的会议都对抗美援朝运动进行了认真讨论，并且提出了积极的意见。大多数人为中朝人民在朝鲜前线的胜利所鼓舞，提高了对美帝国主义本质的认识，增强了胜利的信心，爱国主义热情大为高涨。但是不少人也流露了害怕大打、长打的情绪，希望朝鲜战争不致扩大，能够出现适可而止的局面。少数人暴露出崇美、恐美、亲美的思想，但在会议中没有市场，立即受到反驳。经过认真讨论，各民主党派的中央会议都作出了政治决议，表示支持《各民主党派联合宣言》，分别号召成员和他们所联系的阶级、阶层的人们，团结在伟大爱国主义旗帜下，为争取抗美援朝的最后胜利而奋斗。

3. 镇压反革命运动

镇压反革命运动是为肃清国民党反动派在大陆上的残余势力，保卫革命成果和巩固人民民主专政的一场伟大斗争。中国人民政协《共同纲领》规定："中华人民共和国必须镇压一切反革命活动，严厉惩罚一切勾结帝国主义、背叛祖国、反对人民民主事业的国民党反革命战争罪犯和其他怙恶不悛的反革命首要分子。对于一般的反动分子、封建地主、官僚资本家，在解除其武装、消灭其特殊势力后，仍须依法在必要时期内剥夺他们的政治权利，但同时给以生活出路，并强迫他们在劳动中改造自己，成为新人。假如他们继续进行反革命活动，必须予以严厉的制裁。"建国初期的镇压反革命运动，就是在共同纲领的这个规定指导下进行的。镇压反革命运动的胜利，支持和保证了土改和抗美援朝运动的胜利进行，巩固了人民民主专政和人民民主统一战线。

新中国成立初期，残留在祖国大陆特别是广大新解放地区的政治土匪、国民党特务以及各种反动会道门头子，在美帝国主义发动侵略朝鲜的战争以后，以为他们日夜梦想的"三次大战，反攻大陆"的时机来到了，纷纷从阴暗角落出来，进行各种反革命破坏活动。炸毁铁路桥梁，破坏工厂矿山，烧毁仓库资财，公开进行抢劫，残酷杀害干部，乃至发动骚扰暴乱事件。有些新解放区的农会干部一次被杀十余人，仅广西一省的干部被杀的就有三千余人。反革命分子的活动极为猖狂，而一些地方党委和政府在镇压反革命的问题上又存在着"宽大无边"的偏向，更助长了反革命分子的嚣张气焰。1950 年 10 月，中共中央发出《关于纠正镇压反革命活动的右倾偏向的指示》，要求坚决纠正"宽大无边"的偏向，全面贯彻"镇压与宽大相结合"的政策。根据这一指示，各地党委广泛发动群众，开展了大规模的镇压反革命运动。1951 年 2 月，中央人民政府公布了《中华人民共和国惩治反革命条例》。这个条例贯彻了镇压与宽大相结合的原则，规定对各种反革命首要分子、解放后怙恶不悛继续进行反革命活动的特务间谍分子，采取从重处理；对于被反革命分子胁迫、欺骗而参加反革命活动的胁从分子，解放前虽曾参加反革命活动，但罪行并不重大，解放后又确已悔改的分子，特别是为人民立了功的分子，则实行从宽处理。这个条例的颁布和实行，支持了广大人民群众同各种反革命分子的斗争，打击了国民党反动派在大陆上的残余势力的嚣张气焰，促进了各种反革命势力的分化瓦解，从法律上保证了镇压反革命运动的胜利。

对于这场同国民党反动派在大陆上的残余势力的严重斗争，人民民主统一战线内部是一致拥护的。各民主党派和无党派民主人士都表现了积极性，在运动中做了不少工作。民革中央和北京市级组织在 1951 年 4 月举行了“拥护镇压反革命运动加强党内思想教育大会”。民革中央主席李济深在会上讲话号召民革成员以实际行动协助政府，检举反革命分子，并向群众广为宣传。民盟在运动中发布了《“惩治反革命条例”学习提纲》和有关指示。民建发出了《关于积极进行镇压反革命的通告》。民革、民盟、民建、民进、农工党、九三学社、台盟和青年团的上海市级组织联名发表了《拥护政府逮捕反革命罪犯》的声明，号召全上海各界人民动员起来，“控诉反革命的罪恶，检举与监视反革命分子，认识反革命的危害，使人人看清反革命分子是我们人民的公敌”。

在镇压反革命运动开始时，党外人士中有些人曾经暴露出一些错误思想，表现为划不清敌我界限，主张对反革命分子“施仁政”，特别是有些和国民党反动派有历史联系的人们，思想上有较大震动。为着加强团结，共同对敌，中国共产党通过各种方式同各民主党派和无党派民主人士以及各界代表人物进行充分协商。许多省、市召开了各界人民代表会议和协商委员会，协商确定对反革命案件的处理原则，并对错误思想进行批评教育，帮助划清界限，清除疑虑。不少省、市还注意邀请各民主党派和无党派民主人士参加对反革命案件的调查处理。他们参加工作后看到人民政府处理反革命案件的严肃谨慎精神，看到反革命分子的罪恶事实，都深受启发和感动。各地在镇压反革命分子时，还注意吸收民主党派成员参加对反革命分子控诉大会，帮助他们更加增强对反革命分子的认识和仇恨。

经过对党和政府有关镇压反革命文件的学习和参加镇压反革命运动的实践，统一战线内部普遍提高了认识，增强了团结。各民主党派和无党派民主人士对镇压反革命都作出了积极的贡献。民主党派的许多地方组织和基层组织积极组织成员学习和宣传有关文件，发动群众检举、控诉反革命分子；有的号召成员利用社会关系，规劝特务和反动党团分子进行自新登记；有的协助当地政府监视和防止特务的活动，等等。这些，壮大了革命声势，灭了反革命分子的气焰，使他们更加孤立，从而支援了镇压反革命运动的胜利。

4. 第二次全国统战工作会议和三大运动的扩大与深入

1951年1月，在土改、抗美援朝和镇压反革命三大运动的高潮中，我们召开了第二次全国统战工作会议。主要是讨论三大运动中的统一战线工作问题和帮助民主党派发展组织问题。周恩来、彭真、陆定一、胡乔木等同志到会作了报告。

周恩来同志的报告主要讲了三个问题：

（1）抗美援朝运动的巩固、扩大和深入。他提出，必须进一步掀起抗美援朝运动的高潮，并把它同土地改革、肃清土匪、镇压反革命等结合起来。在运动中孤立打击极少数敌对分子，团结大多数，包括对天主教、基督教都要进行工作，扩大统一战线。

（2）民主党派的发展问题。他说，中国除了无产阶级以外，还有农民阶级、资产阶级和其他小资产阶级。我们要教育改造民族资产阶级、小资产阶级这些人，组织起来进行，总比不组织更容易收效。民主党派存在和发展，正是便利于这种组织工作，而不是自找麻烦。有了民主党派，我们就可以经过他们去影响这些没有组织的人们，并且经过这些党派的政治活动，也可以锻炼和考验这批人。我国的民主党派，在新民主主义革命时期同我们党合作是有贡献的。今天在新中国的建设中，他们也愿意尽一份责任，我们就应该帮助他们进到社会主义去。

（3）对待民主人士的态度问题。他说，对党外民主人士要采取坦白的态度。我们的政策和工作情况，土改政策也好，镇压反革命的政策也好，都要真诚的讲给他们听，让他们知道。有的同志怕这样做会泄露了机密，其实所谓机密，是指当时泄露出去会有利于反革命的东西。至于我们的政策，我们已经做了的事情，广大群众都知道的，为什么不能给民主人士知道呢？

彭真同志的报告着重讲了如何进一步开展抗美援朝运动的问题。他说，土改、抗美援朝、镇压反革命都与统战工作有密切关系。这三个工作搞好了，统战工作也会搞好，三大运动不但不会妨害统战工作，而且是需要统战工作来推动，同时在运动中也推动与扩大了统一战线。他还提出，抗美援朝要从城市推广到广大农村中去，要注意到各个落后阶层。对工商界要大力开展工作。对教会的教徒与教会学校的学生与教职员也要着重展开工作。这些工作很大一部分是统战工作，把落后阶层团结起来了，进步的也就能提高了。

陆定一同志的报告是讲在反帝爱国运动中争取团结天主教徒和基督教徒的问题。他说，如果争取反帝斗争的胜利，除了开展一般的群众反帝运动以外，还要把天主教徒、基督教徒争取过来。由于他们长期受美帝国主义影响，要动员他们参加反美斗争是一个艰苦工作。要看到宗教的长期性，恐怕要到共产主义才可能消失，因此要有耐心。要能和他们谈心。政府要出面支持他们的革新运动。目前我们所要求的中心目的，是使教会在政治上、组织上脱离同帝国主义的关系，把广大教徒从帝国主义的影响下争取过来。除反革命分子外，把所有的教徒都团结过来。

我在会上作了《关于目前统一战线工作中的几个问题》的总结报告。说明统一战线是全体人民的统一战线。工人阶级争取自己阶级的解放是与统一战线不可分离的。目前统一战线的任务是与三大运动相结合，应进一步动员各民主党派、各人民团体参加全体人民的反帝爱国运动，以巩固人民民主专政，加强国防，巩固财经阵地，发展和巩固各人民团体和民主党派。同时，对民主党派问题、无党派民主人士工作以及统战部门的任务等作了说明，强调统战部门的最基本的任务，是加强调查研究，提高政策水平，克服“左”的和右的倾向，进一步加强对民主党派和无党派民主人士的工作和团结。

毛泽东同志在会议过程中同参加会议的各中央局、大城市党委统战部的同志谈了话。他指出，抗美援朝、土地改革和镇压反革命是当前的三大运动。在讲到抗美援朝运动时，他说这个运动应普遍开展，普及到所有的工厂和农村，使得家喻户晓，大家都参加进来。

在谈到土地改革运动时，毛主席强调指出要让民主党派和民主人士前去参观视察。他说，民主人士到各地去视察，各地不要以此为累赘。让他们去听听农民的诉苦，看看农民的欢喜，我们有些什么缺点和错误，也可以让他们看看，这是一件有益的事情。状元三年一考，土改千载难逢。应该欢迎他们去看。他说，分土地，镇压反革命，发动群众，都是好事。土改一项从尧、舜、禹、汤、文、武、周公、孔子直到孙中山都没有做过，我们才作。我们作了什么坏事情呢？有什么怕人家看的呢？他指出，对于工商业家、宗教界、校长、教员、开明士绅和爱国分子，我们都应该采取积极的态度团结和教育他们，决不能置之不理。有话应当让他们说，写万言书也好，我们可以给大家看看，好的接受，不好的解释。如果不进行教育，有事不让他们与闻，这是不对的。

谈到统战部门的工作时，毛主席说，要用积极态度去组织民主人士、民主党派，教育他们，使他们参加斗争，带领他们共同前进，这对劳动人民是有益的，对进入社会主义是有益的。你们要很好地取得党委书记和组织、宣传等部门的帮助，善于经过党委和党委负责同志把你们的“国家”建设起来。你们当中要出些专家，要熟悉人物和历史，精通此中门道。

在这次全国统战工作会议之后，中央发出《关于进一步加强统一战线工作的指示》，提出1951年统一战线工作的主要任务，要在全国范围内继续进行抗美援朝的宣传教育运动，务使每处每人都受到这种教育。积极争取知识分子、工商界、宗教界、民主党派、民主人士参加土改、镇反等人民革命斗争和适当工作。

在这次统战工作会议和中央指示以后，我们会同全国政协，组织大批各界人士参加和参观三大革命运动的实践。仅在1951年5月份，北京和天津两市参加、参观土改的各界人士即达八百二十四人。其中民主党派和无党派民主人士有六百八十九人，约占百分之八十。各界人士的参加，不仅直接支援了农民，壮大了反封建统一战线的阵容和声势，打击了封建势力，而且对各界人士，更是一个很好的锻炼和改造的机会。民主党派成员和无党派民主人士以及各界代表人物通过土改中阶级斗争的实践和实际教育，一般都有不少收获和进步。

（1）进一步认识土改的正义性和必要性，对土改由怀疑转为支持与拥护。司徒美堂到广东，两次下乡参观土改，认识和态度有很大转变。他在群众大会上讲演，赞扬农村土改的新气象，号召各界人士支持土改。恰在这时，美洲反动报纸造谣说：司徒美堂在家乡被清算斗争，游街示众枪毙后装入猪笼，暴尸三日。这个谣言在美洲曾轰动一时。司徒美堂针对这些谣言，在民主人士土改队下乡的欢送会上发表演讲说，“反动派造谣说我被斗争死了，但我在人民政府的爱护和教育之下，更健康，更加年青了。我每餐二碗饭，不能缺少，反动派又奈我何?!”对反动派在海外的造谣、诬蔑，给了有力的回击。黄炎培在参观苏南土改后说，“群众的意见是民主的，我从钱桥乡农民的谈话中，知道农民并非过分。如果我黄某为农民，一旦翻身，也许要做出过分的事来。”又说，“苏南地方首长对于政策法令掌握得很好，已尽地方之能事。不管政策是从宽从严，苏南地方当局对土改的掌握恰到好处，我看了以后，确实觉得不差。”

（2）他们通过亲身参加土改的阶级斗争，听到农民一字一泪的诉苦，亲眼看到地主的顽抗和破坏土改的种种反动活动，认识到地主阶级的凶恶面目和采取激烈的群众斗争的必要。

（3）对农村干部表示钦佩和赞扬，“上层好，中层少，下层糟”的言论不攻自破。有些民主人士过去误信地主的叫喊，说什么“干部偏差大”，“征粮太重”等等。参观和参加土改后，态度改变了。有的感慨说，“咱们以为农村干部很愚昧，但并不是这样，他们知道很多道理，很懂政策。”“所谓干部有偏差，完全不是那么回事。”有的教授说，“参加一次土改，胜读十年书”。

（4）认识了农民群众力量的伟大，看到了共产党在农民中的深厚基础。有的教授下乡原先准备去指导农民分地，看到农民团结互让，公平合理的分配，觉得出乎自己的预料。民主人士在参加或参观土改中，看到农民对毛主席的热爱和对共产党的拥护，感到“共产党是生了根的”。看到土改后农村蓬勃发展的新气象，农民参军的热烈，生产热情的高涨，对新中国的前途更增加了信心。

我们在大力推动和组织民主党派成员、无党派民主人士，知识分子、工商业者以及宗教界代表人物参加参观土改的同时，还广泛深入地开展了抗美援朝运动的宣传教育工作，积极支持各民主党派和各方面民主人士投入抗美援朝运动的实践中去，为抗美援朝运动作出实际贡献。

在三大运动中，对于涉及民主党派和民主人士的问题，我们党注意给予适当照顾。中央在1951年3月发出了《关于在镇压反革命中处理涉及民主党派民主人士爱国分子问题的指示》，1951年6月又发出了《关于在土改和镇反中对高级民主人士家属照顾和宽大处理的规定》。指出“对于解放前已开始参加反蒋斗争，已经与我们合作的民主人士特别是高级民主人士，对于真正起义的军官在土改和镇反中，必须有意地予以特殊的照顾或宽大处理，这对于统一战线和革命胜利的巩固是十分必要的，决不可不加区别地把他们与一般反动地主和反动军官一样对待”。文件中还规定了具体的照顾办法。这些指示和规定的贯彻实施，对于保持和发展统一战线的稳定团结，争取团结更多的人支持和参加三大运动，具有十分重要的意义。

总的看，在三大运动中，我们党的统一战线政策得到充分贯彻执行，党的统一战线工作取得完全成功，广泛地团结了一切可以团结的阶级、阶层、社会集团和爱国分子，最大限度地壮大了人民革命的力量，在全国范围和全社会上形成政治上和舆论上的强大优势，对于比较顺利地完成三大运动的任务，发挥了重大作用。同时，经过三大运动的锻炼和考验，清除了帝国主义和封建主义的影响，进一步划清了敌我界限，统一战线内部的一致性进一步增强和提高，团结面也更加广泛了。这就为彻底完成共同纲领所规定的各项任务，和向社会主义过渡创造了极为有利的条件。

（二）开展“三反”、“五反”运动，打退资产阶级的猖狂进攻

1951年，随着全国大部分地区土改的完成和抗美援朝军事订货的增加，资本主义工商业得到相当的发展，私营企业利润剧增，达到了解放后的高峰。资产阶级欢呼是“黄金时代”、“难忘的一九五一年”。也就在这时，一部分资产阶级分子从其唯利是图的本质出发，见利忘义，施放糖衣炮弹，腐蚀国家干部，大肆进行行贿、偷税漏税、盗窃国家资财、偷工减料、盗窃国家经济情报的罪恶活动，向国家和工人阶级发动猖狂进攻。面对这种形势，中央决定开展全国性的“三反”（反贪污、反浪费、反官僚主义）、“五反”（反行贿、反偷税漏税、反盗窃国家资财、反偷工减料、反盗窃国家经济情报）斗争，粉碎资产阶级的进攻。这场斗争是在新中国成立初期工人阶级同民族资产阶级一次大规模的阶级斗争，是对资产阶级一次集中的改造运动。这场斗争是不可避免的。我们党在新中国成立后，根据七届二中全会决议和共同纲领的规定，对私人资本主义经济采取了利用和限制的政策，允许一切有利于国计民生的资本主义经济继续存在和发展，但不是如同资本主义国家那样，任其泛滥，而是要从活动范围、市场价格、税收政策、劳动条件等各个方面加以限制。国家对资本主义经济的限制，必然要受到资产阶级在各种程度和各种方式上的反抗。毛泽东同志早在七届二中全会上指出，“限制和反限制，将是新民主主义国家内部阶级斗争的主要形式。”“五反”运动就是这种限制和反限制斗争的集中表现。这场斗争是完全必要的，不然的话，我们党和国家机关将会在资产阶级的腐蚀下发生演变，我们的人民民主专政就难以巩固，社会主义经济在国民经济中的领导地位将难以确保。我国的前途将不是社会主义、共产主义，而是回复到帝国主义附属国或者殖民地的绝境。

这场运动，并不是要立即消灭资本主义经济和资产阶级，而是为着打击资产阶级的非法行为，划清合法与非法的界限。打击的重点是极少数五毒俱全、完全违法的反动资本家，使他们在人民群众中，同时也在资产阶级内部完全陷于孤立，而把那些愿意服从国家法令的大多数资产阶级分子团结起来，更好地发挥他们的积极性，并引导他们走上接受社会主义改造的道路。

我们党和政府依靠和发动广大工人群众，同不法资本家进行面对面的激烈斗争，并对资产阶级实行利用矛盾，进行分化，团结多数，孤立少数的策略，争取团结他们中的大多数，形成广泛的“五反”统一战线，狠狠地揭发批判资产阶级的“五毒”不法行为，使他们的威风扫地以尽。运动发动起来以后，中央指示各地，不要乱抓资本家进行审讯，不许肉刑逼供，要严防自杀。在运动后期进行处理时，中央确定处理的基本原则是：“过去从宽，今后从严；多数从宽，少数从严；坦白从宽，抗拒从严；工业从宽，商业从严；普通商业从宽，投机商业从严。”对私人工商户按五类划分，即“守法的、基本守法的、半守法半违法的、严重违法的和完全违法的”五类，实行区别对待，把打击面限制在极少数完全违法户。据华东等五个大区六十七个城市和西南全区统计，受到刑事处分的只占千分之一点五，斗争的策略是慎重的也是比较稳妥的。

经过“三反”、“五反”运动，打退了违法资产阶级的进攻，巩固了工人阶级和国营社会主义经济的领导地位，也巩固了工人阶级同民族资产阶级的联盟。经过运动，在大的私营企业里成立了增产节约委员会，建立了工人对生产的监督。从此，资本家的“三权”（人事调配权、经营管理权、利润分配权）受到了限制，变成了“三靠”，即资金靠银行，原料靠国营，生产靠工人。这场斗争的伟大胜利，为资本主义工商业进一步纳入国家资本主义轨道和1956年社会主义改造的胜利，奠定了基础。

在运动过程中，不少地方和基层单位曾发生简单粗暴的做法，出现了乱抓资本家进行审讯和逼供的情况。这些缺点，同运动初期毛泽东同志指导思想上的急躁和限期推开运动、要求各地都作出一个“打老虎”预算的做法是分不开的。我在指导民建和工商联的运动中，曾经提出过“火烧工商界，打劫民建会”的错误口号，经毛泽东同志发现指出后，作了改正。总的说，这些缺点和错误是次要的，“三反”、“五反”是完全必要的，成绩是巨大的。

1952年3月，毛泽东同志约黄炎培谈话。对于“三反”、“五反”运动后民建会的工作方针，毛泽东同志谈话中着重强调大资本家的重要性，他说，从全国看来，有些大工业家，他们掌握着的工厂，经济作用比某些城市全部小工商业还要大。用经济观点，向远的大的方面看，这些情况是值得注意的。他指出，民建会对资本家五毒俱全的，完全违法的，一定不要；守法的及基本守法的要争取，半守法半违法的也要争取。要教育改造他们，还要特别重视工业，劝导大家在人民政府领导之下，依据国家经济需要，有步骤地把商业资本转向工业，于国家是有利的。商业中间特别是投机商，于国家人民全无益处，绝对不要。最后，毛泽东同志问黄炎培，你看这次运动影响到团结上是怎样？黄说，是好的。毛泽东同志说，这次运动是为了团结，斗争是为了团结，这次运动的成功，应该是增进了团结。

“五反”运动后期，部分私营企业生产经营发生困难。为活跃城乡市场，政府决定大力调整工商业。经过“五反”斗争和调整工商业，进一步团结教育了民族资产阶级，促进了私营工商业的正常发展，并为全面推进国家资本主义准备了有利条件。

（三）第三次全国统战工作会议

1952年6月，在“三反”、“五反”运动胜利结束和国民经济恢复时期即将结束的重要时机，召开了第三次全国统战工作会议，主要讨论对资产阶级和民主党派的工作问题。周恩来、陈云同志到会作了重要讲话。我在会议的开始和结束时，分别作了报告。这次会议制定了四个文件：（1）关于民主党派工作的决定。（2）关于民主建国会工作的要点。（3）关于改组工商业联合会的指示。（4）关于继续加强各界民主人士思想改造的学习运动的意见。通过会议，明确了对资产阶级和民主党派工作中的一系列问题。

（1）工人阶级同民族资产阶级的矛盾，已经成为国内主要矛盾。民族资产阶级不再是中间阶级。我们在会前起草《关于民主党派工作的决定》等文件时，对这个变化在思想上不够明确，报送中央审批的文件稿中，仍把民族资产阶级说成中间阶级。毛泽东同志在文件稿上批示：“在打倒地主阶级和官僚资产阶级以后，中国内部的主要矛盾即是工人阶级与民族资产阶级的矛盾，故不应再将民族资产阶级称为中间阶级。”对毛泽东同志的这个重要指示，我在会上讲了自己的认识和体会，指出应当把这个指示在今后统战工作中从指导思想上牢固地确立起来。

（2）在国内主要矛盾转变和民族资产阶级不再是中间阶级以后，党对民族资产阶级的基本政策没有改变，仍然是又团结又斗争，斗争为了团结的统一战线政策。“三反”、“五反”运动期间，《学习》杂志发表了一些否认民族资产阶级还有积极性一面，认为斗争是为了打倒的“左”的文章，违反党的政策，中央及时作了纠正。

（3）对资产阶级和民主党派改造的要求。对资产阶级的改造，在当时主要是把带“五毒”的资产阶级改造成不带“五毒”的资产阶级，把违法改造成守法，而不是把资产阶级改造成工人阶级，他们学习的内容应该是共同纲领、“五反”原则和政府的政策法令。对民主党派，是要他们确立“接受工人阶级和共产党的领导”的思想，而不是要求他们具有工人阶级的立场和思想。他们内部共同的准则只能是共同纲领。对于他们成员中一部分从事文教、科技等方面工作的知识分子，因工作岗位的需要，则有所不同，应要求他们学习马列主义理论，批判和克服资产阶级思想，逐步具备工人阶级的立场和思想。

（4）民主党派发展成员，应以其所联系阶级、阶层的中上层代表人物为主要对象。毛泽东同志在“三反”、“五反”运动初期指出，民主党派尤其是民建会的发展对象，主要应是中上层代表人物，因为大工商业资本家及代表人物的代表性大，作用大，影响大。他在1952年3月15日同黄炎培的谈话中，也强调民建会要做大工商业资本家的工作。我们按照毛泽东同志的指示，着重改写了《关于民主建国会工作的要点》。这个改写后的《要点》说，“民建会的主要发展对象应当是对国家经济建设有重大作用的大的工商业资本家，尤其是大的工业资本家及其代表人物，因为他们所经营的企业，技术进步、工人众多、产品量大，不论在经济上政治上都较中小私人企业为重要”。“过去我们曾提出民建会以中小为基础的组织方针，是由于我们对大资本家的情况和作用调查研究不足和认识不足，因而忽视了大资本家在经济上和政治上的作用和地位，事实证明这一方针是不适当的，应加改正”。对《关于民主党派工作的决定》也作了相应修改，指出中小为基础的方针“对于其他党派也不完全适当”。“下层应是对象之一，但不是主要对象”。

（5）应支持民主党派依照共同纲领从事合法活动。各民主党派都负有协助我党团结、教育和改造其所联系的阶级、阶层的政治任务，就应支持他们并且推动和帮助他们向这些阶级、阶层进行活动，与之发生密切联系，了解反映其要求，并代表其合法利益。我们应在领导他们从事合法活动中，团结教育和改造其所联系的阶级、阶层。

（6）各级统战部应和民主党派中的骨干分子一起，检查和克服关门主义与宗派情绪，加强对中间分子和右翼分子的联系与工作。切实发挥骨干分子的骨干作用。

经过这次全国统战工作会议，从根本指导思想上明确了国内阶级关系和主要矛盾的变化，把对民族资产阶级的统战工作提到更加重要的地位。在这次会议以后，我们统战工作的重心逐步转移到对资本主义工商业的社会主义改造方面来了。

三、对资本主义工商业实行社会主义改造的方针、步骤和基本经验

经过建国后的头三年的努力，我国完成了各项社会改革任务，迅速恢复了遭受战争破坏的国民经济。新民主主义革命在全国胜利和土地制度改革在全国基本完成以后，国内的主要矛盾已经转为工人阶级同资产阶级之间、社会主义道路同资本主义道路之间的矛盾。民族资产阶级不再是中间阶级，而是在社会主义改造过程中将要逐步被消灭的阶级了。在新的历史条件下，逐步消灭资本主义所有制和民族资产阶级，逐步改造个体农业和手工业，引导我国有步骤地实现由新民主主义到社会主义的转变，成为党和国家面临的一项根本任务，也是我国人民民主统一战线的一个中心问题。

1952年底，在恢复国民经济的任务胜利完成时，毛泽东同志在几次讲话中提出过渡时期总路线的轮廓设想，在中央政治局少数人范围内酝酿，未向党的高级干部传达。1953年6月15日，中央政治局扩大会议讨论并肯定了我提出的经过国家资本主义特别是经过公私合营这一主要环节实现资本主义所有制变革的方针之后，毛泽东同志在会上讲话对总路线的内容作了明确的表述，指出："要在十年到十五年或者更多一些时间内，基本上完成国家工业化和对农业、手工业、资本主义工商业的社会主义改

造。”这条总路线要求社会主义建设和社会主义改造同时并举；规定对个体农业和手工业，采取合作化的道路进行改造；对资本主义工商业，经过国家资本主义道路，逐步实现国有化。这是适合我国国情的中国式的社会主义改造道路。从1953年起，我国结束了国民经济恢复阶段，进入了社会主义建设和社会主义改造的新时期。

为了贯彻实现党的总路线，全党、全国各族人民在党中央和毛泽东同志领导下，进行了紧张的、卓有成效的努力和斗争。到1956年，全国绝大部分地区基本上完成了对农业、手工业和资本主义工商业的社会主义改造，消灭了剥削制度，改造了小生产者的私有制度，全面建立了生产资料的社会主义公有制，使占世界人口四分之一的我国人民进入了社会主义社会，胜利完成了由新民主主义到社会主义的伟大转变。这是我国和世界社会主义历史上最伟大的胜利之一，是我们党和毛泽东同志对马克思列宁主义的重大贡献和发展。

我国人民民主统一战线在这一复杂、深刻的社会变革中，遵照总路线的精神，坚持又团结又斗争，斗争为了团结的统一战线政策，在各界人士中深入开展总路线的宣传教育，经过国家资本主义的各种过渡形式，有计划地全面开展对资本主义工商业和对民族资产阶级人们的社会主义改造，最后实现了马克思、列宁曾经设想的对资产阶级的和平赎买，为过渡时期总路线的顺利完成作出了卓越的贡献。

（一）我国过渡时期的基本特点

马克思在《哥达纲领批判》中以科学的理论预见，论证了无产阶级夺取国家政权后必然要经历一个由资本主义到社会主义的过渡时期，指出：“由资本主义社会到共产主义社会之间，有一个从前者变为后者的革命转变时期，同这个时期相适应的也有一个政治上的过渡时期，这个时期的国家只能是无产阶级的革命专政。”① 列宁在十月革命后结合苏联的实际，发展了马克思的思想，指出：“在资本主义和共产主义中间隔着一个过渡时期，这在理论上是毫无疑义的。这个时期不能不兼有这两种社会经济结构的特点或特征。这个过渡时期，不能不是衰亡着的资本主义与生长

① 《马克思恩格斯选集》第3卷，第21页。

着的共产主义彼此斗争的时期。”过渡时期的社会经济基本形式“就是资本主义、小商品生产和共产主义”，基本力量就是“资产阶级、小资产阶级（特别是农民）和无产阶级”[①]。列宁又说：“无产阶级的目的是建成社会主义，消灭社会的阶级划分，使社会全体成员都成为劳动者，消灭一切人剥削人制度的基础。这个目的不是一下子可以实现的，这需要一个相当长的由资本主义到社会主义的过渡时期。”[②] 马克思、列宁所说的由资本主义到社会主义的过渡时期，在我国具体历史条件下，就是由新民主主义到社会主义的过渡时期。

我们党关于过渡时期的理论同马克思列宁的学说是一致的。但是，我国的历史条件和苏联不同，因此我国向社会主义过渡的方针、步骤和做法，具有自己的历史特点，并且独创性地开辟了一条适合中国国情的社会主义改造道路。

第一，过渡时期的起点不同

解放前的旧中国，并不是一个资本主义国家，而是一个经济文化十分落后的半殖民地、半封建国家，在这样的历史条件下，中国共产党领导的整个中国革命运动，必然包括和区分为新民主主义革命和社会主义革命两个阶段。“民主主义革命是社会主义革命的必要准备，社会主义革命是民主主义革命的必然趋势。”[③] 1949 年我国民主革命胜利后建立起来的社会，就是无产阶级领导的、向社会主义过渡的新民主主义社会。因此，我国的过渡时期不是由资本主义向社会主义过渡，而是由新民主主义向社会主义过渡。

十月革命前的沙皇俄国是一个具有中等发展水平的资本主义国家。1913 年俄国现代工业产值在国民经济中占百分之四十二，而我国在 1949 年现代工业产值只占国民经济的百分之十七。两国的国情不同。苏联在十月革命后开始了由资本主义向社会主义的过渡，我们不能照搬它们的公式。

第二，向社会主义过渡的社会历史条件和方针步骤不同

十月革命胜利后，苏联并没有立即消灭资产阶级和剥夺全部私人资本，列宁设想采取国家资本主义的方针，只把对国计民生有重大影响的大

---

① 《列宁选集》第 4 卷，第 85 页。
② 《列宁选集》第 3 卷，第 857 页。
③ 《毛泽东选集》第 2 卷，第 614 页。

企业、交通运输、邮电、银行收归国有，而允许中小资本主义在国家的控制和监督下存在和发展。1918 年帝国主义的侵略和国内战争的发生，俄国资产阶级采取敌视苏维埃的态度，迫使列宁放弃原来的设想，转而采取“战时共产主义”政策，把全部企业收归国有，取缔私人贸易，实行余粮收集制、禁止商品、货币流通，直接向社会主义过渡。这个政策对于支持反对帝国主义侵略和白匪军的战争起了一定的积极作用，但在经济上遭到了失败，整个国民经济陷于瘫痪。到 1921 年苏联面临严重的政治危机和经济危机。列宁总结这一失败教训，承认“我们在经济进攻中前进得太远了……直接过渡到纯社会主义经济形式和纯社会主义分配，不是我们力所能及的事情。如果我们不实行退却……那我们就有灭亡的危险”①。1921 年俄共第十次代表大会决定改变自己的战略，以粮食税代替余粮收集制，实行新经济政策，重新发展国家资本主义，把已经收归国有的企业采取租让制、租借制等形式，租给本国和外国的私人资本，利用资本主义一定程度的发展，重新建立工农之间的商品交换，发展社会生产力。这是一种退却，是由直接进攻改用迂回进攻，逐步地消灭资本主义私有制，建立和发展社会主义的公有制。列宁阐述这一退却的意义说：“退却之后就可以同农民群众结合起来，和他们一道前进，虽然比以前慢一百倍，但却能以坚定的步伐勇往直前，……那时我们的事业就一定会立于不败之地。”② 在当时国内外条件下，苏联向社会主义过渡经历了一个曲折的过程。

我国过渡时期的情况和当时的苏联不同。建国后不久，我国虽然同样处于帝国主义侵略战争的威胁之下，并且进行了三年抗美援朝的战争，但党中央采取了边打边稳边建的正确方针，使国民经济不但没有受到破坏，而且在三年中迅速得到了恢复和发展，由于我国历史和现实的条件，由于我国原来经济上的落后，由于民族资产阶级同情并参加中国革命，建国以后我国并没有剥夺私人资本主义，而是根据七届二中全会的决议和共同纲领的规定，坚持利用、限制私人资本主义的方针，使它们在国营经济领导下分工合作，各得其所，在一定时期内，允许有利国计民生的私人资本主义的存在和发展。我国对农业、手工业和资本主义工商业的社会主义改

① 《列宁选集》第 4 卷，第 661 页。

② 《列宁选集》第 4 卷，第 620—621 页。

造，都不是采取突然的、直接过渡的步骤，而是从我国的具体实际出发创造性地总结实践经验，采取逐步过渡的办法，经过灵活多样的形式，逐步地实现私有制的变革。对农业、手工业，遵照国家帮助、典型示范、自愿互助的原则，经过互助合作的多种形式，逐步实现集体化。我国对私人资本主义并没有没收，因此不是采取租借、租让的形式，而是经过国家资本主义从低级到高级的各种过渡形式，使社会主义成分逐步地、自外而内地插进资本主义企业，逐步改变其生产关系，逐步地实现私人企业的国有化。

第三，国家政权的阶级构成不同

在我国过渡时期中，工人阶级的同盟者，不但有农民阶级、城市小资产阶级，而且还有民族资产阶级。中国的民族资产阶级不同于欧美资本主义国家和俄国的资产阶级，是一个具有两面性的阶级。在旧中国，一方面它受帝国主义、封建主义、官僚资本主义的压迫和束缚，具有反帝爱国和要求民主的革命性的一面，但是由于它在经济上政治上的软弱性，缺乏彻底革命的勇气，又具有妥协性的一面。在社会主义革命时期，它有剥削工人阶级取得利润的一面，又有接受工人阶级领导、愿意接受社会主义改造的一面。这种状况，决定了我国民主革命胜利后建立的国家政权，不是排斥民族资产阶级在外的工农民主专政或苏联式的无产阶级专政，而是中国式的人民民主专政。它是以工人阶级为领导、以工农联盟为基础、包括城市小资产阶级和民族资产阶级在内的四个阶级的联合政权。这个政权所压迫的对象是地主阶级、官僚资产阶级的残余势力以及其他敌视破坏社会主义革命和社会主义建设的势力。在过渡时期，民族资产阶级及其代表人物作为人民的一部分，和其他人民一样，享有选举权和宪法范围内的其他民主权利，参与无产阶级领导的国家政权和国家政治生活。我国对生产资料私有制的社会主义改造，就是在工人阶级同农民阶级结成巩固联盟的基础上，又同民族资产阶级和一切爱国力量结成广泛的统一战线的条件下进行的。我国统一战线对于顺利实现生产资料私有制的变革、改造资产阶级分子、消灭作为阶级的资本家阶级，起了巨大的积极作用。这是我国社会主义改造的一个重大特点和优点。

第四，经过和平的道路实现社会主义改造

俄国的资产阶级是反动的统治阶级，它们在十月革命后同帝国主义内外勾结、实行反革命叛乱，苏联无产阶级只能以武装平叛、暴力镇压的方

式来回答它们的反抗。

我国在民主革命胜利后，已经建立起强大的人民民主专政，确立了社会主义经济的领导地位，同民族资产阶级不但继续保持政治上的合作，而且同它所代表的私人资本主义建立经济上的联盟，对它们采取正确的又团结又斗争，斗争为了团结的政策。这些条件，使我国的社会主义革命，可以不采取激烈的步骤和暴力的方式，而能够依靠国家政权自上而下的领导和社会力量自下而上的配合，通过和平的赎买的道路，逐步消灭剥削制度，建成社会主义社会。

我国的实践已经证明，党在过渡时期的总路线，符合我国国情和社会历史发展的客观规律，是一条正确的马克思列宁主义的路线。

（二）党对民族资产阶级采取和平改造和赎买方针的制定过程

对资本主义工商业和民族资产阶级分子的社会主义改造，是党在过渡时期总路线、总任务的重要组成部分。废除资本主义所有制，消灭资产阶级，是社会主义革命的一项根本任务。但是采取什么方式和步骤来实现这个任务，马列主义著作并没有提供现成的答案，必须根据各国的具体情况来决定。

党中央和毛泽东同志从我国的具体实际出发，对反动的官僚资产阶级采取政治上打倒、经济上剥夺的方针，对具有两面性的爱国的民族资产阶级，则运用马克思关于无产阶级在一定条件下可以向资产阶级实行赎买的思想，制定了和平改造和赎买的方针。这个方针的实质，就是经过国家资本主义和统一战线工作，经过联合民族资产阶级来达到消灭资本主义所有制和作为阶级的资本家阶级，把资产阶级分子由剥削者改造成为自食其力的劳动者。这是我们党的一项重大的战略决策。毛泽东同志指出：“民族资产阶级和帝国主义、地主阶级、官僚资产阶级不同，工人阶级和民族资产阶级之间存在着剥削和被剥削的矛盾，这本来是对抗性的矛盾。但是在我国的具体条件下，这两个阶级的对抗性矛盾如果处理得当，可以转变为非对抗性矛盾，可以用和平的方法解决这个矛盾。”（《关于正确处理人民内部矛盾的问题》）

我们党对民族资产阶级和平改造的方针，并不是一开始就完善的。它是在七届二中全会决议的指引下，总结了过渡时期头几年的实践经验，在1953年上半年才进一步明确起来的。

七届二中全会规定对私人资本主义必须采取利用、限制的政策，并且指出，国家和私人合作的国家资本主义经济是新民主主义国家五种经济形态之一。1949年9月中国人民政治协商会议通过的《共同纲领》更规定了："在必要和可能的条件下，应鼓励私人资本向国家资本主义方向发展。"这些规定是我们在建国以后对待私人资本主义经济的指针。1950年上半年制止通货膨胀、打击市场投机、稳定物价的斗争，下半年调整工商业的工作，1951年年底开展的"三反"、"五反"运动，1952年10月实行第二次调整工商业，等等，都是利用限制私人资本主义这一方针的具体实施和必要步骤。在这一期间，国家资本主义虽有一定的发展，但是，由于当时忙于经济恢复工作和抗美援朝期间其他迫切任务，对国家资本主义问题还来不及进行系统的调查和总结。因此，当时在指导思想上还没有明确地把国家资本主义作为对私人资本主义实行社会主义改造的具体道路和国有化的途径。

1. 关于国家资本主义的调查

1953年春，遵照毛泽东同志一贯倡导的注意调查研究的精神，中央统战部组织调查组（有中央统战部的郑新如、黄铸等同志和国家计委私营计划处的勇龙桂同志参加），由我率领去武汉、南京、上海等地调查。这次调查始终以国家资本主义问题为中心，也研究了民主党派工作和工商联等问题。沿途调查中，我们贯彻理论与实际相结合的原则，系统学习了列宁关于新经济政策和国家资本主义的论述，深入考察了建国后头三年私人资本主义的发展变化，总结了工业方面国家资本主义的发展经验。通过调查研究，使我们对建国后私人资本主义的变化和国家资本主义的发展及其地位、作用等重大问题，获得了明确的认识。

第一，经过前三年国民经济的恢复和改组，社会主义经济力量已日益发展，私人资本主义经济在国民经济中的比重已相对削弱，但它仍然是我国的一项重要的经济因素，在一定时期内对国计民生仍然有相当大的作用。工业方面，私营工业在全国工业总产值中的比重，1949年为百分之六十三点三，1952年虽有下降，但仍占百分之三十九，在华东地区，其比例则高达百分之六十。商业方面，1952年私商在全国零售总额中，占到百分之六十四，华东地区私商的比重更高，占到百分之七十三点一。在整个私营企业中，生产资料的生产占百分之二十五，生活资料的生产占百分之七十五。这些说明，当时私人资本主义经济在我国国民经济中仍然占有相当重要的地位，它不仅可以为国家生产产品，帮助物资交流，而且可以维持工人就业，为国家积累资金，训练企业的技术和管理干部，具有不可替代的积极作用。

第二，尤其重要的是，三年来各种形式的国家资本主义已有显著发展，包括了资本主义工业的主要部分，使私人资本主义企业的性质发生了重要变化。1952 年，加工、订货、统购、包销、收购等占当地大型私营工业的比重，上海为五十九点五，天津为七十，武汉为六十五点五，西安为七十，沈阳为五十五点九，广州为三十二点八。通过国家资本主义的这些形式，国家掌握了私营产品的主要部分，对稳定物价、发展经济建设起了重要的作用。公私合营企业在当时发展还较微弱，其在全国工业总产值中的比重只占百分之五点七，但在若干行业中其比重则较大，如精盐占百分之六十八点八，纯碱占百分之四十八点四，火柴占百分之四十四点七，平板玻璃占百分之四十一点八，硫酸胺占百分之三十四点五。此外，航运业中的民生轮船公司等重要企业已实行合营；私营金融业除个别外已合并组成公私合营银行。调查指明：各种形式的国家资本主义都是社会主义经济同资本主义经济在各种不同方式下的联系和合作，而公私合营则是社会主义成分在企业内部同资本主义成分的合作，并居于领导地位，因此是国家资本主义的高级形式，属半社会主义性质。在过渡时期的头三年，通过各种形式国家资本主义的发展，社会主义经济的领导和控制力量日益增强，资本主义经济体系正在逐步地受到控制和削弱；这些私营企业已经不再是纯粹私人资本主义性质，而是在人民政府管理之下的、同社会主义经济相联系的、并受工人监督的国家资本主义企业了。其中的公私合营企业在全国范围内虽还处于萌芽状态，但它是由社会主义成分直接领导、同私股代表共同经营的企业，是最有利于领导企业和资产阶级分子向社会主义过渡的形式，因此最值得我们重视。

第三，由于头三年对国家资本主义的发展经验缺乏系统的总结和认识，不论对国家资本主义的初级、中级形式或高级形式，在政策思想、公私关系、劳资关系、生产经营、利润分配等方面，都存在很多问题。加工订货缺乏计划性，资本家反映“来时涨死，去时饿死”，“来时急如星火，去时却如清风”；工缴利润偏高偏低，产品检验偏宽偏严，公私之间争议矛盾很多。在公私合营企业中我们的工作更为薄弱，问题更多，对资产如何估价，公股代表如何领导，公私双方如何改善合作共事、搞好企业生产，企业利润如何合理分配等等，都缺乏共同遵循的明确章程。不少同志对私人资本主义在一定时期内的积极作用，特别是对国家资本主义的地位和作用估计不足，从而对如何领导和改造私人资本主义和资产阶级分子，缺乏明确的方针和积极的态度。

经过深入的考察和总结，我们明确地认识到国家资本主义是资本主义过渡到社会主义的主要形式。我在武汉、上海党内几次讲话中，都大力宣传国家资本主义的方针，指出：私人资本主义在今天还是相当大量、相当普遍的客观存在，民族资产阶级在一定时期内还有生命力；国家资本主义是社会主义经济领导私营经济的主要形式，也是对资本主义经济实行社会主义改造的主要形式；我们的方针，不应当盲目挤垮，而要采取积极的态度，经过国家资本主义，逐步地利用、限制私人资本主义，并把它逐步地改造成社会主义企业，把资产阶级分子经过教育改造带到社会主义；实现这一战略方针，关键在于要加强党的统一领导，把国家资本主义问题提高到工人阶级实现领导权、向社会主义转变的高度加以重视和解决。

2. 中央政治局扩大会议的讨论和决策

调查结束后，当年5月，我向中央和毛泽东同志报送了关于《资本主义工业中的公私关系问题》的报告。指出：建国后三年来，私人资本主义经济经历了深刻的改组和改造，国家资本主义已有相当的发展，呈现从统购、包销、加工、订货至公私合营等一系列从低级到高级的形式，在国民经济中的地位已凌驾于纯粹资本主义经济之上，仅次于国营经济，居于现代工业的第二位；指出经过各种形式的国家资本主义，不同程度地改变了资本主义企业的生产关系，其中高级形式的国家资本主义公私合营，是最有利于将私营企业过渡到社会主义去的形式；在价值分配上，其大部分已为国家和工人阶级所掌握，企业新生产的价值，首先分为工人的工资、企业的利润和国营企业利润三个部分，三分天下工人阶级有其二；而后企业利润又分为国家的税收、资本家的股息和红利、工人的奖金和福利、企业的公积金，四马分肥，工人阶级得其大半。国家资本主义企业中的工人，已经不是单纯为资本家生产，同时是为国家生产。《报告》在详尽分析各种形式国家资本主义的地位、作用之后，明确建议经过国家资本主义特别是公私合营这一主要环节，实现资本主义所有制的变革。指出：国家资本主义“是我们利用和限制工业资本主义的主要形式，是我们将资本主义工业逐步纳入国家计划轨道的主要形式，是我们改造资本主义工业使它逐步过渡到社会主义的主要形式，是我们利用资本主义工业来训练干部、并改造资产阶级分子的主要环节，也是我们同资产阶级进行统一战线工作的主要环节。抓住了这个主要形式和主要环节，在经济和政治上都有利于领导和改造资本主义和资产阶级分子的其他部分”。

这个调查报告，受到党中央和毛泽东同志的高度重视，毛泽东同志亲自打电话给我，说要提交政治局会议讨论。6 月中旬，中央政治局召开两次扩大会议进行讨论，参加会议的有政治局委员和中央有关同志，还有十大城市的书记（当时直辖市京、津、沪外，还有沈阳、重庆、武汉、广州等)。会议编印了列宁论国家资本主义、论新经济政策的材料。毛泽东、刘少奇、周恩来、邓小平等同志在会上发表了重要讲话，肯定了这个调查报告。就是在 6 月 15 日第一次讨论中，毛泽东同志宣布了党在过渡时期的总路线。会议确定经过国家资本主义改造资本主义工业的方针，随后决定对私营商业亦采取国家资本主义的方针，把它作为过渡时期总路线的一个重要组成部分。对人的改造前途，我在《报告》中提出要把资产阶级分子改造成为社会主义社会的公民。讨论时有同志表示怀疑，毛泽东同志肯定了我的意见，说：改造成什么呢？变农民、手工业者？不分土地，农民也当不成，前途只有改造成工人阶级的一部分。以后，根据中央讨论的精神，把对资本主义工商业的方针概括为利用、限制、改造，明确地写进我向全国统战会议的报告《关于利用、限制、改造资本主义工商业的意见（草稿）》。这样，经过六月政治局两次扩大会议的讨论，作为对资本主义工商业利用、限制、改造的方针，从指导思想上确定下来了。从 1949 年 3 月七届二中全会提出利用、限制私人资本主义，到 1953 年 6 月政治局会议明确为利用、限制、改造，这是全党指导思想上的一个飞跃。我国对资本主义工商业和民族资产阶级的社会主义改造道路终于明确化和具体化了。以后，又经过党中央和毛泽东同志的科学总结，发展形成了一套完整的对民族资产阶级的理论和政策，成为毛泽东思想科学体系的一个重要组成部分，以中国丰富的、独特的实践经验为马克思列宁主义的理论宝库增添了新的贡献。

无产阶级的革命理论、方针和政策，不是任何个人主观臆想的产物，归根到底是来源于实践，是千百万群众实践经验的概括和总结，并且要经过实践的检验不断地得到补充、修正，而日臻成熟完善。这是马克思主义认识论的基本原理，“通过实践而发现真理，又通过实践而证实真理和发展真理。从感性认识而能动地发展到理性认识，又从理性认识而能动地指导革命实践。改造主观世界和客观世界”。新中国成立后，在基本完成社会主义改造的七年中，我们党提出的过渡时期总路线以及所采取的一系列社会主义改造的方针政策和步骤，之所以是正确的，之所以能够在我国九百六十万平方公里的大地上成功地实现社会主义的伟大变革，其根本原因就是因为我们党严格地遵循了辩证唯物论的认识论，不断地科学总结实践经验，上升为正确的理论方针，又能动地指导革命实践的缘故。我们说1953年6月中央制定了对民族资产阶级的和平改造和赎买的方针，当然不是说它已经尽善尽美不再发展了。不是的。党的这一方针还将在以后随着实践经验的总结而进一步发展和具体化。但是，作为党的指导思想，作为一条中国式的社会主义改造道路，经过六月政治局会议以及以后七八月中央召开的财经会议的讨论，应该说在党中央已经明确地肯定下来了。

这里，附带指出当时高岗是反对这一方针的。高岗当时任国家计划委员会主席，他反对同资产阶级搞统一战线。毛泽东同志那时已知道他的一些问题，在政治局讨论时特别问高岗有什么意见，他说没意见。但在散会时，他却向我提出：“你知道布哈林和平长入社会主义吗?”我表示知道布哈林的观点，并问他这同政治局的讨论有何关联？他不正面回答，要我找洛甫（张闻天）同志去谈。洛甫的态度与高岗截然不同。他向我介绍了布哈林的观点并在政治局讨论时积极支持国家资本主义的方针。

为了学习和贯彻党的总路线，明确党对民族资产阶级的方针政策，统一党内对这些重大问题的认识，中央统战部在1953年6月25日至7月22日，召开了第四次全国统战会议。这次会议着重讨论四个文件：一、关于人民代表大会制度实行以后统一战线的组织问题的意见；二、关于实行人民代表大会制度时安排民主人士的意见；三、关于党对少数民族工作经验的总结；四、关于利用、限制、改造资本主义工商业的意见。会议的讨论，以后两个文件为重点。我在会上以三个半天的时间作了题为《关于利用、限制、改造资本主义工商业的意见》的报告，详尽阐述了党对民族资产阶级实行和平改造的方针，指出：利用、限制和改造资本主义工商业是整个过渡时期的根本问题之一。它是关系到在过渡时期如何正确有效地利用资本主义在一定范围内、一定程度上的积极作用，以利于国民经济向前发展的问题；关系到如何教育和改造资产阶级分子的问题；关系到成百万资本主义企业的工人群众和广大的城市手工业者及其他劳动人民的生产和生活问题；关系到如何密切城乡联系、巩固工人阶级对农民的领导问题；总之，关系到我们国家逐步过渡到社会主义社会的根本大计。各级统战部门应当在中央的统一领导下，把政治工作和经济工作结合起来，积极参加这一伟大的社会主义变革。

党中央和毛泽东同志非常重视这次会议，7 月 16 日政治局专门讨论加强统一战线工作问题，认为中央统战部提出的四个文件基本上是好的，并作了重要指示。在此期间，为了总结建国三年来的财经工作，纠正商业和税收工作中的右的偏差，讨论制定第一个五年计划，中央召开了全国财经工作会议。遵照中央的指定，我向全国财经会议作了利用、限制、改造资本主义工商业问题的报告。恩来同志作了财经工作的总结。在全国财经会议期间，中央和毛泽东同志对过渡时期总路线和对民族资产阶级的和平改造问题，又进一步作了重要指示。9 月 7 日，毛泽东同志邀约李济深、陈叔通、黄炎培、章伯钧、章乃器、李烛尘、盛丕华、张治中、程潜、傅作义等党外人士座谈，发表了《改造资本主义工商业的必经之路》的重要讲话。

综合 6 月至 9 月这一期间毛泽东同志关于改造资本主义工商业问题的多次讲话，其基本要点如下：

一、经过国家资本主义完成对私营工商业的社会主义改造，是较健全的方针和办法。

国家资本主义的形态有三：一是公私合营；二是加工、订货、收购、包销等；三是私营商业向国营进货按牌价出售。私营商业亦可以实行国家资本主义，不可能以“排除”二字了之。

二、占有大约三百八十万工人店员的私营工商业，是国家的一项大财富，在国计民生中有很大的作用。私营工商业不仅对国家供应产品，而且可以为国家积累资金，可以为国家训练干部。

三、对私营工商业实行社会主义改造，要分为两步。第一步，先把不受限制的独立的资本主义变成受限制的国家资本主义；第二步，把国家资本主义转变为社会主义。

从不受限制的资本主义变成受限制的国家资本主义，这是一个进攻。在进攻中要有必要的让步，要承认资本家的“三权”（指企业所有权、用人权、经营管理权），否则，就无从搞国家资本主义。现在是进攻太猛，天津资本家只分得很少一点利润，这样他们就不会很好地搞生产。资本主义经济法则是唯利是图，现在要使它从唯利是图变成两利是图和四利是图。企业的利润分配，按照“四马分肥”的原则，分给资本家的股息红利可占企业利润的四分之一左右，其余的四分之三是为工人（福利费）、为国家（所得税）及为扩大生产设备（其中包含一小部分是为资本家生产利润的）而生产的。因此，这种新式国家资本主义经济是带着很大的社会主义性质的，是对工人和国家有利的。

四、三年之内，要把资本主义工业的大部分差不多包括一百万工人的工业变为国家资本主义，这是一件大事。我们要有计划、有步骤、有准备地搞国家资本主义，不能打无准备、无把握之仗。希望能在两年半三年之间或者三年到五年内解决这个问题，要稳步前进，不能太急。

公私合营企业，要给资本家提供一个榜样。过去是“西向让三，南向让再”①，今后每年都要发展。

五、实行国家资本主义，不但要根据需要和可能，而且要出于资本家自愿，因为这是合作的事业，既是合作就不能强迫，这和对地主不同。

六、资产阶级作为阶级是要被消灭的，但资产阶级分子则可能逐步分化。在我国的具体条件下，要相信资产阶级，上层小资产阶级，宗教界上层人物的大多数是可以改造的。其中一部分人可能要坚决反抗，但大部分人是可能不反抗而接受社会主义改造的。资产阶级分子改造的前途，不是变成地主、农民或其他小资产阶级，而是变成为工人。要消灭资产阶级，把人改造过来。

七、需要继续在资本家中间进行爱国主义教育，要有计划地培养一部分眼光远大的、愿意和共产党和人民政府靠近的资本家，以便经过他们去说服大部分资本家。每个城市都要有这样一批工商界的核心分子。

八、中国工人阶级有两个联盟、两种合作。一个是同农民的联盟，一个是同民族资产阶级的联盟。这两个联盟中，头一个联盟为后一个联盟的基础。没有头一个联盟，我们就没有力量。必须依靠工农联盟，才有力量去联合和改造那些剥削分子，那些人才会来。

---

① 见《史记》《孝文本纪第十》。吕后死后，诸吕欲为乱，大臣共诛之，谋召立代王。代王西乡让者三，南乡让者再，遂即天子位。借喻过去对公私合营的发展过于慎重。

九、采取自上而下的和平的方法逐步地实行国家资本主义，并不是取消阶级斗争，而是一种比较巧妙、比较温和、特殊形式的阶级斗争。在社会主义改造时期，我们同资产阶级的统一战线就是阶级斗争的一种形式。我们的战略目标是要消灭资产阶级，但可以采取比较文明的办法改造，可以开协商会，用协商的方法来消灭它。

十、不要忘记我们握有政治优势和经济优势。政治方面，国家政权在工人阶级手里，资本主义企业中又有工会和共产党支部；经济方面，社会主义经济占优势，企业公私合营后生产力即不断发展，事实证明了社会主义经济和半社会主义经济（公私合营）远远优胜于资本主义经济，向资本家提供了一个愿意同我们合作的榜样。工人阶级的政治优势和经济优势，是我们对资本主义工商业实现社会主义改造的根本保障。

十一、我们搞社会主义革命不是毫无根据的。我们是为了工人阶级自己的利益，而来改造资产阶级分子、农民、手工业者等等。要用马克思关于工人阶级不解放全人类就不能解放自己的战略思想教育全党。

刘少奇、周恩来等同志完全支持毛泽东同志的意见。六月政治局讨论时，恩来同志表示他当时也在调查寻找对私人资本主义实行社会主义改造的方针和途径，看了我送中央的报告后说“罗迈的报告解决了问题”。少奇同志也认为中央统战部的文件很好，系统地解决了问题。7 月 18 日，少奇同志向全国统战会议作重要讲话，他根据政治局讨论的精神，从理论上阐明了党对民族资产阶级采取和平赎买政策的依据，分析了半殖民地半封建国家民族资产阶级的两面性，指出在我国具有强大的人民民主专政的条件下，用和平的赎买的方法，也就是用统一战线的方法来改造民族资产阶级分子，不仅是必要的，也是可能的。他说：“从消灭我国现存的剥削阶级来讲，这种统一战线的方法，即和平过渡的方法，可能是主要的方法。”他指出统一战线的根本立场是服务于工人阶级和劳动人民的利益，对党内存在的怕麻烦，图清静的错误思想进行说服，说搞统一战线“是找麻烦，但又是省麻烦。经过这种统一战线工作，资产阶级、上层小资产阶级及其知识分子和政治代表不造社会主义的反，相反地他们服从社会主义，为社会主义服务，这就省了大麻烦。说做这种统一战线工作是找麻烦，只有一部分真理，没有全部真理。”

党中央和毛泽东等同志的重要讲话，以马克思列宁主义的基本原理和中国具体实际相结合的思想，以原则的坚定性和策略的灵活性的思想，武装了广大从事统战工作的干部，鼓舞并坚定了他们从事变革资本主义所有制这一伟大事业的信心。

（三）全面开展对资本主义工商业和资产阶级分子的社会主义改造

为了有计划推进对资本主义所有制的改造，中央决定各级党委要加强统一领导，并责成中央统战部分管这项工作。1953 年 11 月，中央在中央财经委员会下设立第六办公室，1954 年 10 月改为国务院第八办公室，我先后担任中财委副主任、国务院八办主任，协助周恩来、陈云同志主持这方面的工作。从这时起，中央统战部的工作重点转到社会主义改造方面，担负着对资本主义企业和资产阶级分子的双重改造任务。这是一项极其光荣而又艰巨的历史使命。

为了实现这一任务，在中央直接领导下，我们从 1953 年起，协同中央和地方的有关部门，把企业改造和人的改造相结合，进行了大量的工作。

1. 在全国工商界普遍深入地进行过渡时期总路线的宣传教育

变革资本主义所有制，是一场极其深刻的社会主义革命，必然引起资产阶级人们的各种疑虑和抵触，少数人必然要以各种不同方式进行反抗。党中央深刻地分析这一阶级斗争的新形势，决定自上而下地、有领导有步骤地开展总路线的宣传教育。1953 年 9 月 7 日，毛泽东同志亲自邀约民主党派负责人和一部分工商界代表人物座谈时，已经深刻阐述了我国由新民主主义向社会主义过渡的必要性，指明了我国实行国家资本主义的方针政策和步骤。9 月 8 日到 11 日，全国政协召开常委扩大会，邀请部分工商界代表人物参加。周恩来同志在会上作了关于过渡时期总路线的重要报告和总结讲话。他针对资产阶级对社会主义改造的思想疑虑，系统阐述了我国社会主义改造的方针步骤以及资本主义工商业的前途等问题，指出：“国家资本主义并没有取消资本主义所有制……工商业者只要遵守国家政策法令，不投机不垄断，以企业产品用于满足人民的需要，企业利润有四分之三满足国家、工人福利和扩大再生产的需要，他们的任务就是光荣的。”“资本家只要尽职尽力，不是一利是图，政府和工人阶级就应使资本家有职有权、有利可得。”对于资本家提出的前途问题和如何实现国有化的问题，指出："只要引导上国家资本主义就可以因势利导，水到渠成。将来在实行国有化的时候，可以不流血，可以和平地自然地进入社会主义。当然少数人反抗会有的，如果我们工作做得越好，反抗的人就会越少。总之，人们在过渡时期对国家尽了力，将来就会得到应有的报酬。这种过渡，会是'阶级消灭、个人愉快'的。"经过这些会议，大大减少了资产阶级上层代表人物的疑虑，他们表示拥护总路线和国家资本主义的方针。盛丕华对资本家现在有利润可得、将来有工作可做，表示满意。黄炎培形容党的社会主义改造方针是"同登彼岸、花团锦簇"。这种态度，代表了一些靠近我党、顺应历史潮流的工商界代表人物的进步倾向。

当时，广大工商业者对过渡时期总路线提出以后社会主义革命的深入和发展，普遍感到震动和不安。一部分人出于阶级本能的抵触，惊呼"上了贼船"。有的大财团资本家在大势所趋下，为保持其资本主义阵地，宁愿拿出一个企业抵债，而不愿实行合营，说"宁砍一指，勿伤九指"。少数人则以"三停"（停工、停伙、停薪）、抽逃资金、破坏生产等手段反抗社会主义改造。根据中央的指示，经过筹备，1953 年 10 月到 11 月召开了中华全国工商联会员代表大会。我在向大会的讲话中，阐述了党在过渡时期的总路线和对私营工商业实行利用、限制、改造政策的内容、意义和步骤。指出：生产关系一定要适应生产力的发展。全国解放以后，有利于国计民生的私营工商业虽然有所发展，但是资本主义生产社会性与私人占有的矛盾，劳资之间的矛盾，资本主义无政府状态与国家有计划建设之间的矛盾，已经日益发展和突出起来。不少企业生产下降，有的企业则陷于瘫痪。因此，把资本主义推向国家资本主义轨道，这无论从哪方面说来都是有利的。民族资产阶级接受这一改造的方针，也就是他们在国家的伟大建设中的一个大进步。我在讲话中还对国家资本主义的优越性作了详尽的分析，指出：一切比较发展了的国家资本主义都不同程度地改变了企业的生产关系，因而有利于企业生产纳入国家计划，有利于改善公私关系和劳资关系，有利于发展生产，资本家有利可得，也有利于资本家和资本家代理人充分贡献自己生产经营的技能，并在和社会主义成分的合作中逐步受到教育，为最后社会主义改造准备条件。指出：政府将根据国家的需要和可能，按照资本家的自愿，有步骤、有计划、有区别地实行国家资本主义；并且对企业的利润分配、加工订货、包销收购等具体政策问题，作了说明，要求资本家遵守国家政策法令，努力改善生产经营，接受社会主义改造。

经过对总路线的学习和讨论，大多数人受到深刻的教育，提高了认识，基本上接受了总路线和国家资本主义的方针（当然接受的程度是不同的）。许多人感到“社会主义是大势所趋，不走也得走”。有的则提出要“积极经营，争取利用，不犯五毒，接受限制，加强学习，欢迎改造”。黄炎培在大会发言中谈了学习总路线的体会，说在过渡时期资产阶级只要接受改造，将是：“风又平、浪又静，平平安安到达黄鹤楼”，“到社会主义都有一份工作，有饭吃”，博得了许多代表的赞赏。对于个人前途问题，代表们开始认识到只要遵循国家的总路线，将来可以稳步进入社会主义，可以“过文昭关”，“像剃头一样，只要不乱动，不会流血”，不但将来有工作，而且可以保留消费财产，从而大大解除了他们的最大顾虑。许多人的情绪由原来的疑惧、怕挨整而转变为开朗。会议闭幕时，李烛尘致闭幕词欢呼“毛主席万岁”，会场情绪高涨。这表明资产阶级上层人物在接受过渡时期总路线和国家资本主义的方针道路等根本问题上，同我们达到了基本的一致。

经过这次会议和会后的集中讨论学习，资产阶级中间涌现出一批拥护总路线的进步骨干，并且在以后几年中数量日益增多。他们在工商界中间现身说法，带头合营，努力宣传贯彻党的方针政策，成为协助我们党顺利推进国家资本主义的一支重要力量。这次会议的经验指明：党的总路线和国家资本主义是新的事物。需要大喊大叫，才能为它开辟道路。会议期间，我向毛泽东同志谈了开会的情况，他肯定会议是成功的，并说要使各级党委和统战部门有意识地懂得，半年之内是大喊大叫的半年。根据这一意见，会后我们又在全国工商界中间有领导、有准备地、大张旗鼓地进行总路线和国家资本主义方针的宣传教育，做到家喻户晓，深入人心。经过半年多全国规模的教育和工作，进一步提高了资本家对接受社会主义改造的认识，为国家资本主义的健全发展，作了必要的思想准备。政治工作和思想工作是一切工作的生命线。在过渡时期实现社会主义改造的斗争中，尤其是这样。

2. 全国第一次扩展公私合营工业计划会议

1954 年，是国家对资本主义工商业实行全面改造和有计划地扩展公私合营工业的第一年。

1953 年底，私营工业总数为十五万户，产值一百三十一万亿元，其基本特点是大型厂少，但产值大（职工在一百人以上的工厂不及户数的百分之二，但其产值占百分之三十五左右）；小型厂多，但产值小（十个工人以下的小型工业计十万多户，其产值只占百分之二十）；轻工业多，重工业少。在私营和公私合营的总产值中，加工订货、收购包销等各种形式的国家资本主义已上升为百分之五十三点六，自产自销部分下降为百分之三十三。公私合营企业虽然发展迅速，由1949年的一百九十三户发展到1953年的一千零三十六户，但其产值比重很小，只占百分之十三点三。

1953年12月，中财委（资）召开了全国扩展公私合营工业计划会议。会前，我草拟了向中央的汇报提纲——《关于将资本主义工业纳入国家资本主义的轨道的意见》。提出在两个五年计划期间对雇佣十个工人以上的私营工厂基本上完成公私合营的初步设想，并对1954年的工作方针和有关政策问题提出意见。说明国家资本主义的目的是：（1）初步改变企业的生产关系；（2）逐步改造资本家、管理人员和技术人员；（3）改造企业，积累资金，提高劳动生产率，发展社会生产力；（4）培养干部；（5）赎买。总之，经过一定时间的赎买和改造，为国有化准备好条件。设想国有化的时机一般可能在1962年前成熟。在这十年内，国家只需投入少量而必要的资金和干部（新建和较大扩建除外），公股不必多，百分之二十五、百分之二十以至再少些都可以，有了赎买和教育，又有大势所趋，实行国有化时，不需从股权比重上做文章。中央批准了这个提纲设想。毛泽东同志表示基本上赞成这个计划，说：十年内搞掉十个工人以上的私营企业，没什么急躁冒进。已过四年，天下小变，再过四年，将天下大变。十人以上的企业改造，可能不要十年，也许七年就可以了。明年一定要比较稳，后年大进一步，突飞在后两年。“撑着石头打泡秋（意指游泳），淹不死人”。

遵照毛泽东同志的指示精神，会议经过讨论最后形成了《中财委（资）关于有步骤地将十个工人以上的资本主义工业基本上改造成为公私合营企业的意见》，对社会主义改造的方针、政策、步骤作了明确的规定。文件指出：将私营企业改造为公私合营企业的条件正在成熟，国家的任务是要在今后若干年内“积极而又稳步地将国家需要的、有改造条件的，十个工人以上的私营工厂，基本上（不是一切）纳入公私合营的轨道……然后在条件成熟时，将公私合营企业改造成为社会主义企业”。确定1954年的工作方针是：巩固阵地，重点扩展，做出榜样，加强准备。

(1)对私营工商业者继续有领导地、大张旗鼓地普遍深入地进行总路线和国家资本主义方针的宣传教育;(2)继续整理原有的公私合营工业,巩固阵地,造成榜样,培养骨干,总结经验,制定若干必要的章程和办法;(3)稳步前进,根据国家的需要,企业改造的可能和资本家的自愿,合营一批较重要的和较大的企业,并把它们办好;(4)通力合作,制订将十个工人以上的资本主义工业基本上纳入公私合营的计划大纲,订出1955年至1957年的三年计划;(5)加强对国家资本主义中级形式的私营工业的领导,以利于更有效地利用这些企业,进一步为公私合营准备条件。文件对过渡时期阶级斗争的发展趋势和把企业改造同人的改造相结合等重要指导思想,作了阐述,指出:在过渡时期中,工人阶级和资产阶级间的矛盾是国内关系上的重要矛盾。工人阶级和资产阶级间的斗争是“谁战胜谁”的斗争。国家资本主义是特殊形式的阶级斗争,“是阶级斗争另一种形式的继续,而决不是用阶级和平来代替阶级斗争”(列宁:《论粮食税》)。斗争的性质是十分激烈和十分尖锐的,因为要在这个斗争中消灭资本主义和资产阶级。而任何没落的剥削阶级都不会自行退出历史舞台。斗争的方式方法则是复杂的、多样的、灵活的,并且是稳步前进的,因为要将有利于国计民生的资本主义企业尽可能地改造为社会主义企业,将资产阶级分子尽可能地改造为社会主义社会的公民。我们的工作必须把对企业的利用、限制和改造与对资产阶级分子的利用、限制和改造结合起来。忽视对于资产阶级分子的利用、限制和改造,就会离开国家在过渡时期的总路线的精神。

1954年3月,中央批发了这个文件,认为文件对扩展公私合营工业所提出的政策原则及1954年扩展公私合营的方针是正确的和适当的。这是我国对资本主义工业有计划地实行公私合营的一个重要文件,对于明确社会主义改造的方针、政策和步骤,具有重要的指导意义。

3. 制定《公私合营工业企业暂行条例》

扩展公私合营,涉及公私、劳资、各地各业各方面的复杂关系,涉及资产阶级的合法权益,需要妥善地慎重地加以处理。1954年7月,中财委(资)总结几年来公私合营工作中的政策和经验,制定了《公私合营工业企业暂行条例》。9月2日报经政务院会议审议公布,我对《条例》作了说明。

《条例》和《说明》的基本精神是确立社会主义成分对公私合营企业

的领导地位，同时保护资本家的合法权益。规定：（1）公私合营企业不是普通的合股企业，它是在社会主义经济直接领导下的、社会主义成分与资本主义成分直接合作的半社会主义企业。在企业中公方居于领导地位，私方接受公方的领导。（2）私方代表的合法权益受到保护，并负责参加企业的经营管理。私方代表应在公方领导下合理地行使其职权，守职尽责，公方代表应重视私方代表的职责，积极地耐心地帮助他们在工作上做出成绩，并使他们在思想上、作风上逐步获得改造。私方代表如有合公营私和其他违法行为，应进行必要的斗争，并依法处理。（3）对企业原有的实职人员，应量才使用，使之各得其所。对于工程技术人员和其他专家，应充分加以爱护，发挥其专长，并通过他们的生产和技术的实践，耐心地帮助他们进行自我教育。对丧失工作能力的老弱人员，参照劳保条例或其他办法，给予适当照顾。（4）合营企业吸收工人代表参加管理，企业管理制度的改革要稳步进行，逐步代以先进的经营管理制度。（5）私股的股息、红利加上董事、经理和厂长的酬劳金，共可占企业全年利润的百分之二十五左右。私股所得，由个人自行支配。（6）合营企业的董事会是公私双方的协商议事机关，应定期举行，对企业的生产经营、盈余分配及有关公私关系等主要事项进行协商。这个《条例》的公布和实行，标明我国公私合营的政策原则通过法律形式更加明确和完备了，有力地促进了资本家接受公私合营的积极性，从而加快了社会主义改造的步伐。

4. 全国第二次扩展公私合营计划会议

经过各方面的协同努力，1954 年的扩展公私合营工作取得很大的进展。这一年，采取吃“苹果”即逐个企业合营的方式，合营了七百九十三户规模较大的、有关国计民生的重要工业，当年产值达二十五点六亿元，超过了过去几年全部公私合营企业的总产值，从而加强了社会主义和半社会主义的经济力量。1954 年在全国工业总产值中，国营、合作社和公私合营企业产值达到百分之七十五点一。私营工业只占百分之二十四点九。在扩展合营工作中，多数注意贯彻党对资产阶级的统一战线政策，在清产定股、人事安排、利润分配等方面适当照顾了私股的合法权益；加以国家派遣公股干部，投资新建、扩建，整顿企业的经营管理，使合营企业生产迅速发展，利润增加，发挥了明显的优越性，进一步促使更多的资本家要求公私合营，为社会主义改造创造了有利的形势。

但在另一方面，个别企业的合营方式，也产生了新的矛盾。中国资本主义有很大的分散性、落后性。大的“苹果”吃掉了，资本主义经济固有的内部联系打乱了，剩下大量分散落后的中小企业生产上发生了严重困难。加以国营部门在社会主义改造中对各种类型经济未切实贯彻统筹安排的方针，在加工订货的分配上，只管国营和公私合营，不顾私营企业，更加深了这种矛盾。从1954年下半年起，若干私营行业即陷于困难，部分企业停工、停薪、停伙，甚至关门、失业，国务院八办事先对这一情况缺乏了解。1954年12月，国务院八办和地方工业部联合召开的第二次全国扩展公私合营计划会议一开始，就集中暴露了这方面的严重情况。如果不首先安排好私营企业的生产，不但工人不满、资本家惶惶不安，连扩展公私合营也无法进行。会议被迫改变部署，首先研究对私营工业的生产安排问题。1954年10月起，我因患耳癌，赴苏联治疗，这次会议没有参加。八办副主任许涤新同志向周恩来、陈云同志作了汇报，当时主管八办工作的陈毅同志也向周恩来同志写信批评国营主管部门缺乏统一安排的“左”的倾向，指出：“改造速度太猛、孤军独进，不与各方打招呼。”恩来同志指示，对国营、公私合营和私营工业的生产，一定要统筹兼顾，要“统一领导、归口安排，按行业改造，全面规划”。陈云同志向会议作了《解决私营工业生产中的困难》的报告，确定统筹兼顾、调整公私关系的方针，指出对私营工业应在保证社会主义成分稳步增长和国营经济领导下，采取统筹兼顾、各得其所的方针；进行合理安排，既要有所不同，又要一视同仁。反对资本主义无计划的盲目发展，克服资本主义的自发势力，逐步将各种经济纳入国家计划的轨道。只顾国营、不顾私营，只看到有所不同、不看到一视同仁，是不对的。指出：私营工业也是国民经济的一部分，将来也要变成国营，私营工业的工人和国营工人都是中国的工人阶级，必须同等看待。如果听任私营工业停工关厂，工人失业，必然造成社会动乱，影响工人阶级内部的团结。根据这一方针，中央确定国营让出一部分原料、生产任务以维持私营，加强加工订货的计划性，按私营工业产品类别归口管理、一条鞭管到底。陈云同志指出，如果不这样，“国营多缴了利润，国家还要付出救济费，这是出了钱还要挨骂。采取维持私营生产的政策，就是为大量纳入公私合营创造条件”。1955年1月，中央政治局讨论批准了统筹兼顾的原则。当时毛泽东同志说：这才对。不看僧面看佛面嘛。少奇同志针对党内在社会主义改造中的“左”倾错误思想，特别指出党与非党联盟、劳动人民与非劳动人民联盟的重要性，不要重复瑞金时代盲目排挤私营企业的错误。

这次调整的经验指明：国民经济是有机整体。在过渡时期，各种类型的经济随时都处在剧烈变动、互相斗争之中。社会主义、半社会主义经济要发展，私人资本主义要受到限制和改造，是不可避免的客观规律。但是，在前进中国家必须对各类经济成分统筹兼顾、统一安排。否则，资本主义的盲目性就要发展，社会主义改造就不可能顺利进行。

这次调整经验还指明：个别企业的公私合营在一定时期是必要的，不合营一批大型的私营企业作为骨干，就不能造成社会主义改造前进的巩固阵地。但是这种方式有它的局限性，在它发展过程中必然带来合营企业同大量未合营的中小企业在生产安排、企业改造等方面的种种矛盾。因此，必须把个别企业公私合营同全行业的改组、改造结合起来，按行业归口管理，统筹安排。这次会议后，中央除原设的地方工业部专管私营轻工业的改造外，还新设第三机械工业部，负责归口管理私营重工业的安排和改造。这样，就把全部私营工业置于国家计划统一领导之下，为以后的全行业公私合营准备了必要的条件。

遵照中央的指示，这次计划会议之后，陈毅同志邀请当时参加全国政协的工商界委员六十三人举行私营工业座谈会。陈云同志代表党中央和国务院提出统筹安排、调整工商业的方针，曾山、吴波、许涤新同志分别就加工订货、税收、公私合营等具体政策问题作了解答。很多资本家开始时认为私营工业关门、倒闭，是实行总路线无可避免的结果，埋怨社会主义改造太快了，感到前途渺茫，情绪消沉。及至听了陈云同志讲话并经我们诚恳协商和耐心工作之后，他们的情绪由沉闷而开朗，缓和了紧张的阶级关系，提高了对社会主义改造的信心。

5. 对私营商业的社会主义改造

在有计划地安排、改造私营工业的同时，改造私营商业的任务也提到日益紧迫的日程上来了。

我国私营商业行业复杂、人员众多、遍布城乡僻壤，沟通产销需要，是活跃城乡经济生活的一支重要力量。它的特点是：户数多，人数多，资金少，规模小。1952 年全国私营商业约四百万户，从业人员约七百多万人，其中雇佣职工二人以上的户数仅占百分之二，绝大多数是不雇佣职工的家庭商业和小商小贩。

国家对私商的改造，首先从批发环节开始。私营批发商带有很大的投机性，争夺货源，操纵物价，扰乱市场，危害国计民生。为了确保对市场的领导权，国家对它们采取排除代替的方针。至1953年底，国营批发的比重已经达到百分之七十左右，私营大批发商已基本上被国营商业所代替了。对剩下的中小批发商，则指导其转业或将其人员、资金吸收进国营加以安排，给予出路。

对广大城乡零售商主要采取经销、代销的形式加以利用、限制和改造。1953年下半年，国家扩大对私营工业加工订货范围，对粮食、油料、棉花实行统购统销之后，我国整个市场关系起了根本变化，国营、合作社商业掌握了大量的农产品和工业品，不论在批发和零售环节上都占了压倒优势，私营零售商的主要部分已经不能像过去那样依靠从私营批发商或从生产者方面直接进货，而必须依靠国营和合作社商业方面进货，来维持它们的营业。这种市场关系的变化和改组，为国家有计划地安排改造私营商业造成了十分有利的形势。国家因势利导，首先把经营粮、油、棉的私商在全国范围内整个行业地转为国营商业的代销店，在其他行业也发展了经销、代销、批销等各种形式的国家资本主义。经过这些形式，国家将掌握的商品委托私商按国营规定的牌价或其他条件销售，私商取得一定的差价或手续费。这就使广大私商的经营活动围绕着国营和合作社商业而旋转，"如各行星绕着太阳旋转一样"①。

但是，1954年入秋以来，国营、合作社商业在社会主义改造中前进太快，也发生了盲目排挤私商的偏差。城市私商营业萧条，亏蚀赔累，1954年全年私营商业的总营业额比1953年降低了一半、赔累户占私商总户数的百分之五十至六十。农村私商一年来被排挤的达六十九万户、一百万人左右，城乡渠道受阻，许多农产品无人收购，引起农民不满，指责："合作社忙死、农民等死、私商闲死"，不少地方农民杀牛、杀母猪、小猪的现象相当普遍，造成了城乡公私关系、工农关系的普遍紧张。1955年4月，中央纠正这种错误，指出："这种情况如果让其继续发展下去，将不仅严重影响城乡经济的活跃，影响农业生产的发展，影响正常的社会秩序，并且由于农民滋长着对我不满情绪，也将会影响工农联盟，以至影响整个社会主义建设和社会主义改造的正常进行。"中央决定：（1）在城市零售的阵地上，国营商业前进过多的，适当退让，以维持私商经营，尔

① 《斯大林全集》第6卷，第260页。

后逐行逐业地加以安排和改造；（2）对农村小商小贩，引导其走上互助合作的道路，分担农村商品流转的任务，并逐步过渡为供销社商业；（3）对农民实行“三定”（定产、定购、定销），统购任务完成后的多余产品，允许农民自由买卖，以缓和农村对统购统销的不满情绪。中央特别指出：应该懂得，工人阶级当了政，必须负责对社会各阶级的生活出路进行适当安排，这样做，是适合国家利益，有利于工人阶级的。还要看到，目前零售商已经受到若干限制，特别是为国家经济代销的部分，性质上已有很大改变。因此对公私比重的概念，不能不作新的了解。社会主义商业有无前进，是要看对整个商业的计划领导程度，对私营商业改造的进展程度，而不应仅计算国营商业和合作社商业本身的营业额。中央这个指示，从根本上批判和扭转了商业工作中的单纯业务观点，使改造私商的工作摆脱“左”的错误，比较健全地向前发展。

6. 全行业公私合营高潮到来前的形势和工作

1955 年下半年以来，全国掀起了农业合作化高潮。这个形势，直接推动了资本主义工商业社会主义改造高潮的到来。

经过六年来的工作和斗争，我国社会主义经济成分已经取得了决定性的优势，资本主义阵地已经大大削弱和缩小了。在工业方面，到 1955 年底，全国公私合营工厂达三千一百九十三户，其产值占合营户和非合营户总产值的一半（百分之四十九点七），剩下的一半产值是十二万多户的中小企业，也大多纳入了加工订货的轨道。在商业方面，三十二个大中城市的国营、合作社和国家资本主义的经销、代销企业已占全国零售总额的四分之三，纯粹私营商业只占四分之一。特别是 1955 年下半年起，全国一些城市取得了结合合并、淘汰实行全行业公私合营的成功经验。上海市有棉纺、毛纺、麻纺、面粉、碾米、造纸、卷烟、搪瓷八个行业，北京市有面粉、机电、棉布三个行业，实行了全行业合营，天津市有一部分粮食代销店直接转变为国营粮店。农业合作化高潮的到来，最后割断了城乡资本主义的联系，资产阶级在经济上已经丧失了独立存在的条件，整个阶级已经分崩离析、空前孤立。加以资本主义落后的生产关系越来越束缚生产力的发展，公私之间、劳资之间的矛盾越来越突出。私营企业的工人群众再也不愿忍受资本主义的剥削，资产阶级再也不能照旧维持下去了。整个形势的发展，迫切要求把原来主要是国家资本主义的初级形式和个别实行公私合营的阶段，推进到全行业公私合营的新阶段。

党中央和毛泽东同志因势利导，全面规划，向党内外大力进行宣传教育，有计划、有步骤地领导和推进了这一具有伟大历史意义的社会主义变革。

1955年10月27日、29日，毛泽东同志邀约民主建国会、全国工商联的领导人陈叔通、李烛尘、胡子昂、胡厥文、荣毅仁等人和出席全国工商联会议的全体执行委员分别在颐年堂、怀仁堂举行座谈。针对资产阶级在社会主义改造中动荡不安的心理，作了两次重要讲话，系统阐明党的和平改造和赎买政策，殷切希望资产阶级人们要认识社会发展规律，主动掌握自己的命运，进一步接受社会主义改造。毛泽东同志指出：现在中国处在大变革的时代，社会动荡不安。农民私有制要变集体所有制，资本家也要改变所有制，许多人掌握不住自己的命运。要掌握是可以掌握的，即了解趋势、站在社会主义方面，有觉悟地逐渐转变到新制度。针对资产阶级分子惧怕社会主义的心理，指出应当加强社会主义的宣传教育，说：共产主义这个问题要讲开，好像怕鬼一样，大家一说就不怕了。我看共产是好事，没什么可怕。不是今天说了，明天就共产了，而是讲要准备共产，要广泛宣传。重申我们党将坚持和平转变和赎买政策，说我们现在的社会主义改造，其实就是马克思、恩格斯、列宁所说的赎买政策，是“善转”，不是“恶转”，是“和平的转”，不是“强力的转”。赎买的时间，从1949年算起，可以拖到十五年、十八年，经过许多过渡步骤，经过许多的宣传教育。安排人员，主要是两个，一个是工作岗位，一个是政治地位，把这两个统统都安排好。究竟哪一年国有化，不会是一个原子弹扑通下地，总要同你们商量的。大家要安下心来，不要十五个吊桶打水，七上八下。毛泽东同志还着重提出培养和扩大工商界核心分子的任务，说：希望每一个大城市有几十个、几百个核心人物，这些人比较其他人要觉悟一些，要进步一些，经过他们来教育其他工商界的人。他还对李烛尘等人提出工商界也要掀起一个改造高潮的主张进行说服，说：不要搞一阵风。我们需要有充分准备，包括思想准备、宣传教育许多工作在内，要有秩序、有步骤地前进，要做到瓜熟蒂落、水到渠成。毛泽东同志的讲话，有力地稳定了资产阶级人们动荡不安的情绪，并鼓舞了多数人接受社会主义改造的积极性。全国工商联会议期间，经过深入学习和讨论，许多人现身说法，批判自己的剥削发家史，认识到资本主义道路是大鱼吃小鱼，是死路一条，只有下决心走社会主义道路，才能掌握自己的命运，获得光明的前途。会议通过《告全国工商界书》，号召全国工商业者认清前途，服从共产党和人民政府的领导，坚定爱国守法的立场，接受社会主义改造，把自己的命运同国家的前途结合在一起。

同年11月16日至24日，中央政治局召集各省、市、自治区党委代表会议，集中讨论对资本主义工商业的社会主义改造问题。陈云同志在会上传达了上述毛泽东同志同工商界代表人物的两次重要讲话，并适应形势发展的需要，提出了全面改造资本主义工商业的六点规划，即(1)对各行各业的生产进行全国范围的统筹安排；(2)各行各业内部必须有或大或小的改组；(3)实行全行业公私合营；(4)实行定息；(5)组织专业公司；(6)全面规划，加强领导。全面实行这六点规划，就将使剩下来未合营的大量分散、落后的私营企业纳入全行业合营的轨道，完全集中在国家和社会主义的控制之下。《中央关于对资本主义工商业改造问题的决议（草案）》提出：这种全行业公私合营，“是资本主义所有制过渡到完全的社会主义所有制的具有决定意义的重大步骤。在这种情况下的公私合营，那就不仅是半社会主义的，用列宁的话来说，‘那就是四分之三的社会主义了’”。为了在战略上确保这一改造事业的胜利，在策略上必须有所让步、有所妥协。陈云同志指出：在社会主义改造中，对资产阶级不要“两面夹攻”，应当“网开一面”，在清产核资、人事安排、工资福利等问题上要照顾资本家的合法权益，对所有的资方实职人员应该全部安置，“他们过去没有吃艾森豪威尔的饭，是吃的中国饭，而且就是吃他那个铺子里面的，所以还是让他们吃下去”。他还提出要合理使用资本家的任务，说“必须让资方实职人员担任实际业务，不坐冷板凳”。“有许多资本家懂得技术、有经营管理能力，如果不用他们，不合理，也不近人情”。

周恩来同志在会上对中国民族资产阶级的两面性、和平转变等问题作了系统发言。他针对上海一个自称是工人的来信中否认资产阶级的积极性、攻击党的赎买政策的言论进行批驳，指出这封信“反映了托派特点”。他充分肯定中国民族资产阶级在反帝爱国、和平建设、增加生产等方面作出的积极贡献，指出：“对它在政治上、经济上的积极作用，我们应该充分加以利用，同时也要限制它黑暗的方面。这边利用的越多，那边限制的越大，就越利于改造，把它从资本主义轨道扭过来，转入社会主义轨道。”“把所有权拿过来，最后实现全民所有制，这个阶级就消灭了，但这些人还是要改造他。消灭阶级，个人改造，最后都要变成工人，得到一个愉快的前途”。

刘少奇同志在讲话中深刻阐明了党对民族资产阶级采取和平改造和赎买政策，对国家和工人阶级是有巨大利益的。他特别指出：在资产阶级中培养核心分子很重要，需要资产阶级方面有一些人起来赞成共产。他强调说：消灭资产阶级决定的一着，就是这个全行业的公私合营。应该很有计划、很有步骤地进行，各方面配合，党委抓紧领导。

我在会上着重对资产阶级分子的改造问题作了发言。指出改造资本主义企业和资产阶级分子，是互相影响而又不可分离的双重改造。实现和平变革资本主义所有制的关键在于改造资产阶级分子。要认真加强对人的改造，才能跟上形势的发展。提出要进一步促进资产阶级内部向社会主义方向的分化趋势，要大力争取中间分子，扩大核心分子队伍，缩小落后分子，孤立和分化反动分子。在与资产阶级的关系上，要把原则性与灵活性结合起来，宽紧得当，四面不透风是不行的。对资本主义剥削制度要逐步抓紧予以消灭，而对资产阶级分子要给以宽大待遇，对他们要实行赎买，包下来，给以工作，给以出路。我在发言中还着重批判了在阶级斗争和对资产阶级政策问题上的“左”的观点，指出：和平改造和国家资本主义是一场深刻激烈的阶级斗争，但由于党的正确政策和工作，我国阶级斗争的趋势将不会沿着越来越激烈、越复杂的公式发展下去，说服教育和批评是人民民主统一战线内部对资产阶级进行斗争的主要方法，认为对付资产阶级的办法就是斗争为主，斗争、斗争、再斗争，而且越斗越厉害的看法，同我国阶级斗争的实际发展和党的政策，都是不符合的。

毛泽东同志在讲话中充分肯定资产阶级人们在社会主义改造中取得的显著进步，批判自称为上海工人来信中否定资产阶级两面性、反对赎买政策的主张，是以“左”的面貌来反对我们党的路线，是一个挑战，是反马克思主义、反工人阶级的。指出现在资本家已经一只半脚踏进社会主义，快要变工人阶级了。应当在党内进行广泛的解释和教育，使广大党员提高认识，取得工作的主动权。

会议期间，中央提出《关于资本主义工商业改造问题的决议（草案）》，全面总结了六年来我国社会主义改造的巨大成就，从理论和实践的结合上阐明我党同民族资产阶级建立联盟、实行国家资本主义和赎买这一根本方针的重大意义，批判了党内在改造问题上的错误倾向，提出全党要加强领导、全面规划，争取在1957年底在一切主要行业实行全行业公私合营的战斗任务。这个《决议》是党中央有计划、有步骤地指导资本主义所有制实行社会主义变革的重要文献。中央领导同志的讲话和《决议》得到了与会全体同志的一致拥护。这次会议，对于统一党内思想，有秩序地迅速推进我国资本主义所有制的伟大变革，具有重大的指导意义。

（四）全行业公私合营高潮的到来和党的方针政策

进入1956年，全国政治形势起了根本变化。在农业合作化高潮的巨大推动下，资本主义工商业的全行业公私合营也以汹涌澎湃之势，席卷全国。1956年1月，全国各地的私营工商业者天天敲锣打鼓，要求批准公私合营。面对社会主义改造高潮的新形势，中央只好改变原来制定的在今后两年内分期分批实现全行业公私合营的计划，采取一次批准、全面合营，先收编、后改组的做法。正如陈云同志所说的："他们要求的很厉害，天天敲锣鼓，迎接公私合营，就只好倒个头，先承认公私合营，再来进行清产核资、生产安排、企业改组、人事安排。"这种政策步骤的调整，在当时是被迫的，但又是必要的、适当的。据统计，到1956年底，私营工业户数的百分之九十九，总产值的百分之九十九点六，私营商业户数的百分之八十二点二，资金的百分之九十三点三，分别纳入了公私合营或合作化的轨道。

实行全行业公私合营和定息制度以后，使企业的生产关系发生了根本变化。（1）资本家占有的生产资料已经全部转归国家使用和管理，他们除了领取固定的定息而外，实际上已经丧失了对企业生产资料的支配权。这就使国家有可能按照社会主义原则来管理和改造企业，更好地发展生产、满足人民的需要。（2）资本家开始处于从剥削者到劳动者的转变过程之中。他们参加企业的工作和生产，但已不再是企业的统治者和支配者，而是以公职人员的身份在国家领导下为社会主义服务。这就更便于以企业为基地，加强对资产阶级分子的教育改造。（3）实行定息后，严格限制了资本主义剥削，他们的定息收入，只取决于股金数量的大小，同企业盈余的多寡割断了联系。这就更能充分发挥工人群众的生产积极性，更有利于国家资金的积累。因此，这种全行业公私合营，是从资本主义过渡到社会主义具有决定意义的步骤；这种公私合营企业，实质上已经是社会主义性质的企业了。

为了正确引导资本主义所有制这一伟大的变革，在高潮到来一年间，我们进行了紧张的工作，根据中央的指示精神，制定了一系列有关的政策文件，妥善处理私股财产、定息、生产安排和人事安排等问题，有力地推进了对企业和资产阶级分子的双重改造，促进了企业生产经营的正常发展和提高。

1. 提出“从宽从了”的方针，妥善处理合营企业的清产核资工作

对于清产核资中有关公私关系方面的问题，凡是可以从宽处理的，都从宽处理，对企业原来的各种债务和财产关系（包括敌伪财产，对公欠款、抽走资金、呆滞物资在内）根据从宽处理的方针和有关规定，尽可能地予以了结。1956 年清产核资的结果，全国公私合营企业私股投资总额为二十四点二亿元，其中工业为十六点九亿元，商业和饮食业为五点九亿元，服务业为零点三六亿元，交通运输业为一点零二亿元。全国拥有定息的私方人员共有一百一十四万二千人，其中在职人员为七十一万人。

2. 继续贯彻赎买政策，定息五厘，高薪不动

1956 年 1 月，中央原规定全国对私股年息的总幅度定为一厘至六厘，根据不同地区、行业的具体情况，起码定为一厘，最高不超过六厘。以后，根据国务院八办的建议，陈云同志决定定息原则从简从宽。息率一律五厘，并决定七八月间发一次定息。大中资本家原来对定息是“求三（厘）、望四（厘）”。这个决定在六月全国人代大会宣布后，他们表示“喜出望外”。当年 12 月，在全国工商联召开会议期间，陈云同志又传达了中央的决定：从 1956 年起，定息七年不变，如七年后工商业者生活上还有困难，还可以拖个尾巴。资本家原有的高薪，一律不动。这也是一种赎买，实行这些政策的目的，是为了照顾工商业者的生活，使他们更加安心地接受改造，为国家建设服务。

3. 根据“量才使用、适当照顾”的原则，安排在职资产阶级分子的工作

中国民族资本家和私营工商业者，不少人对企业的生产技术和经营管理具有丰富的经验和专长，这是资本主义遗留下来的一笔宝贵财富。应当充分地加以使用，为社会主义服务。据 1955 年统计，全国私营十人以上

工业在职私方人员七万一千二百八十四人中，熟悉工程技术的人员有七千五百五十一人，占百分之十点六。上海第三轻工业局所属私方人员五千零三十人中，有技术经验且能掌握全厂生产关键的有一百三十二人，占百分之十八点三。企业合营后，我们及时提出“量才使用，适当照顾”的原则，对企业合营时候在职的私方人员全部包下来，在工作上进行合理安排，条件具备的，还安排为正职。把他们生产技术和管理知识中一切有用的部分，当作民族遗产，切实地继承下来为社会主义所用。1956 年内，全国私方人员中，安排参加企业管理工作的约占百分之四十，直接参加生产的约占百分之六十，对老弱病残的私方人员也作了适当安置。

4. 调整公私共事关系

企业合营后，国家同资产阶级分子的关系，由原来在企业外部的联系转变为企业内部的公私共事关系。资产阶级分子已经完全处于公方代表的领导和职工群众的监督之下为企业工作。这种公私共事关系，具有两重性。一方面，资产阶级落后的经营管理作风和旧的思想习惯势力还经常在工作中反映出来，因而具有阶级关系的性质；另一方面，他们享有国家赋予的职权和责任，公私双方又是一种工作关系。正确处理这种新型的合作共事关系，不仅直接关系到企业生产经营的好坏，而且是能否有效地帮助资产阶级分子积极发挥所长、转变为劳动者的关键问题。我在 6 月全国人民代表大会第三次会议的发言中，批判了在部分公方人员和工人群众中存在的把资本家看成“包袱”、不愿放手使用、把他们冷在一边、予以排斥歧视等等“左”的错误，强调安排、使用和改造资产阶级分子是合营企业公方人员和工人群众应当肩负双重改造的光荣历史使命，不能只要企业、不要人。公方代表应当积极领导，放手使用，尊重私方人员的合法权益和合理意见，帮助他们履行国家公务人员应有的职权，按照他们的职务，参加应当参加的会议，阅读应当阅读的文件，为企业作出贡献。私方人员应当主动接受公方领导和工人监督，积极工作，守职尽责，过去有严重劣迹为工人所不满的，应在适当的场合作恰当的自我批评，取得群众的谅解。根据小平同志的意见，我在发言中还着重强调公方代表应当学习私方人员一切有用的管理专长和经验的问题。

这一年间，陈云同志、国务院八办和中央有关部门还分别召开了公方人员、工人代表、私方人员以及工商界家属等的各种会议，深入宣传党的方针政策，并且制定了改进公私合作共事关系的政策文件，逐步改变了企业合营初期公私双方“三相”（相对无言、相敬如宾、相安无事）的阶级戒备心理，促进了公私共事关系的改进。

5. 普遍开展政治理论教育

根据中央指示，1956 年初，我们同中央宣传部合作编写《工商界政治常识读本》，向私方人员通俗讲解社会发展规律，普遍进行破资本主义、立社会主义的思想教育。据 1957 年 4 月的不完全统计，全国私方人员参加各种学习共达一百二十八万人次，其中参加工商界短期讲习班的有十万二千人。这次学习取得了良好的效果。毛泽东同志说：“许多工商业者在讲习班里学习了几十天，回到工厂，同工人群众和公方代表有了更多的共同语言，改善了共同工作的条件。”

6. 逐步解决私方人员的福利待遇问题

这次全面合营高潮期间，也带进了一大批没有雇佣剥削的小商、小贩、小手工业者以及只有轻微剥削的小业主。这部分人约占全部私方人员百分之八十。他们普遍工资低，定息少，最关心合营后的生活福利待遇问题。我们为国务院制定文件，规定：私方人员的疾病医疗和病假工资，凡在国家机关和国营企业工作，一律按干部或职工同等待遇。凡在合营企业工作，股金在二千元以下的，疾病医疗按所在企业职工待遇办理，股金在二千元以上的，如确有困难，也可按照职工待遇办理。私方人员的病假工资，不论股金多少，一律给予本人工资的百分之五十至七十。这些规定，体现了国家对私方人员的关怀和照顾，安定了他们的情绪。

7. 企业原有的经营管理制度，半年不动

在合营高潮期间，私营工商业一下子进入公私合营。业务部门由于缺乏经验，曾将许多工厂、商店盲目合并，改变了它们原来的生产和运销规律和经营管理制度，形成了一时供、产、销脱节和产品质量下降的现象。国务院于 2 月及时纠正这些错误倾向，规定：所有私营企业批准合营以后，一律照旧经营，半年不动；企业原有的供销关系、服务制度、协作关系，也不要轻易改变，企业原有的经营特色和优质产品，应当予以保留并发扬。以后中央又多次重申：对经济改组、企业改造和网点调整等工作，一定要经过周密的考虑研究、统筹规划，慎重对待，不要盲目进行。这些规定，使我们在这样一场广泛、迅速而又复杂、深刻的社会变革中，尽量减少混乱，及时纠正错误，使我国的社会主义改造事业基本上有秩序地、健康地向前发展。

1956年6月，陈云同志代表党中央对我国社会主义改造高潮的伟大历史意义作了高度的评价，说："企业的私有制向社会主义所有制的改变，这在世界上早已出现过，但是采用这样一种和平方法使全国工商界如此兴高采烈地来接受这种改变，这是史无前例的第一次。"全国人民应当"热烈地庆祝这个胜利"。

（五）我国和平改造的基本经验和几个问题的探讨

我国所以能够取得和平改造和赎买的伟大的历史性胜利，从战略上考察，主要是由于以下三个方面的情况决定的。

第一，无产阶级有强大的优势。

新中国成立后，在全国范围内建立起强大的人民民主专政；中国共产党成为全国的执政党，并且牢牢地掌握着国家的社会主义发展方向；农民站在工人阶级方面，同工人阶级结成了巩固的联盟。在经济上，由于没收了占现代工业百分之八十的官僚资本，掌握了国家的经济命脉，建立起日益强大的社会主义经济，并在整个国民经济中处于领导地位。这一切说明，民族资产阶级作为一个阶级，除了接受工人阶级的和平改造，接受国家资本主义的方针和道路外，别无其他的出路。毛泽东同志在《论人民民主专政》中指出："人民手里有强大的国家机器，不怕民族资产阶级造反。"社会主义强大的政治优势和经济优势，是我国实现和平改造的根本前提和保证。没有这些条件，就谈不上对民族资产阶级的和平赎买和社会主义改造。

第二，我国民族资产阶级不同于帝国主义、地主阶级和官僚资产阶级，也不同于资本主义国家的资产阶级，它在政治上、经济上都很软弱，具有两面性。这使我国的和平改造具有客观的可能。

中国的地主阶级和官僚资产阶级，俄国和东欧国家的资产阶级，都是反动的统治阶级，极端敌视革命，是革命的凶恶敌人。希特勒侵占东欧以后，东欧国家的资产阶级大都投降了希特勒，组织傀儡政权。东欧各国解放后，一部分资产阶级逃跑了，一部分则留在国内破坏捣乱。俄国资产阶级在十月革命胜利后，敌视苏维埃政权，以反革命的武装叛乱和破坏回答列宁提出的国家资本主义方针。因此，在苏联，国家资本主义没有能够取得显著的进展。

中国民族资产阶级在政治上、经济上受帝国主义、封建主义和官僚资本主义的压迫和束缚，同它们有矛盾，因此能够在不同程度上参加民族民主革命，是工人阶级的同盟者。中国民族资产阶级是爱国的，在抗日战争中一般没有同敌伪政权合作，许多爱国资本家并参加了共产党领导的抗日民族统一战线。在民主革命时期，民族资产阶级除 1927 年以后许多人一度附和蒋介石反革命外，在大部分时期内，同我们党有合作的历史。全国解放后，在人民民主专政的新的历史条件下，它们又拥护共同纲领、拥护工人阶级和共产党的领导，在恢复国民经济，参加土改、镇反、抗美援朝，以至接受社会主义改造和参加社会主义建设等方面，做出了积极的贡献。如果民族资产阶级对社会主义改造采取敌视的态度，即使在强大的人民民主专政的条件下，我国的和平改造仍然不可能取得成功。

第三，党对民族资产阶级采取了正确的政策。建国以来我们继续保持同民族资产阶级的统一战线，针对它们的两面性，实行又团结又斗争，斗争为了团结的政策；用赎买和国家资本主义的办法，有偿地而不是无偿地、逐步地而不是突然地改变资本主义所有制；在改造他们的同时，给以必要的工作安排，并且对他们中的代表性人物给予适当的政治安排，使他们在大势所趋不能不接受改造的形势下，感到有出路、有好处，从而不太勉强地接受社会主义改造。有了强大的政治、经济的优势，有了对方的条件，如果我们党的政策不对，不是坚持同民族资产阶级的联盟，我国的社会主义改造仍然不可能顺利实现。

历史上我们党对民族资产阶级的认识和政策，经历了一个曲折发展的过程。从建党之初到遵义会议之前，陈独秀的右倾投降主义和王明的“左”倾冒险主义，对民族资产阶级的认识和政策都没有解决好，都犯了错误。陈独秀认为民族资产阶级只有革命性的一面，鼓吹“二次革命论”，主张中国的革命既然是资产阶级民主革命，就应当由资产阶级来领导，无产阶级只能充当“抬轿子”的角色，把革命的领导权拱手让给资产阶级，对资产阶级只讲联合、不讲斗争。陈独秀的右倾投降主义是 1927 年大革命遭到失败的主观原因。1927 年党的“八七”会议坚决纠正和结束了陈独秀的右倾投降主义，确定了实行土地革命和武装起义的方针，这是它的历史功绩。但它在反对右倾错误的时候，却为“左”倾错误开辟了道路。1928 年党的“六大”的路线，基本上是正确的，但对中间阶级的两面性和反动势力内部的矛盾缺乏正确的估计和政策，认为民族资产阶级只有反动性的一面。白区工作的战略方针是反对民族资产阶级的。1931 年党的六届四中全会又接受了新的“左”倾路线。以王明为首的“左”倾冒险主义主张打倒一切，主张整个地反对民族资产阶级以至上层小资产阶级，甚至把反对民族资产阶级和反帝反封建并列，否认中间营垒和第三派的存在，断定中间派别是所谓中国革命最危险的敌人，实行了许多极端的“左”的政策，如过左的经济政策和劳动政策，打击中间阶级，从“左”的方面取消了同民族资产阶级和其他中间势力的统一战线，使工农孤军奋斗，对革命事业造成极大的危害。这些都是痛苦的经验。直到 1935 年遵义会议结束了“左”倾路线在党中央的统治以后，在毛泽东同志的正确领导下，中国革命才走上胜利发展的轨道。毛泽东同志总结了历史上两种极端的政策倾向，制定了同资产阶级建立统一战线的正确理论和又团结又斗争的政策，既反对从右的方面、也反对从“左”的方面取消同民族资产阶级的统一战线。在毛泽东思想的指导下，我们党成功地争取团结了民族资产阶级参加反帝、反封建、反官僚资本主义的新民主主义革命。新中国成立以后，在由新民主主义向社会主义的过渡时，我们党不但继续保持同民族资产阶级的政治联盟，而且经过国家资本主义又同它们建立了经济联盟，照顾他们在社会主义改造中的合法权益，对他们实行赎买。这样，就使阶级本性同社会主义相对立的资产阶级有可能逐步地走上社会主义改造的道路。正如毛泽东同志所指出的，我国私营工商业改变为公私合营“这件事所以做得这样迅速和顺利，是跟我们把工人阶级同民族资产阶级之间的矛盾当做人民内部矛盾来处理，密切相关的”。“如果我们处理不当，不是对民族资产阶级采取团结、批评、教育的政策，或者民族资产阶级不接受我们的这个政策，那末工人阶级同民族资产阶级之间的矛盾就会变成敌我之间的矛盾”。（《关于正确处理人民内部矛盾的问题》）

以上三条，即无产阶级在政治上和经济上的强大优势、民族资产阶级有两面性、我们党保持同民族资产阶级的统一战线并采取了马克思主义的正确政策，是缺一不可的。主要依靠这三个条件，我国得以胜利实现改造资本主义所有制和消灭资产阶级并改造这个阶级成员的伟大事业。

1. 我国和平改造的主要经验

在这个伟大的社会主义改造实践中，我们党取得了十分丰富的经验，成功地开创出一条适合中国国情的社会主义改造道路。这方面的主要经验，可以归结为以下八条。

第一，各种形式的国家资本主义（从低级到高级，从个别企业的公私合营到全行业的公私合营）是利用、限制、改造资本主义工商业的正确途径，而公私合营则是国家资本主义的高级形式和主要环节。实践证明，我们抓住这一主要环节，有计划地扩展公私合营，由个别企业的公私合营推进到全行业的公私合营，最后完成资本主义工商业的社会主义改造，是正确的、成功的。

第二，由于中国资本主义的落后性和分散性，大型的现代化企业很少，大量的是落后的中小企业。因此，在扩展公私合营的方式上，必须采取个别公私合营与按行业公私合营相结合的办法，不能只吃“苹果”，不要“葡萄”，只要大的，不要小的，应当在全国范围内按行业统筹安排，逐步改造。

第三，要采取积极领导、稳步前进的方针。

国民经济是有机的整体，不论国营企业，公私合营企业或私营企业都是国家和人民的财富。在社会主义改造中，必须采取积极领导的态度，在国营、公私合营与私营之间，工商之间、大中小企业之间，全面规划，统筹安排，逐步前进，以保证整个国民经济和社会主义改造协调地有计划地向前发展。反对只要国营，不要私营，只要大户，不要中小户，嫌落后、怕麻烦的片面观点和甩包袱的做法，反对急躁冒进、四面出击、挤垮了事的“左”的错误。这些错误做法，只能造成社会失业，增加社会主义改造的困难，对国家、对工人阶级都是不利的。

第四，必须把对企业的改造和对人的改造结合起来，互相促进。

资本主义企业和掌握生产技术与管理经验的资产阶级分子，是旧社会留给我们的两份遗产，我们应当充分地加以利用。不能只要企业、不要人。我们党历来坚持双重改造的方针，即不但要使资本主义企业改造为社会主义企业，而且要把资产阶级分子改造成为社会主义社会的劳动者。这两方面的改造是互相促进、不可分离的。而对资产阶级分子的改造，更是实现社会主义的和平转变的关键，是实现马克思提出的无产阶级要解放全人类的伟大理想的根本问题。轻视这方面的改造，就从根本上违背了马克思主义，对企业的改造和社会主义建设都是不利的。

第五，必须贯彻赎买政策，照顾资本家的合法权益，才能减少阻力，促进自愿，增添助力，调动他们接受社会主义改造和为社会主义建设服务的积极性。

我们对资产阶级的赎买，不是由于国家拿出一笔钱一下子购买资本家的企业，而是采取“四马分肥”和定息的方式，逐步地加以赎买。从建国起到1966年采取定息的十七年间，国家以“四马分肥”和定息的方式，付给资本家的利润共达三十多亿元，作为赎买的代价，超过了他们原有的企业资产。显然，这不是什么半赎买，而是十足的、完全意义的赎买。此外，对企业原有的人员，国家采取包下来、包到底的方针，在人事安排上，量才使用，适当照顾，在工资福利方面，原有的高薪不动，生老病死予以照顾。所有这些，也是一种赎买。党的这些政策，有力地推进了对企业和对人的改造。

第六，无产阶级同资产阶级的联盟，必须以工农联盟为基础，两种联盟，互相促进。

我国的社会主义改造是在工农联盟的基础上又同资产阶级结成联盟的条件下进行的。这是我国社会主义改造的特点和优点。我们利用同资产阶级的联盟，利用限制改造资本主义企业，取得更多的工业品去满足农民的需要，克服农民对粮食和其他工业原料的惜售行为，有利于促进和发展工农联盟。同时，我们依靠工农联盟，使国家掌握充足的粮食和工业原料，断绝资本主义经济的原料来源，促使资产阶级不能不接受国家资本主义的方针。1955年10月，毛泽东同志指出：“工农联盟是主要的，基本的，第一位的；同资产阶级的联盟是暂时的，第二位的。这两个联盟，在我们这样经济落后的国家，现在都是必要的。”

第七，要发挥民建会、工商联和工商界进步骨干的积极作用。

民建会、工商联同我国民族资产阶级有深厚的历史联系，并且拥有一批拥护共产党领导的进步骨干。它们是联系和代表资产阶级的政治团体，又是在我们党领导下向资产阶级人们进行团结教育改造工作的重要纽带和渠道。在社会主义改造中，举凡重大的方针政策，我们党都经过各种会议或个别座谈的方式，注意听取他们的意见和要求，取得他们的密切配合，通过他们向工商界和家属进行宣传教育，发挥了有益的积极作用。

第八，向广大的工人群众、干部反复深入地进行党对民族资产阶级和资本主义工商业和平改造的理论和方针政策的宣传教育。既要反对不经过过渡阶段立即消灭资本主义和资产阶级的“左”的观点，又要防止和克服对资产阶级丧失必要警惕、无原则迁就以至被资产阶级拉拢腐蚀的右的倾向。建国以来，我们党正确地开展了反“左”、反右两条战线的斗争，完整地坚持了对民族资产阶级又团结又斗争，斗争为了团结的政策，坚持了国家资本主义一整套的方针和措施，使广大工人和干部对党的社会主义改造理论、方针和政策，有比较清醒的认识，以高度的革命热情，比较自觉地投入了这一场伟大的社会主义变革的实践。

2. 几个问题的探讨

我国对资本主义工商业社会主义改造的理论和实践，取得了极大的成功，这是无可置疑的客观事实。近年来，有些人对这个问题提出相反的认识和看法。这需要我们从理论和实践的结合上加以研究和回答。

第一，如何正确认识我国对资本主义工商业社会主义改造的伟大成就和缺点。

我国社会主义改造的成就，集中地表现在以下三个方面：

一、完整地执行了利用、限制、改造资本主义工商业的政策，创造了国家资本主义从低级到高级一系列过渡形式，全面地实现了对资本主义工商业的社会主义改造，消灭了资本主义剥削制度，实现了资本主义企业的国有化。1921 年，列宁在《论粮食税》中说：“全部问题，无论是理论上的或是实践上的问题，在于找出正确的方法，即应当怎样把不可避免的（在一定程度上和一定期限内不可避免的）资本主义的发展引导到国家资本主义轨道上去，靠什么条件来做成这件事，怎样在不久的将来把国家资本主义变成社会主义。”① 列宁当年提出的这个在理论上和实践上需要进行探讨和摸索的问题，在我国很好地得到解决。在苏联，到 1922 年底，私人租借了三千八百七十四个中小企业，其中三分之一是磨坊。从 1921 年到 1926 年苏联同外资签订的租让合同只有一百三十五个。在新经济政策时期，全部租赁企业职工只三万五千人，租让企业职工只五万人，比重很小，在国民经济中无足轻重。而在我国，全部资本主义工商业都纳入了社会主义改造的轨道。这个成就，是苏联无法比拟的。

二、我们党根据工人阶级解放全人类的伟大战略思想，创造性地提出了企业改造和人的改造相结合的方针，完整地贯彻了对民族资产阶级团结批评教育的政策，成功地消灭了这个阶级，并把这个阶级中的绝大多数人改造成为自食其力的劳动者。在改造过程中不但没有遇到强烈的反抗，许

---

① 《列宁选集》第 4 卷，第 519 页。

多人并且为社会主义建设事业作出了积极的贡献。这是世界无产阶级革命历史上的一个伟大创举。

三、在这场极其复杂、深刻的社会变革中，不但避免了通常难以避免的生产力下降和破坏，而且充分利用资本家的企业发展生产，活跃经济，积累资金、培训干部，有力地促进了整个国民经济的发展，壮大了社会主义的经济力量。以上海为例，全市私股清产核资为十二亿元。从1945年到1953年合营前，私营企业共缴纳所得税十二亿元。合营后，在1956年到1966年间按私股核资部分估算（按1970年不变价格）上交国家利润、所得税约六十亿元，两项合计为七十二亿元。十七年增加的财产为私人资产的六倍，为上海付出的定息总额（六亿四千五百万元）的十一倍多，为全国付出定息总额（十二亿元）的五倍多。正如马克思所说，这对工人阶级来说，“是最便宜不过的事情。”

这些事实说明，我国对资本主义工商业社会主义改造的理论和方针政策都是正确的，为马列主义增添了新的内容和贡献。这是马列主义、毛泽东思想在我国的光辉胜利，而决不是什么“吹牛”。

另一方面，我国对资本主义工商业的社会主义改造工作也受到“左”的思想影响。1956年全行业公私合营高潮的到来，固然是建国以来社会政治、经济条件基本上成熟的结果，但当时在指导思想上也带有急于求成的因素。首先，改造的步子急了一些。1955年11月中央会议提出的设想是要在1957年前全面规划、分期分批地实现全行业公私合营，当时毛泽东同志也表示不赞成搞高潮。但是毛泽东同志在这年7月召开的省、市、自治区党委书记讨论农业合作社问题的会议上和10月召开的党的七届六中全会上，不切实际地批评“右倾”，“小脚女人”，12月27日进而主张“中国的手工业和资本主义工商业的社会主义改造，也应当争取提早一些去完成，才能适应农业发展的需要”（《中国农村的社会主义高潮》的序言二），这对当时全面掀起资本主义工商业社会主义改造高潮有直接的影响。公私合营高潮期间，几百万私营工商业一下子拥进来了。这样，必然手忙脚乱，工作粗糙。其次，在高潮中，把大量并无雇佣剥削的小商小贩小手工业者和只有轻微剥削的小业主带进了公私合营企业，后来长期没有把他们区别出去，而是同资本家一道改造，混淆了剥削者和劳动者的界限，挫伤了这部分劳动者的积极性。直到十一届三中全会后，我们才把这些劳动者从资产阶级工商业者中区别出去。再次，在所有制改造以后，对企业改组、商业网点未经充分调查研究，大并大裁，使合营企业失去原有特色，造成人民生活的不便，使社会主义经济的优越性未能充分发挥出来。还有，公私合营后，对于一部分原工商业者的使用和处理也不很适当，有些原工商业者有职无权，不能充分发挥所长为社会主义建设服务。所有这些缺点和偏差，我们应当认真纠正，吸取教训。但它毕竟是第二位的。我们应当区别主流和支流，决不能本末倒置，以实际工作中的某些失误来否定我国的社会主义改造，甚至诅咒这个革命。

第二，如何理解列宁关于国家资本主义的思想。

有一种观点认为，我们党并没有真正理解列宁关于国家资本主义的思想，认为我们没有充分利用资本主义，过分强调了限制和改造，将私人资本主义消灭得太早了。这种观点是不对的。

诚然，列宁曾经强调说："应该利用资本主义（特别是要把它引导到国家资本主义轨道上去）作为小生产和社会主义之间的中间环节，作为提高生产力的手段、途径、方法和方式。"[①] 但是，列宁关于国家资本主义的思想决不是只讲利用资本主义来提高生产力，同时还指出要限制资本主义，并且在条件具备时要把国家资本主义过渡到社会主义。他说："国家资本主义这就是我们能够加以限制，能够规定其活动范围的一种资本主义。"[②] 还说，全部问题，在于找出正确的方法，保证在不久的将来把国家资本主义变成社会主义。因此，要完整地理解列宁关于国家资本主义的思想，应该把握三条：一、他强调要利用国家资本主义来发展生产力；二、他还强调限制资本主义的发展；三、他提出要在不久的将来使国家资本主义过渡到社会主义。只有把这三点结合起来，才是列宁关于国家资本主义的完整思想。片面地只讲利用资本主义而不讲限制资本主义和过渡到社会主义，恰恰是曲解了列宁的国家资本主义思想。

党对资本主义工商业利用、限制、改造是统一的不可分割的完整政策。决不能离开限制改造，孤立地讲利用资本主义，那样只能导致资本主义的自由泛滥。事实上，我们在社会主义改造时期，通过各种形式的国家资本主义，比较充分地利用了私人资本主义的积极作用。从 1950 年到 1955 年，私营工商业缴纳的各种税收，在各年国家财政收入中分别占到

---

① 《列宁选集》第 4 卷，第 525 页。

② 《列宁全集》第 33 卷，第 244 页。

百分之三十二点九、二十八点七、二十一点二、十六点九、十三点三、七点七（以后几年比重下降，是由于国营企业的迅速发展，成为财政收入的主要来源）。私营工业和公私合营工业提供的总产值在1949年约为七十亿元，1956年为一百九十一亿元，增长超过一倍半。怎么能说没有充分利用私人资本主义呢？但是，在过渡时期消灭资本主义剥削制度，实现社会主义，是不可违抗的客观规律。总的说来，在我国全行业公私合营或迟或早地到来，是社会主义改造的必然，是符合我国的实际的。

第三，还有一种观点认为，既然我们在社会主义时期要消灭民族资产阶级，那么同他们建立联盟就是假的。

这是一种形而上学的观点。在社会主义革命时期，在战略上要消灭民族资产阶级，同时又同他们建立联盟，这两者并不是互不相容和互相排斥的。我们是在联合资产阶级的过程中消灭这个阶级，在利用、限制、改造资本主义工商业的过程中来消灭资本主义。这就是战略与策略的统一，是我国社会主义改造的辩证法。要消灭民族资产阶级是真的，同他们建立联盟也是真的。在向社会主义的过渡时期，民族资产阶级作为人民的一部分，不但享有选举权，而且同其他人民一样享有宪法范围内的各种权利。它们的成员和代表人物还参加了国家的政治、经济、文化事业的组织和管理工作；即使是社会主义改造工作，也是通过民主协商、和平赎买，采取比较温和的方式进行的。建国以来，民族资产阶级就参加了工人阶级领导的国家政权。在第一届全国人民代表一千二百六十六人中，工商界代表六十九人，占百分之五点六；在第二届全国政协委员七百二十九人中，工商界委员七十四人，占百分之十；这个比例是相当高的。在各级政府部门中，还安排了资产阶级代表人物担任了各级领导工作，如国务院副总理、部长、副部长、省市及厅局的负责人。在企业、事业单位也吸收大量的工商业者参加管理工作。即使在这个阶级消灭之后，它的许多成员作为劳动者，作为国家的主人，作为爱国统一战线的成员，仍然在各种领导岗位上，从事各种工作和政治活动，继续为社会主义事业效力。所有这些，都是人所共知的事实，怎么能说我们同民族资产阶级的联盟是假的呢？不仅如此，我们在新中国成立后同民族资产阶级继续保持联盟的时候，就明确地宣布我们的前途是社会主义，要消灭资产阶级。我们对资本主义工商业进行社会主义改造所采取的方针、政策和步骤，也是经过同他们协商，取得他们的同意进行的，不是背着他们干的，不存在什么真假的问题。认为讲联盟就不能讲消灭，要消灭这个阶级，联盟就是假的，这种看法，既不了解中国的实际，也不符合马克思主义的辩证法。

第四，和平改造是否同民族资产阶级之间没有斗争呢？

当然不是。和平改造并不是取消阶级斗争，而是阶级斗争在另一种形式下的继续。事实上，我国对资本主义工商业社会主义改造每前进一步，都是充满着矛盾和斗争的。比较突出的如1950年打击投机资本、掌握市场领导权的斗争，1952年的“三反”、“五反”运动，1953年到1955年有计划的扩展公私合营，都是经过激烈的斗争。我国社会主义改造的胜利，就是在逐步削弱和克服资产阶级的消极抵触的一面，逐步分化资产阶级，逐步提高他们接受社会主义改造积极性一面的斗争中取得的。斗争的性质是激烈的——因为要消灭资本主义；而在大多数情况下斗争的方式是缓和的——因为我们是采取了赎买和改造的政策。这就是我国和平改造的一个重要特点。

列宁曾经预言：“在东方那些人口无比众多、社会情况无比复杂的国家里，今后的革命无疑会比俄国的革命带有更多的特色。”我国和平改造的成功，证实了列宁的预言。中国的社会主义改造具有中国自己的特色，这是由中国特定的社会历史条件决定的。但是，中国革命的某些重要特点有可能在别的国家重新出现。从这个意义上说，中国和平的社会主义改造的经验，在某种程度上又具有国际的意义。

四、过渡时期的政权建设和统一战线组织

我国社会主义建设有计划地大规模进行和社会主义改造在全国范围逐步展开，要求在集中统一的基础上，更加发扬人民民主，扩大我们国家民主制度的规模，健全国家政治、法律的上层建筑，更加巩固和发展作为上层建筑的人民民主统一战线，更好地为社会主义经济基础服务。

1954年9月，在普选基础上举行的第一届全国人民代表大会第一次会议，体现了这一历史要求。这次会议，集中代表全国人民的根本意志和共同愿望，制定了第一部《中华人民共和国宪法》，以法律形式，确认我国从新民主主义过渡到社会主义的历史道路，规定国家对农业、手工业和资本主义工商业实行社会主义改造的根本方针和具体步骤；确定了新的国

家领导机构，选举产生了新的国家领导人，结束了由中国人民政治协商会议代行全国人民代表大会的职权、由共同纲领作为国家根本大法的过渡状态。我国人民民主制度和国家领导体制更加完备，我国人民民主统一战线更加巩固和发展。这次会议，是我国人民从 1949 年建国以来的新胜利和新发展的里程碑，标志着我国人民民主制度发展的新阶段。

（一）人民代表大会制是我国根本的政治制度

列宁指出："一切民族都将走到社会主义，这是不可避免的，但是一切民族的走法却不完全一样，在民主的这种形式那种形式上，在无产阶级专政的这种或那种类型上，在社会生活各方面的社会主义改造的速度上，每个民族都会有自己的特点。"①

建国以来，我们党把马列主义同中国具体实际相结合，不但成功地开辟出一条中国式的社会主义改造道路，而且发展马列主义关于无产阶级专政的学说，创造性地提出人民民主专政的理论和实行人民代表大会制度，为我国社会主义的政权建设奠定了科学的理论基础。

我国的人民民主专政是中国人民革命斗争胜利的产物，是工人阶级领导的、以工农联盟为基础、包括一切爱国力量在内的新型的国家政权。我国人民代表大会制则是人民民主专政的国家本质在政权形式上的体现。这种政治制度，在我国新民主主义革命不同时期的革命根据地就已具雏形。土地革命时期的工农兵代表会议，抗日战争时期的参议会，人民解放战争时期的各界人民代表会议，就是这种人民民主制度在局部范围的实践。1949 年通过的共同纲领，在总结民主革命时期政权建设经验的基础上，正式确定了我国实行人民代表大会的制度。建国五年来，全国各地普遍建立了各界人民代表会议，逐步向人民代表大会过渡，为 1954 年召开普选的第一届全国人民代表大会作了良好的准备。

我国的人民代表大会制，与资本主义国家的议会制有着本质的区别，与苏联和其他社会主义国家的政治体制也有所不同。它不但具有一般社会主义政治制度的共同本质，而且又具有中国自己的特色。

第一，我国人民民主制度的阶级基础和社会构成具有极大的广泛性。

① 《列宁全集》第 23 卷，第 64—65 页。

世界上一切国家的本质都是阶级的专政。所不同的是什么阶级对什么阶级的专政。一切地主阶级、资产阶级的国家实质上都是少数剥削者对广大劳动人民的专政。我国的人民民主专政则完全相反，它是工人阶级领导的广大人民的政权，是广大人民对少数反动阶级和反动分子的专政。在过渡时期，我国人民的范畴，不仅包括工人阶级、农民阶级和城市小资产阶级，而且包括爱国的民族资产阶级和其他爱国人士在内。民族资产阶级和其他爱国人士不但享有选举权和其他政治权利，它们的代表人物还在国家政权中占有一定的地位。在资本家阶级消灭以后，他们原有的成员作为社会主义劳动者，仍然同社会主义的工人、农民和知识分子，同拥护社会主义的劳动者和拥护祖国统一的爱国者，一道参加国家政权，致力于祖国的统一和社会主义事业。我国人民民主制度的这种广泛的社会基础，对于巩固人民民主专政，建设社会主义是完全有利的。

第二，我国人民代表大会制的组织原则是民主集中制，是议行合一的政治制度。

这种民主集中制是高度民主与高度集中相结合，而高度的集中是以高度民主为基础的。我国人民拥有国家的一切权力。人民代表大会是由人民选出的代表组成的行使国家权力的机关，它的一切活动必须对人民负责，受人民的监督。人民代表大会作为国家权力机关实行议行合一的原则，统一行使立法和行政的权力。国家执行机关，从国务院到地方各级人民政府，一律由全国人民代表大会和地方各级人民代表大会选举产生，接受人民代表大会的监督，并可以由它决定罢免。我国这种以民主集中制为基本原则的议行合一的政治制度，同资产阶级民主制有本质的区别。资产阶级的议会制和“三权分立”原则，是在反封建斗争中产生的，它在一定历史时期内有其进步性，而在资产阶级实行独占统治以后，它就不再同其他阶级分权，更不同劳动人民分权，议会制实际成为便于调节资产阶级不同集团的利益，欺骗劳动人民，巩固资产阶级专政的工具。

第三，我国是统一的多民族国家。在统一的国家范围内实行民族区域自治，是我国政治制度的又一特点。

新中国成立以来，已经废除了民族压迫制度，建立了国内各民族平等友爱、团结互助的新型民族关系，我国已经成为自由平等的民族大家庭。我国宪法根据民主主义和社会主义的原则，宣布国内各民族一律平等，各民族都有参与整个国家政治生活的权利；同时，又确定必须让各少数民族按照民族区域自治的原则，自己当家做主，管理自己的内部事务。我国这种在统一国家内实行民族区域自治的制度，既有力地抵御外来势力的侵略和分离阴谋，保障整个国家的独立统一和国内各民族的团结；也有利于促进和帮助少数民族地区的经济文化的繁荣和发展，逐步地走上社会主义的幸福大道。在这一点上，我国的民族区域自治制同某些社会主义国家所采取的联邦制有明显的区别。这是我国从自己的国情出发在处理国内各民族问题上对马列主义的卓越贡献和发展。

第四，在我国人民民主制度下，与人民代表大会国家权力机关并存的，还有一个广泛的人民民主统一战线组织——中国人民政治协商会议。

中国人民政治协商会议是中国共产党领导、由各民主党派、各人民团体租各界爱国人士等方面组成的。1949 年，它代行全国人民代表大会的职权，制订具有临时宪法性质的共同纲领，选举产生中央人民政府，在我国人民中享有崇高的威望。在召开全国人民代表大会之后，人民政协不再代行全国人民代表大会的职权，但它作为中国各种爱国力量的统一战线组织仍然在我国政治生活中具有重要的作用。中国人民统一战线是在工人阶级领导下全国人民革命大团结的坚强体现，是我国人民发扬人民民主的重要渠道。它对于动员和团结全国人民，巩固人民代表大会制和人民民主专政的国家制度，反对国内外敌人，完成国家工业化和社会主义改造事业，有着重要的意义。这个特点，是某些社会主义国家的政治制度所不具备或不显著的。

我国人民代表大会制的上述特点，是从中国的具体历史条件产生和发展起来的。这种政治制度，是中国革命和中国历史发展的产物，是适合中国国情的、便利于人民行使当家做主权力的政治形式，是我国建设现代化的、高度民主和高度文明的社会主义国家的重要保证。1954 年 9 月召开的全国人民代表大会，在完善我国社会主义政治制度、促进我国社会主义事业的发展史上，占有十分重要的历史地位。

（二）第一届全国人民代表大会的筹备和国家领导人员的安排

为了筹备这次全国人民代表大会，我们在 1953 年 7 月召开第四次全国统战会议，研究制定了关于人民代表大会制实行以后统一战线组织问题的意见和对民主人士安排的意见。1954 年 3 月，又召开关于人事安排的专业会议，制定了关于省、市人民代表大会和省、市人民委员会中对民主人士安排的意见。这三个文件，均经中央先后批准下达。

在这两次统战会议期间，我们都坚持了党的统一战线政策，批判了党内一部分同志中间存在的忽视以至取消统一战线的错误倾向。他们认为在我国向社会主义过渡的时期，工人阶级同民族资产阶级、民主党派和民主人士建立统一战线是个“包袱”，主张“干脆取消”，认为在国家权力机关和管理机关中再安排民主人士是不必要的。中央和毛泽东同志听取会议的汇报时，及时批判了这种错误思想，指出丢包袱、干脆取消是不对的。在我国的过渡时期，工人阶级在工农联盟的基础上需要保持同民族资产阶级的联盟，在无产阶级领导的国家政权中需要吸收一定数量的民主人士，这不是取决于任何党派、个人的主观好恶，而是由我国特殊的历史条件和革命建设的需要所决定的。

第一，我国的经济文化虽然比建国初期有了相当的恢复和发展，但仍然十分落后，外国帝国主义的威胁和国内反革命残余仍然存在。为了迅速发展社会主义建设，共同反对国内外敌人，顺利地进行社会主义改造，需要在工农联盟基础上继续保持广泛的统一战线。这是我国稳步地过渡到社会主义社会的重要条件之一。

第二，无产阶级政党对国家政权的领导，决不是无产阶级或共产党包办一切，而是靠党的正确的路线方针政策，靠共产党员的模范作用，靠党同非党人士的民主合作。我们党的历史和现实的经验证明，坚持同民族资产阶级和非党人士的统一战线，恰恰不是削弱而是加强人民民主专政和党的领导。反之，拒绝同民族资产阶级和党外人士的联合，搞“清一色”，只能招致革命的严重挫折以至失败。毛泽东同志曾多次以瑞金时代的“左”倾错误教训，说明统一战线的重要性，他说，工农联盟是我们国家的基础，但还要懂得运用在这基础上的广泛的与非劳动人民的联盟——人民民主统一战线。这样动员起来的力量就会更多了。瑞金时代最纯洁、最清一色了，但那时我们的事情特别困难，结果失败了。所以真理不在于清一色。

第三，民族资产阶级、各民主党派和其他党外人士，在民主革命时期同我党有过合作的历史。建国以后，他们又同全国人民一道过了战争关、土改关，并且积极参加国家各项建设，对国民经济的恢复和发展，都作出了贡献。在我们进一步向社会主义过渡的时候，政治上没有理由抛弃他们。由于我国革命的历史条件，决定了民族资产阶级、民主党派不可能在国家政权中占有主要地位。但是，继续吸收一定数量的资产阶级和非党的代表人物参加国家政权，坚持同非党人士的长期合作，仍然是党的一项不可动摇的根本政策。

当然，我们对民主人士的安排，并不是无原则的。我们的安排原则是原则性同灵活性相结合，同时将人民代表大会代表的选举、政府人员的选任、统一战线组织和其他方面的人事安排结合起来，通盘筹划。提名为人民代表条件是：一、在各民族、各民主党派、各人民团体中或在社会上有相当的代表性；二、历史清楚，政治上进步；三、有积极作用；四、民主人士中的左、中、右都应有其代表人物。对某些代表性较大的右翼分子，还要有意识地适当吸收，以便人民代表大会广泛反映各方面人民群众的意见。

民主人士对实行普选和召开全国人民代表大会，基本政治态度是拥护的。但也有一些人担心普选的结果会使共产党和工农群众的代表占压倒多数，他们的政治地位和政治权利得不到应有的保障。针对这种思想疑虑，1953 年 1 月 13 日在中央人民政府委员会第二十六次会议上，毛泽东同志对实行普选和人民代表大会制的重要意义以及对民主人士的方针政策作了详细的解释，指出：党的政策，“不是人多称王”，我们的重点是照顾多数，同时照顾少数，凡是对人民国家的事业忠诚的、做了工作的、有相当成绩的、对人民态度比较好的，各民族、各党派、各阶级的代表性人物都有份。他们可能多数会被人民选举，甚至是大多数、绝大多数会被选举。总之，凡是爱国者（只要有这个资格），都会一道进入社会主义，没有理由不跟他们一道进入社会主义。毛泽东同志的这个讲话，大大地鼓舞了民主人士爱国主义和接受社会主义的信念。

第一届全国人民代表大会第一次会议的整个过程，充分体现了全国各民族、各民主阶级、各民主党派和一切爱国力量的大团结。在全国人民代表一千二百二十六人中，共产党员共六百六十八人，占百分之五十四点四八，非党人士共五百五十八人，占百分之四十五点五二。这个比例，既保证了无产阶级对国家政治生活的坚强领导，又体现了统一战线的广泛性。我国第二届、第三届全国人民代表大会各方面的代表名额，大体上保持了这个阵容。

这次会议的后期，中央政治局集中各代表组联合提名的意见，提出了一批包括党内外领导人在内的国家领导人员名单。经过毛泽东同志亲自同各民主党派领导人进行协商，经过周恩来同志同主席团成员及各代表组组长、副组长再协商，又经过我向各民主党派领导人个别地恳切征求意见，酝酿成熟后，正式提交大会讨论。由于事前充分发扬了民主，反复进行了协商，吸收了各方面的合理意见，大会以热烈气氛选举通过。这批国家领导人名单，生动体现了党对国家政权的坚强领导和统一战线的广泛性。

一、国家主席毛泽东同志、副主席朱德同志。

二、全国人大常务委员会。共七十九人。比过去中央人民政府委员会六十三人有了扩大，因为国家大，需要包括各方面的代表人物。常委七十九人中，中共党员四十人，比党外多一人。委员长由刘少奇同志担任，副委员长十三人，其中党外人士八人，除原中央人民政府副主席宋庆龄、李济深、张澜外，新增沈钧儒（原最高法院院长）、黄炎培、郭沫若（原副总理），以及陈叔通（原为全国政协副主席）和少数民族的代表人物。共产党员五人为：林伯渠、罗荣桓、彭真、李维汉、赛福鼎。常委会包括了各民族、各党派、各阶级阶层以及工、青、妇各方面的代表人物。政治局经过多次讨论，认为这个名单代表性很充分，能表现出国家最高权力机关常设机关的作用。

三、国务院。总理周恩来，副总理陈云、彭德怀、邓小平等十人，秘书长习仲勋。都是共产党员。国务院三十五个部长、主任中，中共党员二十二人，党外人士十三人，占三分之一。国务院的全体会议由总理、副总理、秘书长、各部长、主任组成。

四、国防委员会。委员七十九人，其中党外二十九人。由毛泽东同志任委员会主席。国防委员会实际上是军事上的统一战线机构，包括原国民党将领郑洞国、鹿钟麟等人。

实践证明，中央对这次全国人民代表大会的名额、对民主人士的安排原则、比例以及对国家领导人员的安排，总的说来是成功的，体现了党与非党人士的团结合作，加强了党对国家机关的领导，使我国人民民主的政治制度更加健全和完备。

（三）我国第一部宪法的基本特点

这次大会一致通过的《中华人民共和国宪法》用法律形式把国家的性质、向社会主义过渡的方针步骤、人民的民主权利和义务、民族区域自

1961年1月1日，毛泽东、李维汉（左二）与匈牙利国民议会副议长瓦什·伊斯特万妮（左四）为首的匈牙利国民议会代表团合影

1964年9月23日，刘少奇（左八）、李维汉（左五）与锡兰众议院议长休·费尔南多（左七）及议会代表团成员合影

治等重大问题明确地规定下来，指明了我国走向社会主义的光明前景。这是我国第一部社会主义类型的宪法，是动员和鼓舞全国人民建设社会主义的宏伟纲领。

提交大会的宪法草案，是在毛泽东同志亲自领导和参加下，经过一年多郑重的起草工作写成的。我参加了宪法起草委员会的工作。根据党中央和毛泽东同志的指示，我们的宪法，必须充分反映我国人民革命和建国以来社会关系的伟大变革，总结这些变革的主要斗争经验；必须坚持我国以无产阶级为领导的人民民主专政的国家制度，指明我国逐步过渡到社会主义社会的历史道路以及采取的方针和步骤。1954 年 3 月，党中央提出了宪法初稿，为宪法起草委员会所接受。接着，在全国组织各民主党派、各人民团体和各方面代表人物八千人，用两个月的时间，对宪草进行认真的讨论和修改。1954 年 6 月 14 日正式公布修改以后的宪法草案，交付全国人民讨论。宪法草案所规定的基本原则，得到广大人民群众的热烈拥护，同时提出了许多补充修改的意见。这次起草宪法，采取了领导和群众相结合的方法，使中央的意见和全国人民的意见相结合，不仅使我国的宪法内容更臻完备，而且使宪法深入人心，获得最广泛的群众基础。这是我国制宪史上的一项革命。

我国第一部宪法，具有以下几个特点：

第一，它是历史上空前的、社会主义类型的宪法。

清朝末年以来，各派政治势力提出过形形色色的宪法，就其阶级要求而言，不外三种类型。第一种是从清朝的“十九信条”、北洋军阀政府的几个宪法，一直到蒋介石政府制造的伪宪。这些宪法的本质都是欺骗人民、企图维护其摇摇欲坠的统治的一种骗局。这些反动宪法，理所当然地遭到广大人民的唾弃和反对。第二种是中国民族资产阶级所追求的资产阶级民主共和国的宪法。民国元年孙中山先生制订的《中华民国临时约法》属之。这个《约法》在当时带有革命性和民主性。但在半殖民地半封建的中国，资产阶级共和国始终只是一种幻想。《临时约法》墨迹未干，就被袁世凯所撕毁。在这以后，民族资产阶级再也提不出任何资产阶级性质的宪法了。第三种就是 1954 年在中国共产党的领导下全国人民代表大会制定的第一部人民共和国宪法。这个宪法的产生，是中国工人阶级领导全国人民进行长期英勇斗争的胜利成果，是我国人民革命经验和建设经验的科学总结。宪法第一条明确规定，我们国家的性质是：“工人阶级领导的、以工农联盟为基础的人民民主国家。”在人民民主制度下，广大人民享有充分的民主权利，是国家的真正主人。我们国家的这个根本性质，较之任何资本主义国家具有无可比拟的优越性，它是引导我国必然要走向社会主义而决不会引向资本主义的根本保证。

第二，它是以共同纲领为基础，同时又是共同纲领的发展。

1949年制订的《共同纲领》起了临时宪法的作用。建国五年来，我们国家的面貌已经发生了深刻的变化。我国对外已经结束了帝国主义统治下殖民地半殖民地附庸国的地位，对内已经消灭了封建剥削制度，从战争破坏的废墟上迅速地恢复发展了国民经济，并且正在大踏步地朝着建设社会主义社会的宏伟目标前进。宪法明确肯定了我国社会正在经历的这一伟大变革。第四条规定：“中华人民共和国依靠国家机关和社会力量，通过社会主义工业化和社会主义改造，保证逐步消灭剥削制度，建立社会主义社会。”并且明确地规定了经过灵活多样的各种过渡形式，对农业、手工业和资本主义工商业逐步实行社会主义改造的方针和步骤。宪法序言中指出：“中华人民共和国的人民民主制度，也就是新民主主义制度，保证我国能够通过和平的道路消灭剥削和贫困，建成繁荣和幸福的社会主义社会。”这些规定，是共同纲领在新的历史条件下的发展。

在国家领导体制方面，也做了相应的改革。宪法规定全国人民代表大会是最高国家权力机关，全国人民代表大会常务委员会是它的常设机关。第四十七条规定：“中华人民共和国国务院，即中央人民政府，是最高国家权力机关的执行机关，是最高国家行政机关。”第五十三条规定：“国务院对全国人民代表大会负责并报告工作；在全国人民代表大会闭会期间，对全国人民代表大会的常务委员会负责并报告工作。”这就改变了过去共同纲领规定的在中央人民政府下辖属政务院的两级政府的过渡体制，明确了最高国家权力机关同最高国家行政机关之间的关系。这对于发展人民民主，加强国家行政机关的集中统一领导，促进社会主义建设事业的发展，都是有利的、必要的。

第三，它是一个全国人民大团结、建设社会主义社会的宪法。

宪法深刻总结了我国革命斗争的历史经验，肯定在我国人民民主制度下，还存在着广泛的人民民主统一战线。宪法序言提出：“今后在动员和团结全国人民完成国家过渡时期总任务和反对国内外敌人的斗争中，我国人民民主统一战线还将继续发挥它的作用。”宪法有关条文在肯定要以社会主义所有制代替资本主义所有制的同时，还明确规定资本家作为公民，享受宪法赋予的各种权利和应尽的义务。党对民族资产阶级又联合又斗争的方针以及在联合中逐步消灭资本主义所有制和资本家阶级的伟大战略思想，得到了充分的体现。刘少奇同志在关于宪法草案的报告中，对于我国继续保持人民民主统一战线的极端重要性作了深刻的阐述，指出："在工人阶级领导下的全国人民的革命大团结，不只是对我国人民民主革命是需要的，对于实现社会主义事业也同样是需要的。……在继续巩固工人阶级领导和工农联盟的前提下，在可能的范围内，人民中间的团结越广，对于社会主义事业就越有好处。"

由于宪法草案集中反映了全国各族人民的根本利益，也适当照顾到民族资产阶级人们、民主党派在接受社会主义改造中的合法权益和合理要求，得到了广大人民群众的普遍拥护，也为民族资产阶级、各民主党派和民主人士所接受。黄炎培在大会发言中讲述了自己的切身体会说："过去中国人民革命一幕又一幕，失败又失败，要是没有中国共产党正确领导，哪会有今天！解放后的中国，通过了新民主主义，望着社会主义道路前进，要是没有中国共产党正确领导，又哪会有明天!"张治中称颂宪法"结构谨严而明确"、"措词简炼而通俗"，"是中国人民自己的宪法，是反映了建设社会主义社会美好繁荣的远景的宪法，是符合全国人民希望和要求、巩固人民民主制度、创造幸福的生活的宪法。"张澜回顾自己六十多年参加中国宪政运动的亲身经历说："过去反动统治者所谓宪政，从制宪的过程到'宪法'的内容，都是骗人的，因而都是为人民所蔑视和反对的"，而今天这个宪法是"真正的宪法"，"是符合广大人民的共同愿望，而为全国人民所一致赞成和热烈拥护的。"章乃器说："宪法公布以后，资产阶级吃了三颗定心丸：一、和平过渡到社会主义；二、保护资产阶级的财产所有权；三、对资本主义工商业逐步地实行利用、限制、改造。"

当然，这不是说资产阶级对宪草的具体条款没有任何分歧和争议。有些人强烈要求明确保护资本家个人财产的继承权。有些人担心剥削得来的生活资料没有保障，要求将宪草规定的国家保护公民的"劳动收入"改为保护公民的"合法收入"。有些人出于阶级本能，对资本主义被消灭的前途表示疑虑不满，说："宪草仔细看来，味道是苦的"，哀叹"我们只有投降了"。在国家性质、主席职权问题上，也是种种猜测，认为国家性质已经在变化，民族资产阶级实际上是被统治阶级；主席职权过大，实质上是共产党一党专政等等。刘少奇同志在《关于宪法草案报告》中，对国家性质、向社会主义过渡的方针步骤、我国人民民主政治制度和人民的权利义务等原则问题，作了详尽的阐释和回答，同时也采纳了他们的某些合理要求，在宪法中规定：国家保护私人财产的“继承权”和“合法收入”。经过这些工作，大大减少了资产阶级对社会主义改造的疑虑，使右翼分子也找不到任何站得住的理由加以反对。

我国宪法草案所以得到各阶层人民的广泛拥护，毛泽东同志指出：“主要有两条。一条是正确地恰当地总结了经验；一条是正确地恰当地结合了原则性和灵活性。”对后一条，他以实行国家资本主义为例作了说明：他说，“要实行社会主义原则。是不是全国范围一天早晨一切都实行社会主义呢？这样形式上很革命，但缺乏灵活性，就行不通，就会遭到反对，就会失败。……因此一时办不到的事，必须允许逐步去办。比如国家资本主义，是逐步实行。国家资本主义不是只有公私合营一种形式，而是有各种形式。一个是‘逐步’，一个是‘各种’，这就灵活了”。他进一步指出：“用宪法这样一个根本大法的形式，把人民民主原则和社会主义原则固定下来，使全国人民有一条清楚的轨道，使全国人民感到有一条清楚的明确的和正确的道路可走，就可以提高全国人民的积极性。”事实果然是这样。我国宪法的公布，大大激发了全国亿万人民的社会主义积极性，有力地推动了我国各项社会主义事业健康地向前发展。

（四）中国人民政协第二届全国委员会的召开

人民代表大会制的实行，决不是要削弱统一战线。中国人民政治协商会议在我国正式实行人民代表大会制度之后，即已结束了它代行国家权力机关的职能，但它作为人民民主统一战线的组织，在我国政治生活中仍要继续发挥重要的作用。1954 年 12 月召开的第二届政协全国委员会，标志着实行人民代表大会制后人民政协职能的变化，也标志着我国人民民主统一战线的继续发展和加强。

在二届政协会议召开前，中央讨论了今后人民政协的工作，明确了以下几点。

1. 关于今后人民政协的性质。由于全国人民代表大会第一次会议已经召开，今后人民政协的性质将成为团结全国各民族、各民主党派、各人民团体、国外华侨和其他爱国民主人士的人民民主统一战线组织。它既不是国家权力机关，也不同于一般的人民团体，而是党派性的统一战线组织。

2. 今后人民政协的任务，按照毛泽东同志的意见，主要有五：第一，协商国际问题；第二，对全国人民代表大会代表和地方同级人民代表大会代表的候选人名单以及中国人民政治协商会议各级组织组成人员的人选，进行协商；第三，协助国家机关，推动社会力量，解决社会生活中各阶级间的相互关系问题，并联系人民群众向国家有关机关反映人民群众的意见和提出建议；第四，协商和处理政协内部和党派团体之间的合作问题；第五，在自愿基础上，学习马克思列宁主义，努力进行思想改造。

3. 今后人民政协的组织原则。第一，以各民主党派、各人民团体为基础组成，包括少数民族和国外华侨的代表，必要时可吸收个人参加。区域代表和人民解放军，不再作为参加政协的单位。第二，政协不再设立全体会议，将原来的政协全体会议、全国委员会、常务委员会三层，改为全国委员会和它的常务委员会两层。这样减少层次，便于工作，又可适当扩大名额，保持广泛的代表性。第三，全国委员会和各级地方委员会之间，是指导关系，上下之间有指导和被指导、指示和接受指示、报告和接受报告的关系，但又要因地制宜，便于地方根据实际情况开展当地的统一战线工作。

4. 全国委员会的名单由各党派协商提名，要扩大团结，要有代表性，要照顾到各个方面，注意各方面的带头人物，以充分体现统一战线的广大规模。

经过我们的协商和工作，经过全国政协的讨论，上述精神在《中国人民政治协商会议章程》中作了明确规定。1954 年 12 月 4 日，周恩来同志代表党中央在全国政协常委会上，对政协审理的总纲和第二届全国委员会委员名单等问题作了详尽的说明，进一步统一了认识。

1954 年 12 月 20 日，人民政协第二届全国委员会在北京召开。周恩来同志向会议作了政治报告。这次会议的全体委员共五百五十九人，较上届全国委员会名额一百九十八人，增加了将近两倍。委员名额中，有意识少摆党员，只一百五十人，占百分之二十六点八，党外人士达四百零七人，占百分之七十三，许多旧军人、旧政协代表人物、旧知识分子以至翁文灏、张之江、鹿钟麟等人也吸收进来了。它的代表性和团结面的广泛，表明我们党对统一战线组织的高度重视，表明我国统一战线更加巩固和扩大。

这次政协会议的召开，在一部分党外人士中引起相当强烈的反应。围绕着政协的地位、作用等问题展开了一场或明或暗的争论。有些人对实行人民代表大会制后人民政协的性质、地位等变化认识不清，留恋第一届全国政协的开会盛况，怀疑我党对二届政协不重视，表现出不满、不安的情绪，说："真正的权力在人大常委，最高权力在中共中央，政协没什么权了。"有的人慨叹全国人大召开以后，政协将退处于"太上皇"的地位。有些人则竭力抬高政协的政治地位，鼓吹政协是"权力机关"或"半权力机关"，是"中国人民民主统一战线的最高组织形式"。

毛泽东同志在政协开会前两天，召集了党内外几十人举行座谈，指出今后要加强统一战线工作，人大是权力机关，并不妨碍我们成立政协进行政治协商。他说人大已经包括了各方面，常委会是人大的常设机关，代表性当然很大，但它不能包括所有方面，所以政协仍有存在必要，而不是多余的。并说蒋介石也搞过参政会，但他不敢也不愿意要这些机关起作用，他要的是扼杀民主。我们是人民政府，我们一定要把一切机关都活跃起来。有人说，政协既然这样重要，是否可以把它搞成国家机关？毛泽东同志回答说：不能把它搞成国家机关。因为人大和国务院是国家权力机关和国家管理机关，如果把政协也搞成国家机关，岂不成了二元论了吗？这样就重复了、分散了，民主集中制就讲不通了。要实事求是，政协不仅是人民团体，而且是各党派的协商机关，是党派性的机关。这不等于不重视它，而恰好是重视它。共产党就是党派，也不是国家权力机关，但它的价值并不因此而有所降低。毛泽东同志这篇重要讲话，不仅教育提高了当时持有不同意见的党外人士，消除了他们的不安情绪，而且对当前和今后的统战工作和政协工作都有着重要的指导意义。

在中央和毛泽东同志的正确指导下，第二届政协全国委员会议圆满地完成了任务，一致通过了《中国人民政治协商会议章程》，依据宪法原则，确定了参加政协单位和个人共同遵守的七项准则。这就是：一、拥护中华人民共和国宪法，全力贯彻实施宪法；二、巩固工人阶级领导的人民民主制度，加强社会主义成分的领导地位；三、协助国家机关，推动社会力量，实现国家的社会主义工业化和社会主义改造事业；四、密切联系群众，反映群众的意见和提出建议；五、加强各民族人民的团结，提高革命警惕性，坚持对国内外敌人的斗争；六、加强中国人民同世界爱好和平人民的友谊，反对侵略战争，保卫世界和平；七、在自愿基础上学习马列主义和国家政策，开展批评和自我批评，努力进行思想改造。这七条准则，是全国各族人民、各民主党派、各人民团体和其他爱国人士团结奋斗的共同政治基础。许多党外人士从切身经验中深刻体会到党中央对政协工作的重视，普遍表示兴奋和满意。有些人在会议中反映，“地方政协是一座冰山，冷得很”，要求地方党委予以重视。1955 年 1 月，中央发出《关于统一战线工作的指示》，要求各地切实检查和纠正党内存在的严重关门主义倾向，认真加强党与非党的联盟。

从政协二届全国委员会以后，中国人民政协不再代行全国人民代表大会的职权，而作为中国共产党领导的中国人民的统一战线组织，和国家最高权力机关全国人民代表大会同时存在和继续发挥重要作用，形成我国人民民主制度的一个重要特色。长时期以来，有些党外人士甚至包括一些共产党员，对于人民政协和国家权力机关的区别，往往认识模糊，产生许多不适当的观念和要求。这对于巩固发展人民民主专政和人民民主统一战线，都是不利的，需要把这两者之间的区别和联系从思想上更加明确起来。从长期的实践经验看，人民政协同国家权力机关的区别主要有以下几个方面。

第一，人民政协是我国统一战线的协商机关，人大和政府则是人民民主专政国家的权力机关和管理机关。国家权力机关颁布的宪法和其他法令，全国各族人民、各民主党派、各人民团体都必须无例外地遵守执行。统一战线的协商机关则无此权力。这是两者在性质上的根本区别。

第二，人民政协作为统一战线组织，可以而且应该代表统一战线各方面成员的意见和要求，对政府工作提出批评和建议，但它不具有国家权力机关那种监督、检查、质询、弹劾的权力。人民政协的作用，在于广泛联系各方面的人民群众，充分反映他们的意见和批评、建议，以利于党和政府集中正确的意见，及时发现和纠正工作中的缺点和失误。人民政协的这种民主监督，虽然不具有法律的约束力，但同样受到党和政府的尊重和重视，对于健全国家政治生活、促进各项社会主义事业的发展，同样是重要的、不可代替的。

第三，人民代表大会由人民选举产生，向人民负责，受人民监督。人民政协却不是这样。参加政协的单位和人选，不是经过选举而是由协商产

1959年4月17日，政协三届全国委员会第一次全体会议在北京召开。会上，政协二届全国委员会副主席李维汉作工作报告

（刘东鳌摄）

生。人民政协的基本原则是民主协商，它的决议是经协商取得，内部关系是由协商确定。参加政协的单位和个人，对人民政协的决议，有执行的义务，也有保留意见的权利。在我国具体条件下，恰当地认识和运用人民政协和政权机关这两种不同组织的职能，对发展我国的人民民主和建设社会主义，是有益的和必要的。

五、过渡时期的民主党派和知识分子工作

在我国，过渡时期是伟大的社会变革的时期，民族资产阶级、城市小资产阶级及其知识分子和其他爱国人士，经历着深刻的社会主义改造，联系和代表这些阶级、阶层的民主党派，同样经历着深刻的社会主义变化。

在过渡时期的前三年，各民主党派接受党和工人阶级的领导，拥护共同纲领，对国家重大政治活动，参与了协商和决定，对我国国民经济的恢复和发展，各项社会改革运动，抗美援朝的伟大斗争，对巩固人民民主专政和加强人民民主统一战线，都起了重要作用，在国际上也发生了重要影响。

1953 年过渡时期总路线公布以来，各民主党派进入了新的阶段。第一，它们从拥护共同纲领发展到拥护总路线和国家宪法，接受政协章程的总纲作为自己的政治纲领，采取了为社会主义服务的政治路线；第二，它们参加国家社会主义建设和社会主义改造的实践，工作上获得了广阔的园地，在实践中得到锻炼和提高；第三，它们在组织上贯彻了中上层为主的方针，并有适当的发展。到 1955 年，各民主党派成员总数已达三万九千人，较建国初期的一万一千人，增加了两倍多，并且吸收了一大批它们所联系的阶级、阶层中的中上层代表人物，这就使各民主党派比过去有了较多的群众联系和影响；第四，它们的工作，逐步深入到国家机关、学校等部门，围绕所在单位的中心工作，为国家建设服务。所有这些，标志着各民主党派遵从社会历史发展规律不断前进的新的起点。

从 1953 年到社会主义改造高潮到来这一期间，在我党的领导和帮助下，各民主党派继续参加了反对国内外敌人的斗争，参加了国家事务的管理，对于国家政治生活中的重大问题，参加了协商决定和执行，为实现国家过渡时期的总任务、推进我国社会主义事业的发展，作出了有益的贡

献。它们在国家政治生活中主要作用可以归结为“参”、“代”、“监”、“改”四个方面。

1. 要求和帮助它们的成员和所联系的群众参加国家建设，在各自岗位上积极贡献力量。

早在1952年11月，我国即将从国民经济恢复时期转入大规模有计划地进行经济建设的时候，我们就提出要协助民主党派找出参加和配合国家各项建设工作的办法。毛泽东同志肯定这一方针，并且指出，一个政治团体不谈工作，是无法维系成员的，也势必永远陷于人事纠纷中。各民主党派的成员包括一大批拥有现代科学技术的专家学者和企业的经营管理人才，是我国社会主义建设的宝贵财富。据1955年统计，全国教授、副教授七千四百九十九人中，其中民主党派成员共二千一百一十人，占总数的百分之二十八；在全国高等学校正副校长、系主任以上的领导人员中，民主党派成员更占到三分之一左右。因此，加强党对政府机关、学校中民主党派基层组织的领导，调动民主党派成员的积极性，决不是可有可无、无足轻重，而是迅速发展我国社会主义建设的迫切需要。1953年以来，民盟、民进、九三、农工民主党等民主党派都先后确定以参加国家建设为其中心的任务，协助我党在从事文教科技工作的中上层知识分子中贯彻执行团结教育改造知识分子的政策，督促和推动其成员积极贡献知识专长，为社会主义事业服务。

1953年9月，民盟举行七中全会，总结和交流参加国家建设的经验。当时，有的右翼分子以盟内拥有一批高级知识分子为政治资本，企图摆脱共产党的领导，主张“党搞政治、盟搞教学”。恩来同志和我批判了这种错误思想，指出：民主党派的责任，就是要推动自己的成员积极地参加各自岗位上的建设工作，而不是由每个党派都直接领导建设。如果那样，我们的国家建设就成为多头领导了，就变成无政府状态了。共产党对国家事务的领导必须经过人民代表大会，经过政府机关，经过经济领导机关去进行，不能以党代政。学校也是如此。共产党对学校的领导只能经过校务委员会或它的上级领导机关教育部，这就叫做民主集中制。党、政、工会和民主党派等组织都应统一于所在部门的方针政策之下进行工作，不能各自为政。

在我们党的帮助下，民主党派经过讨论和正确总结经验，明确了基层组织的政治方向和工作任务：（1）在所在单位党政的领导下，密切围绕中心工作开展活动，而不是脱离中心，另搞一套；（2）密切结合业务实践、结合高级知识分子的特点，进行深入细致的思想政治工作。既要防止单纯业务观点，也要克服脱离业务实践、空谈说教的偏向；（3）组织成员学习马列主义，提倡联系实际，敞开思想，民主讨论，辨明是非，逐步提高成员的政治思想水平；（4）深入了解成员的思想政治情况，协助党组织协调关系，贯彻党对知识分子的政策。在党的领导下，经过民主党派的深入工作，各民主党派成员的绝大多数在文教、科技、医药各个战线的建设事业中作出了贡献。

2. 在参加国家事务的管理和为社会主义服务的过程中，代表和反映它们所联系的阶级、阶层的合法利益和合理要求。

既然过渡时期存在着不同阶级、阶层，民主党派反映和代表它们所联系的阶级、阶层的利益和要求，就是不可避免的。忽视民主党派这方面的作用，势必使民主党派脱离所联系的阶级、阶层，从而也不利于推动和引导它们向社会主义目标前进。又教育、又代表，又联系、又改造，这是民主党派发挥其作用不可分离的两个方面。在民主党派工作的一些共产党员和进步分子怕麻烦、嫌落后，不愿或不屑于代表和反映他们的合理要求，结果使自己陷于孤立和被动。一些右翼分子则企图把民主党派变成单一的资产阶级政党，一味迎合落后群众的无理要求，同我党进行较量。这是一种旧民主主义政党思想的反映，是从右的方面削弱和反对党对这些阶级、阶层的领导。我们对上述两种错误倾向进行了必要的批评和教育，引导民主党派积极地反映和代表它们所联系群众的合法利益和正当要求。这样做，活跃了民主党派的活动内容，也便利于我们党及时地了解这些阶级、阶层的动向，正确决定和灵活运用党的政策，适时地调整阶级关系。

在对资本主义工商业实行社会主义改造的过程中，我们积极支持民主建国会、工商业联合会密切联系资产阶级，充分反映他们的意见和要求，并同它们进行诚恳的协商，采纳它们的合理建议，为我国社会主义改造的发展增加了助力，减少了阻力。在高级知识分子和其他爱国人士的思想改造和参加国家建设工作方面，我们同样推动民主党派积极反映他们的政治思想情况和工作中的困难和问题，协助予以解决。1955 年底，在中央召开知识分子问题会议之前，我们推动民盟通过个别串连、谈心、交朋友等方式，深入了解高级知识分子工作中存在的困难和问题，归纳为“六不”，即“估计不足、信任不够、使用不当、安排不妥、待遇不公、帮助不够”，对于我党及时地合理解决高级知识分子的困难，调整党同高级知识分子的关系，调动广大知识分子向科学文化进军，产生了良好效果。这是民主党派工作中的一项成功经验。

3. 在国家政治生活中，党同民主党派实行互相监督。

党同民主党派之间的互相监督，事实上在建国之初就已经存在。党和国家对重大问题的决策、对宪法和法律的制定和实施、对主要政策的决定，都经过各种会议（全国人大、全国政协以及双周座谈会等），同民主党派、无党派民主人士进行协商，认真听取他们的批评和建议，使各项政策和法令更加完善，有助于及时地发现和纠正党在领导工作中的偏差和失误。这是我党在过渡时期主动调整阶级关系、健全国家政治生活的一种成功的政策，使资产阶级、城市小资产阶级及其知识分子和代表人物的合法权益有所保障，各得其所。这种政策，对于团结、稳定和改造这些阶级、阶层的人们是完全必要的，对社会主义事业是有利的。

4. 在自愿的基础上，组织它们的成员学习马列主义理论和国家的大政方针，进行思想改造，培养和提高拥护社会主义的进步分子和核心分子。

对民族资产阶级、城市小资产阶级及其知识分子的思想改造，是党在过渡时期的一项重大任务。各民主党派在协助党实现这一方面任务中都发挥了不同程度的积极作用。1953 年以来，民建会、工商联响应党中央和毛泽东同志的号召，在工商界中培养主动接受社会主义改造的进步核心分子，对于协助国家顺利实现资本主义所有制的伟大变革，起了积极作用。

以文教界知识分子为主体的民主党派，也积极推动其成员结合本门业务的实践，努力学习马列主义和党的方针政策，运用批评自我批评的武器，进行思想改造。1954 年以来开展的对资产阶级唯心主义思想批判运动，对推动广大知识分子的思想改造起了一定的作用。但在运动中也产生了简单粗暴的现象，把“坚持资产阶级错误观点的代表人物”，视为“思想敌人”，混淆了政治问题与学术性质问题的界限，造成一些知识分子惶恐不安的疑惧情绪。民主党派一方面积极地向党组织反映情况，同时对其成员讲明政策，帮助他们解除顾虑，端正态度，正确对待。对《红楼梦》研究中的唯心主义思想开展批判后，俞平伯受到直接冲击。当时他思想抵触很大，顾虑把自己与胡适相提并论，担心政治上完全被否定，学术地位从此丧失。对此，九三学社组织了一批俞平伯的多年老友对他热情帮助，肯定他政治上接受党的领导，说明运动只是批判他错误的学术思想，而不是要在政治上打倒他，也不会全盘否定他学术研究的成果。经过多次谈心帮助，使俞平伯逐步减少顾虑、转变态度，作了自我批评。由于民主党派成员地位相当，经历相似，感情相投，彼此了解，使思想工作容易做到深入细致，取得较好的效果。

以上四方面的积极作用，是民主党派的主流和基本趋势。当然，这并不意味民主党派同我党和工人阶级之间没有任何矛盾和分歧。有些人在接受社会主义的纲领和参加社会主义的实践中，仍然有着摇摆和抵触，一些右翼分子在某些重大问题上甚至同我党进行过斗争。1953 年 9 月党宣布总路线以后，有的人以“农民代表”自居，叫喊农民生活苦，攻击总路线。在发展社会主义工业化问题上，有些资产阶级代表人物曾提出“国营搞重工业、私营搞轻工业”的错误主张，企图保持和发展资本主义阵地。在肃反问题上，有些民主人士指责政府“镇反过火，出了偏向”，主张对反革命分子实行大赦，等等。这些矛盾和分歧，固然是阶级斗争的一种反映，但它属于社会主义革命前进过程中局部性的争论。在我们党坚持又团结又斗争，斗争为了团结的方针指引下，经过说服教育和协商，民主党派接受我们党的政治主张，没有形成对抗和分裂，其主导趋势是同党更加靠拢，密切合作，在社会主义道路上不断前进。

1955 年 11 月，在中央召开对资本主义工商业改造问题会议期间，中央统战部检查和讨论了对民主党派的工作。在中央会议后，我们又召开统战部长座谈会，进行讨论和总结。大家肯定，几年来民主党派采取为社会主义服务的政治路线，参加了社会主义的实践，它们的领导和成员的绝大多数在政治上确有很大进步，在向社会主义过渡的过程中已经跨进了一大步。如果说，资产阶级分子已经有一只半脚进入了社会主义的门槛，那么，可以说民主党派内部的社会主义因素已经处于优势地位了。民主党派作为整体来看，已经选定了走社会主义道路的方向，它们将跟随我们一道进入社会主义社会，应当是没有什么疑问了。另一方面，民主党派的成员还处在逐步改造之中，在民主党派内部，虽然社会主义的思想影响日益增强，资本主义思想已日益削弱，但总的说还处于过渡状态。因此，民主党派还不是已经完全具备了社会主义的性质。我们应当继续采取积极领导的方针，帮助各民主党派继续为社会主义服务，不断获得进步、发展和提高。

当时，党内不少同志认识落后于实际，对民主党派已经取得的上述进步和变化认识不清，估计不足；对民主党派的存在和作用有种种怀疑和抵触。他们认为民主党派的历史任务已经基本终结，说："民主党派可有可无，寿命不长了，最多不过维持三五年也就完了"，主张要以斗争为主，"少统多战"；在工作关系上，对民主党派实行消极防范和控制代替，不敢放手让它们独立地开展活动，只喜欢同他们中的进步分子来往，不愿同中间落后的人接触。肃反运动开始以后，有些地方甚至企图借机排斥本单位的民主党派组织和民主人士。

我们在座谈会期间批判和纠正这种关门主义倾向，指出：一、民主党派的存在，有其客观的社会基础。民主党派在历史上同我们党合作，共同参加民主革命斗争；建国以后又接受党和工人阶级的领导，为我国社会主义事业的发展作出了贡献。我们在政治上没有理由抛弃它们，必须积极地帮助和率领它们一道进入社会主义。骄傲自满，瞧不起民主党派，老子天下第一，不许别人革命的观点，是完全错误的。二、应当相信，经过各项政治运动和社会主义改造的锻炼和教育，资产阶级的大多数人将会变成工人，非党知识分子的大多数将变成工人阶级知识分子，一部分人将成为共产党员，民主党派也将成为为社会主义服务的政治团体。这是在我国历史条件下这些阶级、党派和知识分子必经的历史道路。怀疑这种变化的可能性，就是怀疑共产党坚强的领导能力、工人阶级的强大优势和我国社会历史发展的必然规律。三、我们应当坚持团结教育改造的方针，全面规划，积极领导，推动这些阶级、阶层和民主党派继续参加社会主义的实践，使进步分子日益增多，使中间落后分子向进步方向转化，使顽固的反动分子陷于孤立。四、统战部门应当切实改变同民主党派的关系，政治上信任它们，关心它们，组织上尊重它们，克服包办代替、干涉它们内部事务的错误做法，放手让它们独立地开展活动；要改变过去只同进步分子来往的狭隘作风，直接同中间、落后的人建立联系，深入了解他们的政治思想情况。五、对民主党派的方针政策，要根据新形势的发展，重新审议。正确的予以保留，过时的予以废除，同时要从战略全局出发，考虑对民主党派的根本政策，同它们建立起真正的同志式友谊。上述政策观点，为以后贯彻党同民主党派长期共存、互相监督的方针，提供了重要的思想准备。

在这次座谈会期间，我们还讨论了高级知识分子的工作。1955 年底，我国科研、工程技术、教育、卫生、文艺五个方面知识分子共三百八十四万人，高级知识分子只十万人，其中共产党员占百分之七，非党知识分子占绝大多数。高级知识分子大多数虽然出身于非劳动人民家庭，接受资产阶级的教育，不同程度地受着资产阶级唯心主义思想的束缚，但他们一般不占有生产资料，是掌握现代文化科学的重要骨干，不少人是国内外知名的专家、学者，他们富有强烈的爱国心和政治敏感，有为祖国效力的理想和愿望。因此，团结使用改造高级知识分子，对我国社会主义建设具有极大的重要性。建国以来，广大知识分子积极投入了国家的各项建设事业，为人民做了许多有益的工作。1954 年批判唯心主义思想以后，他们又进一步受到教育和改造，大部分人的旧观点、旧习惯已经有了不同程度的改变。但是，党内不少同志不认识现代科学文化对社会主义建设的巨大作用，对知识分子特别是对旧社会来的高级知识分子存在宁“左”勿右的思想，对他们存在着歧视、排斥以至惧怕心理，在学术思想批判中，对有些人简单粗暴，伤害了他们的自尊心。这种错误倾向，妨碍了党对知识分子团结教育改造政策的深入贯彻。

我在座谈会期间指出：知识分子属于脑力劳动者，以自己的劳动收入为生活来源，同资产阶级有根本的区别。应当同志式地帮助他们，充分发挥他们的知识专长为社会主义建设服务。对他们的思想改造，需要经过长期耐心细致的工作，决不能采取简单粗暴、强制的办法。人们认识的转变，不可能直线上升，而是曲线的螺旋式地发展的。思想改造过程中出现一些反复是不可避免的。我们要准备一些人思想有反复，要允许人家多一点时间考虑思想认识问题。人们在几十年形成的世界观和学术观点，不可能通过一次运动或几次批判讨论就能加以解决。在学术思想批判中，要鼓励自由辩论，允许批评反批评，允许保留个人的意见，不要急于作结论。唯心主义同唯物主义是对立的思想体系，它们之间的斗争是必然的、经常发生的。但是不能把具有唯心主义思想的专家学者作为“思想敌人”对待。敌我问题是政治概念，决不能把政治问题同思想问题混淆起来。学术领域批判的对象，即使是坚持唯心主义思想的代表人物，也不是政治上宣判他的死刑，而是要经过耐心细致的思想工作和学术讨论，争取他们向进步方向转变。其中一些人可能至死不变，一些人则可能由唯心主义者变成马克思主义者。要看到在我国条件下，多数人的总趋势是会向着好的、进步方向转变的。知识分子、专门家接近社会主义、共产主义，正如列宁所说的，要经过他们本门业务的实践。我们应当把组织马列主义理论的学习同他们的业务实践结合起来。对他们工作上、思想上存在的困难和问题，要采取切实负责的态度，协助解决。统战部门要积极支持和帮助以知识分子为主体的民主党派开展对高级知识分子的工作，同时，也要直接同高级知识分子建立密切的联系和接触，了解他们，帮助他们，促使他们为社会主义事业作出更多的贡献。这次座谈会的意见，对于纠正高级知识分子工作中“左”的偏向，起了一定的积极作用。

1955 年底，章伯钧向周恩来同志提出，农工民主党拟对高级知识分子的团结改造问题进行调查研究，得到我党的支持。1956 年 1 月，农工民主党中央提出了《关于知识分子团结改造问题的几点建议》。这一期间，我们还将民盟中央了解知识分子工作中存在“六不”的问题，及时向中央反映，为中央筹备召开的知识分子问题会议，作了一方面的工作准备。

六、1956 年统一战线面临的新形势和新任务

1956 年，是我国社会主义革命取得伟大胜利的一年。生产资料私有制社会主义改造的基本完成，消灭了资本主义私有制，使国内工人阶级同资产阶级之间的矛盾基本上得到解决，使我国开始进入了崭新的社会主义社会。这是我国历史上最深刻的社会变革。

1956 年 1 月 25 日，毛泽东同志召开最高国务会议，高度评价我国用和平的方法进行社会主义革命的成功经验，指出：“在我国条件下，用和平的方法，即用说服教育的方法，不但可以改变个体所有制为集体所有制，而且可以改变资本主义所有制为社会主义所有制。”并且提出向现代化的宏伟目标进军，说“我国人民应该有一个远大的规划，要在几十年内，努力改变我国在经济上和科学文化上的落后状况，迅速达到世界上的先进水平。为了实现这个伟大的目标，决定一切的是要有干部，要有数量足够的、优秀的科学技术专家；同时，要继续巩固和扩大人民民主统一战线，团结一切可能团结的力量”。毛泽东同志这一号召，指明了社会主义革命基本胜利后我国历史前进的方向，也指明了我国统一战线面临的新形势和新任务。

根据毛泽东同志的提议，中央在1月召开了关于知识分子问题的会议。周恩来同志在会上作了《关于知识分子问题的报告》，总结建国以来对知识分子工作的经验教训，强调为了大力发展社会主义建设，“必须依靠体力劳动同脑力劳动的密切合作，依靠工人、农民、知识分子的兄弟联盟”。指出我国知识界的面貌六年来已经发生了根本变化，“他们中间的绝大多数已经成为国家工作人员，已经为社会主义服务，已经是工人阶级的一部分”。指出知识分子已经成为我国各方面生活中的重要因素，正确地解决知识分子问题，更充分地动员和发挥他们的力量，为伟大的社会主义建设服务，是我们努力完成过渡时期总任务的一个重要条件。《报告》批判排斥歧视知识分子的错误倾向，提出应当改善对知识分子的使用和安排，给以应得的信任和支持，给以必要的工作条件和适当的待遇，同时热情地帮助他们进行自我改造，才能最充分地动员知识分子在祖国建设事业中，发挥力量，贡献其业务能力和专长。毛泽东同志在会议最后一天讲了话，强调指出我国经济上还没有独立，科学上也没有独立，文化落后，要实现现代科学技术的革命，必须充分尊重知识和知识分子，无知、愚蠢是不行的。号召全党要努力学习科学知识，同党外知识分子团结一致，为迅速赶上世界科学先进水平而奋斗。这次会议坚持从社会地位来考察知识分子的根本变化，肯定他们的绝大多数已经是工人阶级的一部分，解决了党内长期争论的一个大问题，纠正了对待知识分子的过左政策，改善了党同非党知识分子的关系，激发了广大知识分子爱国主义、社会主义的积极性。

4月25日，毛泽东同志发表《论十大关系》的重要讲话，以苏联经验为鉴戒，初步总结了我国社会主义建设的经验，提出“一定要努力把党内党外、国内国外的积极因素，直接的间接的积极因素，充分调动起来，把我国建设成为一个强大的社会主义国家”的战略方针。在党与非党关系方面，提出“两个万岁”的思想，他说我们的方针是要把民主党派、资产阶级都调动起来。要有两个万岁，一个是共产党万岁，另一个是民主党派万岁，资产阶级不要万岁，再有两三岁就行了。在我们国内是民主党派林立，我们有意识地留下民主党派，这对党、对人民、对社会主义很有利。打倒一切，把其他党派搞得光光的，只剩下共产党的办法，使同志们中很少不同意见，弄得大家无所顾忌，这样做很不好。这就是后来概括的党同民主党派长期共存、互相监督的方针。

9 月，中央召开了具有伟大历史意义的党的第八次全国代表大会。大会指出：社会主义制度在我国已经基本上建立起来，国内的主要矛盾，已经不再是工人阶级和资产阶级的矛盾，而是人民对于经济文化迅速发展的需要同当前经济文化不能满足人民需要状况之间的矛盾；全国人民的主要任务是集中力量发展社会生产力，实现国家工业化，逐步满足人民日益增长的物质文化的需要，虽然还有阶级斗争，还要加强人民民主专政，但其根本任务已经是在新的生产关系下面保护和发展生产力。大会要求进一步加强人民民主统一战线，并对党同民主党派长期共存、互相监督的方针作了深刻的阐述。

八大的路线和毛泽东同志的多次讲话，为社会主义事业的发展指明了方向，也为发展和巩固新的历史时期统一战线规定了指针。

中央统战部在社会主义改造高潮期间，遵照中央的路线和指示精神，解放思想，勇于探索，研究了统一战线面临的新形势，提出了统一战线的新方针、新任务，制定了一系列适应新形势的政策和措施。现在看来，这些方针政策和措施仍然是正确的或基本正确的。

这一年的统战工作，主要有以下几个方面。

（一）召开第五次全国统战工作会议，制定《一九五六年—一九六二年统一战线工作方针》

社会主义改造高潮的到来，使我国政治形势发生了根本变化。人民民主统一战线也进入了新的历史阶段。1 月间，中央统战部经过集体研究，由我主持起草《一九五六—一九六二年统一战线工作方针（草案）》（简称《七年方针》）。1 月 28 日向中央送审稿中，曾提出我国人民民主统一战线成了“社会主义的统一战线”，各民主党派和工商联“已经是社会主义性质的政治团体”。2 月初，恩来同志审阅时指出这些提法不妥。我们当即取消这些提法，并对文件重新作了修改，经中央审核同意，提交第五次全国统战会议讨论。修改后的《七年方针》对统一战线面临的新形势、新任务和应采取的新方针，作了明确分析和规定。

1. 指出工人阶级已经在社会主义和资本主义两条道路的斗争中取得了决定性胜利，人民民主统一战线的内部关系发生了深刻变化：（1）作为人民民主专政基础的工农联盟被推进到新的即社会主义的基础上，日益成为牢不可破的联盟；(2) 资产阶级作为一个阶级虽然还没有被消灭，但已经向工人阶级屈服了，大多数资本家和资本家代理人成了公私合营企业的从业人员，而且不能不在公方直接领导和工人群众直接监督下，按照社会主义原则而共同工作。他们中间积极接受社会主义改造的进步分子日益增多，有从少数发展成为多数的趋势；(3) 知识界的面貌发生了根本的变化，从他们的政治立场和社会地位来说，他们已经是工人阶级的一部分；(4) 各民主党派已经基本上成了为社会主义服务的政治团体；(5) 大多数少数民族先后走上了向着社会主义过渡的道路，并且在各种不同的条件下努力前进。这些变化指明，统一战线内部的社会主义一致性正在发展和加强。

2. 教育工作已经成为今后统战工作的中心任务。统一战线内部虽仍存在着阶级矛盾和阶级斗争，但今后将更多地从机关、学校和企业内部的业务工作和学术研究上表现出来，表现为对待这些问题的不同立场、观点和方法，不同的思想和作风。这种情况更有利于我们在阶级斗争中使用教育的方法（无论在政治上、工作上和思想上），更要求我们把教育工作当作统战工作中的一项中心工作。教育工作的目的，是使极大多数资产阶级分子，不仅对于最后完全消灭资本主义所有制获得思想上的准备，而且能够改变成为名符其实的劳动者；使大多数的高级知识分子和民主人士在建设社会主义社会的斗争中充分发挥积极性，并且做到在第二个五年计划期末，从思想上接受马克思列宁主义基本观点。

3. 要充分估计民主人士、高级知识分子和资产阶级分子几年来的进步，在机关、学校、企业同他们普遍建立起良好的合作共事关系。要分别不同情况，给以应有的信任，分配以适当的工作，帮助他们做出成绩。对合营企业的资方人员，应当领导他们积极参加生产、经营和企业改革，受到“破资本主义、立社会主义”的教育。

我在会上对《七年方针》的基本精神、资产阶级分子的改造问题、同民主党派、民主人士的关系问题、教育工作问题、民族工作问题作了说明。指出：从社会主义改造这个过渡时期的任务来说，资产阶级分子走了有决定意义的一步，知识分子走了有决定意义的一步，大多数少数民族也走了有决定意义的一步，民主党派也走过了有决定意义的一步。因此，大大缩短了过渡时期的时间。原来设想大约需要三个五年计划的时间，现在可以两个五年计划内完成。社会主义改造的迅速发展和阶级关系的根本变化，要求我们在工作方针上应有新的提法。制定《七年方针》的基本要求，就是要在今后七年内把教育工作提到首要地位，经过工作实践的教育，经过政治理论的学习，帮助资产阶级分子、高级知识分子和民主人士的思想改造，逐步做到同他们已经变化了和正在改变着的政治地位和社会地位相适应，为社会主义建设服务，为最后实现国有化获得思想上的准备。

会议经过讨论，一致同意《七年方针》作为这次全国统战会议的决议，3 月 31 日经中央批发各地执行。现在看来，《七年方针》对当时形势的基本分析和强调教育工作的基本方针是正确的，但对调动党外人士为建设服务这一点强调得不够，则是一个缺点。

这次会议，还讨论通过了《关于帮助民主党派工作的意见》、《中央和各级党委统战部干部管理工作试行草案》、《关于一九五六年到一九五七年干部管理工作的规划》、《关于在省、市、自治区的人民政协、民主党派、工商联等机关干部中进行肃反工作的意见》、《关于加强人民政协地方工作委员会工作的意见》等文件。会后，均报经中央批发各地。

（二）普遍组织各界民主人士和工商业者进行政治学习和理论学习

为贯彻《七年方针》，在我们建议和帮助下，全国政协成立了学习委员会，并在 3 月发布了全国政协《关于组织各界民主人士和工商业者进行政治学习和理论学习的决定》，规定教学方针是：（1）参加学习与否，必须按照自愿的原则；（2）必须贯彻自由思考、自由辩论的教学方法；（3）不查历史，不查思想；（4）在学习条件上党外人士与共产党员一视同仁。

为了满足广大党外人士的学习要求，经中央同意，在北京举办社会主义学院，作为党外人士的“高级党校”，吸收高级知识分子、高级民主人士和资产阶级代表人物分期分批进行短期离职学习。在全国各地，普遍举办政治学校和工商界讲习班，系统学习三门课程：（1）社会发展规律；（2）企业改革的基本知识；（3）时事和政策。经过这些有计划的学习和教育，使高级知识分子、民主人士和资产阶级分子大大提高了思想觉悟，逐步解决了“破资本主义、立社会主义”的变革，为进一步接受社会主义改造和为社会主义建设事业服务，起了积极作用。

（三）处理好两种类型的合作共事关系，巩固和扩大人民民主统一战线

1956年6月，在全国人大第三次会议上，我根据《七年方针》和毛泽东同志《论十大关系》的精神，作了题为《巩固和扩大人民民主统一战线》的发言，对统一战线的形势、任务和方针作了系统的说明。指出社会主义高潮到来以后城乡生产关系的根本变化，使我国广大人民在政治上、思想上的社会主义一致性日益扩大和增强，人民民主统一战线更加巩固和扩大，教育和学习成了统一战线的中心工作。指出目前有两种类型的合作共事关系，一种是机关、学校和国营企业中共产党员同一般党外人士间的共同工作关系，这种关系基本上是工人阶级内部的关系；另一种是公私合营企业和一部分国营企业中职工和共产党员同资产阶级分子的共同工作关系，这种工作关系同时又是一种阶级关系。正确处理这两类合作共事关系，是帮助人们进行自我教育和巩固人民民主统一战线的一个重要关键。这一发言还将毛泽东同志提出"两个万岁"的思想，概括为"共产党和各民主党派长期共同存在、互相监督，首先对共产党起监督作用的方针"。指出我国一切民主党派和人民团体在法律上处于平等地位，彼此间在政治上有互相协商、互相帮助和互相监督的传统，我们应当继续发扬这个传统，应当严格地尊重各民主党派和人民团体在宪法赋予的权利义务范围内的政治自由和组织独立性，任何党派和团体对其他党派和团体的这种自由和独立都没有权利加以干涉。强调指出中共中央提出党同各民主党派实行长期共存、互相监督这一重大方针，就是再一次宣告，同党外人士实行民主合作，是共产党的一条"固定不移"和"永远不变"的原则。这篇发言，事先经毛泽东同志、邓小平同志审阅同意，对促进统一战线的巩固和扩大，对调动民主党派和党外人士的政治积极性，产生了较好的影响。

（四）在全国范围内进行统战政策的检查，大力改进党与非党人士的关系

第五次全国统战会议期间，反映出统战部门存在着相当严重的关门主义倾向。会议决定切实检查一次统战部门同民主党派、民主人士的关系，

认真发扬民主，克服缺点，改进关系。这次检查，实际上进行了一年多，经历了两个阶段。

第一阶段，从3月至5月。中央统战部和全国政协秘书处党组首先从内部进行检查。以后又把自内和自外的检查结合起来，号召和发动民主党派、民主人士视察和检查统战工作，召开各种座谈会，广泛征求和听取他们的批评和意见。这段检查，确实揭露了我们工作中不少问题和缺点，主要是：（1）党外人士安排后，不少人无事可做，或有职无权，坐冷板凳；（2）同民主党派、民主人士广泛联系不够，同进步分子往来多、同中间落后的人接触少，有时偏听偏信，助长了党内和进步分子的宗派主义情绪；（3）对少数人的意见特别是反对的意见，尊重不够，往往以多数压少数，堵塞言路；（4）以领导者自居，只教育别人，不注意向党外人士学习；（5）同民主党派民主协商差，尊重组织独立差。这些缺点，确实妨碍了民主党派、民主人士积极性的发挥，对社会主义事业是不利的。我们诚恳接受党外人士的批评。5月21日，中央统战部发出《关于组织和推动民主党派、民主人士检查统战工作的意见》，要求各地统战部门，采取内外结合的办法，进一步开展检查，广泛地揭露缺点，改进工作，教育我们自己，增进党和非党的团结。

第二阶段，从6月至年底。这一期间，由于苏共二十大全面否定斯大林，国际反动派掀起攻击无产阶级专政和社会主义制度的逆流，在党内外一部分群众中引起了思想动荡；毛泽东同志《论十大关系》讲话在党外人士中间广泛传达后，激发了他们的政治热情，统一战线内部出现了民主活跃的局面；下半年社会主义改造在全国范围内基本完成，资本家交出了企业，自觉“衣冠齐整、精神抖擞”，有些人表露出向我们争取更多政治权利的倾向。在这些国际、国内因素的交互影响下，在7月、10月的座谈会上，以章乃器、章伯钧为代表向我们提出了尖锐、严厉的批评，广泛涉及党的领导、国家政治生活等多方面的问题。

1. 关于党同民主党派长期共存、互相监督的方针

党外人士对党提出这一方针普遍表示满意和拥护。认为是“思想上的大解放”、“民主党派新生命的开始”，明确了民主党派的任务和前途。有些人顾虑这个方针在党内不能贯彻到底。有些人则认为这个方针只是一种策略，用以对外宣传、安定民主党派人心而已。

关于民主党派对中共的监督问题，章伯钧等人提出：第一，监督应有

法律的保障，民主党派向相当政府部门应有质询权。第二，民主党派可以在人民代表大会中设立类似资本主义国家的“议会党团”，每个党派的“议会党团”有权单独向中外记者发表主张。第三，政府部门和政协对民主党派提出的批评建议，应认真处理，不得敷衍应付。

关于民主党派的发展方针问题。章乃器批评中央统战部 1952 年提出“中小为基础”的建议，是团结中小、排斥打击大资本家，是制造阶级斗争。对过去协议的各民主党派重点分工范围，章伯钧一再表示不满，主张要打破“防区制”、“包干制”。有些人对我党在高级知识分子中发展党员，认为是“对九三学社的威胁”。有些人从增强民主党派实力出发，主张取消民盟、民进、农工民主党、九三学社四个党派，另组一个知识分子的大党。

2. 关于党同资产阶级的关系

章乃器尖锐批评中央统战部有阶级斗争简单化、统战工作庸俗化的倾向，指责部分党员、进步分子怀疑和歪曲党的和平改造方针，执行得七折八扣，使工商业者受到无情打击，主张重新审查“三反”、“五反”的案件，处分过重的予以平反，说：“现在工商界只抬了半个头”，号召工商业者不要自卑，要敢于起来斗争。章乃器的这些观点，当时受到一部分民主人士、资本家的欢迎和同情。

3. 关于党与非党的关系

罗隆基、章乃器等人提出，共产党员和非党员不平等，党外人士怕党员，见到党员唯唯诺诺，觉得自己比党员低一等。

座谈中，普遍反映党外人士有职无权，章乃器说他当粮食部长有职有权“是斗争得来的”。不少人对某些党员干部骄傲自满、脱离群众的官僚主义，十分不满，有的甚至说：“现在官气之重，比国民党还甚。”

4. 关于人民政协工作

对几年来政协扩大安排、工作内容有所充实，表示满意。有些人则感到安排政协委员只是政治待遇，平时无事可做，批评“开会轰轰烈烈，闭会冷冷清清”，“政协成了座谈的组织、举手的机构”。章伯钧主张中国应实行两院制，使政协变成建议、监督、审核的机关，相当于资本主义国家的上议院。他还提议各民主党派领导人成立政治讨论会，定期讨论国家大事，向党和政府提出政策方针的建议。他这一主张，因高级民主人士反应冷淡而作罢。

为使这次检查搞深搞透，我们于7月2日发出补充指示，要求各级统战部门严格检查自己的工作，做到一面检查，一面解决问题，对民主党派、民主人士提出的批评，不论是否正确，都应及时向党委反映，认真改进党与非党的关系。对错误的意见，不要迎头反击，而要广开言路，具体分析，在适当时机正面说理解释。

这次检查，广泛发扬了民主，使党外朋友无保留地提出了不少尖锐的批评，虽然有些意见是错误的，但总的说，确实有利于我们深刻认识和及时纠正自己的缺点，进一步加强党的统战工作。

（五）进一步贯彻党同民主党派长期共存、互相监督的方针

根据党外人士在检查中提出的批评和意见，我们汇集综合为七款四十八条。除推动民主党派分别讨论外，10月间又召开统战部长会议，对改进党同民主党派关系问题进行深入研究。我在会上作了两次发言。会议经过讨论，明确解决了以下几个重要问题。

1. 关于长期共存、互相监督方针的依据

大家认为，党提出这一方针不是权宜之计，而是正确地反映了我国社会的客观实际、符合我国社会历史发展的需要。

第一，民主党派虽然是民族资产阶级、上层小资产阶级及其知识分子的政治派别，但它们与欧美资产阶级政党不同，而是革命的、爱国的、同共产党合作的政党。在社会主义改造完成以后，它们所联系的阶级、阶层的成员将变成劳动人民的一部分，民主党派作为这一部分劳动人民的政党，仍然需要在很长时间内继续联系和代表这部分劳动者，推动他们继续为社会主义服务，进一步实行自我教育。这是我国民主党派能够同我党长期共存的客观依据。恩来同志在阐明这一方针时曾说：共产党同民主党派不是同年同月同日生，但可以同年同月同日死。这些讲话充分表达了我党同民主党派长期合作的战略思想。

第二，共产党领导下的多党派合作，是我国人民民主专政的特点之一。马克思列宁主义学说并没有排除社会主义制度下多党共存的可能性。特别是我党处于执政党的地位，在工作中不可能没有缺点和错误。我们当然首先依靠党内的自我批评和广大劳动人民的监督，同时也需要重视民主

党派和民主人士的监督。因为它们今天和将来都联系和代表一定的社会基础，“能对我们党提供一种单靠党员所不容易提供的监督，能够发现我们工作中所没有发现的错误和缺点。”（邓小平：《关于修改党的章程的报告》）我们的经验证明，实行这个方针，对党、对国家、对人民、对社会主义都是有利的。

2. 关于共产党同民主党派的关系问题

共产党同民主党派在政治上存在领导和被领导的关系，同时又是平等的友党关系。党对民主党派的政治领导，应当经过我们的宣传工作和政治协商，使它们自愿接受党的政治主张，从而确定自己的政治行动，而决不意味着我们党有超越它们之上的权力，可以把它们作为自己的附属团体，任意地去命令、干涉和控制它们。一定要尊重民主党派在宪法范围内的政治自由、组织独立和法律平等地位，放手地让它们独立地处理自己内部的事务和开展活动。应当彻底纠正那种通过少数进步分子把持包办民主党派内部事务、修改它们的文件、干涉人事安排等的错误做法。应当采取积极态度，同民主党派负责人和它们内部的各方面的代表人物保持经常联系，同它们建立起诚恳的、友谊的、互助合作的关系。

3. 关于民主党派的发展组织问题

会议认为历史上形成的各民主党派重点分工和各自的发展对象，基本上符合社会客观的需要，但这不等于机械地划分范围，各党派经过协商，可以按照新情况作必要的调整。

根据会议讨论结果，中央统战部草拟了《关于民主党派工作几个问题的指示（草案）》，发各地征求意见试行。这个草案阐明的基本观点和基本措施是正确的、积极的，以后，由于1957年反右派斗争未能形成正式文件而搁置下来了。

（六）继续贯彻对民族资产阶级和平改造的方针

在社会主义改造高潮期间，国务院八办在中央领导下，制定了一系列政策文件，妥善解决了清产核资、定息、人事安排等问题，本文第三章已经论及。下半年在检查统战工作中，以章乃器为代表提出的某些言论和批评，实质上反映了为资产阶级争取更多政治利益的动向。到11月民建会召开二中全会期间，章乃器转而在该会内部掀起了一场原则性争论。第一，他否定资产阶级的两面性，把资产阶级美化为“红色资产阶级”，宣称全行业公私合营后，资产阶级消极性一面已经没有了，“再提两面性，就要动摇工商界的信心”。第二，他宣扬资产阶级接受改造的自发性，冲淡以至否定工人阶级和党的正确领导。第三，他批评过去对资产阶级的实际教育是“残酷斗争”，主张今后对资产阶级只要团结，不要斗争，只要鼓励，不要批评。围绕这些原则问题，民建会内部运用批评自我批评的方法，开展一场热烈的争论，争取教育多数，批判章的错误思想。我们当时指出，章乃器的这些言论和批评，本身具有消极与积极的两面性。他的言论和批评的主要部分带有原则性错误，但他也确实指出了我们工作中的某些缺点和偏差，特别是他敢于代表资产阶级公开地提出尖锐的批评，对我们更深刻地认识自己的缺点和及时察觉资产阶级的动向是有利的。因此，在批评他的错误时，又要保护他敢于同我们唱对台戏的积极性。

1956年12月4日，毛泽东同志在复黄炎培的信中，对民建这次会议的成果给以高度评价；并且第一次提出了正确处理两类社会矛盾的思想。他说：“批评和自我批评这个方法竟在你们党内，在全国各地工商业者之间，在各级知识分子之间行通了，并且做得日益健全，真是好消息。社会总是充满着矛盾。即使社会主义和共产主义社会也是如此。不过矛盾的性质和阶级社会有所不同罢了。既有矛盾就要求揭露和解决。有多种揭露和解决的方法：一种是敌我之间的（这说的是特务破坏分子），一种是对人民内部的（包括党派内部的、党派与党派之间的）。前者是用镇压的方法，后者是用说服的方法——即批评的方法。我们国家内部的阶级矛盾已经基本上解决了，即是说还没完全解决，表现在意识形态方面的，还将在一个长时期内存在。另外，还有少数特务分子也将在一个长时期内存在。所有人民应当团结起来。但人民内部的问题仍将层出不穷，解决的方法，就是从团结出发，经过批评与自我批评，达到团结这样一种方法。”毛泽东同志关于正确处理两类社会矛盾的思想，在12月29日《人民日报》发表的《再论无产阶级专政的历史经验》中公开作了详尽的阐述。

1956年12月7日、8日，毛泽东同志分别接见了在京开会的各地工商联、民建会负责人，对时局问题，对资产阶级的看法以及党的政策等问题作了明确指示。一、关于时局问题。他指出，国际国内的事情是充满矛盾的。苏联出了贝利亚事件，又批判了斯大林错误，中国出了高岗、香港出了九龙事件，现在又出了波兰和匈牙利事件、苏伊士问题，世界问题多得很。出了这么多问题，社会主义还搞得成搞不成？会不会崩溃？我看崩溃不了。二、对资产阶级的看法，指出：中国的资产阶级是爱国的资产阶级，但是不要讲红色资产阶级，因为资产阶级中，有进步、中间、落后，思想状态不一，颜色不一，要承认有两面性，才合事实。阶级历史这么长，不能说没有两面性，如果说只有一面性，那就不利于改造和进步，就用不着学习了。整个阶级是爱国的，但还有落后因素，所以还有学习任务。承认缺点是有好处的。三、定息和“摘帽子”问题，指出：赎买政策是要真正的赎买，不要半赎买半没收，因为资产阶级搞革命，同我们合作。定息时间七年为期，如果没解决问题，到第三个五年计划还可以拖一点尾巴。天理人情，讲得过去。共产党不在这上面省几个钱，不要损害大资本家的利益。中小资本家要摘帽子，再过一二年可分批进行，但必须一不提倡，二不搞高潮。四、工商联、民建会问题，指出：工商联可以长期存在。定息取消后，还要进行思想改造工作，可以作为一部分劳动者的工会，但名称要保存不要改。民建会应当代表大资本家，事实上是大中路线。要认识统战主要对象和定息对象是大的。认清这一点，共产党、民建会、工商联都好做工作。毛泽东同志的讲话，明确回答了党外人士对国内外时局的种种疑虑，指明了我国建设社会主义的坚强信念和党的方针政策，进一步团结和稳定了资产阶级和民主人士，调动了他们的积极性，对于巩固加强党的统战工作具有重要的指导意义。

总起来说，1956 年的统战工作，在中央指示下，我们制定了《七年方针》，深入开展了统战政策的检查，及时地处理了社会主义改造高潮期间出现的各种社会矛盾，进一步调整了关系，活跃了统一战线内部的民主生活，调动了广大知识分子、党外人士和工商业者为社会主义事业服务和接受社会主义改造的积极性，促进了国家安定团结的政治局面，巩固和发展了社会主义革命的胜利成果。成绩是巨大的。

七、反右派斗争和整风运动

1956 年社会主义改造基本完成以后，党领导全国各族人民开始转入全面的大规模的社会主义建设。这是认真贯彻党的八大路线的体现。但是，从 1957 年夏季开始，由于党内在指导思想上产生阶级斗争扩大化的

“左”的错误，导致了反右派斗争的严重扩大化，打断了全国转向大规模社会主义建设的历史进程。

从1957年夏季以后，党在指导方针上有过严重失误，国家政治生活和经济建设遭受了严重的挫折。这一时期的统一战线工作，在指导方针上同样有过严重失误，有着深刻的经验教训。

（一）整风运动的开展和反右派斗争的严重扩大化

我国社会主义改造基本完成后，对立阶级之间的对抗性矛盾不再是国内的主要矛盾。正确区分和处理人民内部和敌我之间两类不同性质的社会矛盾，成为我们党团结各族人民胜利进行社会主义建设的一个关键问题。毛泽东同志认真总结了苏联和我国的经验，1957年2月27日，在最高国务会议上发表了《关于正确处理人民内部矛盾的问题》的重要讲话，系统阐述正确处理两类社会矛盾的学说。他全面分析了社会主义社会的矛盾，指出，在社会主义制度下，人民的根本利益是一致的，但人民内部还存在着各种矛盾，必须严格区别和正确处理敌我矛盾和人民内部矛盾。明确指出，“革命时期的大规模的急风暴雨式的群众阶级斗争基本结束，但是阶级斗争还没有完全结束。”“我们的根本任务已经由解放生产力变为在新的生产关系下面保护和发展生产力”。这就需要正确处理人民内部矛盾，以便团结全国各族人民进行一场新的战争——向自然界开战，发展我们的经济和文化，巩固我们的新制度，建设我们的新国家。他总结我们党的历史经验，提出在人民内部要在政治上实行“团结——批评——团结”；在经济工作中对城乡各阶层人民要采取“统筹兼顾，适当安排”和兼顾国家、集体、个人三方面利益的方针；在共产党和各民主党派的关系上采取“长期共存，互相监督”的方针；在科学文化工作方面采取“百花齐放，百家争鸣”的方针。毛泽东同志的这个讲话，精辟地分析了社会主义社会的矛盾，提出了正确处理人民内部矛盾的原则和方针，丰富和发展了马克思主义的科学社会主义学说，对于我们党团结全国人民，胜利从事社会主义建设具有重大和长远的指导意义。

1. 第七次全国统战工作会议

4月，中央统战部召开第七次全国统战工作会议，学习毛泽东同志《关于正确处理人民内部矛盾的问题》，结合讨论统战工作。我在会上发言中分析了工人阶级和民族资产阶级之间的矛盾、民族矛盾、宗教矛盾等几个同统战工作有直接关系的矛盾，提出了如何处理这些矛盾的意见。认为工人阶级和资产阶级间的矛盾，其趋势是要逐步地转化为劳动人民内部的矛盾。由于思想的转化总是落后于社会地位的转化，他们的思想感情真正改造过来，还需要很长的时间。统一战线的第二个联盟（即工人阶级同民族资产阶级及其他爱国人士的联盟），正处在向劳动人民联盟的过渡状态中，这些对象自身正处在分化的过程中。指出：在社会大变动的时期，统战工作范围的矛盾的发展有以下的特点：（1）新事物、新问题、新矛盾拥挤而来。旧的排了队，提上了日程的还没有完全解决，而新的又接连着发生。（2）在第二个联盟内部，在民族地区，在宗教问题上，特别在民族矛盾和宗教矛盾交织在一起的地区，人民内部矛盾转化为对抗情况的可能较多，甚至是自发的。（3）在全国范围内，大规模的群众性的阶级斗争基本上已经过去，但是阶级斗争还存在。对于如何处理统一战线内部的各种矛盾，我根据毛泽东同志多次讲话的精神，提出三点意见：第一，要从六亿人口出发，实行统筹兼顾、适当安排的战略方针；第二，要加强思想政治工作，提倡学习马列主义；第三，要贯彻“放”的方针，鼓励党外人士唱对台戏。这三条意见的基本出发点，就是承认矛盾着的对立面又统一、又斗争，是一切事物发展的普遍规律，在社会主义时期，各种社会矛盾也是层出不穷的，对统一战线内部的各种矛盾，必须运用民主的、说服的方法，把对同盟者的政治教育和照顾同盟者的利益结合起来，实行统筹兼顾、各得其所的方针，正确地加以解决。在这个方针和原则下，对民主党派实行长期共存、互相监督，是一个根本性的安排，各民主党派在宪法赋予的权利义务范围之内，享有组织独立、政治自由和法律面前平等的地位，不仅是党的政策要求，而且是宪法赋予的权利。对民族资本家，主要问题是搞好合作共事关系，这是进一步改造资本家、最后消灭这个阶级的关键。如果这个问题解决不好，其他起辅助作用的办法（如讲习班）都要减色以至落空。同时，对去年以来阶级斗争形势和左中右的政治分野作了具体分析，指出：去年，国内国际都是大变动的一年。在国内，锣鼓喧天的后面，进行着深刻、激烈的阶级斗争。到了下半年，一股反社会主义制度的风，又一股反思想改造的风，逐渐地刮起来了。这股风主要是从右派那里吹来的，右派是这股风的主帅、军师。个别反革命分子和坏分子则从中挑拨和煽动。右派之外，还有调和的人，还有受影响的人。我当时认为，这些现象是人民内部矛盾的反映，要用处理人民内部矛盾办法来对待这股风。并且指出：右派也是人民的一部分，只能这样对待。我们一要保持政治嗅觉，二要进行具体分析。平常睡觉，一旦听到有贼，就拿起棍子乱挥，这就不好。指出：对台戏是人民内部和阶级间公开合法的斗争，对处于执政地位和领导地位的我们党来说，特别需要健全和发扬人民民主，需要广大人民群众包括民主党派、民主人士的监督。在某种意义上说，这也是一种对台戏。这种对台戏，是我们同党外人士一道解决问题和改进工作的最有效的方式，也是最生动地进行政治思想教育、促进思想改造的最好的方法。

这次全国统战会议，以毛泽东同志《关于正确处理人民内部矛盾的问题》的精神为指导，深入研究了统一战线内部的各种矛盾，提出了处理各种矛盾的方针和原则，是一次发扬民主、思想解放的重要会议。现在看来，这些意见是符合党的“八大”决议的精神的。可惜以后由于反右派斗争的开展，对阶级斗争形势作了错误的估计，在指导思想上发生了一百八十度的大转弯，脱离了毛泽东思想科学体系的轨道，使这些正确的方针原则未能坚持贯彻下去。

2. 中央发布整风指示，召开两个座谈会，极少数右派乘机进攻

为了改善党的领导，纠正党内日益滋长的官僚主义、宗派主义和主观主义，更好地领导全社会的改造和新社会的建设，更好地调动一切积极力量，团结一切可能团结的人，并且将消极力量转化为积极力量，为建设一个伟大的社会主义国家的目标而奋斗，中央决定在党内开展整风运动。1957 年 4 月 27 日，中央发布《关于整风运动的指示》，指出：应当把正确处理人民内部矛盾的问题作为当前整风的主题。要求各级领导机关和干部，着重检查处理人民内部矛盾问题的情况，检查对于党的“百花齐放、百家争鸣，长期共存、互相监督”方针和“勤俭建国”方针的执行情况，检查那些脱离工人群众、农民群众、士兵群众、学生和知识分子群众的官僚主义现象，检查那些不从团结六亿人民出发、不从团结各民族、各党派和广大的党外群众出发、不从团结全党出发的宗派主义现象，检查那些不从实际情况出发的主观主义现象。《指示》还指出：“这次整风运动，应该是一次既严肃认真又和风细雨的思想教育运动，应该是一个恰如其分的批评和自我批评的运动。”“应该放手鼓励批评，坚决实行‘知无不言，

言无不尽，言者无罪，闻者足戒，有则改之，无则加勉’的原则。”

4 月 30 日，毛泽东同志在天安门城楼约集各民主党派负责人举行座谈会，请他们帮助我党整风。马寅初等都到会了。毛泽东同志在会上说：现在是新时代和新任务，阶级斗争结束，向自然界宣战。也讲了知识分子的思想改造问题。他着重号召民主人士揭露教育、卫生等部门的官僚主义。对高等学校的领导体制，毛泽东同志提出由邓小平同志负责找党外人士和民盟、九三等开座谈会，对有职有权和学校党委制的问题征求意见。毛泽东同志的讲话，鼓舞了党外人士向党提批评意见，帮助党整风的政治积极性。

为发动党外人士帮助党整风，中央统战部于 5 月初和 5 月中旬，在全国政协和国务院礼堂分别召开了各民主党派、无党派民主人士座谈会和工商界人士座谈会。前者开了十三次，七十余人次发言；后者开了二十五次，一百零八人次发言。在这期间，国务院各部门的党委，各省、市委和一些高等院校党委，也相继召开了党外人士座谈会，请他们帮助党整风。

在中央统战部召开的两个座谈会上，党外人士对党都提出了大量的批评、意见和建议，其中大部分是正确的、很好的意见，有的批评可以说是切中时弊。如张奚若 5 月 15 日发言，批评党内滋长了骄傲情绪，主要表现是：好大喜功（误认为社会主义就是大），急功近利（强调速成，把长远的事用速成的办法去做），鄙视既往（轻视历史的继承性，一切搬用洋教条），迷信将来（认为将来一切都是好的，都是等速发展的，将来还没建立起来，就把过去都打倒）。陈叔通 5 月 16 日发言，提出，“矫枉必须过正”是否永远都是金科玉律，值得怀疑；希望领导上认真总结一下是保守思想对社会主义建设造成的损失大，还是盲目冒进造成的损失大。刘斐、杨明轩提出，党政应分开，不能以党代政。熊克武等提出，要发扬民主，健全法制，抓紧制订民法、刑法和各种单行法规。还有的人提出，应重视和发挥党外人士、工商界和知识分子的作用，办大学要依靠专家学者，建立规章制度，使党外人士、私方人员有职有权；要健全人事制度，改进人事工作，任人唯贤，在提拔奖惩上，党内外干部要一视同仁；要加强统一战线理论、政策的宣传，广泛联系统战对象，虚心倾听党外人士的意见，主动“拆墙填沟”；要为民主党派创造长期共存、互相监督的条件，让他们了解有关的政策和情况，帮助他们发展成员，解决干部、经费等方面存在的问题。

但是，在座谈会的过程中，极少数资产阶级右派分子，乘机大肆散布反党反社会主义的言论，向党和新生的社会主义制度发动猖狂进攻，掀起一股反党反社会主义的思潮。

一、他们错误估计了形势，攻击共产党的领导。胡说什么“现在学生上街，市民跟上去”，“形势非常严重”，共产党已经“进退失措”。二、他们攻击社会主义制度不如资本主义制度，没有优越性，诬蔑我国国内“一团糟”。三、他们全盘否定社会主义改造和社会主义建设事业的成绩，否定历次政治运动。攻击“两点论是教条”，说“历次运动失败的居多”，“肃反的偏差和错误很大很大”，叫嚷要为反革命“平反”，煽动社会上的反动分子起来，“由各方面造成舆论”。四、他们反对农业合作化、资本主义工商业的社会主义改造、粮食统购统销等社会主义改造的根本政策。攻击“现在政治黑暗，道德败坏，各级机关都是官僚机构，比国民党还坏。人民生活降低，处于半饥饿状态”。他们反对社会主义的新闻事业，鼓吹资产阶级的新闻路线，提出让私人办报、办新闻社。五、他们不但夸大党的工作中的缺点和错误，攻击讲优点和成绩的人是歌功颂德，造成一种只许讲缺点错误，不许讲优点成绩的空气，而且把官僚主义说成是社会主义的产物和代名词，把宗派主义说成是无产阶级专政的产物和代名词，把主观主义、教条主义说成是马克思主义的产物和代名词。六、他们反对工人阶级的领导，否认工人阶级和资产阶级的本质区别，不承认资产阶级分子有继续改造的必要性。公开提出共产党退出机关、学校，公方代表退出公私合营企业，叫嚣“根本的办法是改变社会制度”。

右派分子人数虽然极少，但能量不小。在他们所煽动的这股反党、反社会主义的思潮影响下，民主党派、知识分子、工商界的中间分子中一部分人一时思想动摇，有的迷失方向。一些地方发生少数人罢工、罢课、闹事，而且有蔓延之势。如果坐视这极少数右派分子掀起来的反共反社会主义逆流泛滥下去，刚刚建立起来的尚不稳定的社会主义制度和社会秩序，势必导致某种程度的混乱。

为了在全国人民中间澄清根本的大是大非，维护新生的社会主义制度，争取教育中间派，中央决定对右派分子的进攻实行反击，是完全必要的。

3. 反右派斗争的酝酿发展过程及其严重扩大化

中央当时发动这一场斗争，有一个酝酿和发展的过程。

在民主党派、无党派民主人士座谈会开始时，毛泽东同志并没有提出要反右，我也不是为了反右而开这个会，不是“引蛇出洞”。两个座谈会反映出来的意见，我都及时向中央常委汇报。5 月中旬，汇报到第三次或第四次时，已经放出一些不好的东西，什么“轮流坐庄”、“海德公园”等谬论都出来了。毛泽东同志警觉性很高，说他们这样搞，将来会整到他们自己头上，决定把会上放出来的言论在《人民日报》发表，并且指示：要硬着头皮听，不要反驳，让他们放。在这次汇报之后，我才开始有反右的思想准备。那时，蒋南翔同志对北大、清华有人主张“海德公园”受不住，毛泽东同志要彭真同志给蒋打招呼，要他硬着头皮听。当我汇报到有位高级民主人士说党外有些人对共产党的尖锐批评是“姑嫂吵架”时，毛泽东同志说：不对，这不是姑嫂，是敌我。毛泽东同志长期生活于尖锐的敌我斗争环境中，政治上很敏感。早在这年 1 月 18 日省市自治区党委书记会议上的讲话中，他就着重考察分析了一年来国内外形势的变化，他说：一些教授中也有各种怪议论，不要共产党呀，共产党领导不了他呀，社会主义不好呀，如此等等，是不是想复辟？及至听到座谈会的汇报和罗隆基说现在是马列主义的小知识分子领导小资产阶级的大知识分子、外行领导内行之后，就在 5 月 15 日写出了《事情正在起变化》的文章，发给党内高级干部阅读。文章提出：“最近这个时期，在民主党派和高等学校中，右派表现得最坚决、最猖狂……我们还要让他们猖狂一个时期，让他们走到顶点。”对于为什么要把“大量的反动的乌烟瘴气的言论”登在报上，回答说“这是为了让人民见识这些毒草、毒气，以便锄掉它，灭掉它”。这篇文章，表明毛泽东同志已经下定反击右派的决心。

工商界人士座谈会开始于 5 月中旬。这时，中央要反右的方针在我脑子里已经清楚了。当时胡子婴从西北视察回来，在会上讲了上海一批工厂搬迁西北，办得不好。黄炎培从外地考察回来，也讲了一篇类似的话。我看到如果让他这样讲下去，将来要划为右派不好办，就宣布休息，请孙起孟去做黄炎培的工作，保护了他。工商座谈会期间，有人提出真正的资本家与会不多，代表性不够，于是又不断扩大规模，找了北京的吴金粹、天津的董少臣、上海的李康年等一些人到会鸣放，后来这些人都被划为右派。这个做法实际上是“引蛇出洞”，把对敌斗争的一套用于人民内部，混淆了敌我。这个教训是深刻的。

两个座谈会分别在 1957 年 6 月 3 日、6 月 8 日结束，我在会上都作了总结性的发言。发言稿事先经毛主席、少奇、恩来同志看过。6 月3 日，我在民主党派座谈会上的讲话，还没有说要反右。我问毛主席、少奇和恩来同志要不要表示反击？恩来同志说，柯庆施在上海已经有所表示，你可以讲。毛泽东同志审阅我的发言稿时，加了一句话，说座谈会上提出的批评和意见，“有相当一部分是错误的。”6 月8 日工商座谈会结束时，反右的形势已经明朗，我在讲话中指出：“座谈会上提出和接触到的批评和意见，大多数是正确的，是善意的；有一部分是错误的，其中一部分错误的性质是严重的”，并且批驳了反对思想改造，宣扬资产阶级分子已经没有剥削、拿定息也不是剥削，资产阶级已经没有阶级的两面性，他们同工人之间已经没有阶级区别，资产阶级分子不经过改造也能爱社会主义，不需要“脱胎换骨”的本质的改造等等言论，指出：“这种论调和攻击，是在反教条主义的幌子下，进行以修正主义攻击马列主义、以资产阶级思想反对工人阶级思想的斗争，这实际上就是社会主义和资本主义之间的两条道路的斗争。”这两篇发言虽然没有明确说要反右派，但实际都是准备反击的。

反击右派的斗争，从6 月8 日正式发动。当天，中央发出了毛泽东同志起草的《组织力量反击右派分子的猖狂进攻》的党内指示，并在《人民日报》发表了毛泽东同志撰写的社论《这是为什么?》。7 月1 日，毛泽东同志又为《人民日报》写了《文汇报的资产阶级方向应当批判》的社论。这样就形成了全国性的运动。在“六·八”指示中，毛泽东同志一开始就对阶级斗争形势估计得过于严重，说：“总之，这是一场大战（战场既在党内，又在党外），不打胜这一仗，社会主义是建不成的，并且有出‘匈牙利事件’的某些危险。现在我们主动的整风，将可能的‘匈牙利事件’主动引出来，使之分割在各个机关、各个学校去演习，去处理，分割为许多小‘匈牙利’，而且党政基本上不溃乱，只溃乱一小部分（这部分溃乱正好，挤出了脓包），利益极大。”在“七·一”社论中，批判又进一步升级，不但点名批判了所谓“章罗同盟”，并且把民盟、农工民主党这两个党派错误地说成反共反社会主义的党派，说：“民盟在百家争鸣过程和整风过程中所起的作用特别恶劣，有组织、有计划、有纲领、有路线，都是自外于人民的，是反共反社会主义的。还有农工民主党，一模一样。”“整个春季，中国天空上突然黑云乱翻，其源盖出于章罗同盟。”宣称右派分子就是“反共反社会主义的资产阶级反动派”，“这种人不但有言论，而且有行动，他们是有罪的，‘言者无罪’对他们不适用。”“他们对于亡国、共产是不甘心的，不管共产党怎样事先警告，把根本战略方针公开告诉自己的敌人，敌人还要进攻的。”在这些指示和社论的部署、号召下，掀起了一场全国范围的反击资产阶级右派的斗争。

7月，中央在青岛召开省、市委书记会议，讨论毛泽东同志撰写的《一九五七年夏季的形势》，进一步部署反右派斗争。这篇文章一开头就指出：“反共反人民反社会主义的资产阶级右派和人民的矛盾是敌我矛盾，是对抗性的不可调和的你死我活的矛盾。”但是不叫反革命，而叫右派，“一是为了争取中间派，二是为了便于分化右派，使一部分右派有可能转变过来”。当时对右派的策略是一打一拉，先打后拉。这篇文章还第一次提出了政治战线上和思想战线上社会主义革命的命题，指出：“这一次批判资产阶级右派的意义，不要估计小了。这是一个在政治战线上和思想战线上的伟大的社会主义革命。单有1956年在经济战线上（在生产资料所有制上）的社会主义革命，是不够的，并且是不巩固的。……必须还有一个政治战线上和思想战线上的彻底的社会主义革命。”并说：“这个斗争，从现在起，可能还要延长十年至十五年之久。做得好，可能缩短时间。”对于正在全国开展的反右派斗争，文章提出“还需要几个月深入挖掘的时间，取得全胜，决不可以草率收兵。”青岛会议后，中央又连续发出一系列文件，进一步把反右斗争推向自然科学界和中小学教职员，推向全国各个领域。这样，反右派斗争就以狂风暴雨之势在全国普遍开展起来，发生了严重扩大化。10月15日，中央发出《关于划分右派分子的标准的通知》，规定了应划和不应划右派分子的标准。文件虽未指出前一段反右派斗争已经出现扩大化的倾向，但提出“在切实纠正了温情主义右倾情绪以后，一些单位把右派的标准放得宽了一些，以至于多划了一部分右派的情况，比较更需要引起注意。无论划多了或者划少了，都应该按照正确的标准及时地实事求是地予以改正。”可惜，这个《通知》并没有得到贯彻执行，在后来的整风运动中，一些地方和单位又错划了一批右派分子。

在青岛会议期间，我草拟了《中央统战部关于在工商界全面开展整风运动的意见》，经毛泽东同志审阅批发各地执行。文中提到，从1956年社会主义改造高潮到现在只有一年多，“许多人从旧立场到新立场，转不过弯子来。反右派斗争的整风运动可以促使他们多数人转过这个弯子，并大进一步。”这段话，是毛泽东同志加的。后来，我在有些文章、讲话中说“资产阶级分子转过了从资本主义到社会主义的大弯子”，就是从毛泽东同志这段话演化而来的。

对于中央和毛泽东同志关于阶级斗争形势的估计以及反右派斗争的方针和部署，我当时思想上没有怀疑，生怕跟不上，指导思想同样是“左”的。因此，在民主党派、工商界、党外人士中间坚决贯彻执行这些指示，同样犯了严重扩大化的错误。我在这期间发表的一些文章、讲话，缺乏全面、历史的分析，对同我党长期合作、并且早已宣布具有阶级联盟性的民主党派，简单地宣称为“它们过去和现在都是资产阶级政党”；把在1956年初已经宣布为工人阶级一部分的知识分子，重新戴上资产阶级知识分子的帽子；对已经交出生产资料、处于由剥削者向劳动者转变过程中的工商业者，断言“他们基本上没有抛弃资本主义的反动立场”。这些估计，否定了1956年以来我们党和我个人对他们在接受社会主义改造中已经取得的巨大进步和深刻变化的正确评价，是“左”倾思想的表现。在对划为右派分子的斗争和处理上，打击面过大，处理也过严过重。1957年12月，第九次全国统战会议提出对一百多名民主人士中的右派分子的处理意见，绝大部分人是撤职或降低职务，只有个别人免于处分。1958年1月，中央统战部会同中宣部、中组部等有关部门选择了比较知名的九十六名右派分子作为标兵，提出了《对一部分右派分子处理的初步意见》，报中央转发各地参考。九十六人中，绝大多数被开除公职，送劳动教养或实行监督劳动，只有二人，免于处分。

对反右派斗争的扩大化，民主党派和全国工商联的某些负责人在一开始就表示不满，提出不同意见。黄炎培6月15日表示不要树敌过多，要把可能拉过来的人拉过来，而不要把这样的人推到反党这一派那里去。陈叔通6月中旬说：不能因对党提了意见就作为右派。党的某些领导人没有掌握好这一点，现在问题很严重。邵力子说，现在有许多问题处理的方法太硬，得人心很难，失人心很易，表示对民革中央的反右派斗争要来个沉默抵抗。史良表示不赞成把揭发右派分子的材料登在报上，担心这样做运动搞得很大。6月下旬，李济深表示他要在人代大会上发言提出不要骄傲自满，困难还很多，还要努力。对党外人士的这些意见，中央统战部虽向中央作过反映，但在当时“左”倾思想影响下，不可能对这些正确的意见引起重视和认真研究，而是简单地反映了之。

我当时担任中央统战部部长，对反右是积极的，错误多大，我都有一份重要责任。对于一切被误伤的同志和朋友，我至今仍然感到深深的歉意。

这场反右派斗争的后果很严重，把一大批知识分子、爱国人士和党的干部错划为右派分子，使他们和家属长期遭受委曲和打击，不能为国家的社会主义建设事业发挥他们的聪明才智。这不仅是他们本人的不幸，也是国家、民族的不幸。据统计，全国共划右派分子五十五万余人。其中，相当多的人是学有专长的知识分子和有经营管理经验的工商业者。全国五十五万余被划为右派分子的人半数以上失去了公职，相当多数被送劳动教养或监督劳动，有些人流离失所，家破人亡。少数在原单位留用的，也大多用非所长。

对反右派斗争扩大化的错误，我在六十年代初期开始有所觉察。在这之前，1959 年 8 月，毛泽东同志给少奇同志写信，提出要给右派分子分期分批摘掉帽子，予以宽大处理。1962 年，我们在《关于右派分子工作几个问题的报告》中进一步提出：如果领导上认为需要和右派本人或家属申请甄别的，可以甄别。对于确实划错的，予以平反；对于可划可不划而划了的，可以从宽摘掉他们的右派帽子。由于“左”的影响，这一案当时未能解决，以后又经过十年“文化大革命”，一拖就是十六年。1978 年 4 月，中央统战部协同公安部、中组部等有关部门召开了烟台会议，产生了中央 55 号文件，决定全部摘掉右派分子的帽子。我看到文件后感到不解决问题。因此写信给胡耀邦同志，主张对错划为右派分子的人要复查平反，并提到 1962 年中央统战部当时的意见。中央采纳了我的建议。当年 9 月 17 日，中央又批发了《关于全部摘掉右派分子帽子决定的实施方案》，指出：对过去错划的人，要做好改正工作，恢复政治名誉，恢复原来的工资待遇。现在全国被划为右派分子五十五万余人中，已改正的五十四万余人（其中有些是从宽处理的），维持原案不予改正的只有五千人，而且还在陆续甄别。对于目前还能工作的，都已重新安排了工作，基本上做到量才使用，各得其所。对所谓的“中右分子”、“反社会主义分子”以及受株连的家属也基本上落实了政策。应该说，这场发生在五十年代中期我国政治生活中的反右斗争严重扩大化的错误，经历漫长的二十一年之后，终于在现在的党中央的正确领导下平反纠正过来了。这方面的改正和善后工作也是做得好的，深得人心。这是贯彻了十一届三中全会确定的解放思想、开动脑筋、实事求是、团结一致向前看这一指导方针的巨大成果，对于调动一切积极因素为社会主义现代化建设服务，促进和发展国内的安定团结的政治局面，产生了积极的作用。

4. 这场斗争扩大化的教训

反右派斗争扩大化的教训是深刻的，需要认真总结。

从1949年七届二中全会一直到党的八大，中央和毛泽东同志始终坚持正确的路线，在短短七年多的时间内，夺取了社会主义革命和社会主义建设的巨大胜利。这一段，我们党的路线、方针一直是正确的。为什么在社会主义改造基本完成刚刚进入社会主义社会的第二年，就发生了反右派斗争扩大化的严重失误呢？我认为有着复杂的社会、历史和个人的原因。

第一，对社会主义社会各种矛盾的发展，缺乏充分的思想准备和科学研究。

科学社会主义理论的核心是消灭阶级，是要通过社会主义革命和社会主义建设的途径，使人类社会摆脱阶级压迫和阶级对抗，逐步地向无阶级的共产主义社会过渡。列宁曾多次说过“社会主义就是消灭阶级”。我国社会主义改造基本完成后已经建立起社会主义社会。这个新社会区别于过渡时期的根本标志是：生产资料公有制已经基本建立；剥削制度已经废除；资产阶级已经丧失了生产资料而处于消灭过程之中；国内的主要矛盾已经不再是工人阶级同资产阶级的矛盾，而是人民对于经济文化迅速发展的需要同当前经济文化不能满足人民需要状况之间的矛盾。虽然还有阶级斗争，还要继续完成社会主义改造，但党和国家的工作重心应当转移到社会主义建设方面，集中力量发展社会生产力，为实现国家工业化而努力。列宁指出：“劳动生产率，归根到底是保证新社会制度胜利的最重要、最主要的东西。”① 党的八大决议指出，党和国家的根本任务是在新的生产关系下面保护和发展生产力，这是完全正确的。

社会主义改造的基本完成，使国内社会阶级状况发生了根本变化。知识分子的绝大多数变成了工人阶级的一部分，原来的资产阶级分子由剥削者变成了半公家人、半劳动人民，各民主党派也由于社会基础的变化朝着各自所联系的一部分劳动者政党方面转化。不论资产阶级分子、知识分子及各民主党派，都由于社会主义改造的胜利在政治上获得空前的解放，他

① 《列宁选集》第4卷，第16页。

们没有什么"包袱"而一身轻了。这时候，他们要对党的领导和国家建设工作发议论，作批评，提建议，这实际上是一种积极性的表现，是我们党领导社会主义改造的胜利成果，符合阶级矛盾基本解决之后的新的形势任务的要求。同时也是在新的历史条件下，人民内部矛盾转到了历史舞台的主要方面的必然的和正常的现象。但是，当时我们党对他们的这种进步性和积极性估计不足。当党外人士在整风期间向党和政府工作提出大量意见以至尖锐批评的时候，当人民内部各种矛盾突出表现出来的时候，党在指导思想上仍然停留在过去的阶段，因而缺乏充分的思想准备，产生了错觉，把人民内部的各种批评和意见误认为敌我斗争，并且对极少数右派的进攻估计得过于严重，匆忙决定发动全国规模的急风暴雨式的群众性的斗争加以反击，这就难以避免地导致斗争的严重扩大化。

我们党长期生活在农村。毛泽东同志和许多领导干部熟悉农业、手工业小生产，不熟悉现代化的大生产；熟悉阶级斗争，重视生产关系的变革，而对发展社会生产力的重要作用缺乏深刻认识。因此，在观察和处理社会主义社会发展进程中出现的各种新矛盾、新问题时，往往容易把不属于阶级斗争的问题看成阶级斗争，从而把只在一定范围内存在的阶级斗争扩大化和绝对化，损害了社会主义建设的发展进程。毛泽东同志 1962 年 1 月在中央扩大会议上说："在社会主义建设上，我们还有很多盲目性。社会主义经济，对于我们来说，还有许多未被认识的必然王国。拿我来说，经济建设工作中间的许多问题，还不懂得，工业、商业我就不太懂。""我注意较多的是制度方面的问题，生产关系方面的问题，至于生产力方面，我的知识很少。社会主义建设，从我们全党来说，知识都非常不够。"毛泽东同志这篇讲话，是直接针对 1958 年以来经济建设工作中违背客观规律造成的严重失误而言的。我以为这对于 1957 年以来阶级斗争扩大化的严重失误，同样是适用的。

第二，对阶级斗争形势的估计过于严重。这是有复杂的国际和国内背景。1956 年初苏共"二十大"的召开，赫鲁晓夫在会上大反斯大林，造成国际共产主义运动内部严重的思想混乱，并为帝国主义和各国反动派所利用，一再掀起世界范围的反共反社会主义恶浪，不能不唤起我们党和毛泽东同志的极大警觉。在国内，这股反动风浪也影响了一些人，如毛泽东同志在 1957 年 2 月所说的"吹皱一池春水"，在党外人士和知识分子中确实出现了一股反党反社会主义的思潮。有些地方，由于这股思潮的影响，也由于那里的人民内部矛盾得不到很好解决，出现了少数人罢工、罢课等闹事事件。鉴于国际上反共反社会主义恶浪的发展和国内某些动乱的苗头，因而对阶级斗争形势作出过于严重的估计，认为是“惊涛骇浪”，“十级台风”，“黑云压城”。其实，向党进攻的右派分子只是极少数。对右派分子的进攻和反党反社会主义思潮的涌现，予以反击是必要的，这是为着澄清大是大非，为着教育广大的中间派和维护社会的安定，而决不是意味着人民民主专政有被颠覆的危险。我们党在人民群众中有崇高的威望，我们的人民是团结的，知识分子的绝大多数是爱国的，愿意为社会主义服务，民主党派、民主人士和资产阶级分子的大多数是拥护党的领导的，我们的人民民主专政的政权是巩固的。因此，当时的客观形势不必要发动一场全国规模的急风暴雨式的阶级斗争，在一定范围内对右派的进攻进行批判反击，完全可以制止事态的蔓延发展。

从历史根源说，我们党长期处于革命战争和激烈的阶级斗争环境之中。毛泽东同志一生几十年，都是在战争和斗争中度过的。从秋收起义起一直到他的晚年，从没犯过右的错误。对于战争，他积累了丰富的经验，运筹帷幄，决胜千里，几百万敌军都听他调动。对军事这门科学，他在理论上的杰出贡献超过了马恩列斯。政治上同反动派斗争，毛泽东同志的政策和策略同样非常英明，可以说是运用自如，得心应手。这些长期的阶级斗争实践，对他脑子不能不发生影响。政治斗争，不讲策略是不行的，对敌人就是要引蛇出洞，聚而歼之。错误在于把大量的人民内部矛盾看成敌我矛盾，因而把对敌斗争的一套用于人民内部，把朋友当成敌人，当成“蛇”引出来，这就混淆了敌我。

由于对阶级斗争形势缺乏科学分析，提出在所有制社会主义改造基本完成以后还需要有政治战线上的社会主义革命的命题，是没有客观根据的。政治革命的中心问题是政权问题。这在1949年我国建立起人民民主专政的国家政权时就已经解决了。七年来，无产阶级领导的国家政权是空前巩固的，在人民群众中有崇高的威信。即使有极少数右派真正企图颠覆无产阶级专政，那也只是蚍蜉撼大树的妄想，并没有现实的危险性。夸大右派进攻的危险性，实际上是对敌人力量估计过高，对我们党的领导力量、对党外人士的进步和变化以及社会主义改造取得的胜利成果，估计过低。

第三，在我国社会主义革命和建设取得巨大胜利、党的工作重心转向全面社会主义建设的时候，毛泽东同志的威望达到了高峰。在这一新的艰巨任务面前，全党应当更加谦虚谨慎，发扬民主，团结全国人民一道奋斗。但是，毛泽东同志在巨大胜利面前却逐渐骄傲起来，发展了主观主义和个人专断的作风，违背了党的集体领导和民主集中制的原则，使党内民主和国家的政治生活受到了损害。历史地考察，这种个人专断和党内对他的个人崇拜是逐渐形成的。直到1956年，党中央还基本上保持集体领导的优良传统，并不是毛泽东同志一个人说了算。中央统战部在1956年2月报送中央的《七年方针》，毛泽东、刘少奇同志事先都已审改同意，后来恩来同志提出不同意见，提交中央书记处讨论后又对文件作了修改，说明当时中央坚持民主集中制原则还是好的。1956年9月，党的八大着重提出了执政党的建设问题，强调要坚持民主集中制和集体领导制度，反对个人崇拜；毛泽东同志在开幕词中也提出："谦虚使人进步，骄傲使人落后。"这些都是符合马克思列宁主义的。但是，到1956年11月八届二中全会期间，毛泽东同志错误地批判了反冒进是"促退委员会"之后，正确的意见受到抑制，党内民主生活逐渐受到损害，1958年、1962年几次中央会议上，毛泽东同志虽然多次讲不要搞奴隶主义、不要骄傲、不要迷信个人、不要个人专断等等，但在这期间和以后他却滋长了"一言堂"的作风，党的权力日益集中于个人。十一届六中全会决议正确地指出："这种现象是逐渐形成的，党中央对此也应负一定的责任。从马克思主义的观点看来，这个复杂现象是一定历史条件的产物，如果仅仅归咎于某个人或若干人，就不能使全党得到深刻的教训，并找出切实有效的改革步骤。"

全面地历史地加以考察，对于反右派斗争扩大化这一失误，毛泽东同志从主张到部署都负有主要责任，但当时中央认识上是一致的，没有提出不同意见，他的主张得到了中央的确认。因此，又不能完全归咎于毛泽东同志个人。

（二）党外人士的整风运动和全国统战工作四级干部会议

1958年，党内在反右派斗争中滋长起来的"左"倾思想不但没有得到纠正，而且继续有所发展。这在统战工作中同样表现出来。

1月，毛泽东同志在最高国务会议上讲话时，在指出要把党和国家的工作重点逐步转到技术革命和社会主义建设上来的同时，还指出社会革命要天天革，整风还要整，不能松劲，各民主党派也要整风，要整得适合人民的要求。5 月，党的八大二次会议通过了社会主义建设总路线，号召全国人民要鼓足干劲，力争上游，多快好省地建设社会主义。此后，在全国轻率地发动了“大跃进”运动和农村人民公社化运动，在经济工作指导上，违背了客观经济规律，急于求成，犯了瞎指挥、浮夸风和“共产风”的错误。在政治生活方面，否定了八大一次会议关于国内主要矛盾的科学分析，错误地肯定当前我国社会主要矛盾仍然是无产阶级和资产阶级的矛盾，这就不仅将已经退居次要地位的阶级矛盾，重新推到主要矛盾的地位，而且夸大了阶级斗争的严重性。

这一时期，中央统战部根据党中央和毛泽东同志的指示和部署，领导和推动党外人士开展整风运动，强调民主党派、知识分子和工商业者要实现由资本主义立场到社会主义立场的根本改造，这主要是针对广大中间分子在右派进攻中表现动摇的情况提出来的，是必要的。但是要求过高过急，阶级斗争的弦绷得很紧；并且在一个时期内，还将当时对建设工作的“大跃进”、“高速度”、“高指标”挑战应战、评比竞赛等一套“左”的口号和做法，机械地搬用到民主党派、知识分子和工商业者的改造工作中来，出现了形式主义的、浮夸的东西，产生了不良的后果。对于这些做法，我和中央统战部的领导当时是支持鼓励的，是负有责任的。

1. 整风交心和自我改造“大跃进”

2 月 27 日，我在各民主党派负责人座谈会上的讲话中说：要通过整风掀起一个自我改造的运动，来一个自我改造的大竞赛，在立场上和思想上来一个大跃进。3 月 4 日中央统战部发出《关于资产阶级分子、资产阶级知识分子和民主党派成员的自我改造问题的通知》，说当前在资产阶级分子和知识分子中出现了全面进行自我改造的大跃进的形势，在制订和实现自我改造规划的过程中，在个人或集体之间可以进行挑战，竞赛和评比。3 月 8 日，中央统战部又发出《关于帮助和推动各民主党派组织进行一般整风的工作中应注意的几个问题的通知》，把在工商界、知识分子和民主党派内部，掀起制定集体和个人的改造规划、进行挑战、评比、竞赛的群众性运动说成“这是一种社会主义的自我改造的先进形式”。这样，就不断加温，搞起了“加速改造”的运动，竞赛的条件越来越高，改造的速度越来越“快”，有的提出“一年改造成左派，二年加入共产党”，甚至提出“半年改造成左派，一年加入共产党”，出现了大量虚假浮夸的现象。与此同时，天津资本家用大字报的形式，提出“向党交心”的口号。3 月 16 日，北京各民主党派、无党派民主人士在天安门举行“社会主义自我改造促进大会”，通过了“自我改造公约”，表示要“把心交出来”。其他地区也纷纷响应。4 月中旬，中央统战部在天津召开向党交心运动的现场会。这样，党外人士“向党交心”的运动，在全国普遍开展起来，影响很坏，带来了严重的后果，不少地方在交心运动中又把一些人打成右派分子。

在这期间，工商界还提出要放弃定息、放弃高薪和下放参加体力劳动等要求，其主要方面反映了广大的小商、小贩、小手工业者要求摘掉“资本家”帽子的愿望，大、中资本家和他们的家属内心是不愿意的，思想很紧张，但迫于形势也表示同意。我们及时将这个情况向中央反映。3 月，毛泽东同志在成都会议上明确指示，定息不能取消，资本家要求取消，我们就不取消。交心可以，不要交钱。工资高一些，是为了赎买。资本家工资很高的，也以不动为好。资本家劳动可以。随后，根据毛泽东同志的意见，中央发出了《关于资本家要求参加劳动、放弃定息和降低高薪问题的通知》。这个《通知》的贯彻执行，使全国工商业者，特别是大、中资本家稳定了下来。有的地区、有的行业不适当地将一部分有技术专长或经营管理经验的工商业者下放车间、柜台，甚至下放到农村，长期转入工农业体力劳动，是个损失。

2. 主持起草两个改造纲要

我在反右派斗争开始后，深切感到对民主党派、工商界和知识分子加强改造工作的迫切必要。从 1957 年 11 月开始，我带领中央统战部的几位同志，组成调查组，到天津、上海、湖南、广州等地进行调查研究，着手主持起草《一九五八年至一九六二年改造资产阶级分子工作纲要（草稿）》和《一九五八年至一九六二年改造民主党派工作纲要（草稿）》。1958 年 6 月，写出了两个改造纲要的草稿。

《改造资产阶级分子工作纲要（草稿）》提出：“从一九五八年起，争取在五年或者五年多一点的时间内，使原来大约一百一十四万资产阶级分子的政治改造和思想改造，主要是政治改造，达到实际上消灭资产阶级的水平：（一）绝大多数人能够自食其力，养成劳动习惯。（二）百分之八十至九十的人，按六条标准，在政治上抛弃或者基本上抛弃资本主义立场，转到社会主义立场。（三）多数人在破资产阶级个人主义方面有显著进展。”“苦战三年，争取在一九六〇年内，有百分之六十至七十的人达到上述三项要求。”“争取在五年之内，在原来资产阶级分子中，使左派分子增加到百分之三十至四十。”并提出对于社会主义改造高潮期间带进公私合营企业的个体劳动者和有轻微剥削的上层小资产阶级，“可以从一九五九年起，让具备条件的人分期分批摘去帽子，加入工会”。

《改造民主党派工作纲要（草稿）》中提出：“争取在五年或者五年多一点时间内，使民主党派基本上完成由资产阶级政党到社会主义政党的根本改造，成为在共产党领导下的全心全意为社会主义服务的政治力量。第一，使他们成员的基本队伍，在政治上按六条标准，基本上抛弃资本主义立场，转到社会主义立场；第二，从中央到基层的各级领导机关，巩固地树立真正接受共产党领导，坚决走社会主义道路的社会主义领导核心；第三，克服资产阶级政党作风。”“争取在五年内，使民主党派成员的百分之七十至百分之八十成为左派分子和中左分子。在最近三年内要争取民主党派成员总数中的左派和中左分子达到百分之六十左右。”

1958 年 6 月初，中央统战部将上述两个改造工作纲要（草稿）作为全国统战工作会议文件送中央书记处审批。中央领导同志在书记处讨论时指出：（一）文件对形势和任务的估计急了一些，对斗争的长期性、复杂性、艰巨性估计不够，对资产阶级分子、资产阶级知识分子的虚假现象应予估计。（二）消灭阶级不那么简单。做到与否，一半在我们，一半还在资产阶级方面，即使做到，也不要定出年限。（三）规定百分比不妥，五年内左和中左分子达到百分之七十至百分之八十，不可能。（四）资产阶级的帽子久留一些好，定息也不动。（五）五年内或更多一点的时间，把民主党派改造成为社会主义政党，成为全心全意为社会主义服务的政治力量——提得是否高了一些？

我们根据书记处的意见，对两个改造工作纲要（草稿）进行了修改。（一）删掉了“在五年或者五年多一点的时间内……达到实际上消灭资产阶级的水平”的提法。（二）任务和时间放长放宽，改为（1）在今后五年到十年，即 1958 年至 1967 年，就全国范围说，争取资产阶级分子的多数人以致大多数人改造得好一点快一点，能够成为名副其实的劳动者，自食其力；大体上符合六条标准。（2）民主党派做到：确立和贯彻真正接受共产党领导、积极为社会主义服务的政治路线；从中央到基层的各级组织，建立起巩固的接受共产党领导的核心；成员的多数人，基本上符合六条标准的要求。（三）将有关工商业者摘掉帽子的内容全部删去。（四）对五年内扩大左派，争取中间派等，不规定数字。

《纲要》没有写五年消灭资产阶级。对于这个问题，我思想上是有保留的。我曾在当时的一次会议上说过：地主劳动五年改变成分，富农三年改变成分，为什么资本家五年不能改变成分？消灭资产阶级同取消定息相适应的道理是很难驳倒的。不写消灭资产阶级，但是指导思想就是消灭资产阶级。

我认为，把取消定息作为资产阶级消灭的标志，是没有错的。提出以实践和体力劳动为基础、以企业或工作岗位为基地作为改造的基本措施，以说服教育的方法作为根本方法，也是对的。问题是，提出五年内要把民主党派改造成为社会主义政党，左派加中左分子要达到百分之七十至百分之八十，确是要求过高过急了；对人的改造定出百分比作为指标，用“四大”、评比竞赛和搞运动的方法来改造人的思想，也是不符合实际和思想改造客观规律的。这些都是当时“左”倾错误思想的表现。

3. 全国统战工作四级干部会议

1958 年 7 月，中央统战部召开全国统战工作四级干部会议。会议的主题，是讨论《改造资产阶级分子工作纲要（草案）》、《改造民主党派工作纲要（草案）》和徐冰同志《关于资产阶级分子、资产阶级知识分子和民主党派的根本改造问题》的报告，还讨论了《中央统战部关于改进工作方法的试行方案（初稿》）。

这次统战工作会议是在反右斗争、整风交心的高潮之后和全国“大跃进”的形势下召开的。许多同志斗了一年多，头脑发热，强调阶级斗争，对党外人士的改造急于求成，认为两个改造纲要（草案）提出的标准太低，五年时间太长，太消极，等等。

中央对这次会议很重视。毛泽东同志和中央政治局的同志接见了全体与会人员。邓小平同志到会就国际国内形势作了报告，并对统战工作作了指示。彭真同志到会作了题为《一张大字报》的讲话，批评当时某些“左”的错误，着重讲了当前统战工作的方针。他指出，对民主党派、知识分子和资产阶级分子不要总是斗下去，把弦绷得那么紧，现在整风应该告一段落，转向为社会主义建设服务的实践，从以斗争为主转入以团结为主，让他们到实践中去，以实际行动来表现思想改造的决心和成果。

我在会议近结束时，到会作了两个半天的讲话。讲了改造、团结、学习三个方面的问题：

在团结问题上，主要讲了六点：（1）现阶段的统一战线，是以六条标准为基础的为社会主义服务的统一战线。今后的关系，仍是长期共存、互相监督。（2）应当加强团结，搞好合作，调动他们积极为社会主义服务。（3）适当安排，是团结工作的一个重要方面。（4）团结和斗争。不能主观任意地说团结为主或者斗争为主，强调团结或者强调斗争，一切决定于具体的情况和条件。阶级斗争是波浪起伏形势。浪头大小，决定于阶级斗争的具体发展形势。一般地说，随着向左转化的人数日渐增多，他们的左转角度日渐扩大，阶级斗争的浪头也会越来越小，而不是越来越大。但是在某种情况下，出现大的浪头也是可能的。（5）党内反右为主，还是反"左"为主，也要看情况说话。有右反右，有"左"反"左"。右倾突出，反右为主。"左"倾突出，反"左"为主。（6）破除迷信。认为统战工作只是少数人或者统战部的事，就是迷信，应当破除。要在党领导下，让广大群众广大干部都参加正确处理人民内部矛盾的斗争，使统战工作形成全党动手、同群众结合的局面。这种局面要尽可能坚持下去，不再回到少数派时代。

在学习问题上，主要讲了七点：（1）把工作、学习和党性锻炼凝成一体。（2）党的立场一定要站稳。（3）政治方向一定要把稳。（4）要抓工作中的主要环节。（5）要做好调查研究工作。（6）尽可能使工作和学习互相结合起来。（7）依靠中央和党委的领导，坚持请示报告制度，在任何时候都是最重要的。

会后，中央统战部起草了《关于全国统战工作四级干部会议向中央的报告》，经中央批转各地研究执行。《报告》指出，下一步统战工作的方针应该是：领导资产阶级分子、从旧社会来的知识分子和各民主党派成员到实践中去，同全国人民一起，鼓足干劲，力争上游，积极参加社会主义建设，参加技术革命和文化革命，从工作和劳动的实践中，调动和发展他们为社会主义服务的积极作用，检验他们的整风成果。同时，并要求他们在实践中，按照毛主席指出的六条政治标准，继续进行自我改造，使社会主义改造和为社会主义服务密切结合，相互促进。

这次会议，是统一战线工作方面的一次重要会议，它标志着反右派斗争和党外整风运动基本结束，确定下一步统战工作要转到为社会主义建设服务的方向上来，着重领导和推动民主党派、知识分子、工商界转入为社会主义服务的实践，同时要求他们在实践中继续进行自我改造。这个方针，虽然只是斗争策略的调整，还不是指导思想的根本转变，但它毕竟缓和了一年多紧张的阶级斗争，纠正了某些“左”的错误，在当时形势下仍然有着积极的意义。

（三）贯彻缓和阶级关系的方针，不在党外人士中开展“反右倾”运动

从1958年底到1959年7月，毛泽东同志和党中央召开了两次郑州会议，八届六中全会、七中全会，采取许多措施，积极纠正“大跃进”和人民公社化运动中已经察觉的“左”的错误，同时在对资产阶级人们和民主党派的关系上，提出一张一弛，强调要把紧张的关系弛下来，着重推动他们参加社会主义建设和文化、技术革命的实践，为社会主义建设服务；在对知识分子工作上，提出要端正方向，争取一切可能争取的教授、讲师、助教、研究人员，为无产阶级的教育事业和文化科学事业服务。7月，毛泽东同志在中央政治局庐山会议后期错误地发动了对彭德怀同志的批判，进而在全党错误地开展了“反右倾”运动。但是在对待党外人士和民主党派的关系上，采取了慎重的和比较稳妥的方针。9月15日，毛泽东同志在各民主党派负责人座谈会上提出分批给右派分子摘掉帽子和对国民党战犯实行特赦，同时明确指出：知识分子大有进步，民主党派大有进步，工商界也大有进步，但不是什么问题都解决了，比如世界观的问题，洗脑子不容易一下子洗得那么干净，慢慢来。他正式宣布，在党外人士中现在不搞运动。实践表明，毛泽东同志和党中央对统战工作的这些方针政策和指示，是适合当时形势发展的要求的。在这期间，我因病休养，由徐冰同志代理中央统战部部长。他和部的其他领导同志积极贯彻执行中央的这些方针政策和指示，做了不少工作，是有成绩的。

第一，宣布“五不变”的政策。1958年底至1959年初，民主建国会、全国工商联召开中执委联席会议。会上反映出工商界担心党改变赎买政策和安排政策的思想顾虑。同时也反映出厌倦改造的情绪。徐冰同志根据少奇同志的指示，在招待民建、工商联与会人员的元旦宴会的祝酒词中，宣布了“五不变”的政策，即定息政策不变，领不领听便；高薪不

1958年李维汉夫妇与何香凝合影

变；政治上适当安排的方针不变，学衔制不变；根本改造的政策不变。这对工商界和知识界、民主党派都起到了团结稳定作用。

第二，进一步贯彻“弛”的方针。

在 1959 年 1 月 7 日和 8 日，徐冰同志在讨论民族、宗教工作的第十一次全国统战工作会议上着重讲了对阶级关系“一张一弛”的体会和当前贯彻缓和阶级关系的“弛”的方针的必要。他说：“现在的情况是资产阶级厌倦改造，厌倦批评；厌倦是不对的，但厌倦的情况应加以分析。对资产阶级改造的方针不能改变，但顶牛也不好。因此，目前应改变斗争的方法、改造的方法，由批判斗争改变为正面的说服教育的方针。”“弛下来并不是没有阶级斗争了，而是进行说服教育，说理也是阶级斗争的一种形式，总的是阶级斗争，改造政策必须根据情况应紧就紧，应松就松。”今天对资产阶级人们的“工作重点不应放在整风上，不应该放在不断斗争上。”“要让他们多做工作，帮助他们做出成绩，在工作中调动他们的积极性，并在服务中进行改造。”

5 月上旬，中央统战部召开各省、市委统战部长座谈会，继续贯彻弛的方针。经过座谈，思想逐步取得一致，认为阶级斗争总的形势是逐步趋于缓和。提出当前统战部门的工作是：继续深入地贯彻去年两次统战会议的方针，充分调动资产阶级分子、从旧社会来的知识分子和民主党派成员的积极性，为社会主义建设服务，在服务中进行改造，使服务与改造密切结合起来。概括地说，就是：“贯彻政策，调整关系，调动服务，继续改造。”对党外人士的政治思想工作应当是更加和风细雨地进行正面教育，一般地不进行群众性的批判和斗争。会议还针对当时有的省、市对民主人士安排的人数减少过多，比例下降过大的情况，强调继续贯彻政治安排不变的方针。会议还认为，应该让资产阶级分子、从旧社会来的知识分子同职工一道参加评选先进生产（工作）者，符合条件的，应和职工一样出席全国先进生产（工作）者代表大会。会后，全国选举了六十二名资产阶级工商业者作为特邀代表出席 11 月召开的全国群英会。这对于调动工商业者的积极性产生了很好的影响。

第三，在党外人士中不开展“反右倾”运动。

1959 年 9 月 15 日，毛泽东同志在各民主党派负责人座谈会上已经宣布，现在不是 1957 年那样的形势，也不是 1952 年“三反”、“五反”那样的形势，知识分子大有进步，民主党派大有进步，工商界也大有进步，在党外不搞运动。然而当时中央统战部的某些领导同志在这些问题上认识并不一致，一度发生摇摆。

九十月间，中央统战部连续召开多次部务会议，学习党的八届八中全会决议。在讨论当时阶级斗争形势和资产阶级动向时，还邀请北京、上海、天津、广东等省市委统战部部长或副部长廖沫沙、冯国柱、王笑一、罗范群等同志参加。由于庐山会议后错误地在党内普遍开展“反右倾”运动，强调资产阶级同无产阶级两大对抗阶级的生死斗争“至少还要斗二十年，可能要斗半个世纪”，阶级斗争扩大化的错误思想在党内又进一步滋长。会上绝大多数同志认为，当前无产阶级和资产阶级之间的斗争出现了小波浪。有的同志认为出现了小浪头，主张对资产阶级分子不应再贯彻“弛”的方针，应是弛中有张，还是要强调改造，以改造为主。我认为，应遵照毛泽东同志 9 月 15 日在各民主党派负责人座谈会上讲话所宣布的，在党外人士中不开展“反右倾”运动。

11 月 13 日，部里根据中央书记处的指示，起草了一个文件，报送中央。这个文件明确指出，现在不同于 1957 年资产阶级右派猖狂进攻的那种形势。根据毛主席 9 月 15 日在党派座谈会上提出的对党外不搞运动的指示，在各民主党派、资产阶级分子和从旧社会来的知识分子中间不采取大鸣、大放、大字报、大辩论等群众性的斗争，不进行反右派运动，不进行重点批判，不搞交心运动。还提出，在组织党外人士学习八中全会决议和有关文件时，要贯彻自我教育的精神，着重正面教育。

11 月 21 日，中央批转了中央统战部上述文件，并加了一个很长的批语。指出：这次反右整风运动，不要在民主人士中进行，即不要在各民主党派、工商界和老的高级知识分子中进行。此事，毛泽东同志在中央 9 月 15 日召开的党派会议上已经宣布过，望各地遵照执行（现在已经开始进行的单位，应该采用适当方式加以结束）。中央这个批示，纠正了“左”的思想，稳定了党外这条战线，是适时的和正确的。

第四，给右派分子摘帽子、特赦第一批战犯。

1959 年 9 月 17 日，中央发出关于摘掉确实悔改的右派分子的帽子的指示，指出：“党中央根据毛泽东同志的建议，决定在庆祝建国十周年的时候，摘掉一批确实改好了的右派分子的帽子。”“摘掉帽子的右派分子数目，以控制在全国右派分子的百分之十左右为好。今后，根据右派分子的表现，对那些确实改好了的人，还准备分批、分期摘掉他们的帽子。”

《指示》下达后，全国各地开始分期分批给右派分子摘帽子。中央统战部和地方各级统战部门在贯彻中央指示，给右派分子摘帽子的工作中，做了大量具体工作。

12 月 4 日，经中央批准，第一批特赦了王耀武、爱新觉罗·溥仪等三十三名战犯，并对他们在工作上和生活上作了妥善安置。这些人改造成了新人，充分说明党的政策的威力和对人的改造工作的巨大成绩，对国际、国内产生了很好的影响。

八、为克服暂时困难而斗争的三年

（1960 年—1962 年）

从 1959 年到 1961 年，主要由于“大跃进”和“反右倾”的错误，加上自然灾害和苏联政府背信弃义地撕毁合同，撤走专家，我国国民经济发生严重困难，工农业生产大幅度下降，粮食、副食品和日用品供应十分紧张，国家和人民遭到重大损失。在国际上，我们党同苏共之间的分歧和斗争日益发展，大论战日趋激烈和公开；美帝国主义和印度政府也一再掀起反华合唱。面对国内外的严峻形势，我们党和全国各族人民团结一致，同甘共苦，为克服暂时困难，恢复和发展国民经济进行了艰苦的努力，在国际上坚决顶住苏联领导集团的压力，打退了美帝和印度政府的进攻。

为着克服暂时困难，党中央从 1960 年下半年决定对国民经济实行“调整、巩固、充实、提高”的方针，同时强调发扬人民民主，加强调查研究，认真总结经验，切实贯彻政策，克服和纠正实际工作中“左”的错误。在中央的领导下，各方面的工作都在总结经验的基础上制定了许多具体工作条例，如农业六十条、工业七十条、商业四十条、手工业九十五条、教育六十条、科技十四条，等等。中央统战部也在总结经验的基础上起草改善党同党外人士合作共事关系的文件。1962 年 1 月，中央召开了有七千人参加的扩大的中央工作会议，初步总结“大跃进”中的经验教训，开展了批评和自我批评，强调恢复党的实事求是，群众路线的优良作风，健全党内民主生活，加强集中统一。会议前后，又为在“反右倾”运动中被错误批判的大多数同志进行了甄别平反，还给被划为“右派分子”的大多数人摘掉了“右派分子”帽子。由于一系列的政策措施的贯彻执行，经过全党和全国人民共同努力，到 1962 年，国内经济形势开始好转。

在为克服暂时困难而进行艰巨斗争的三年中，我们和各级统战部门在中央和有关党委领导下，适应暂时困难时期国内外的形势和任务的要求，在工商界、知识界和民主党派等方面，贯彻政策，调整关系，调动服务，促进改造，对于保持和发展国内局势的稳定，加强全国人民的团结，使全党能够集中力量贯彻“调整、巩固、充实、提高”的方针，迅速克服暂时困难，作出了贡献。

从 1959 年进入暂时困难的开头一段时间，由于反右派斗争扩大化的影响和“反右倾”运动正在党内开展，由于连年“大跃进”和掀起城市人民公社化运动，再加上教育革命、学术思想批判、拔白旗、破权威等等“左”的错误做法的连续不断的冲击，工商界、知识界和民主党派大多数人思想上相当紧张，怕批判斗争，不敢讲真话，心情不舒畅。他们对于国内形势和当时称作“三面红旗”的总路线、“大跃进”、人民公社，有许多怀疑、不满以至抵触；对国际形势和中苏两党大论战有很多疑虑和担忧。在生活上由于供应紧张，也有不满。在这种情况下，如何看待当时的阶级关系，如何看待工商界、知识界和民主党派多数人的紧张？成为当时统战工作中一个重要的方针性问题。我们经过调查研究，注意分清两类不同性质的矛盾，分清多数和少数、主流和支流；区分落后和反动、思想认识问题和政治立场问题，等等，判明了多数人的基本动向，提出要区别两种不同性质的紧张：一种是反抗社会主义革命、向工人阶级进攻引起的紧张，属于敌我矛盾的性质，另一种是由于我们革命和建设工作急躁前进的“左”的错误而引起的紧张，属于人民内部矛盾的性质。工商界、知识界和民主党派大多数人的紧张，是属于后一种性质。他们是跟而不是反。现在看来，他们的紧张，固然有世界观没有很好改造、不能适应形势的发展的一面，但更重要的原因是我们党的某些“左”的错误，使他们无法跟上，不可能不感到紧张。但在当时，我们主要是强调了他们世界观上的原因。针对工商界、知识界和民主党派的这种基本动态，我们在统战工作中一般地实行了主要方面抓紧，次要方面放松的方针，主动缓和同他们的关系。在走社会主义道路，大的政治方向上一致的前提下，政治上予以信任，工作上使他们量力而行、尽力而为，在生活上予以适当照顾。为了帮助他们在社会主义道路上继续前进，我们向党外人士提出了改造世界观的任务，采取和风细雨、神仙会的方法。同时，采取许多具体措施，切实纠正过去由于“左”的错误所造成的不得人心的事，认真贯彻政策，增强团结，尽可能地把最大多数人团结在党的领导周围，为克服暂时困难而共同努力；使极少数坚决反抗社会主义的敌对分子陷于孤立。由于判明了形势（是跟不是反），提出了任务（改造世界观、进行形势教育），采用了新方法（神仙会），因而逐步出现了心情舒畅、生动活泼的新局面，不仅为保持这条战线的稳定作出了贡献，而且调动了党外人士的积极性，为克服暂时困难增加了助力。实践证明，我们在暂时困难时期所采取的方针、政策和措施是正确的，符合党和人民的要求。

（一）采用神仙会方式，大抓形势教育和思想教育

神仙会是毛泽东同志在抗日战争时期延安的一次会议上讲的，是对党内而言。我们在暂时困难时期把神仙会的方式运用到工商界、知识界和民主党派，并且经过党内外的共同努力推广到全国，获得完全成功。

神仙会的基本特征就是在党领导下的“三自”和“三不”。“三自”即自己提出问题，自己分析问题，自己解决问题；“三不”即不打棍子，不戴帽子，不抓辫子。用“三不”来保证“三自”，用“三自”来达到敞开思想，讲心里话，实事求是，以理服人。“三自”的“自”是个集体。实行“三自”就是主要依靠一定的集体自己的努力，来解决他们政治思想方面存在的问题。

神仙会首先从工商界开始。1959 年底到 1960 年 2 月，民建和全国工商联召开全国代表大会，有将近二千名工商界人士参加。当时党内正在开展“反右倾”运动，有的地方把运动推到党外，在党外人士中搞了重点批判。因此，会议开头的时候，与会人员思想很紧张，怕在会上搞批判斗争，有些人来开会前就准备好了自我检讨的书面材料。进步分子则准备在会上大批大斗一场。这种形势如不及时扭转，势必形成乱批乱斗，而且势必在全国范围造成阶级关系新的紧张。这在当时是非常不利的，也是违反中央不在党外人士中开展“反右倾”运动的指示的。当时两会领导人准备的会议开法，仍然是谁致开幕词，谁作报告，小组讨论，大会通过等一套程式化的方法。这样开下去，不能解决什么问题，而且势必出现乱批乱斗和被迫检查过关的情况，结果将是很不好的。为了帮助开好这次会议，

我在他们的会前和会议过程中，多次同两会领导人陈叔通、黄炎培等谈话和举行座谈，建议并且帮助他们改变那套程式化的开会方法，采取和风细雨、神仙会的方法。发扬民主，让大家讲话，讲老实话，讲心里话，坚决不打棍子，不戴帽子，不抓辫子，引导大家通过自由交谈、讨论和辩论，达到提高认识，统一思想的目的。对与会的进步分子，也帮助他们提高认识，端正态度，放下棍子和帽子。这样，与会的工商界人士逐步解除顾虑，敞开了思想，展开热烈的争论，小组会漫谈，会后自由结合漫谈，走廊里，饭桌上到处都在交谈、争辩，相互间有批评，也有自我批评，会议开得生动活泼，大家心情舒畅。

会议集中讨论的主要问题是：（1）对工商界的估计问题。多数人可否说已经基本站到社会主义立场？还是基本站在资本主义立场？（2）当前的任务问题。今后应着重为社会主义服务还是着重改造？服务与改造的关系如何？今后应着重改造政治立场还是着重思想改造？（3）工商界的前途问题。主要是 1962 年定息到期以后有关的生活待遇如高薪、定息、政治安排、生活福利等如何处理？

针对会议讨论的问题，我于 1960 年 1 月 18、19 两日在大会主席团扩大会议上作了题为《坚决靠拢共产党，努力自我改造，一心一意为社会主义服务》的讲话。内容共有五个部分：（1）大有进步，（2）努力改造，（3）改造的任务，（4）改造的途径和方法，（5）坚决靠拢共产党。这个讲话根据毛泽东同志 1959 年 9 月 15 日在各民主党派座谈会上关于工商界、知识界和民主党派都“大有进步”的指示，充分肯定了工商界的进步，指出他们中“一部分人已经是基本上社会主义立场，一部分人是半社会主义半资本主义立场，一部分人还是基本上资本主义立场”。同时，针对他们中高估进步的倾向，指出工商界还有消极一面，提出需要进行世界观改造的任务。我还针对他们在接受党的领导问题上存在的种种疑虑，如认为“寄人篱下”、怕“过河拆桥”，担心“党是不是信任”，等等，进行了解释，鼓励他们坚决靠拢共产党，诚心诚意接受党的领导，一心一意为社会主义服务。

在两会的神仙会快要结束的时候，刘少奇同志于 1960 年 2 月 12 日接见了全体与会人员，并同两会领导人举行了座谈。少奇同志在讲话中向他们重申了党的“包一头，包到底”的根本政策，号召工商界“顾一头，一边倒”。对于定息问题，他说“毛主席有过指示，七年定息，到一九六二年取消，必要时可以留尾巴”。对于高薪问题，他说“我们的政策是高薪不降，调职不减薪，减者补发。”谈到退职退休问题时，他说，“将来要拟个办法”，“目前临时怎么处理？年纪大了，身体不好就不一定去上班，请个假，薪水照发”。谈到病假期间工资的问题时，他说，“国务院曾有个规定，就照那样办好了。”“总而言之，工商业者只要跟着人民政府，一心一意搞社会主义，同共产党合作，不论老、病或有其他困难，国家都负责到底，包到底。”会后，中央统战部根据少奇同志的指示，在《人民日报》发表了《工商界应当顾一头，一边倒》的社论，同时，对工商界的病假、工资、福利待遇等问题分别起草了文件，报经中央批转各地执行。这样，就使工商界的主要问题，获得圆满解决。

1960年夏季，民革、民盟、民进、农工、九三和致公党分别召开中央会议。参加这些党派会议的共有一千八百多人，大部分是知识分子。实际上是一次全国性的知识分子的会议。我们建议和帮助各民主党派这些会议同样采用神仙会的方法。

各党派举行这次会议的时候，国内困难还在发展，国际上我们党同苏共的分歧和斗争扩大到国家关系，更加尖锐，激烈。面对这样的国内外形势，知识界和民主党派多数人忧心忡忡，亟需进行一次形势教育，以帮助他们提高认识，增强信心，稳定情绪。我们在会前经过大量的调查研究，提出了对于帮助民盟、民进、农工和九三等党派开好中央会议扩大会的一些带方针性问题的意见。这个文件是在北戴河起草的，对民主党派和知识分子的进步作了充分肯定，指出“从政治上说，他们中间的多数人基本上已经转过了由资本主义到社会主义这个大弯子，这是他们的主要的一面。”文件对帮助开好这次会议提出如下几点意见。

（1）通过这次会议对他们进行一次关于反对帝国主义和反对修正主义的正面教育，从理论上和政策上把这些问题讲清楚，在将来的政治形势的演变中，力求使他们中的多数人能在思想上、政治上有更多的精神准备。

（2）为了使他们过好社会主义这一关，应该帮助他们进行世界观的改造。但这是一件长期的、复杂的、细致的工作，绝不能简单急躁。只要他们同我们在大的政治方向上一致，对他们就应该在政治上、工作上和生活上，予以适当照顾。至于参加体力劳动，不要勉强，年高和身体衰弱的人，可以少参加或者不参加，使他们能够安下心来，进行工作，进行社会主义改造。

（3）他们反映当前知识分子对合作共事的关系问题的意见比较突出，如在机关、学校和厂矿中同党组织的关系问题，新老关系问题，在三结合中如何发挥他们的力量问题等，我们打算通过这次会议进一步调查研究，再提出具体措施报中央请示。

（4）今后仍应继续坚持长期共存，互相监督的方针，重申民主党派在协助我党推动其成员及其所联系的群众参加社会主义建设和进行自我改造方面的作用。

（5）这次民主党派会议采用开“神仙会”的方式，和风细雨，敞开思想，提出问题，辨明是非，提高认识，进一步推动他们参加社会主义建设，加强自我改造。

在各党派会议过程中，周恩来同志应邀到会作了国内外形势的报告，向他们讲了我们党同苏共的分歧和争论的性质、党的基本方针等，进行了形势教育。恩来同志在报告中还回答了民主党派“后继无人”的问题。他说：毛主席提出长期共存、互相监督的方针，是从中国的实际情况提出来的，不是偶然的。中国的人口很多，共产党要以无产阶级面貌改造社会，不可能把所有的人都吸收到党内来。民主党派只要继续前进，社会上会有人继续参加进去的。问题不在于有无后继的人，而决定于你们愿不愿意前进，愿不愿意改造。中国这样一个大国，在共产党的领导下，周围有各民主党派，共同进行政治教育、思想教育，这就是民主党派的作用。

我应邀到会作了题为《学习毛主席著作，逐步改造世界观》的报告，内容有五个部分：（1）大有进步。（2）阶级斗争。（3）改造世界观。（4）学习毛主席著作。（5）长期共存，互相监督。在报告的最后部分提出了今后各民主党派的几项主要工作：（1）团结所代表和联系的人们，继续反对国内外敌人，反对以美国为首的帝国主义。（2）团结和推动所代表和联系的人们走社会主义道路，和工农群众一道，参加劳动和实践，为社会主义服务。（3）推动所代表和联系的人们结合为社会主义服务的实践，发展自我教育和自我改造。（4）协助党和国家调整阶级关系。（5）在党的领导下，参加国家的政治生活。（6）互相监督。

各民主党派的这次中央会议开得很成功。与会广大知识分子讲了心里话，摆出了疑虑、苦闷和担心，互相帮助，互相启发，提高了认识和信心。对于会上反映出的大量合作共事关系方面的问题，他们提出要反求诸己，而不是着重责备党员和青年。会议开出了两个积极性，即是为社会主义建设服务的积极性和自我改造的积极性。各党派会议结束的时候，毛泽东、刘少奇、周恩来、朱德、邓小平等中央负责同志接见了参加会议的全体人员，同他们照了相。毛泽东同志在同各民主党派见面的谈话中，称赞了神仙会，给了很大支持和鼓舞。

工商界和民主党派、知识界两个全国性的会议表明，神仙会是贯彻和风细雨、深入进行政治思想工作的一种好形式，是正确处理人民内部矛盾，调动人们为社会主义服务的积极性和推进自我改造的好方法。神仙会决不是无风无雨，更不是什么“自由化”，而是充满了批评和自我批评。不过这种批评和自我批评是在“三不”的条件下进行的，比较自然，能够实事求是，以理服人。党外人士反映神仙会是“有斗争，无压力”，因此，可以把话说得比较深透，增强了团结。这两个全国性神仙会的召开及其在全国范围的广泛传达和层层召开，缓和了党同工商界、知识界和民主党派的关系，增强了统一战线内部的团结，使党外人士在国内物质生活条件十分困难和国外的压力面前，能够经受考验，紧紧地团结在党的领导下，为克服暂时困难贡献力量。这是统战工作的一项成功的经验，也是统战工作的新发展。

（二）检查政策执行情况，改善合作共事关系

“大跃进”以来，由于“左”的错误影响，党内滋长了包打天下和宁“左”勿右的思想倾向。统战政策的贯彻执行在一些地方和单位受到严重干扰，或者擅自修改，任意违反，或者搁在一旁，或者乱出点子。许多机关、学校、企业中不同程度地存在着排斥党外人士，不信任他们，不尊重他们的职权，不给必要的工作条件，甚至任意批斗的现象，严重损害党同党外人士的合作关系。在 1960 年各民主党派中央的神仙会上，对这方面的问题反映相当突出。因此，我们确定在 1961 年把检查政策执行情况、改善合作共事关系同大抓形势教育，列为全年必须集中力量抓好的两件大事。《中央统战部关于一九六〇年工作的总结和一九六一年工作的安排》中说，“努力做好这两件大事，就有可能稳定和团结资产阶级的多数人，为当前中心工作发挥积极作用。这就更有利于全党集中力量加强农业战线的中心工作，在国家建设的各个战线上贯彻执行调整、巩固、充实、提高

的方针。这就是当前统一战线工作服务于全党中心工作的最基本的任务。”

1961年，我们在这方面进行了大量工作，作了许多调查研究，强调调查研究要与解决问题相结合，发现违反政策的问题，要会同当地有关部门及时解决。在调查研究的基础上，针对许多地方党内存在的把统一战线同阶级路线对立起来，借口贯彻阶级路线而在人事安排上挤掉党外人士的清一色倾向，起草并经中央批发了关于继续贯彻对资产阶级人们安排政策的意见，提出了以下的措施：一、已经安排了的，只要工作上，政治上表现一般没有违法和严重的错误，一律不应降低和撤掉他们的职务。二、几年来表现较好、工作上有一定能力的，应该酌情提拔。三、对上面两种人，如果过去把他们换下来了或者挤掉了，应该安排其他相应的职务或恢复原来的职务。四、对于他们中下放劳动的，必须明确期限，下放期满的，应由原单位负责安排他们的工作，原来担任领导职务的人应恢复原职或分配相应的职务。这些规定，对于纠正当时盲目排挤党外人士的“左”的错误，产生了一定的积极作用。

1961年夏季，我从东北回来，向中央书记处汇报所了解的东北地区统战工作中的问题和“拔白旗”的影响。邓小平同志说，中央已决定对1959年“反右倾”运动中受批判的人的问题，县以下一风吹，县以上的逐个甄别。“拔白旗”的问题也可以参照这个指示办理。小平同志又说，现在各部都在制定工作条例，统战部也可以搞一个。党外人士有职有权，是中央既定的政策，可以作些规定。这次汇报之后，经我提议，部里成立以金城、于刚同志为首的小组，进行调查研究，起草改善党同党外人士合作共事关系的文件。我当时提出，这个文件要对当前统一战线的形势与任务作出明确的分析和规定，对存在的主要错误倾向，要敢于批评、揭露，提出有力的改进措施，决不要遇到问题和困难就绕着走；要使之成为管一个时期的指导性文件。

这个文件稿经过起草小组和部务会议的反复讨论、修改，1962年4月形成《改善党同党外人士合作共事关系的意见》提交全国统战部长会议讨论。文件着重反对几年来统战工作中“左”的错误倾向，重新肯定1956年以来统一战线内部的深刻变化，提出：“从旧社会过来的知识分子，一般说来，政治面貌已经起了根本变化。他们的绝大多数人已经转变为劳动人民知识分子。资本主义工商业者在接受社会主义改造的过程中，大部分跨进了重大的一步，有一部分人已经改造成为自觉的社会主义劳动者。各民主党派已经成为名符其实的为社会主义服务的政党。”文件稿提出当前统一战线工作的方针应当是“进一步发扬人民民主，主动改善合作共事关系，对于一切愿意跟着党走的人，都要加强团结，积极使用，逐步改造。”还针对几年来正反两方面的经验教训，总结统战工作的十条基本经验：

（1）必须严格区分敌我矛盾和人民内部矛盾，加以正确处理。

（2）处理人民内部的阶级斗争，必须坚持说服教育的方法，批评和自我批评的方法，坚持“团结——批评——团结”的公式。

（3）必须全面地贯彻阶级路线，正确处理统一战线中两个联盟的关系。

（4）必须充分地实事求是地估计党外人士的政治进步和业务作用。

（5）必须充分调动党外人士为社会主义服务的积极性，充分使用一切有用的力量，把使用和改造结合起来。

（6）对资产阶级人们的改造，必须区别一般要求和更高要求。

（7）调动党外人士为社会主义服务和促进他们的改造，都必须坚持群众路线，充分发扬民主。

（8）必须把提高同盟者的政治水平和照顾同盟者的合法利益正确地结合起来。

（9）必须坚持扩大提高左派、争取团结中间派、孤立分化和改造右派的工作路线。

（10）必须认真学习毛泽东思想，严格按照党的政策办事，反对一切“左”的或者右的倾向。

文件稿的第二部分，提出了进一步改善合作共事关系的七条主要措施。文件稿的第三部分，专章论述进一步活跃人民政协和民主党派的工作，切实贯彻党同民主党派长期共存、互相监督的方针。

整个文件抓住了当时合作共事关系中存在的主要问题，有破有立，提出具体有力的改进措施。但在统战会议讨论时，有些同志认为广州会议已经解决了问题，这个文件，作用不大了，因此未被会议采纳。现在看来，这个文件对当时统一战线形势的分析和应采取的方针和措施，基本上是正确的，如经修改报请中央批准下达，对于党的统战政策的落实和统战工作的推进，是有积极意义的。我在这次统战会议的讲话中谈到对这个文件稿的看法："文件今天我又看了一下，从一条一条来看，许多东西是不能推翻的。……因此，不能统统报废。比如'一视同仁，有所不同'的原则，如果不搞清楚是不行的，这次是写得比较充分的。又如把政协、民主党派放在合作共事关系中，对于我们很有好处，非常重要，是完全对的，就是要整我们自己，要坚持把这个问题放在里面。这个文件是不成熟的，通过则太早了，但是全部推翻是不行的。我们要继续搞。"会后不久，党的八届十中全会召开了，这个文件就没有再搞下去。

在1961年起草上述文件的同时，我在上海还请平杰三同志出面，帮助上海市委统战部起草了一个关于改善合作共事关系的文件，曾提到市委常委会议上汇报。陈丕显同志主持的会议，同意了这个文件稿，后来送到当时的市委第一书记柯庆施那里，被他推翻了。

1961年下半年，许涤新、孙起孟同志还主持起草了关于改进企业方面合作共事关系问题的意见，同样由于不成熟，未形成正式文件。

在这次全国统战会议期间，我起草了《统一战线的形势和任务》的书面意见，其中对于正确处理党同党外人士合作共事关系问题，讲了如下八条：(1) 必须用其所长。(2) 要放手使用，使他们真正有事可做，并且尊重他们的职权，供给他们以必需的工作条件，使他们能够履行职责。(3) 必须商量办事，民主合作。(4) 要交待政策，交换意见。(5) 要互相帮助，互相学习。(6) 工作条件、相互批评、功过赏罚、培养提拔等，应当一视同仁。(7) 交朋友、交畏友，有谈心的机会和习惯。(8) 定期举行神仙会。

这些意见后来纳入了中央批准的中央统战部关于全国统战工作会议向中央的报告。

(三) 在精简、下放和副食品供应方面适当照顾

精简、下放主要涉及工商业者。1964年有些地区在精简机构、下放人员支援工农业生产第一线时，精简、下放了一批原资本主义工商业者，在工商界中引起相当大的震动，多数人心情非常紧张，怕被精简，更怕下放农村，最怕到农村安家落户。针对这个情况，同时考虑到下放农村不利于对他们的改造，我们提出，对于有定息的私方人员和资方代理人不下放农村安家落户，已经下放的应明确期限，定期调回。中央同意了这个意

1960年2月，李维汉（中）出席中国民主建国会二届中委一次全会、中华全国工商联合会三届执委一次会议联席会。左为陈叔通，右为黄炎培

1960年10月，在全国政协举行的华侨和港澳同胞招待晚会上，全国政协副主席李维汉（二排左九）与华侨代表及演员们合影

（郑震孙摄）

1961 年 7 月，李维汉（左）在大庆油田与工人交谈

见，并且进一步指示：这些人原则上一律不要下放农村，而在必需精简的单位，在完全自愿条件下，可以下放一些人到城市企业。1962 年中央决定压缩两千万城市人口下乡时，有些地区又在工商业者和党外人士身上打主意，把他们下放农村或者精简回家，引起他们很大震动。我们提出了在精简机构、压缩城市人口中对工商业者和党外人士做好安置工作的意见，重申了中央关于他们不下放农村的指示，纠正了某些地区的错误做法，使工商界和党外人士逐步稳定下来，但是有些地方还是下放了一批工商业者，长期在农村劳动，成为粉碎“四人帮”后需要抓紧处理的一个历史遗留问题。

对知识分子，中央书记处于 1960 年 8 月批准了齐燕铭同志关于对在京高级干部和高级知识分子在副食品供应方面给予照顾问题的报告。1961 年 12 月，中央批转了国务院财贸办公室、北京市委关于在北京的高级知识分子和一部分负责干部副食品供应问题的请示，指出各省、市、自治区也可以参照这一办法执行。我们贯彻了中央的这些指示，在副食品供应十分困难的条件下，给高级知识分子和党外人士以特殊照顾，送去了党的温暖，产生了良好影响。

（四）在党外人士中进行甄别平反工作

1958 年以来，各地在历次运动中错误地批判、斗争了一批党外人士。如在整风交心运动中把一部分党外人士自己交心的材料作为根据，给他们处分或者把他们划为“右派分子”。在“拔白旗”运动中，把一些知识分子当作“白旗”拔了。在“反右倾”运动中，有的地方和单位在党外人士中进行了重点批判，斗争了一批党外人士。这些都挫伤了他们的积极性，增加了同党的隔阂，很不得人心。1962 年 4 月中央发出关于加速进行党员、干部甄别工作的通知以后，我们提出了在党外人士中进行甄别平反工作的意见，确定凡是在交心运动中受了处分或者被划为“右派分子”的，一律平反；在“拔白旗”、“反右倾”运动中受到了批判、斗争、处分或者戴了帽子的，凡是批判错了或者基本错了的都予平反。凡是平反的，都摘掉帽子，恢复原来的工作或者安排其他相当的职务。对一般非党人员，采取召开会议宣布平反的简便办法。对中上层人士，则逐个甄别，逐个处理。对于 1958 年以来在其他运动中受过重点批判、处分或者戴了帽子的党外人士，经过甄别，凡是完全错了或者基本错了的，也坚决予以平反，不留尾巴。由于这项工作的进行，解开了不少人的思想疙瘩，更好地增强了团结。

（五）为被划成“右派分子”的大多数人摘掉帽子

在1957年的反右派斗争中被划为“右派分子”的多数是党外人士和知识分子，在社会上有广泛联系和影响，是一支不小的社会力量。做好他们的工作，对于社会稳定和国家经济建设是非常必要的。这项工作在部内分工由平杰三同志主管，他抓得很紧。我们从1959年国庆节开始，根据中央关于摘掉确实悔改的右派分子的帽子的指示，分期分批进行了摘帽子工作，到1962年共摘了四批。在全国五十五万被划为“右派分子”的人们中，大多数人摘掉了“右派分子”的帽子。为了做好这一大批人的工作，我们还在1961年9月和1962年9月，先后召开了两次全国改造右派分子工作会议，集中地向中央反映了当时不少单位对被划为“右派分子”的人们宁“左”勿右的问题，并在对他们的生活、劳动、政治学习、工作安排等方面，提出了一系列具体改进措施，经中央批准在各地贯彻执行。在当时的形势下，尽管还未能为他们进行甄别和改正，但这样做也有重要的积极意义，对于团结工商界、知识界、民主党派，调动他们积极为社会主义服务，有很好的影响。

（六）1962年4月全国统战工作会议

1962年从2月到4月，周恩来同志在国家科委于广州召开的科学工作会议上、二届全国人大三次会议和三届全国政协三次会议上的报告中，分析和估量了我国阶级关系的变化，提出了统一战线的新发展和新任务。他指出：“我国知识分子的状况，已经同解放初期有了很大的不同。新社会培养出来了大量年轻的知识分子，他们正沿着‘又红又专’的道路成长。从旧社会来的知识分子，经过十二年的锻炼，一般地说，已经起了根本的变化。知识分子中的绝大多数，都是积极地为社会主义服务，接受中国共产党的领导，并且愿意继续进行自我改造的。毫无疑问，他们是属于劳动人民的知识分子。我们应该信任他们，关心他们，使他们很好地为社会主义服务。如果还把他们看作是资产阶级知识分子，显然是不对的。”同时，他指出，“民族资产阶级分子的绝大多数是爱国的”，“他们在改造成为社会主义劳动者的过程中是有成绩的，他们中间有一部分人已经成为自觉的社会主义劳动者。”关于统一战线的任务，他指出，“进入社会主义建设阶段，人民民主统一战线的任务就更重了，就要负起新的任务（当然，同时还有社会主义改造的任务），就要有新的发展。就是说，它在社会主义改造和社会主义建设取得伟大成果的基础上，现在要团结一切可以团结的力量，动员更多的可以动员的因素来参加社会主义建设，扩大我们的民主生活。这就是我们的新任务。”周恩来同志的这些重要讲话，为当时的统战工作指明了正确的方向。

适应这种新的形势，我们于 4 月 23 日到 5 月 21 日召开了全国统战工作会议。以恩来同志的讲话为指导，研究当时统战工作的形势与任务。

这次全国统战工作会议，部领导商定由徐冰同志主持。为了帮助徐冰同志准备会议的总结报告，我在 5 月 7 日提出了《关于统一战线的形势和任务》的书面意见。这个书面意见根据恩来同志的上述讲话精神提出“我国统一战线的面貌已经发生了根本性的变化”，并且具体分析了知识界的根本变化和工商界的重大变化。讲到民主党派问题时，指出：“各民主党派的政治面貌和组织面貌都起了根本性变化，实际上已经成为为社会主义服务的政治力量。”同时指出现在还不能说各民主党派已经是劳动人民的社会主义政党。理由是：“各民主党派历来就具有统一战线性质，并且包括一批共产主义者，这不仅没有妨碍，而是恰好有助于他们做好团结、教育民族资产阶级和其他爱国阶层的工作。现在有更多的成员转到劳动人民的队伍中来，这就更有利于他们联系、团结和教育更多的人们，走社会主义道路，为社会主义服务。相反的，如果我们现在宣布各民主党派或者某几个民主党派已经成为劳动人民的社会主义性质的政党，并且按这样去要求他们，那倒把他们的工作弄得狭小了，同时也不完全符合各民主党派的实际情况。”

这个书面意见在分析了知识界、工商界、民主党派、宗教界和民族关系的变化之后提出，经过十二年来尤其是近几年来的社会主义改造和社会主义建设，有理由说，我国人民民主统一战线实质上已经是社会主义统一战线。根据是：第一，“阶级关系已经起了有利于工人阶级的深刻变化，第二个联盟已经有相当大一部分转化为第一个联盟，并且必然会继续转化；第二，社会主义，即六条标准，已经成为统一战线中各方面公认的政治基础；第三，社会主义建设已经成为统一战线的中心任务；第四，人民民主统一战线已经是实行无产阶级专政的统一战线，它和无产阶级专政在阶级关系上是同一的；第五，共产党在社会主义事业各方面的领导权已经普遍建立，并且日益巩固。”同时又指出，“我们说，现在的人民民主统一战线已经起了根本性的变化，社会主义统一战线已经大体形成，这在任何意义上都不是说，统一战线内部没有阶级和阶级斗争，没有工人阶级和资产阶级之间的斗争了。”“阶级斗争仍然存在，并且仍然是长期的，但是阶级斗争的形势则已经起了有利于工人阶级的深刻重大的变化。由于两条道路决战取得了基本胜利，阶级斗争的基本战役已经过去，革命时期的大规模的急风暴雨式的群众阶级斗争已经基本结束，阶级斗争的总趋势将向着缓和的方向发展”。“另一方面，在社会主义的基础上，即在六条标准的范围内，关于方针、政策、工作方法、学术见解的批评和争论，则日渐增多和活跃起来。这种争论和批评，正是我们国家政治生活中的正常现象，是我们国家繁荣兴盛的必要条件。毛主席早就提出，统一战线内部的矛盾，包括工人阶级和民族资产阶级之间的矛盾，一般地属于人民内部的矛盾，应当用民主的方法，即团结——批评——团结的方法来处理。在现在的形势下，我们应当更广泛更充分地运用这个根本方法，应该更加强调团结，强调发扬民主，开展批评和自我批评，并且把它们贯彻到人民内部关系的一切方面。这就是统一战线的方针和指南。”这个书面意见还对今后统战工作的任务提出以下意见。

（1）调整关系，加强团结。

（2）发扬民主，实行互相监督的方针。

（3）认真改善合作共事关系。

（4）充分发挥各级人民代表大会和人民委员会在国家政治生活中的积极作用。更加活跃人民政协、民主党派和有关人民团体的工作。

（5）贯彻执行民族区域自治政策，充实民族区域自治的实际内容。

（6）统筹兼顾，适当安排。

（7）继续组织马克思列宁主义、毛主席著作和时事政策的学习，逐步改造世界观。

（8）加强党对统战工作的领导。第一，全党尤其是各级党委都抓统战工作。第二，重新教育干部。第三，中央统战部和各级统战部门，应当发扬成绩，认真纠正缺点和错误，改进工作方法，在党中央和各级党委领导下，团结全党同志，努力做好工作。

这个书面意见提交我主持的，有徐冰、平杰三、许涤新、孙起孟、于刚、黄铸同志参加的小会进行讨论。由于有不同意见，这个书面意见没有提交统战部长会议讨论，其中有关今后统战工作的任务的意见，由徐冰同志在这次统战会议的总结报告中采用了。

这次统战工作会议根据周恩来同志在二届全国人大三次会议上所作的《政府工作报告》，讨论了当前统一战线的形势、任务和主要工作，一致认为恩来同志的报告，对统一战线的形势和任务，已经作了全面的分析和明确的规定，是我们今后一段时期内工作的指针。会议确定以发扬民主，调整关系，充分使用，耐心教育作为当时统战工作的基本任务。会议过程中还对民主党派的性质、统一战线新阶段的内容以及知识分子工作等问题，进行了热烈讨论，没有取得一致意见，决定会后继续进行研究。

5 月 17 日，中央统战部向中央书记处汇报了这次全国统战工作会议的情况。中央书记处对这次会上提出的具体工作中的几个问题，如精简涉及资产阶级分子的处理原则问题、党外人士的甄别平反问题、对右派分子的工作问题、同党外人士的合作共事关系问题、政治学校问题等，给了明确指示。总书记邓小平同志对当时统一战线工作作了高度评价，指出：还是讲老话，统一战线是长期的，五十年以后再说。统战工作是得到益处的，是三大法宝之一。现在讲政治形势好，也就是说统一战线的形势好。要重申统战工作的长期性。这是对为克服暂时困难而斗争的三年中统战工作的最好总结。

九、两场错误的批判

（1962 年、1964 年）

1962 年下半年，经过全党和全国人民两年多的努力，认真贯彻了调整、巩固、充实、提高的八字方针，我国国民经济的严重困难，逐步得到克服，经济形势有了明显好转。这时，党内“左”的思想重新抬头。毛泽东同志在当年 9 月召开的党的八届十中全会上，“把社会主义社会中一定范围内存在的阶级斗争扩大化和绝对化，发展了他在一九五七年反右派斗争以后提出的无产阶级同资产阶级的矛盾仍然是我国社会的主要矛盾的观点，进一步断言在整个社会主义历史阶段资产阶级都将存在和企图复辟，并成为党内产生修正主义的根源”（《关于建国以来党的若干历史问题的决议》），强调阶级斗争“必须年年讲，月月讲，天天讲”。在这种“左”的思想指导下，十中全会错误地批判了所谓的“单干风”（指包产到户）和“翻案风”，错误地批判了邓子恢同志和习仲勋同志等。也有同志在会上批评中央统战部，说“统战部要把民主党派改造成社会主义政党和社会主义领导核心”。这是一个误会。徐冰同志在小组会上发言作了解释。我在会上作了书面发言，对自己在历史上参加反邓、毛、谢、古的错误，作了自我批评。还说到统战工作也有一些错误，要回到部里进行检查。

在1962年9月八届十中全会之后，到1964年期间，在毛泽东同志“左”的错误思想指导下，中央统战部对我开展了两场批判，给我强加了种种“修正主义”、“投降主义”的罪名，颠倒了理论政策的是非，使统战工作中的“左”的错误更加发展。

第一场批判从1962年10月开始，在所谓政策思想检查的名义下，在部务会议范围内进行。对1956年以来我在政策研究过程中提出过的一些理论政策性意见，如争取五年或者更多一点时间使对资产阶级分子的改造实际达到消灭阶级的水平（简称五年消灭阶级）；把民主党派根本改造成为社会主义政党（简称社会主义政党）和使民主党派从中央到基层建立起社会主义的领导核心、左派在政治立场上是工人阶级的一部分；人民民主统一战线实际上已经是社会主义统一战线（简称社会主义统一战线）和我国各民族已经成为社会主义民族等，不点名地提出了批评。会议开了四十多次，历时半年多。作为这场批判的结果，是1963年5月27日将《关于中央统战部几年来若干政策理论性问题的检查总结》（简称专题报告）报送中央，而告一段落。毛泽东同志审阅了这个《专题报告》，对报告的第一部分“关于消灭资产阶级的问题”作了具体修改，把消灭资产阶级的时间说得更长了，把几十年改为“甚至几百年的时间”。这就使理论上“左”的失误更加发展了。

1964年5月中旬到6月17日，中央举行工作会议。毛泽东同志在会上提出了中国会不会出修正主义，会不会出赫鲁晓夫和出了赫鲁晓夫怎么办的问题。8月间，中央统战部召开部务会议，传达学习中央工作会议精神，由此又开始了对我的第二次批判，给我扣上反党反中央反毛主席的罪名，是非更加颠倒。1964 年 12 月 25 日，中央决定撤掉我的中央统战部部长职务，随后在三届人大和四届政协的会议上，撤掉了我的全国人大副委员长、全国政协副主席、人大常委和政协常委的职务。

在第二次批判期间，我在部务会议上作过两次检查。最后被迫承认犯了反党反中央反毛主席的严重错误。当时我觉得自己已是快七十岁的人了，如果硬顶着不检查，被开除党籍，再为党做工作的机会就没有了。自己作了三天思想斗争，才下决心上这个纲，并且用主席讲的动机与效果统一论，来为自己的违心检查作解释。当时的决心是一句也不声辩，希望中央处理能够宽一点。我在党内几十年，对党是很有感情的，总想留在党里边为党做些工作。

这两场批判，都是“左”倾错误在统战工作方面的集中表现。两场批判把 1956 年社会主义改造基本完成以后新的历史条件下，我在主持起草文件过程中对统战工作提出的一些新问题和新见解，统统说成是“鼓吹阶级斗争熄灭论”、“对资产阶级的投降主义”。批判涉及的问题很多，集中起来就是所谓“五社一短”，即社会主义统一战线、社会主义政党、社会主义合作共事关系、社会主义民族、所谓社会主义宗教和短期消灭资产阶级。这“五社一短”，就是当时批判中强加给我的所谓“修正主义纲领”。究竟是马克思列宁主义还是修正主义？这是一个原则性的是非问题，必须在理论政策上拨乱反正、正本清源。下面，对这些问题加以说明和探讨。

（一）关于社会主义统一战线

这是在 1955 年底和 1956 年初三大改造高潮形势下提出来的，是讲我国开始进入社会主义社会以后统一战线的性质。提出这个看法的依据是：第一，国内阶级关系发生了深刻变化。工人阶级对国家的领导权更加巩固和加强。占人口绝大多数的农民已经从个体农民转变成社会主义的集体农民。民族资产阶级的经济基础已经基本废除，这个阶级已经接受工人阶级的和平改造，并在趋于消灭的过程中。我们的国家已经成为社会主义国家。第二，从统一战线本身来说，我国人民民主统一战线的领导阶级是工人阶级；基础是工人阶级同社会主义集体农民的联盟；政治准则是六条标准，主要是两条：一是走社会主义道路，一是接受中国共产党的领导；任务是为社会主义事业服务。这些都是统一战线中起决定作用的强大的社会主义因素，在统一战线中处于主导地位，决定着我国统一战线的性质。“事物的性质，主要地是由取得支配地位的矛盾的主要方面所规定的”（毛泽东：《矛盾论》）。根据这两条，当时提出我国统一战线的性质是社会主义统一战线，现在看来，基本上是正确的，反映了客观实际的变化。

关于社会主义统一战线的问题，周恩来同志总的是肯定的，同时也指出这个提法有缺点。1956 年 2 月 6 日，恩来同志在二届政协常委会第十七次会议上讲话中，首先肯定我国统一战线从开国起就带有社会主义性质，同时指出不要把人民民主统一战线改为社会主义统一战线。他说：我们的政权也好，我们的统一战线也好，从开国以后就进行了社会主义革命的三大改造和国家工业化。有时，我们说是社会主义国家，不过还没有建成就是了。所以我们的统一战线是社会主义性质的。自从大家同意以共产党领导、工人阶级领导、工农联盟为基础的政权性质，统一战线性质就定了。这种性质一天一天更加强化起来了，最后建成完全的社会主义社会，我们的国家就成了完全的社会主义国家，这有一个相当长的过程。又说：也有人说可以改一下名字，是不是把人民民主统一战线改成社会主义统一战线。第一，从性质上说不完全。同时，还有另一种不完全，好像我国过去是一种性质，现在才是社会主义性质，这样不对。我们从一开始就是社会主义，就是逐步完成和逐步实现，特点就是过渡。过渡在中国是一个很大的特点，也是最本质的东西。今天我们不能说已经变了性质。第二，我们人民民主统一战线的成员也不能说今天以前是人民民主的，今天以后就够社会主义成员的条件了。我们还有民族资产阶级、小资产阶级嘛，怎么能说都是社会主义成分了呢？还要有一个过程。人民团体里头还有工商联，民主党派里还有代表资产阶级的党派，海外华侨里头有很多是资本家，各民族现在还有贵族，毛主席说，要把一切可以团结的人士都包括进去，使我们的统一战线一天天更广泛更巩固。现在改变名称不太好。否则，既不都是社会主义成员，一改名，就把统战范围弄窄了，弄混了。恩来同志这个讲话精神，我当时完全接受。我提出的是社会主义改造基本胜利以后我国统一战线性质的变化，而不是主张改名。在恩来同志讲话后，我就在《七年方针》稿中删掉了这个提法，并且在一个长时间内不再坚持这个观点，对实际工作没有产生不良影响。

1962年和1964年两次批判，把社会主义统一战线的提法说成是抹煞阶级矛盾、取消阶级斗争，是阶级斗争熄灭论和投降主义。这种批判是不符合实际的，是错误的。第一，当时所讲的社会主义统一战线，是讲统一战线的性质问题，就是在统一战线中工人阶级同资产阶级、社会主义同资本主义这一对主要矛盾哪一方处于主导地位和起决定作用的问题，而不是讲统一战线内部有无阶级矛盾和阶级斗争的问题，这两个问题有联系又有区别，不能完全混为一谈。我在1962年写的《关于统一战线的形势和任务的书面意见》，对于统一战线内部还有阶级斗争，已经讲得很充分了，怎么能说是阶级斗争熄灭论呢。第二，当时所讲的社会主义统一战线，是讲社会主义制度基本建立后的统一战线的性质。在这个历史时期，社会上和统一战线内部，阶级矛盾和阶级斗争仍然存在，但它已不再是主要矛盾。过去批判时，把阶级矛盾说成始终是整个社会主义历史阶段的主要矛盾，把民族资产阶级的消灭说成遥遥无期，是违反马克思列宁主义的基本原理的，也是违反毛泽东思想科学体系的基本观点的。第三，从中央统战部的实际工作来说，从来是讲阶级斗争的，从来是强调工人阶级的领导权和工农联盟，从来坚持对资产阶级人们的教育和改造，根本不存在抹煞阶级矛盾和取消阶级斗争的问题，如果有错误的话，是有时把阶级斗争讲多了，讲过头了，而不是什么不讲阶级斗争。第四，全国解放以来，在党和工人阶级的领导下，依靠巩固的工农联盟和强大的人民民主专政，经过统一战线，对民族资产阶级实现了和平改造，消灭了这个阶级，怎能说是向资产阶级投降呢?！如果说有投降的话，只能说是资产阶级向工人阶级屈服投降，这正是党的统一战线政策的要求和目的。

（二）关于社会主义政党

这个提法最早是在1955年11月提出来的。当时我在部务会议上的发言说："要把民主党派改变成为搞社会主义的政党，就是使他们成为社会主义政党。"1956年初起草《七年方针》时，曾提出民主党派"已经是社会主义性质的团体"。经恩来同志指出社会主义统一战线的提法有缺点后，我们随即也删去社会主义政党的提法。1957年反右派斗争中，我在北戴河起草的《人民日报》社论《各民主党派的严重任务》，经毛泽东同志审阅同意发表。这篇文章中提出了把社会主义政党作为民主党派根本改造的前途。我们当时设想，民主党派改造成社会主义政党的标准有三条：第一，确立和贯彻真正接受共产党领导、积极为社会主义服务的政治路线。第二，从中央到基层的各级组织，建立起巩固的社会主义的领导核心。第三，成员的多数人，基本上符合六条政治标准的要求。这三条都属于社会主义的因素。民主党派的改造达到这三条标准，就表明社会主义因素在民主党派内部已经居于优势和主导的地位。从这个意义上讲，把社会主义政党作为民主党派根本改造的前途提出来，并没有错。刘少奇同志 1956 年在“八大”的政治报告中就说过，“中国各民主党派的社会基础是民族资产阶级、上层小资产阶级和它们的知识分子。在社会主义改造完成以后，民族资产阶级和上层小资产阶级的成员将变成社会主义的劳动者的一部分。各民主党派就将变成这部分劳动者的政党。”我所讲的社会主义政党，就是少奇同志在“八大”所讲的“这部分劳动者的政党”。1960 年 8 月我在各民主党派中央会议上作《学习毛主席著作逐步改造世界观》的讲话，会前送讲话稿请周恩来同志审阅时，恩来同志提出，怎么没有讲民主党派根本改造的前途？我就把少奇同志“八大”报告中的这段话加上去了。事物总是发展变化的，总是由不断量变、部分质变达到根本的质变。在我国社会主义条件下，各民主党派的发展变化同样反映这一客观规律。否则，就不好解释为什么包含两个联盟在内的人民民主统一战线尚可以发展变化为社会主义性质，而由不同阶级的人们所组成的民主党派怎么就不能改造成为社会主义性质的党派呢？实际上，从新中国成立后，各民主党派就在向社会主义性质发展变化了。他们接受共产党的领导，以国家在不同时期的总任务作为它们的政治纲领，它们的政治实践也是为社会主义服务。这些不正是我国民主党派向社会主义性质方面发展和变化是什么呢?!

过去批判时有的同志把我提出的使民主党派“从中央到基层的各级组织，建立起巩固的社会主义的领导核心”，说成要使民主党派成为社会主义事业的领导核心。这完全是一种误解。我的话讲得很清楚：第一，是讲在民主党派内部建立社会主义的领导核心，而不是说使民主党派成为我国社会主义事业的领导核心。第二，这个领导核心是由在民主党派中的共产党员和非党进步分子组成，而不包含民主党派中的资产阶级代表人物。第三，把这样的领导核心称作社会主义的领导核心，是指这个领导核心的社会主义性质。很显然，这个提法根本不涉及民主党派在国家和社会主义事业中的地位和作用问题。

（三）关于社会主义合作共事关系

这个提法最早是在1956年1月起草的《七年方针》稿中提出的，具体讲法是："目前对资产阶级分子、民主人士和高级知识分子的统一战线关系，主要表现为机关、学校和企业中党与非党的关系，"我们党的干部应同他们"逐步地建立起互相信任、互相接近、互相帮助和互相学习的社会主义合作关系"。这个讲法缺乏具体分析，比较笼统。同年3月，提交全国统战工作会议讨论的这个文件的稿子，即改为"对于那些政治立场和社会地位已经有了根本变化的人，应当同他们逐步建立起社会主义的互相合作关系。"我在这次会议上的讲话还具体指出，"对资本家现在还不能这样"，"现在对他们还不是完全的同志关系"。同年6月，我在一届人大三次会议上的发言中，进一步区分了两种类型的合作共事关系。一种是机关、学校和国营企业中共产党员同一般党外人士间的工作关系，指出，由于"绝大部分知识分子已经是工人阶级的一部分，这方面的关系基本上就已经成为工人阶级内部的关系。"另一种是公私合营企业和一部分国营企业中，职工和共产党员同资产阶级分子间的共同工作关系。指出，"这种关系的建立，反映着企业原来的资本主义生产关系的根本改变，反映着资产阶级分子向着劳动者的逐步过渡。但是，这种改变现在还没有完成；这个过渡，就大多数人说，现在还只是开始走了第一步。因此，这种共同工作的关系同时又是阶级关系。"应该说当时的这些分析，是符合实际的，没有什么错误。过去批判我说过"工人阶级同资产阶级的关系成了社会主义同志式的合作共事关系"，不符合我的原意。

（四）关于社会主义民族

社会主义民族的提法，是根据斯大林关于民族问题的理论和我国各少数民族除西藏外大都基本上完成社会主义改造的实际，在1957年上半年提出来的，是正确的。1961年9月，我在新疆维吾尔自治区干部会上作的《关于民族工作中的几个问题》的讲话，系统地阐述了"中国共产党的民族政策是马克思列宁主义和中国革命具体实践相结合的政策"、"少数民族中的革命和战争问题"、"社会主义民族"、"民族融合问题"、"当前阶段民族问题的任务”、“必须坚持党的民族区域自治政策”、“大量培养民族干部”等十二个问题。这些问题是我对民族工作的基本观点[①]。这篇讲话当时送中央审阅时，得到恩来同志的赞同，这里不再赘述。党的十一届三中全会以后，党中央在民族工作问题上实行了拨乱反正，批判了过去长期存在的“左”的错误观点，重新肯定了社会主义民族的提法。1979年9月，叶剑英同志在庆祝中华人民共和国成立三十周年大会上的讲话指出：“我国五十多个兄弟民族，在根本利益一致的基础上，形成了团结友爱、平等互助的新型的社会主义民族关系，正在为消除历史上遗留下来的事实上的不平等而努力。”这是符合我国实际的科学论断。

（五）关于所谓“社会主义宗教”

我在1962年民族工作会议上说过宗教可以为社会主义服务。这个说法含义是不够明确的。在党的方针政策的指导下，宗教界人士、宗教工作可以为社会主义服务，是没有问题的。至于宗教和它的教义，则是唯心主义意识形态的产物，同马列主义、唯物论是根本对立的。过去批判时说我有过“社会主义宗教”的主张，这是不符合实际的。我从来没有提出过“社会主义宗教”的主张。

我对宗教问题的基本理论观点和政策观点，曾在1980年12月19日中央统战部部务会议上的书面发言中作了简要概括。主要是：（1）宗教的根源是对自然压迫和社会压迫的无知和无能为力。（2）宗教信仰是历史产物，它是在历史上发生、发展和消亡的。由于它的发生的根源，它只能随着根源的消灭而消灭，只能自然消亡。菩萨是人民自己造成的，只能由他们自己去丢掉。行政办法只能助长宗教感情，决不能消灭宗教。社会主义社会将长期存在宗教。（3）宗教是一定的社会生活，必须有相应的宗教活动场所。（4）宗教有五性：群众性、民族性、国际性、复杂性、长期性。（5）宗教在历史上曾经是被压迫人民团结奋斗的纽带、旗帜。要历史地看待，不能简单否定。（6）宗教矛盾在民主改革和所有制改造完成后，将逐渐演变成为劳动人民间信仰不信仰的矛盾。（7）实行宗教信仰自由、改革自由的政策。批判包办子女信仰宗教。要把宗教信仰自由的旗

① 详见《统一战线问题与民族问题》，第520—581页。

1961年4月，中央统战部部长李维汉在西北民族工作会议上讲话

1961年8月，李维汉（前排左六）在新疆调研时，与赛福鼎（前排右六）等干部群众合影

1962年2月28日，中央统战部部长李维汉接见中国佛教协会负责人和参加会议的少数民族代表。左起李维汉、喜饶嘉措、嘉木样活佛等交谈

（郑小箴摄）

帜抓在我们手里。（8）实行政教分离，宗教和教育分离。（9）用和平改革方法，改革宗教制度，废除封建剥削和特权。（10）在党内进行无神论教育，在信教群众中有步骤地进行科普教育。（11）团结、教育、改造宗教界人士，镇压和肃清反革命。（12）培养红色神职人员，培养政治上靠拢我们、有丰富宗教学识的学者。（13）宗教不是科学，但宗教问题要当作一门科学来研究。

（六）关于短期消灭资产阶级

这是指1957年底起草《改造资产阶级分子工作纲要》过程中提出的提法，即“在五年或者五年多一点时间，实际上达到消灭资产阶级的水平。”当时的想法，就是要使资产阶级分子的改造到1962年能够同取消定息的要求相适应。这个意见并没有错。

什么是阶级？列宁在《伟大的创举》一文中说：“所谓阶级，就是这样一些大的集团，这些集团在历史上一定社会生产体系中所处的地位不同，对生产资料的关系（这种关系大部分是在法律上明文规定了的）不同，在社会劳动组织中所起的作用不同，因而领得自己所支配的那份社会财富的方式和多寡也不同。所谓阶级，就是这样一些集团，由于他们在一定社会经济结构所处的地位不同，其中一个集团能够占有另一个集团的劳动。”按照列宁的定义，我国在1956年对资本主义所有制的社会主义改造基本完成以后，民族资产阶级作为一个阶级就基本消灭了，但是，他们还有定息，这是资本主义所有制的残余和变相形态，因而这个阶级并未完全消灭。中央于1956年决定，定息七年，在1962年结束。这就是说，消灭民族资产阶级的任务到1962年就将完成。我当时就是根据中央这个决定提出要使资产阶级分子的改造能与中央决定相适应，到1962年实际达到消灭资产阶级的水平。显然，提出这样的要求和目标是必要的。否则，届时定息取消了，人的改造跟不上，将会出问题。

1962年和1964年两场批判时，把消灭资产阶级同在整个社会上消灭一切阶级差别混为一谈，而且把消灭资产阶级说成不单是消灭资本主义所有制，还包括整个社会上消灭资产阶级的思想及其影响，还要在世界上消灭资产阶级和修正主义，因而把消灭资产阶级的时间说得越来越长，要一百年以至几百年。显然，这些“左”的理论观点同社会主义时期阶级和阶级斗争的发展规律是不相符的，是阶级斗争扩大化和绝对化的错误理论，是违反马列主义基本原理的。

实际上，毛泽东同志对于消灭资产阶级年限的说法，是逐步放长的。1956年1月，他在最高国务会议上的讲话中宣布，“大约再有三年时间，社会主义革命就可以在全国范围内基本完成。”当时，部里对资产阶级分子的改造工作，也是按照三年完成来考虑的。不久，中央决定定息七年，我主持起草了统战工作的七年方针。过了两年，到1957年底提出争取五年或五年多一点的时间内实际达到消灭资产阶级的水平，当时中央书记处没有同意，我就删掉了这个提法。1957年反右派斗争中，毛泽东同志把同资产阶级的斗争说成“从现在起，可能还要延长十年至十五年之久”（《一九五七年夏季的形势》）。1959年在庐山会议错误地开展“反右倾”运动中又说，“至少还要斗二十年，可能要斗半个世纪”。（《机关枪和迫击炮的来历及其它》）1962年党的八届十中全会以后，更进而把消灭阶级说成要一百年到几百年。对于毛泽东同志的这些说法，我当时还是尽量跟的，并且感到自己跟不上。我在1962年10月部的常务会议上作的关于学习十中全会的发言中，曾作自我批评说，“过去对于阶级斗争长期性认识不足，中央逐步指示，我们逐步放长，仍然认识不足，总是有被动。”这个说法，在两场批判中却被说成是把错误的责任推给中央，实际上这确是我当时发自内心的自我批评。

总之，所谓“五社一短”，都是在研究政策过程中提出来的一些看法和意见，基本上是正确的，有的提法内容或有不够准确，或缺乏严格的理论根据，这在研究政策、讨论问题的过程中是难以避免的；在中央指出不妥之后，都是按照中央的指示修改文件和进行工作的。两场批判中，把这样一些基本是正确的意见和看法错误地加以批判，毫无根据地说成为“阶级斗争熄灭论”和“投降主义”，扣上“执行修正主义路线”和“反党反中央反毛主席”严重罪名，并且把这种错误批判推向全国，从而在更大范围内造成了政策、理论上的混乱，使统战和民族、宗教工作系统的一批干部受到株连，使党的统一战线工作受到损失，也损害了党内民主和对政策工作问题的正常讨论、研究。

党的十一届三中全会以后，中央于1979年3月已批准为全国统战系统摘掉“执行投降主义、修正主义路线”的帽子，1980年11月又批准了中央统战部《关于李维汉同志问题的复查报告》。这个复查报告的结论中明确指出，中央统战部1962年、1964年这两场批判，“在理论上和政治上是违背马列主义、毛泽东思想的，在组织上是违背毛主席关于党内斗争的方针和方法的教导的。”中央批准将两场错误批判中送中央的有关批判我的几个报告，连同1964年12月25日中央决定撤销我担任的中央统战部部长职务的通知，一并撤销。

十一届三中全会以来，中央在各条战线进行了拨乱反正的巨大工作，在统战工作方面同样实行了拨乱反正，使党的统一战线工作重新回到马克思列宁主义和毛泽东思想的正确轨道，并且在理论和实践方面有了新的发展。毫无疑问，在现在的党中央正确路线方针的指引下，我们党的统一战线工作必将不断地取得胜利，在建设具有高度民主、高度文明的社会主义现代化强国和实现祖国统一的伟大事业中，必将进一步发挥更大的作用。

1975 年 6 月，李维汉与夫人吴景之在下放地湖北咸宁温泉镇

1980 年 5 月，李维汉在武汉八七会议旧址和工作人员座谈

1980 年李维汉在北京医院病房撰写回忆录

1980年李维汉在上海的中共代表团驻沪办事处原址题词纪念周总理

1982年1月24日，在中共中央、国务院举行的春节团拜会上，班禅额尔德尼·却吉坚赞（中）、包尔汉（右）向李维汉祝贺春节

（唐理奎摄）

1982年9月23日，中央顾问委员会第一次全体会议在北京举行，邓小平在会上就顾问委员会的性质和任务作重要讲话。自左至右：许世友、邓小平、薄一波、李维汉

（钱嗣杰 摄）

1982年11月24日，许德珩（右一）、李维汉（左二）在第五届全国政协第五次会议休息室亲切会面

（郭占英摄）

1962年7月，李维汉与夫人吴景之，儿子李铁映、李铁林在住处合影

附件：

关于将资本主义工业
纳入国家资本主义轨道的意见

（经过有关同志研究提出，但很无把握）

一、大势所趋

（一）工人阶级日益壮大着的政治优势和经济优势。

（二）资本主义的自由市场日益缩小，生产关系的矛盾日益发展，困难日益增加，只有走这条路。

（三）有了四年的基础和经验（国家资本主义）。

（四）出现了一批进步资本家及其代理人。

（五）总路线和国家资本主义方针的宣传。

二、国家资本主义的目的

（一）初步改善生产关系。

（二）逐步改造资本家、管理人员和技术人员。

（三）改造企业，积累资金，提高劳动生产率，发展社会生产力。

（四）培养干部。

（五）购买。

总的说：经过一定时间的购买和改造，为国有化准备好条件。

三、基本上经过公私合营方式

（一）基本情况（已合营的五百六十八户未计入，可能有交叉）：

（1）一九五二年，约共二十七万户，职工约二百一十万人，生产总值约一百一十四万亿元，其中，大型一万七千户，职工一百一十万人，生产总值六十八万亿元。大型中，生产资料的生产约占百分之二十二。

按职工人数分类：

五十人以上（接受加工订货的）大型约二千九百三十户（包括手工

工场六百一十七户），生产总值约四十二万亿。其中一百人以上的约一千二百二十七户（手工工场一百九十二户），产值约三十五万亿。又其中五百人以上一百一十四户；一千人以上五十户。

（2）资产总值：除已合营的外，全部大型约共三十七万余亿，小型十一万余亿，合共四十八万余亿，即接近五十万亿左右。

（二）十人以上，凡是有用并能改造的，基本上逐步经过公私合营。有利于实现前述国家资本主义的目的。

主要利用资企改造资企，国家只需投入少量而必须的资金和干部（新建和较大扩建在外）。分股不必多，百分之二十五，百分之二十以至再少些都可以，开始要多一点。有了购买一条，又有教育一条，前途一条，又有大势所趋一条，实行国有化，不需从股权比重做文章——这样政治经济都有利。

（三）两个方案：

第一个方案——第一个五年计划期间，对相当于一九五二年产值六十八万亿元的企业进行合营，基本上包括大型全部；第二个五年计划内再对相当于五二年产值二十二万亿元的企业进行合营，基本上包括十人以上全部（上海第一个五年的计划与这个方案大体相合）。

第二个方案——第一个五年，合营五十万亿，包括五十人以上全部，五十人以下一部；第二个五年，再合营四十万亿，包括五十人以下大型其余部分及基本上十人以上全部。

两个方案的结果基本相同：基本上十人以上；五〇年至六二年购买付出五十五万亿左右；积累资金约一百四十万亿。不同的，是前后两个五年工作量不同。采取哪个，明年摸一年再定，上海第一个五年的方案，也可这样处理。

（四）一九五四年工作方针：

（1）整理、巩固现有阵地，造成榜样和骨干，总结经验。

（2）以稳为原则，依据需要、可能和自愿，合营一批重要的和大的。上海是重点，可多搞一些。

召集一个专门的会议（办法另订送核）。

（3）搞出一套必要的章程和办法。

（4）结合各方各地，调查研究，制定后三年计划，并为五五年做好准备工作。

（五）合营方式：多种，尚待研究，同志们谈到的有；

（1）国家投资；

（2）国营企业吸收私营厂；

（3）地方国营小厂与私营厂合营；

（4）私营中、小厂经过组合再合营；

（5）葡萄形式；

（6）合营厂投资；

（7）其他可能的形式。

四、几个问题

（一）资金：

（1）国家第一个五年投资：公私合营银行股份（约七千亿，六折计四千二百亿，其中部分是公股），“五反”退补余额，合营上缴利润，部分私企中敌伪财产。此外估计需要财政投五万亿元（新建和较大扩建在外）。

（2）投资公司吸收游资（有关大城市）。

（3）提议合营会计统一于交通银行，设相应机构。财政部预算亦设单独科目。

（二）资产清理为资本家极关心的问题，焦点在逾龄机器。拟予估值。

还有职工股问题，应当承认，拟请总工会研究处理办法。

（三）搭配问题：拟承认合理的搭配。

（四）供产销平衡问题：服从国家计划，统筹兼顾。

（五）干部问题：

（1）投入——主要靠地方。

（2）利用改造原有人员——主要靠地方。

（3）有计划地向国营输送技术干部，并培养新的管理干部和技术干部。

（六）管理问题：

中央有关部门与地方之间在管理职责、权限上的分工。因数量很大，拟以地方为主，中央部门管必需管的几项。拟由地方和有关部门作准备，这次召集的会议出若干条条。

提议：中央有关部门设相应的机构，并有负责同志主管。

五、复杂的阶级斗争

（一）很大的政治工作、组织工作和经济工作。

（二）向公、私、劳、资三方面普遍深入地宣传总路线和国家资本主义方针。

（三）经过各种关系和各种方式，向资产阶级分子进行教育和鼓励。进行批评和斗争。

（四）贯彻党的政策，搞好合营企业。

（五）经过加工订货、增产节约等，逐步改组和改革私营工业，为合营准备条件。

（六）主要靠地方。

六、国有化时机

一般可能在一九六二年前成熟。会有先后，可能大的在先，看发展。

（一九五三年十二月九日向中央口头报告要点）

编 者 的 话

今年是久经考验的无产阶级革命家、忠诚的共产主义战士、著名的统一战线理论家李维汉同志诞辰九十周年。我们将他晚年陆续写成的回忆录汇编成《回忆与研究》出版，以志纪念。

李维汉同志回忆录的撰写工作是在他年过八旬，身体多病的情况下进行的。工作程序一般是：先由李维汉同志口述史实，并提供调查线索，然后由协助整理的同志根据他谈话的基本内容和搜集到的有关资料，包括历史资料和向知情人访问的材料，整理成文，再由李维汉同志亲自审阅，反复修改，然后广泛征求意见，再作修改后定稿。

收入本书的二十篇回忆录，绝大部分是经过这样的程序定稿的。有四篇文稿，即《回忆江苏省委》、《回忆长征》、《真假和谈的斗争——记北平和谈》和《建国以来十五年统战工作的回顾与再认识》，李维汉同志看过初稿，并提出过修改意见。其中，《建国以来十五年统战工作的回顾与再认识》一文，李维汉同志主持过多次讨论。讨论结束时，他基本肯定这个初稿，同时提出了进一步修改的重要意见，要求这篇回忆录修改后，内容和观点更加丰满和成熟。协助整理这篇回忆录的同志遵照李维汉同志对初稿的批语和修改意见，并参照讨论会上其他同志的意见，对初稿作了进一步的充实和修改，有些章节重新写过，有些理论观点根据同李维汉同志交谈的意见加以充实，力求体现他的观点和要求。可惜的是，正当这四篇文稿进一步修改过程中，李维汉同志病情发展，1984 年 8 月去世了。他未能来得及最后修改定稿。这是要向广大读者说明的。还有两篇，即《六届四中全会前后》和《在中央苏区》，则是根据李维汉同志的口述记录整理的，未经他亲自审改。鉴于这两篇谈话记录有重要史料价值，也一并编入，以供参考。

李维汉同志生前多次说过，协助他整理回忆录的同志都付出了辛勤劳动，应该深切地感谢他们，回忆录发表时要把他们的名字列上。借此

《回忆与研究》出版的机会，我们把他的这一心愿转达给所有参加李维汉回忆录整理工作的同志。下面是参加各时期回忆录整理工作的同志名单：第一次国内革命战争时期　沈庆林、夏立平、李俊丞、季国平、王健民；第二次国内革命战争时期　刘经宇、叶心瑜、颜广林、倪玉英、陈淑珍；抗日战争时期　王淇、吴良珂、宋金寿、李良志、罗谦芳、唐曼珍、郝宴华；解放战争时期　尹华、袁廷华、杨建新、石光树；建国后十五年　李青、余鉴则。

《回忆与研究》编辑组

一九八六年一月